Nous,
les jeunes

HBJ
Foreign Language Programs

FRENCH

- **Nouveaux copains**
  Level 1

- **Nous, les jeunes**
  Level 2

- **Notre monde**
  Level 3

Nous, les jeunes

 HARCOURT BRACE JOVANOVICH, PUBLISHERS
Orlando   San Diego   Chicago   Dallas

Printed in the United States of America
ISBN 0-15-381750-X

For permission to reprint copyrighted material, grateful acknowledgment is made to the following sources:

Bayard Presse: Adapted from "Aimeriez-vous avoir un confident?" in *Okapi* Magazine, No. 381, October 1–15, 1987. Adapted from "Grand Sondage Okapi-L'Express-Louis Harris" (Retitled: "Sondage") in *Okapi* Magazine, No. 383, November 1–15, 1987. Adapted from "A la maison, ce n'est pas encore égalité," "Interlocuteurs privilégiés," "Petits poucets et gros budget," "Les postes clés du budget des 15–18 ans," and "Le bas de laine des 15–20 ans" in *Juniorscopie* by Geneviève Welcomme and Claire Willerval.
Carnaval de Québec, Inc.: From the lyrics of the song "Carnaval, Mardi-Gras, Carnaval" by R. Vézina and P. Pétel, sung by Pierrette Roy.
Editions Denoël: Adapted from "Souvenirs de vacances" in *Les vacances du petit nicolas* by René Goscinny, illustrated by Jean-Jacques Sempé. © 1962 by Editions Denoël.
EF Ecole Européenne de Vacances: Adapted from "Londres Informations" in *EF,* 1987 Séjours linguistiques Février, Pâques et été.
L'Ecole des Loisirs: "L'embouteillage" from *La Ville enchantée* by Jacques Charpentreau. Published by L'Ecole des Loisirs, 1976.
l'officiel des loisirs: Advertisement for ZYGOFOLIS from cover of *l'officiel des loisirs, côte d'azur,* No. 0020, May 25–31, 1988.
Faits et Opinions/Gallup Paris: Adapted chart, "L'homme au foyer" (Retitled: "Monsieur, est-ce que vous faites… ?") from *L'Express,* March 1984.
Editions Gallimard: Adapted from "Il faut que ma mère soit heureuse" in *Piranha* Magazine, October 1986.
Mirapolis: Cover of brochure advertising "MIRAPOLIS—1er Grand Parc d'Attractions Français."
Warner Chappell Music France SA: Lyrics of the song "En sortant du lycée," by Michel Jourdan and Bernard Estardy. © by Warner-Chappell Music France.

PHOTO CREDITS: Cover: HBJ Photo/Stuart Cohen

All HBJ Photos by Daniel Aubry 1 (cl, b), 4 (cl), 7 (r), 54 (t, b), 56, 67, 70, 75, 91, 102, 103, 105, 110, 111, 114, 116, 118 (t, cr), 152, 153, 163 (b), 165, 171, 172, 182 (tr, bl), 188, 196, 204, 211, 215 (cl), 221, 272 (cr, bl), 273, 274, 278 (tr), 279 (c, b), 281, 294, 295, 298 (l), 299, 301 (r), 308, 309, 311 (tr, cb), 313 (tl), 316, 317, 319 (tl, br), 321, 323, (lc, tr, ct, br), 324, 367 (l), 392 (t, br), 393 (tl, bl, br), 423 (tl); Stuart Cohen 25 (cl, cr), 198, 215 (b); Robert Didsbury 29, 112, 230; Claire Dufour 2 (tl), 5, 90 (cl), 96, 98 (tr), 101, 143–150; Herman Emmet 95 (b), 118 (cl, b); Patrice Maurin 1 (tr, cr), 2 (tr, b), 4 (b), 6 (tl, tr), 8 (tl), 128, 129 (t, b), 131 (bl, br), 133, 136 (t, c, bl), 138, 140, 188 (tl), 236, 237, 240, 246, 247, 254, 255, 256, 263 (t), 285–292, 313 (tr), 381 (tr), 404; Peter Menzel 90 (t, cr, b), 94, 95 (t, c), 98 (tl, bl, br), 100, 101 (b), 127; May Polycarpe 1 (c), 2 (cr), 3, 4 (t, cr), 5 (tl, cl, tr), 6 (br), 7 (t, cl, bl), 8 (bl, tr, br), 10, 11, 14, 15, 17, 18, 22 (b), 25 (bl), 30, 31, 50, 51, 54 (c), 55, 60, 61, 156, 163 (t), 181, 182 (tl), 187, 192, 193, 200, 207, 215 (t, cr), 339, 340 (bl, ct, cb, cr, br), 342, 343, 344, 345, 347, 349, 352, 353 (t), 359, 360, 364–366, 367 (r), 369, 385, 393 (tr), 423 (bl, tr, br), 424 (br), 427, 429; Annette Stahl 392 (bl), 393 (cr); Emmanuel Rongieras d'Usseau 21, 22 (t), 25 (tl, tr, br), 182 (br); George Winkler 6 (bl), 37 (b); HBJ Studio 43, 92, 109, 277, 303, 315, 389, 403 (br), 409, 424 (tr), 431 except Herve Donnezan/Photo Researchers, Inc. 23 (t); Romilly Lockyer/The Image Bank 23 (cl); B. Roussel/The Image Bank 23 (cr); Paolo Koch/Photo Researchers, Inc. 23 (b); Mike Mazzaschi/Stock, Boston 36 (t); François Gohier/Photo Researchers, Inc. 36 (b); Travelpix/FPG 37 (t); Vance Henry/Taurus Photos 39; Weinberg-Clark/The Image Bank 41 (l); R. Semois/Belgian Tourist Office 41 (r); Thomas Marotta/FPG 59; Lehr/Sipa-Press 63 (tl); Ginies/Sipa-Press 63 (tr); Benaroch/Sipa-Press 63 (cr); Robb Kendrick/Retna Ltd. 63 (cl); Serge Arnal/Stills/Retna Ltd. 63 (bl); Camacho/Stills/Retna Ltd. 73 (t, cl, cr); Youri Lenquette/Stills/Retna Ltd. 73 (b); Frank Driggs Collection 88 (both); David Redfern/Retna Ltd. 89; Canadian Government Travel Bureau 119; Bernard Asset, Agence Vandystadt/Photo Researchers, Inc. 129 (c); Walter S. Clark/

(continued on p. 486)

Writer
Emmanuel Rongieras d'Usseau

Contributing Writers

Monique Branon
Woodside, NY

Noëlle Gidon
Université de Paris VIII
Paris, France

Barbara Kelley
Parkway Central High School
Chesterfield, MO

William F. Mackey
Université Laval
Québec, Canada

Editorial Advisors

Guy Capelle
Université de Paris VIII
Paris, France

Nunzio Cazzetta
Smithtown High School West
Smithtown, NY

Charles R. Hancock
Ohio State University
Columbus, OH

William Jassey
Norwalk Board of Education
Norwalk, CT

Ilonka Schmidt Mackey
Université Laval
Québec, Canada

Consultants and Reviewers

Melinda Jones
Diamond Bar High School
Diamond Bar, CA

Sally Sieloff Magnan
University of Wisconsin
Madison, WI

Mandel Perodin
Bridgehampton High School
Bridgehampton, NY

Vincent Sausto
Pascack Valley Regional
   High School District
Montvale, NJ

Mary Slavinski
Horace Greeley High School
Chappaqua, NY

Peter Thornley
Edgewater High School
Orlando, FL

John Thomas Wissman
Ysleta High School
El Paso, TX

Field Test Teachers

Kathy Benson
Groveport-Madison
   High School
Groveport, OH

Jean Cadet
Hudson High School
Hudson, FL

Janet Crockett
Pasadena High School
Pasadena, TX

William Green
Menlo-Atherton
   High School
Atherton, CA

ACKNOWLEDGMENTS

We wish to express our gratitude to the people pictured in this book and to the many others who assisted us in making this project possible.

In some instances, the people whose photos appear in the book have been renamed. Listed here are their real names, their role(s) in the book in parentheses, and the unit(s) in which their photos appear.

Jérôme Cohen, Alexia Nadal, Sylvain Couvain, Sandrine Peres, Cover; Jim Achache, AC 1, (Henri), Unit 11; Mme Achache (Mme Noguier), Unit 11; Sandrine Aubrit (Sandrine), Unit 7; Mme Nicole Balland (professeur), Unit 1, Unit 10; Céline Barran, AC 3; Claire Batreau, AC 1, AC 3; Emmanuelle Bédard (Anne-Sophie), AC 2; Héloïse Bédard (Héloïse), AC 2; Marie-Céline Bédard (Mme Dufour), AC 2; Olivier Bédard (Paul), AC 2; Paul-André Bédard (M. Dufour), AC 2; Jérôme Berthier (Jérôme), Unit 4; Armand Betoulle (M. Desmarest), AC 3; Dina Betoulle (Mme Desmarest), AC 3; Jean-Luc Betoulle (Jean-Luc), AC 3; Stéphane Betoulle (Stéphane), AC 3; Guillaume Blamard (Eric), Unit 2; Marc Boisvin (Julien), Unit 2; Mme Borelli (Françoise), Unit 10; Stéphane Boujenah, Unit 5; Nathalie Braquet (Emmanuelle), Unit 2; Stéphanie Busson (Hélène), Unit 5, Unit 6; Guillaume Cabrère, AC 1; Nathalie Caissotti, Unit 6, (Florence), Unit 10; Frédérick de Cenarchans (Bruno), Unit 8; Elodie Cenni (Emilie), Unit 1; Sonia Chmilewsky, Unit 2; Frank Clausse (rock group), Unit 2; Audrey Couëdel (Nicole), Unit 3, Unit 6; Tristan Couëdel (Simon), Unit 3; Antoine Coussieux (Antoine), Unit 4; Frédéric Delaître (Alexandre), Unit 1; Fabrice Denys (Fabrice), Unit 7; Adama Dione (cousin), Unit 12; Imane Dione (baby), Unit 12; Jeff Dubé (Robert), Unit 3; Vanessa DuHomme, AC 1; Hervé Elmozino (rock group), Unit 2; Sébastien Fagot, AC 1, AC 3; Dominique Fard (rock group), Unit 2; Gregory Ferrière, AC 1, (Laurent), Unit 5, Unit 6; Franck Gasparro (Philippe), Unit 1; Johan Geffray (Patrice), Unit 5, Unit 6; M. Ghioly (M. Legal), Unit 6; Lysianne Ghioly (Mme Legal), Unit 6; Pascale

Ghioly (Murielle), Unit 6; Lionel Gosse, AC 1; Christina Haddock (Lucie), Unit 3; No Hausner (Bruno's sister), Unit 8; Valérie Hot (Fabienne), Unit 12; Mariem Ka (Marianne), Unit 6; Mme Ka (grandmother), Unit 12; Matthieu de Laborde (Matthieu), Unit 7; Ivan Lecourt, AC 3; Betty Madiouma (Angèle), Unit 12; Pierre-Olivier Malmont, AC 3; Eric Mancini (Martin), Unit 1, (Philippe), Unit 2, Unit 6; M. Marchesi (M. Legal), Unit 5; Mme Marchesi (Mme Legal), Unit 5; Olivier Marchesi (Julien), Unit 5; Christophe Moracchini (Jacques), Unit 5; Sophia Nadic (Isabelle), Unit 5, (Julie), Unit 10; Prosper N'Criessan, AC 1; Sandrine Nebulat (Nicole), Unit 2, (Muriel), Unit 5, Unit 6; Maria Nicolier (Isabelle), Unit 8; Sherry Norales, AC 3; Victor Ogilvie (Corinne's father), Unit 5; Mlle Ogilvie (Corinne), Unit 3, Unit 5; Mme Partouche (Mme Gastaldi), Unit 10; Alexandra Partouche (Alexandra), Unit 5, Unit 9, Unit 10; Luc Pastur (Claude), Unit 2; Elodie Pépin (Isabelle), Unit 1; Franckie Perotte (Thomas), Unit 2; Christelle Piscina, AC 1, (Charlotte), Unit 11; Frank Pllonghini (rock group), Unit 2; Emmanuelle Riem, Unit 6; Christopher Rigaud (Marc), Unit 1, Unit 6; Benoît Roman (Xavier), Unit 5, Unit 6; Stéphane Rosario, AC 3; Olivier Sardou (Romain), Unit 2; Patrick Sardou (rock group), Unit 2; Michaella Thiercelet (Claire), Unit 1; La famille Thiercelin, Unit 5; Cyril Torres, AC 1; Stéphanie Vatinos, AC 3; Isabelle Visbeca, AC 1; Antoine Vitale (Roland), Unit 2; Sophie Weiss (Caroline), Unit 2, Unit 5; Vladimir Weiss (Damien), Unit 2, Unit 5; Laure Yvars (Laure), Unit 2; Valérie Yvars (Laure's mother), Unit 2.

Our special thanks to Marie-Lou de Burette for introducing us to many young people in France, to the Collège Alphonse Daudet and the Lycée Masséna in Nice for allowing us to photograph at the schools, and to the Betoulle family in France and the Bédard family in Quebec for opening their homes and sharing their lives with us.

CONTENTS

COMMUNICATIVE FUNCTIONS	GRAMMAR	CULTURE
Reading for global comprehension and cultural awareness		The cost of books, school supplies, and clothes for school in France
Socializing • Greeting old and new friends • Asking how others are **Expressing attitudes, opinions** • Expressing an opinion, agreeing, and disagreeing	Review of the **passé composé** with **avoir**	Back to school in France: **la rentrée** The ideal **lycée**
Socializing • Asking others how they spent the summer **Expressing feelings, emotions** • Expressing satisfaction and dissatisfaction **Expressing attitudes, opinions** • Expressing indifference	The **passé composé** with **être**	How French students spend their vacation Regions of France Vacations in France for employees and students
Socializing • Making excuses **Exchanging information** • Talking about the last school year • Making resolutions for the new school year	Review of **aller** + infinitive	Grades and report cards Teacher-parent contact: **le carnet de correspondance**
Recombining communicative functions, grammar, and vocabulary		Learning English while vacationing in Ireland Camping and canoeing in the **Ardenne**
Reading for practice and pleasure		A French boy boasts of his feats at summer camp

COMMUNICATIVE FUNCTIONS	GRAMMAR	CULTURE
Reading for global comprehension and cultural awareness		Local recreation center offerings
Exchanging information • Answering a negative question affirmatively • Talking about recreational activities **Socializing** • Inviting friends	The independent pronouns **moi, toi, lui, elle, nous, vous, eux, elles**	Leisure activities of French young people
Exchanging information • Choosing leisure activities **Persuading** • Offering encouragement	Review of the verb **prendre** The verbs **apprendre** and **comprendre**	Activities at the **Maison des Jeunes** Music preferences of French teenagers
Exchanging information • Talking about forming a rock group • Asking and telling how long something has been going on **Socializing** • Asking for, giving, and refusing permission	The verb **devoir** The pronoun **en**	Forming music groups
Recombining communicative functions, grammar, and vocabulary		Music, dance, and theater at the **MJC** Favorite pastimes of French young people
Reading for practice and pleasure		A French girl sings about the best time of her day Famous jazz and rock musicians

	BASIC MATERIAL

COMMUNICATIVE FUNCTIONS	GRAMMAR	CULTURE
Reading for global comprehension and cultural awareness		Activities during **Carnaval** in Quebec Celebrations of July 14, French "Independence Day"
Exchanging information • Talking about Carnival in Quebec **Expressing feelings, emotions** • Exclaiming, expressing admiration and surprise	Review of adjectives Adjectives ending in **-al** and **-if**	**Carnaval** festivities
Socializing • Talking about carnival rides • Asking for agreement **Expressing feelings, emotions** • Expressing fear, pain, hunger, thirst, discomfort **Expressing attitudes, opinions** • Expressing indecision and indifference	The verb **vivre** The formation and position of adverbs	A French amusement park
Socializing • Making arrangements **Expressing feelings, emotions** • Expressing regret	Review of questions Asking questions using **est-ce que** and inversion	Bastille Day in France
Recombining communicative functions, grammar, and vocabulary		The Bastille Day parade
Reading for practice and pleasure		Story of the **Marseillaise** Who is **Bonhomme Carnaval**? The **Carnaval** song
Reviewing communicative functions, grammar, and vocabulary		The sights of Brussels The Belgian Grand Prix The Festival of the Cats

DEUXIEME PARTIE

COMMUNICATIVE FUNCTIONS	GRAMMAR	CULTURE
Reading for global comprehension and cultural awareness		Sharing confidences with parents and friends
Socializing • Refusing invitations • Asking permission **Expressing attitudes, opinions** • Expressing obligation	The present subjunctive with **il faut que...** and **vouloir que...** The present subjunctive of **faire**	The French family Family responsibilities
Exchanging information • Talking about family responsibilities • Assigning responsibility **Expressing attitudes, opinions** • Complaining	The direct-object pronouns **le, la, les**	Chores in the French household
Expressing feelings, emotions • Sharing confidences • Asking for advice **Persuading** • Giving advice and encouragement	The verb **voir** Review of the object pronouns **le, la, les, lui, leur, y, en** with the **passé composé**	The role of family and friends in the lives of French young people
Recombining communicative functions, grammar, and vocabulary		Celebrating a birthday
Reading for practice and pleasure		Impossible love for a French boy and his girlfriend French friends discuss family restrictions A French girl's poem A family in Burkina Faso

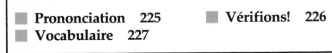

COMMUNICATIVE FUNCTIONS	GRAMMAR	CULTURE
Reading for global comprehension and cultural awarensss		French spending and saving habits
Persuading • Asking a favor • Insisting **Socializing** • Refusing or granting a favor **Exchanging information** • Expressing a need	Review of the object pronouns **le, la, les, lui, leur** The object pronouns **me, te, nous, vous**	Allowances and bank accounts
Persuading • Giving advice **Exchanging information** • Inquiring about others' activities **Expressing feelings, emotions** • Expressing pleasure and disappointment	Review of the negative **ne... pas** Other words used with **ne: plus, jamais, rien, que**	Jobs for French teenagers
Exchanging information • Talking about the advantages of working **Expressing attitudes, emotions** • Giving reasons for doing something	Review of the object pronouns **le, la, lui, leur** with the **passé composé** The object pronouns **me, te, nous, vous** with the **passé composé**	How French teenagers spend their money
Recombining communicative functions, grammar, and vocabulary		Inquiring about a job
Reading for practice and pleasure		A French girl's invention French teenagers start their own businesses Moncy: a self-test

	BASIC MATERIAL

COMMUNICATIVE FUNCTIONS	GRAMMAR	CULTURE
Reading for global comprehension and cultural awareness		Health benefits of sports French breakfast habits
Exchanging information • Talking about health **Expressing feelings, emotions** • Complaining about health **Socializing** • Expressing concern	The reflexive pronouns with verbs in the present tense and in the **passé composé** The verb **se sentir**	Sleeping habits of French teenagers
Persuading • Talking about eating well • Giving and justifying advice **Expressing attitudes, opinions** • Expressing doubt, uncertainty, and dislikes	The verb **boire** The verb **suivre**	Fast food in France
Persuading • Talking about fitness • Assuring and reassuring • Encouraging **Expressing feelings, emotions** • Expressing fatigue • Pitying	The verb **courir** Review of the present subjunctive Irregular subjunctive forms: **aller, avoir,** and **être**	Health clubs in France
Recombining communicative functions, grammar, and vocabulary		Fabrice's nightmare French anti-smoking publicity
Reading for practice and pleasure		A health fanatic pens a poem A French doctor's prescription Colorful French gym classes
Reviewing communicative functions, grammar, and vocabulary		Switzerland: languages, sights, and products

TROISIEME PARTIE

COMMUNICATIVE FUNCTIONS	GRAMMAR	CULTURE
Reading for global comprehension and cultural awareness		Tours of **Lyon** The **Guignol** theater
Exchanging information • Comparing city and country **Expressing feelings, emotions** • Saying you miss something **Persuading** • Consoling someone	Making comparisons with nouns The imperfect	**Lyon** and its cultural life Country life in **Bourgogne**
Socializing • Renewing old acquaintances **Exchanging information** • Talking about past experiences	Review of the **passé composé** and the imperfect The uses of the **passé composé** and the imperfect The use of **être en train de**	Transportation to and within **Lyon** Weekend activities in France
Exchanging information • Making comparisons • Reporting a series of events **Persuading** • Making suggestions	Making comparisons with adjectives and adverbs	The sights of **Lyon**
Recombining communicative functions, grammar, and vocabulary		A French girl talks about living in **Champagne, Strasbourg,** and **Bordeaux**
Reading for practice and pleasure		Parisians cope with strikes A Parisian traffic jam in verse A family moves to Paris

COMMUNICATIVE FUNCTIONS	GRAMMAR	CULTURE
Reading for global comprehension and cultural awareness		History of **Arles** The **Camargue** region
Exchanging information • Making preparations for a trip **Expressing feelings, emotions** • Expressing impatience **Socializing** • Making excuses	Review of the interrogative pronouns **qui, que, qu'est-ce que, quoi** The interrogative pronouns **qui est-ce qui, qui est-ce que, qu'est-ce qui**	School trips and government-sponsored educational projects in France The city of **Berre** and its industry
Exchanging information • Talking about sightseeing • Making comparisons **Expressing feelings, emotions** • Expressing relief and regret	Review of making comparisons with nouns, adjectives, and adverbs Making comparisons: superlatives of adjectives and adverbs The past subjunctive	The sights of **Arles** **Provence** Cezanne and Van Gogh
Exchanging information • Telling about past events **Expressing attitudes, opinions** • Expressing lack of interest	The past infinitive	**Arles:** the national center of photography
Recombining communicative functions, grammar, and vocabulary		Events at the photography convention in **Arles** The village of **Les Saintes-Maries-de-la-Mer**
Reading for practice and pleasure		Adventure in the **Château de Rambouillet**

COMMUNICATIVE FUNCTIONS	GRAMMAR	CULTURE
Reading for global comprehension and cultural awareness		The **minitel** The **Explora** exhibit at **la Villette**
Expressing attitudes, opinions • Predicting what the future will be like • Expressing doubt and certainty	The future tense	French technology
Expressing attitudes, opinions • Imagining your future **Expressing feelings, emotions** • Expressing intentions, goals, wishes, and dreams	The future of irregular verbs The future with **quand**	The French space program
Expressing attitudes, opinions • Discussing problems of the future • Expressing beliefs, hope, and doubt	The relative pronouns **qui** and **que**	A visit to the **Cité des Sciences et de l'Industrie**
Recombining communicative functions, grammar, and vocabulary		A French girl's responses to a survey about her future
Reading for practice and pleasure		A science lesson in a French classroom An unusual day in France
Reviewing communicative functions, grammar, and vocabulary		A Senegalese girl introduces her French friend to her country

FOR REFERENCE

MAPS

APERÇU CULTUREL 1 🔲

Nous, les jeunes

Nous venons de Paris, Montréal, Fort-de-France et des quatre coins du monde. Nous nous appelons Sébastien, Corinne, Grégory ou Claire. Nous sommes tous différents, et pourtant, nous sommes tous un peu les mêmes : nous sommes les jeunes d'aujourd'hui, adultes de demain. Nous aimons nos parents, nos frères et sœurs, nos copains; nous aimons rire et être ensemble, nous aimons la vie!

Vivre en famille, c'est sympa. Souvent, nous n'osons pas parler à nos parents, mais ils sont là pour nous aider à résoudre les difficultés de la vie. Nous passons beaucoup de temps ensemble, et nous partageons joies et chagrins, espoirs et regrets…

Une visite au musée, c'est toujours éducatif!

Le dîner est un moment très important de la soirée.

Qu'est-ce qu'il y a à la télé ce soir?

Toute la famille au parc d'attractions

Zut! Pour manger, il faut mettre la table!

A la maison, il y a toujours mille petites choses à faire : ranger notre chambre ou préparer le repas, par exemple. C'est vrai, les corvées domestiques, c'est pas le pied, mais nous aidons volontiers nos parents. Après tout, c'est normal de participer, vous ne trouvez pas?

Ah, faire la vaisselle... Mes pauvres mains!

Sortir le chien, c'est agréable...

mais passer l'aspirateur, quelle barbe!

Le lycée occupe une place très importante dans notre vie. Nous avons beaucoup de cours : français, maths, langues étrangères, gym, biologie, histoire-géo, informatique, physique, chimie, musique, dessin... Nos journées sont très longues, et après l'école, nous étudions à la maison. Heureusement, il y a les copains!

Quel monde dans la cour du lycée!

Salut, les copains!

Chut! On est en classe...

Les devoirs, toujours les devoirs!

L'argent de poche, c'est un problème international! Nos parents nous donnent souvent une petite somme par semaine, mais comment économiser pour acheter la stéréo de nos rêves? La solution : trouver un petit job. Malheureusement, nous n'avons pas beaucoup de temps pendant l'année scolaire. Alors, nous travaillons surtout en juillet ou en août.

Les voitures, ça vous intéresse? Alors, travaillez dans une station-service.

Vous pouvez aussi distribuer des prospectus...

ou faire du baby-sitting, si vous aimez les enfants!

Et pourquoi pas vendre des fleurs sur le marché?

Les cours et les devoirs, c'est fatigant! Heureusement, il y a le mercredi après-midi, le week-end et les vacances… Quand nous sommes enfin libres, nous pouvons faire un tas d'activités passionnantes. Bien sûr, nos passe-temps sont très variés. Il y en a pour tous les goûts, pour les rêveurs comme pour les cérébraux!

Nous, on fait du théâtre dans la rue, et on adore!

*Un futur
Jimi Hendrix?*

Les échecs, c'est super compliqué!

Vous aussi, vous aimez l'informatique?

La gym, c'est très bon pour la santé! Mais après l'école, quels sports pratiquons-nous? Ça dépend beaucoup des saisons (été ou hiver, printemps ou automne?), et aussi d'où nous habitons (mer, montagne, ville, campagne?). Sports d'équipe ou sports individuels, sports traditionnels ou originaux, nous avons vraiment le choix!

On n'est pas les Harlem Globetrotters, mais on s'amuse!

En été, on peut faire de la natation ou de la planche à voile.

Le ski sur gazon, vous connaissez?

La danse, quel sport gracieux!

Bien sûr, les copains, c'est très important! Nous partageons nos petits secrets, nous parlons de tout et de rien. Nous aimons bien sortir ensemble, surtout le samedi soir et le dimanche, parce que pendant la semaine, nous n'avons pas le temps. Qu'est-ce que nous faisons? Ça varie beaucoup.

Pour discuter, nous allons souvent au café.

Les jeux vidéo, c'est chouette...

Alors, on va voir un film au ciné?

mais se balader entre amis, c'est super!

On the first day of school, old friends and new get together to trade stories about their vacations. Some spent the summer in the mountains, in the country, or at the seashore. Others had jobs. A few even got to visit other countries. But now that summer vacation is over, almost everyone is making resolutions for the new school year: more studying, no going out on weeknights, getting up early . . .

The local recreation center attracts many French teenagers. There, they can learn to play an instrument or take part in a theater group. They can dance, sing, or participate in sports. Others, like Eric and his friends, make a video. Laure prefers to form a rock group, but getting permission from her mother isn't easy. After reaching a compromise, Laure advertises for musicians and interviews them.

In February, come enjoy *Carnaval* in *Québec*. Sing the *Carnaval* song as you watch the reigning queen and her seven duchesses. Ready for fireworks? There are plenty in Paris on July 14, France's "Independence Day". On this occasion, you'll hear the *Marseillaise*, the French national anthem. Then, for fun anytime of year, there are always amusement parks! Join Simon and Nicole at one in the south of France.

Jérôme persuades his older brother Antoine to drive to Belgium to see the Grand Prix auto race. On the way, they stop in Brussels to see the sights of the capital. Back in France, Jérôme listens to a friend tell about his trip to Belgium for the *Fête des Chats*.

CHAPITRE 1
Nous revoilà

C'est la rentrée. In early September French students return to their *collège* or *lycée* after the long summer vacation, *les grandes vacances.* The disappointment at seeing the vacation end gives way to the enthusiasm of seeing old friends, sharing vacation experiences, and making resolutions for the new school year.

In this unit you will:

PREMIER CONTACT	get acquainted with the topic
SECTION A	greet old and new friends . . . express an opinion, agree, and disagree . . . ask how others are
SECTION B	ask others how they spent the summer . . . express satisfaction, indifference, or dissatisfaction
SECTION C	talk about the last school year . . . make excuses . . . make resolutions for the new year
TRY YOUR SKILLS	use what you've learned
A LIRE	read for practice and pleasure

1 Retour de vacances

Alors? Content(e) de rentrer au lycée ou triste? Faites le bilan de vos vacances et préparez la rentrée.

1 **Vos vacances ont été... ?** a. passionnantes b. agréables c. pas terribles d. carrément ennuyeuses e. autre	**5** **Vous avez apprécié vos vacances?** a. Oui, c'était fantastique! b. Oui, je me suis bien amusé(e)! c. C'était pas mal. d. Non, je me suis ennuyé(e)! e. Non, c'était mortel! f. autre
2 **Vous avez passé vos vacances à... ?** a. téléphoner à des copains b. faire du sport c. lire d. faire de la bicyclette e. jouer au ping-pong f. autre	**6** **Le jour de la rentrée, vous êtes... ?** a. joyeux(se) b. calme c. légèrement inquiet (inquiète) d. vraiment ennuyé(e) e. triste f. autre
3 **Vous avez passé vos vacances... ?** a. chez vous b. à l'étranger c. aux Etats-Unis d. à la campagne e. au bord de la mer f. autre	**7** **Comment allez-vous au lycée?** a. en autobus b. à pied c. en patin à roulettes d. en métro e. en bicyclette f. autre
4 **Vous avez fait quel(s) sport(s) pendant vos vacances?** a. du foot b. du basket c. de la planche à voile d. du surf e. du tennis f. autre	**8** **Et pour terminer par l'essentiel, avez-vous déjà fait des projets pour les prochaines vacances?** a. Non, pas du tout. b. Vaguement, mais ce n'est pas précis. c. Oui, évidemment. d. autre

2 Activité • Trouvez d'autres réponses

Pouvez-vous trouver d'autres réponses pour chaque question? Faites une liste.

3 Activité • Sondage

Faites une enquête parmi vos camarades de classe pour savoir qui a fait quoi pendant ses vacances, où chaque élève a passé ses vacances et qui est joyeux(se) ou triste de rentrer à l'école.

Le budget de l'écolier

Pour les élèves entrant en sixième cette année, le coût de cette rentrée scolaire est de 1 800 francs minimum par écolier (près de $300). En effet, à partir de la sixième, les fournitures ne sont plus offertes par l'école. Cette somme peut varier de 40%; cela dépend si on fait les achats en hypermarchés, en grands magasins ou en magasins spécialisés. Les achats comprennent les livres de classe, les fournitures scolaires et les vêtements de sport obligatoires.

Vous avez des doutes sur la capitale du Honduras?

Atlas 2000   159 F

Charlemagne, il a inventé l'école, dit-on. Mais en quelle année?

Atlas historique   135 F

Le stylomine, vital pour les indécis qui raturent beaucoup. Un peu cher, mais tellement beau.

195 F

Le compas dans la trousse, c'est utile.

154 F

Ça ressemble à un journal intime, ce sera peut-être votre cahier de physique.

34,50 F

5 Activité • Trouvez les mots

Trouvez dans «Shopping rentrée» des mots de la même famille.

1. école   **2.** an   **3.** coûter   **4.** histoire   **5.** acheter

6 Activité • Le budget de la rentrée

Qu'est-ce que vous allez acheter pour la rentrée? Faites une liste et ensuite faites un budget.

Article	Prix
un compas	154 f

greeting old and new friends . . . expressing an opinion, agreeing, and disagreeing . . . asking how others are

Eh oui! Les vacances sont terminées! Une nouvelle année scolaire commence! Comment est-ce que vous débutez cette année? Vous êtes content(e) de rentrer ou vous regrettez vos vacances?

A1   Nous revoilà 📼

Comme chaque année au mois de septembre, c'est la rentrée. Dans la cour du lycée Masséna à Nice, des jeunes discutent. Certains sont heureux de reprendre l'école; d'autres, au contraire, rêvent de repartir en vacances.

MARTIN	Eh! Alexandre!
ALEXANDRE	Tiens, salut Martin!
MARTIN	Comment ça va?
ALEXANDRE	Pas terrible, et toi?
MARTIN	Bof. J'ai pas envie de recommencer l'école.
ALEXANDRE	Moi non plus.
MARTIN	Oh là là! Vive les prochaines vacances!
ALEXANDRE	Tu as raison!...

ISABELLE	Alors, tu es contente de rentrer, Claire?
CLAIRE	Oui, très. Moi, je m'ennuie en vacances. Je trouve qu'elles sont trop longues.
ISABELLE	Pas moi! Au contraire! Elles sont trop courtes. A mon avis, il faut six mois de vacances!

ISABELLE	Qu'est-ce que tu as fait pendant tes vacances?
PHILIPPE	J'ai lu des bédés sur la plage. Et toi?
ISABELLE	Moi, j'ai passé deux semaines en Angleterre.
PHILIPPE	Eh bien, tu as bronzé!
ISABELLE	Tu trouves?
PHILIPPE	Oui, ça te va bien.

MARTIN	Alexandre! Regarde! Isabelle est avec une nouvelle.
ALEXANDRE	Où ça?
MARTIN	Là-bas!
ALEXANDRE	Super! Et elle est très mignonne! Viens, on va leur dire bonjour.

ISABELLE	Bonjour... Tu es nouvelle?
EMILIE	Oui.
ISABELLE	Je m'appelle Isabelle. Et toi?
EMILIE	Emilie. Je suis de Marseille. Tu connais Marseille?
ISABELLE	Non, je suis d'ici... Oh, voilà Martin et Alexandre, deux amis de l'année dernière. Fais attention, ils sont très sympa mais un peu dragueurs.

A2   Activité • Vrai ou faux?

1. La rentrée, c'est le premier jour des vacances.
2. Martin et Alexandre sont d'accord.
3. Isabelle trouve que les vacances sont trop longues.
4. Claire a envie de recommencer l'école.
5. Alexandre trouve Emilie jolie.
6. Isabelle connaît bien Emilie.

A3   Activité • Et vous?

1. Etes-vous content(e) de rentrer?
2. Trouvez-vous que les vacances sont trop longues ou trop courtes?
3. Combien de mois de vacances faut-il, à votre avis?
4. Rêvez-vous des prochaines vacances?
5. Quand sont les prochaines vacances?

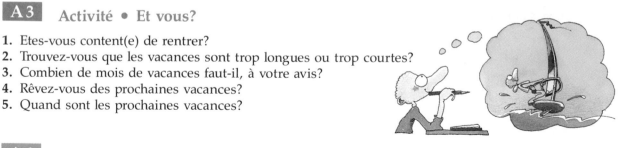

A4   COMMENT LE DIRE
Expressing an opinion, agreeing, and disagreeing

OPINION	AGREEING	DISAGREEING
A mon avis,...	Je suis d'accord avec toi.	Je ne suis pas d'accord avec toi.
Je trouve que...	Moi aussi.	Pas moi.
		Au contraire,...
	Tu as (Vous avez) raison.	Tu as (Vous avez) tort.
Je n'ai pas envie de...	Moi non plus.	Moi, je...

A5   Activité • Et vous?

Dans la cour de l'école, les élèves expriment *(express)* leurs opinions. Qu'est-ce que vous leur dites? Etes-vous d'accord?

1. A mon avis, les vacances sont trop longues!

2. Moi, je trouve l'école fantastique!

3. Il y a beaucoup à faire pendant les vacances d'été!

4. Il faut six mois de vacances!

5. Ah, les vacances, c'est horrible!

Activité • **Exprimez votre opinion**

Qu'est-ce que vous pensez des actions de ces personnages? Trouvez-vous que ces jeunes ont raison ou qu'ils ont tort? Exprimez votre opinion.

1. Denis n'a pas invité Frédéric à son anniversaire. Deux semaines plus tard, Frédéric lui téléphone pour l'inviter à une boum.
2. Marie et Florence ont une interro de maths demain. Mais il y a un film de Clint Eastwood à la télé. «Qu'est-ce qu'on fait?» demande Marie. «On regarde le film!» répond Florence.
3. Rachelle est l'amie de Marie-Claire. Hier soir, Rachelle a demandé à Marie-Claire de lui montrer son devoir d'anglais. Marie-Claire a refusé.
4. Yasmine a reçu de l'argent pour son anniversaire. Qu'est-ce qu'elle va faire? Acheter un disque ou des vêtements? Aller au concert? Finalement, elle invite ses parents au cinéma.

A7 Activité • **Ecrivez**

Ecrivez votre opinion sur vos professeurs, vos vacances et vos cours. Voici quelques adjectifs pour vous aider.

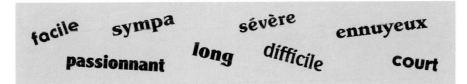

facile   sympa   sévère   ennuyeux   passionnant   long   difficile   court

A8 Activité • **A vous maintenant!**

Trouvez-vous les vacances trop longues? Trop courtes? Bien? Et la rentrée des classes, à votre avis, c'est sympa? Discutez avec un(e) camarade de classe. Après, exprimez vos opinions aux autres.

A9 NOUS REVOILA (SUITE)

Dans la cour de l'école, les anciens retrouvent leurs amis. Mais il y a aussi des nouveaux et des nouvelles. On fait connaissance. On raconte ses vacances.

ISABELLE	Bonjour, madame. Comment allez-vous?
LE PROFESSEUR	Très bien, merci. Tu as passé de bonnes vacances?
ISABELLE	Excellentes!
LE PROFESSEUR	Il a fait beau en Angleterre?
ISABELLE	Un temps splendide! J'ai attrapé des coups de soleil. Et vos vacances, madame?
LE PROFESSEUR	Chez moi à la campagne, il a plu tout le temps.

A10 Activité • Avez-vous compris?

Répondez aux questions suivantes, d'après A9 et A1.

1. Qui a passé ses vacances à la campagne?
2. Où est-ce qu'Isabelle a passé ses vacances?
3. Qui est bronzé? Pourquoi?
4. Qu'est-ce que Philippe a fait pendant les vacances?
5. Qui est Emilie?
6. Pourquoi est-ce que Martin et Alexandre veulent parler aux filles?

A11 COMMENT LE DIRE
Asking how someone is

Comment allez-vous?	Très bien, merci. Et vous?
Comment vas-tu?	Pas mal (terrible). Et toi?
Ça va?	Drôlement bien!
Tu es en forme?	En pleine forme!

A12 Activité • A vous maintenant!

Dites bonjour…   et…

1. à un(e) camarade   demandez-lui comment il/elle va.
2. au professeur   demandez-lui comment il/elle va.
3. à deux camarades   demandez-leur comment ils/elles vont.

A13 Activité • Discussion en classe

Le premier jour de classe, le prof de français, avant de commencer son cours, pose quelques questions à ses élèves. On discute des vacances. Complétez le dialogue suivant avec des camarades de classe. Ensuite, changez de rôles.

LE PROFESSEUR Alors, Isabelle, où est-ce que tu as passé tes vacances?
ISABELLE …
LE PROFESSEUR Tu es bronzée!
ISABELLE …
LE PROFESSEUR Et toi, Philippe? Qu'est-ce que tu as fait pendant les vacances?
PHILIPPE …
LE PROFESSEUR Martin, toujours dragueur? Comment s'appelle la nouvelle?
MARTIN …
LE PROFESSEUR Tu es d'où, Emilie?
EMILIE …

VOUS EN SOUVENEZ-VOUS?
The passé composé *with* avoir

1. As you already know, one way to express past time in French is to use the **passé composé**. You remember that this verb tense is composed of two parts: (a) a present-tense form of the auxiliary verb; (b) a past participle. **Avoir** is the auxiliary used most often. The past participle of most verbs consists of a stem plus a participle ending: **pass** + **é, fin** + **i, répond** + **u.**

Subject	Auxiliary	Past Participle
J'	ai	
Tu	as	
Il/Elle	a	**passé** de bonnes vacances.
Nous	avons	**fini** les devoirs.
Vous	avez	**répondu.**
Ils/Elles	ont	

2. In negative constructions, **ne** comes after the subject and **pas** immediately follows the auxiliary verb: Il **n'**a **pas** passé de bonnes vacances.
3. Some adverbs usually come before the past participle: Il a **déjà** fini le devoir.
4. Here are the past participles of some irregular verbs that form the **passé composé** with **avoir.** You have seen these verbs before.

Infinitive	Past Participle	
être	été	Elle a **été** en Angleterre.
avoir	eu	Elle a **eu** de la chance.
faire	fait	Il a **fait** un temps splendide.
prendre	pris	Ils **ont pris** le bateau.
vouloir	voulu	Tu n'**as** pas **voulu** venir?
pouvoir	pu	Vous n'**avez** pas **pu** venir?
lire	lu	J'**ai lu** des livres anglais.
voir	vu	Elle a **vu** des films anglais.
mettre	mis	Elles **ont mis** leur imperméable.
savoir	su	Tu **as su** son adresse?
connaître	connu	Nous **avons connu** des gens sympa.
offrir	offert	Ils **ont offert** un cadeau à Anne.
ouvrir	ouvert	Elle a **ouvert** le cadeau.

Activité • A-t-elle passé de bonnes vacances? 📼

Isabelle a passé ses vacances en Angleterre. Elle raconte ses vacances à son amie. Mettez les verbes au passé composé.

1. Il (faire) un temps splendide en Angleterre!
2. Nous (passer) beaucoup de temps à la plage.
3. Je (attraper) un coup de soleil.
4. Les professeurs (organiser) des excursions.
5. Nous (danser) dans des discothèques.
6. Je (rencontrer) un Anglais super mignon!
7. Mes amies (prendre) le train à Avon.
8. Moi, je (choisir) de rester à Londres.
9. Mon copain (avoir) de la chance.
10. Il (voir) la reine Elizabeth.
11. Je (perdre) mon appareil-photo.
12. Nous (apprendre) beaucoup.

Regardez les photos de vos copains. Qu'est-ce qu'ils ont fait pendant leurs vacances?

A 17 Activité • A vous maintenant!

Demandez à un(e) camarade de classe s'il (si elle) a fait ces choses pendant les vacances. Posez les questions au passé composé. Ensuite, changez de rôle et répondez à ses questions.

1. lire un livre? quel livre?
2. voyager? où?
3. étudier une autre langue? quelle langue?
4. gagner de l'argent? comment?

5. voir un film français? quel film?
6. attraper un coup de soleil? où?
7. pratiquer un sport? quel sport?
8. organiser une boum? pourquoi?

A 18 Activité • Sondage

Dans la classe, trouvez une personne qui a déjà fait chaque chose.

goûter à la cuisine française

— Tu as déjà goûté à la cuisine française?
— Oui, j'ai déjà… (Non, je n'ai pas encore…)

1. voyager au Canada
2. étudier l'espagnol
3. faire de la planche à voile

4. prendre l'avion
5. organiser une boum
6. faire de la photo

Vous êtes reporter pour
le journal de l'école.
Interviewez cinq
camarades de classe.
Posez-leur les questions
écrites dans votre cahier.
Ecrivez leurs réponses
et ensuite, racontez les
réponses à la classe.

Qu'est-ce que tu as fait pendant tes vacances?

Tu es content (e) de rentrer?

A ton avis, les vacances sont trop longues, trop courtes ou bien?

A 20 Activité • Les achats de la rentrée

Qu'est-ce que vous avez acheté pour la rentrée? Des livres? Des cahiers? Des vêtements?
Faites une liste et ensuite demandez à un(e) camarade ce qu'il/elle a acheté.

A 21 Savez-vous que… ?

Le lycée idéal existe-t-il? Les lycéens du lycée
Balzac à Paris ont de la chance parce que le
lycée est entouré d'arbres et de pelouses. Au
lycée Balzac il y a, comme dans la plupart des
lycées, une bibliothèque, un ciné-club et une
salle d'audio-visuel pour apprendre les langues.
De plus, il y a des ordinateurs ultra-sophistiqués
à la disposition des élèves. Et chose rare, une
piscine à l'intérieur même du lycée. Le rêve,
quoi!

Construire un lycée idéal, un lycée «cool»?
Voici quelques suggestions proposées par des
architectes amateurs, les lycéens eux-mêmes.
— L'aspect extérieur du lycée, ça compte.
— Un beau lycée, ça redonne le moral.
— Faire des couloirs larges.
— Mettre les sanitaires à tous les étages.
— Penser aux handicapés, avoir des rampes
d'accès.
— Une piscine, c'est super!
— Une infirmerie, c'est indispensable.
— Faire quatre ou cinq sorties pour éviter les
bousculades.

ECOLE, QUALITES-DEFAUTS : VOTRE VERDICT

Pour vous, l'école est...

52% MODERNE	**44%** EN RETARD
79% INTERESSANTE	**19%** ENNUYEUSE
81% SERIEUSE	**19%** SUPERFICIELLE
30% FACILE	**66%** DIFFICILE

■ **pourcentage de sans-réponse**

A 22 Activité • Ecoutez bien

Ecoutez ces élèves. Sont-ils contents de recommencer l'école? Oui ou non?

Qu'est-ce que vous avez fait pendant vos vacances? Où êtes-vous allés? Avez-vous passé de bonnes vacances?... Les jeunes français ont eu le choix entre de nombreuses possibilités. Est-ce que c'est pareil aux Etats-Unis?

B1

Où est-ce qu'ils sont allés pendant leurs vacances?

Emilie veut faire un reportage pour le journal de l'école. Elle demande à ses camarades où ils sont allés cet été.

— Tu es allée où, Claire?
— Je suis allée dans un centre de vacances en Ardèche.
— Ça t'a plu?
— Enormément. J'ai rencontré des tas de gens sympathiques et j'ai fait du canoë-kayak et de la spéléologie... Je me suis beaucoup amusée!

— Et toi, Marc, tu es parti en vacances?
— Non. Au mois de juillet je suis resté chez moi. Ensuite, au mois d'août, j'ai travaillé dans une station-service pour gagner un peu d'argent.
— C'était bien?
— Drôlement bien. Ça m'a beaucoup plu. Moi, j'adore travailler. Les vacances, ça m'ennuie.

— Et toi, Marie, tu es aussi restée chez toi?
— Non, mes parents ont loué une villa à Arcachon au bord de la mer. J'y ai passé le mois d'août.
— Ça t'a plu?
— Bof, c'était pas génial. Je me suis ennuyée. Tu sais, la mer, c'est toujours la même chose.

— C'était bien, tes vacances, Isabelle?
— Drôlement bien! J'ai fait un séjour linguistique en Angleterre. J'ai fait des progrès en anglais et mes parents sont satisfaits.

— Et vous, Hélène et Béatrice, vous êtes allées quelque part?
— Oui, nous sommes allées faire de la bicyclette dans les Pyrénées.
— C'était comment?
— C'était merveilleux! On a campé, on a pris des photos. Quelle magnifique région!

— Alexandre, tu es allé chez ta grand-mère en Auvergne?
— Oui.
— Tu t'es amusé?
— Mouais. La première semaine j'ai dormi jusqu'à midi. Mais la deuxième semaine j'ai rencontré une fille vraiment bien. Nous sommes sortis deux fois au cinéma. J'ai beaucoup aimé.

B2 Activité • Pourquoi?

Donnez des raisons. Pourquoi est-ce que…

1. Claire a choisi l'Ardèche?
2. Isabelle est allée en Angleterre?
3. Marc a travaillé dans une station-service?
4. Marie n'a pas aimé ses vacances à Arcachon?
5. Hélène et Béatrice sont allées dans les Pyrénées?
6. Alexandre a préféré la deuxième semaine chez sa grand-mère?

B3 Activité • Trouvez les synonymes

Remplacez les mots soulignés par des synonymes.

1. Claire a rencontré beaucoup de gens sympathiques.
2. Les parents d'Isabelle sont contents de ses progrès en anglais.
3. Les parents de Marie ont loué une maison.
4. Hélène et Béatrice ont fait du vélo.
5. Elles ont fait des photos dans les Pyrénées.

B4 COMMENT LE DIRE
Inquiring and expressing satisfaction, indifference, or dissatisfaction

INQUIRING	SATISFACTION	INDIFFERENCE	DISSATISFACTION
C'était... comment? bien?	C'était... merveilleux! chouette! génial! super! drôlement bien! bien!	C'était... assez bien. comme ci, comme ça. pas mal. pas terrible.	C'était... triste. mortel.
Tu t'es amusé(e)?	Je me suis beaucoup amusé(e)! J'ai adoré!	Assez bien.	Je me suis ennuyé(e). J'ai détesté!
Ça t'a plu?	Ça m'a beaucoup plu. Ça m'a plu énormément.	Mouais! Bof!	J'ai pas aimé.

C'était, *it was,* is most often used as the past tense of **c'est**, *it is.*

B5 Activité • Ça vous a plu?

Vous avez passé deux semaines dans un camp de vacances au bord de la mer. Vous rentrez chez vous et votre mère vous pose des tas de questions. Répondez.

1. C'était bien, le camp?
2. Et la cuisine, tu as aimé?
3. Tu as rencontré de nouveaux copains?
4. Comment tu as trouvé le cours de voile?
5. Tu t'es amusé(e)?

Demandez à un(e) camarade de classe s'il (si elle) a fait ces activités cet été. Ensuite, demandez-lui si ça lui a plu. Changez de rôle.

l'équitation

la voile

la pêche

le camping

le ping-pong

le canoë

STRUCTURES DE BASE
The passé composé *with* être

1. You form the **passé composé** of some verbs with the auxiliary verb **être** instead of **avoir.** Compare these sentences: J'**ai téléphoné** à Emilie. Je **suis sorti** avec elle.

Masculine Subject			Feminine Subject		
Je	suis	rentré.	**Je**	suis	rentrée.
Tu	es	rentré.	**Tu**	es	rentrée.
Il	est	rentré.	**Elle**	est	rentrée.
Nous	sommes	rentrés.	**Nous**	sommes	rentrées.
Vous	êtes	rentré(s).	**Vous**	êtes	rentrée(s).
Ils	sont	rentrés.	**Elles**	sont	rentrées.

2. In general, when you form the **passé composé** with **être,** the past participle agrees in gender and number with the subject, in the same way that an adjective agrees with the noun it refers to. Compare these two structures.

adjective agreement: **Anne** est heur**euse.**
passé composé with **être:**   **Elle** est all**ée** à la boum.

3. In negative constructions, you place **ne** after the subject and **pas** after the auxiliary verb: Elle n'est **pas** restée à la maison.

4. Some adverbs, like **déjà, beaucoup,** and others, occur most often before the past participle: Ils sont **déjà** partis.

5. **Liaison** is often made between the forms of **être** and the past participle, especially with **est** and **sont.**

$$\overset{t}{\text{Il est}\diagup\diagdown\text{allé à Rouen.}} \qquad \overset{t}{\text{Ils sont}\diagup\diagdown\text{allés à Rouen.}}$$

Liaison may also be made between a negative construction and the past participle.

$$\overset{z}{\text{Il n'est pas}\diagup\diagdown\text{allé à Paris.}}$$

6. The following is a list of verbs you already know that form the **passé composé** with **être: aller, arriver, descendre, entrer, partir, rentrer, rester, sortir, tomber.**

7. The verb **venir** and its compound **revenir,** *to return,* also form the **passé composé** with **être.** **(Re)venir** has an irregular past participle, **(re)venu:** Ils sont **(re)venus** en voiture.

B8 Activité • Le dernier jour des vacances

Qu'est-ce qu'ils ont fait le dernier jour des vacances? Mettez les verbes au passé composé.

1. Philippe (aller) au cinéma.
2. Isabelle (sortir) avec des amies.
3. Martin et Alexandre (rentrer) à minuit.
4. Emilie et Sylvie (descendre) en ville.
5. Marc (rester) à la maison.
6. Jérôme (revenir) d'Allemagne.

B9 Activité • Où est-ce qu'ils sont allés?

Où est-ce que vos amis dans B1 sont allés en vacances? Qu'est-ce qu'ils y ont fait?

1. Marie
2. Claire
3. Alexandre
4. Marc
5. Hélène et Béatrice
6. Isabelle

Pendant les vacances d'été Sylvie a voyagé aux Etats-Unis. Racontez son voyage au passé composé.

1.

partir à New York le
dix août

2.

aller voir sa tante, son oncle,
ses cousins Bill et Debbie

3.

arriver à sept heures
du soir

4.

venir à l'aéroport

5.

y rester une semaine

6.

sortir souvent

7.

rentrer en France le dix-sept août

Sylvie a écrit une lettre à son amie en France. Elle raconte son voyage aux Etats-Unis. Complétez sa lettre. Mettez les verbes au passé composé. Attention! Certains verbes se conjuguent avec **être**, d'autres avec **avoir**.

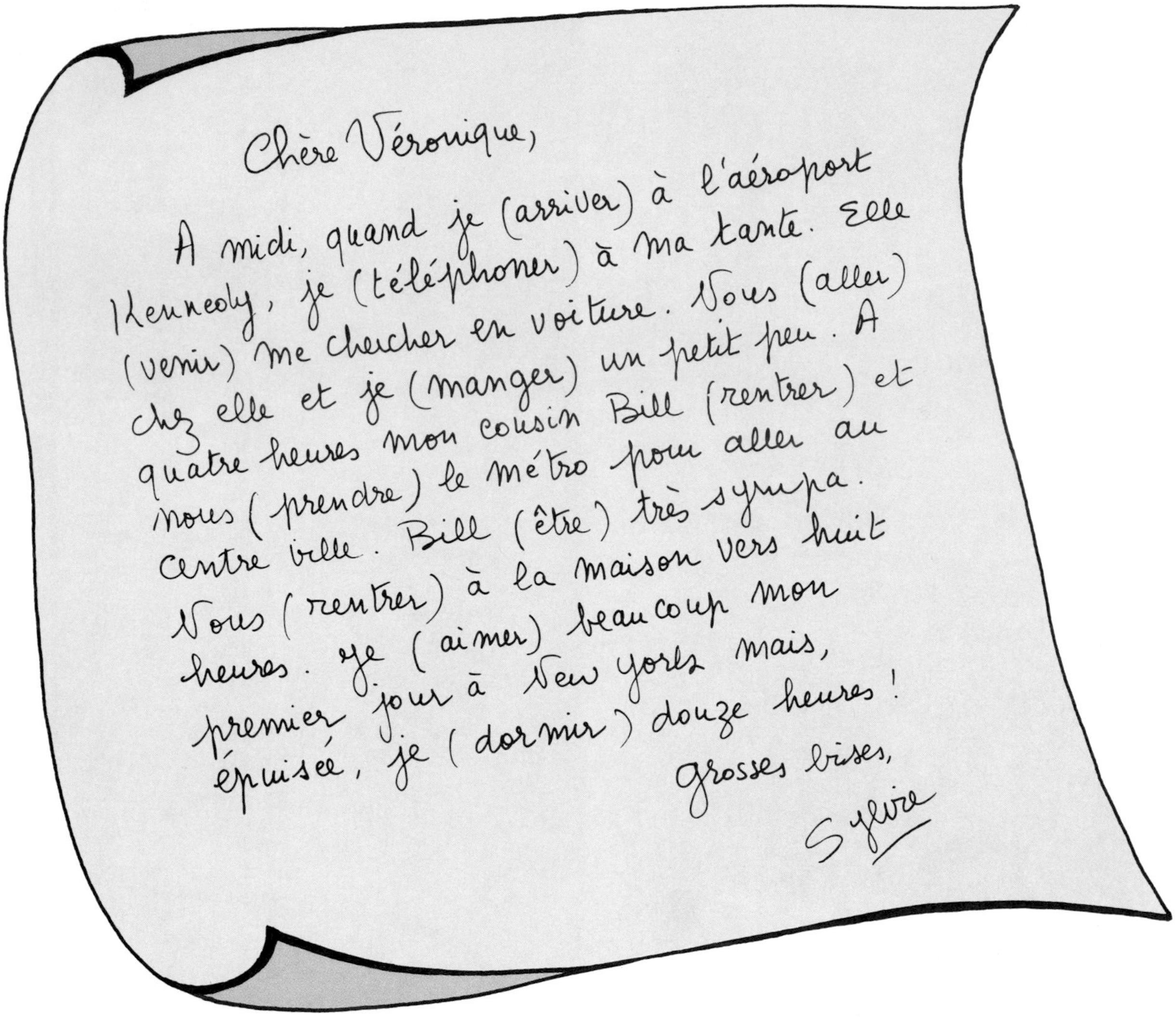

Chère Véronique,

A midi, quand je (arriver) à l'aéroport Kennedy, je (téléphoner) à ma tante. Elle (venir) me chercher en voiture. Nous (aller) chez elle et je (manger) un petit peu. A quatre heures mon cousin Bill (rentrer) et nous (prendre) le métro pour aller au centre ville. Bill (être) très sympa. Nous (rentrer) à la maison vers huit heures. Je (aimer) beaucoup mon premier jour à New york mais, épuisée, je (dormir) douze heures!

grosses bises,

Sylvie

B 12 Activité • A vous maintenant!

Vous discutez avec un(e) camarade de classe de vos vacances d'été. Vous lui demandez s'il (si elle) est parti(e) en vacances, où il/elle est allé(e), ce qu'il/elle a fait, si ça lui a plu. Ensuite, répondez à ses questions.

B 13 Activité • Ecrivez

L'été dernier, vous êtes allé(e) à Paris voir votre correspondant(e) français(e). Décrivez votre visite imaginaire. Dites quand vous êtes parti(e), comment vous êtes allé(e) à Paris, ce que vous avez fait avec votre correspondant(e), combien de temps vous y êtes resté(e) et quand vous êtes rentré(e) aux Etats-Unis.

En France, tous les salariés ont droit à cinq semaines de vacances payées. Beaucoup de Français ont six semaines.

Les élèves des collèges et lycées ont des vacances à la Toussaint, à Noël, en février, à Pâques. En été, ils ont deux mois. Ce sont les grandes vacances. Qu'est-ce qu'ils font? Ils restent en famille ou vont chez des copains. Ils reçoivent de jeunes étrangers *(foreigners)* chez eux ou ils partent en séjour linguistique pour apprendre une autre langue. De nombreuses associations organisent également des séjours sportifs et culturels. Les jeunes travaillent souvent en juillet pour partir en août.

Londres
Séjours linguistiques
Février, Pâques et été

Londres Informations

Population : 7.000.000 habitants
Situation géographique : capitale de la Grande-Bretagne
Baignade : piscines couvertes et découvertes
Possibilités sportives : nombreux choix possibles
Cinéma : des centaines
Théâtre : une multitude
Discothèques : un grand choix
Fêtes et manifestations : le grand prix de tennis à Wimbledon, des festivals, des rencontres sportives de toutes sortes

INCLUS DANS LE PRIX
Visite de Londres : visite guidée de Londres
Excursions dans la région : une journée à Brighton et une journée dans la ville universitaire d'Oxford
Visites éducatives : la Bourse, London Bridge, Piccadilly, Soho, Mayfair, Marble Arch, British Museum, Buckingham Palace
Type de cours : cours général, trois cours par jour, cinq jours par semaine
Niveau des cours : de la quatrième à la terminale
Professeurs et animateurs : deux professeurs-animateurs français et un professeur-animateur anglais
Hébergement : en pension complète, dans une famille soigneusement sélectionnée

Excursions non comprises : le Planetarium, le zoo Kew Gardens, Madame Tussaud's, la cathédrale de Canterbury, Cambridge, Hampton Court, le château de Windsor, promenade en bateau sur la rivière Thames, la ferme du parc Loseley, le zoo de Chessington, le Vidéo-Café près de Regent Street, la cathédrale St. Paul et la visite de la Cité Tower Bridge... Vous pouvez également proposer toutes les excursions que vous voulez. Londres est une ville aux ressources inépuisables!

Ont-ils passé de bonnes vacances? Ecoutez la conversation. Ensuite, complétez ce tableau.

	Où?	Temps?	Activités?	Content(e)?
Sylvie				
Guillaume				

talking about the last school year . . . making excuses . . . making resolutions for the new year

Maintenant les vacances sont loin. Les premiers cours ont commencé et il faut déjà penser à reprendre le travail. Il est temps de faire le bilan de l'année passée et de prendre des résolutions pour la nouvelle année.

C1   Les résolutions 📼

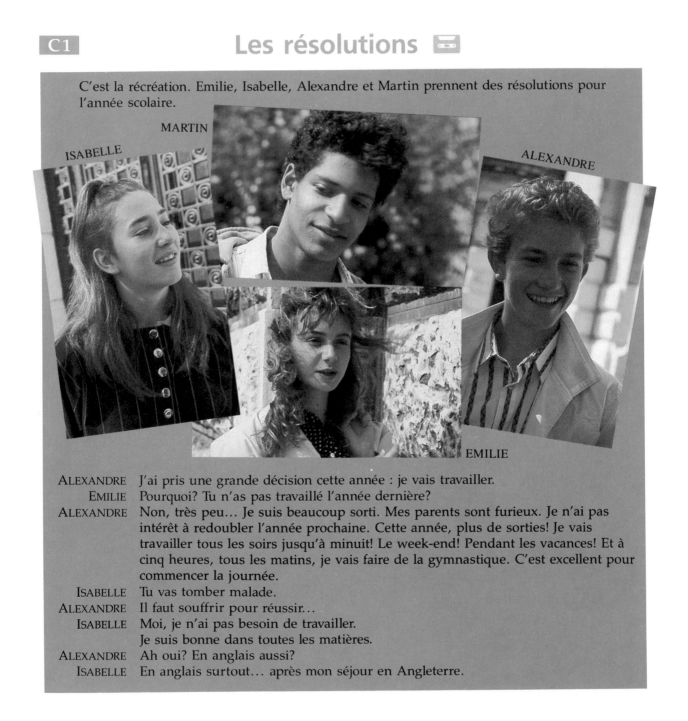

C'est la récréation. Emilie, Isabelle, Alexandre et Martin prennent des résolutions pour l'année scolaire.

MARTIN

ISABELLE

ALEXANDRE

EMILIE

ALEXANDRE J'ai pris une grande décision cette année : je vais travailler.
EMILIE Pourquoi? Tu n'as pas travaillé l'année dernière?
ALEXANDRE Non, très peu… Je suis beaucoup sorti. Mes parents sont furieux. Je n'ai pas intérêt à redoubler l'année prochaine. Cette année, plus de sorties! Je vais travailler tous les soirs jusqu'à minuit! Le week-end! Pendant les vacances! Et à cinq heures, tous les matins, je vais faire de la gymnastique. C'est excellent pour commencer la journée.
ISABELLE Tu vas tomber malade.
ALEXANDRE Il faut souffrir pour réussir…
ISABELLE Moi, je n'ai pas besoin de travailler.
           Je suis bonne dans toutes les matières.
ALEXANDRE Ah oui? En anglais aussi?
ISABELLE En anglais surtout… après mon séjour en Angleterre.

ALEXANDRE	Comment on dit «Il pleut» en anglais?
ISABELLE	Je ne sais pas, mais c'est inutile : il fait toujours beau en Angleterre.
ALEXANDRE	Emilie, tu as des projets?
EMILIE	Oui. Je suis nulle en maths. Mes notes sont très mauvaises et je veux être architecte plus tard. Mais je n'y comprends rien!
ISABELLE	Ne t'inquiète pas, le prof de maths est très bon. Tu vas voir, il explique bien. A la fin de l'année, tu vas trouver ça facile.
ALEXANDRE	Et toi, Martin, qu'est-ce que tu vas faire cette année?
MARTIN	En bien, moi, cette année, je vais aller au cinéma.
EMILIE	Mais… ton avenir?
MARTIN	Justement, plus tard je veux faire des films. Le cinéma, c'est mon fort!

C2 Activité • Avez-vous compris?

Répondez aux questions suivantes.

1. Pourquoi est-ce qu'Alexandre va travailler cette année?
2. Pourquoi est-ce qu'il n'a pas travaillé l'année dernière?
3. Pourquoi est-ce qu'il va «souffrir» le matin?
4. Pourquoi est-ce qu'Isabelle n'a pas besoin de travailler, à son avis?
5. Quels sont les projets d'Emilie?
6. En quelle matière est-ce que Martin est bon?

Activité • Qu'est-ce que vous en pensez?

Exprimez votre opinion sur les idées, les désirs et les décisions de ces gens.

1. Alexandre dit : «Il faut souffrir pour réussir.»
2. Alexandre va faire sa gymnastique tous les matins cette année.
3. Isabelle trouve qu'elle n'a pas besoin de travailler.
4. Emilie veut étudier les maths pour être architecte.
5. Martin a envie de faire des films à l'avenir.
6. Les parents d'Alexandre sont furieux.

C4 Activité • Et vous?

1. En quelles matières est-ce que vous êtes bon(ne)? Mauvais(e)?
2. Avez-vous eu de bonnes notes l'année dernière? En quelles matières?
3. Avez-vous eu de mauvaises notes? En quelles matières?
4. Quelles décisions est-ce que vous avez prises pour cette année?
5. Avez-vous des projets pour l'avenir?

C5 Activité • Ecrivez

Comment trouvez-vous l'école? Complétez le paragraphe suivant.

L'école, c'est… ! Généralement, je suis… élève. Mes notes sont… Je trouve les cours…, sauf… Je suis… en… L'année dernière, je… Mes parents… Cette année…

C6 Activité • Enquête

Faites une enquête dans votre classe. Qui… ?

1. a des projets pour l'avenir
2. veut faire des films
3. veut être architecte
4. fait de la gymnastique le matin
5. travaille jusqu'à minuit
6. a fait un séjour en Angleterre

C7 COMMENT LE DIRE
Making excuses

Here are some common excuses for poor performance in school.

Je suis nul (nulle) en maths.	I'm hopeless in math.
Je n'y comprends rien.	I don't understand anything about it.
Ce n'est pas mon fort.	It's not my strong point.
Le prof ne m'aime pas.	The teacher doesn't like me.
Je suis mauvais(e) en informatique.	I'm bad in computer studies.
Le prof explique mal.	The teacher explains poorly.

Vous avez des difficultés. Expliquez pourquoi.

1. Vous n'avez pas réussi à l'examen d'anglais.
2. En histoire vous ne comprenez rien.
3. Vous comprenez tout et vous travaillez bien, mais vous avez eu une mauvaise note à la dernière interrogation de maths.
4. Vous ne savez pas comment on dit «réussir» en espagnol.
5. Le professeur explique trois fois, mais vous ne comprenez toujours pas.
6. Vous avez eu trois colles (detentions) cette semaine.

C9   Activité • A vous maintenant!

Voici votre bulletin trimestriel (report card). Vous montrez le bulletin à vos parents. Un(e) camarade de classe joue le rôle de votre père ou de votre mère. Préparez le dialogue.

    — Dix-huit en anglais! Très bien! Je suis content(e)!
    — Merci, papa (maman). J'ai beaucoup travaillé!

Nom:	Année Scolaire 19___	Classe
Notes	**Matières**	**Appréciations des professeurs**
18	Anglais	Très bon (bonne) élève!
11	Gymnastique	Un peu paresseux (paresseuse)
9	Géographie	Montre peu d'enthousiasme
10	Histoire	Travail moyen
5	Français	Comprend avec difficulté.
8	Mathémathiques	Assez mauvais travail
12	Sciences	A fait beaucoup de progrès
13	Informatique	Élève sérieux (sérieuse)

C10 VOUS EN SOUVENEZ-VOUS?
Aller +*infinitive*

You've already learned one way to express future time by using the verb **aller** with an infinitive.

Je	**vais**	**travailler** cette année.
Elle	**va**	**trouver** les maths faciles.

You remember that in a negative construction, **ne** precedes the verb **aller** and **pas** immediately follows it : Il **ne** va **pas** redoubler.

C11 Activité • Qu'est-ce qu'ils vont faire?

Connaissez-vous bien vos nouveaux amis? Qu'est-ce qu'ils vont faire dans ces situations?

1. Isabelle veut perfectionner son anglais.
2. Martin veut faire des films.
3. Alexandre ne veut pas redoubler.
4. Emilie veut être architecte.
5. Alexandre veut être en forme pour commencer la journée.
6. Martin et Alexandre veulent rencontrer la nouvelle élève.

C12 Activité • On prend des résolutions

On va mieux faire cette année. Quelles résolutions est-ce qu'on prend? Employez le verbe **aller** et l'infinitif. Par exemple :

Je n'ai pas travaillé.　　L'année dernière, je n'ai pas travaillé.
　　　　　　　　　　　　Mais cette année, je vais beaucoup travailler.

1. Je n'ai pas bien écouté le professeur.
2. Alexandre est beaucoup sorti.
3. Mon amie a redoublé.
4. Emilie et Isabelle n'ont pas fait attention en classe.
5. Philippe n'a pas beaucoup lu.

C13 Activité • En dehors de l'école

Allez-vous uniquement travailler cette année, ou allez-vous aussi faire autre chose? Posez des questions à un(e) camarade pour savoir s'il (si elle) va faire ces choses cette année.

1. aller au cinéma
2. partir en vacances
3. lire des bandes dessinées
4. faire du sport
5. chercher un job
6. aller au concert

C14 Activité • Ecrivez

Ecrivez cinq résolutions pour la nouvelle année scolaire.

Le Carnet de correspondance est un cahier officiel. Il permet aux professeurs de communiquer avec les parents par écrit. Chaque élève a son carnet et il doit y inscrire ses notes et certaines informations destinées aux parents. Les professeurs écrivent des commentaires s'il y a un problème. Les parents regardent le carnet chaque semaine et signent. Ils peuvent aussi faire des remarques ou poser des questions par écrit aux professeurs. L'élève est responsable de ce carnet et ne doit pas le perdre.

Collège Marcel Pagnol
Rue Georges-Clemenceau
95560 MONTSOULT

ANNÉE SCOLAIRE 19 ——— 19 ———

CARNET

DE

CORRESPONDANCE

APPARTENANT À ——— *Moulin*

PRÉNOM ——— *Denise*

CLASSE ——— *4ᵉ A*

PARTIE RÉSERVÉE A LA CORRESPONDANCE ENTRE L'ÉTABLISSEMENT ET LES PARENTS

Tenue d'E.P.S. se compose d'une paire de tennis, d'une paire de chaussettes, d'un short, d'un tee-shirt, d'un survêtement, d'un maillot et d'un bonnet pour la piscine (possibilité d'acheter survêtement et bonnet au collège) *Paulette Moulin*

Madame Gattino,
Je vous serais très obligée de bien vouloir me fixer un rendez-vous. Salutations *Paulette Moulin*

Mme Leroy sera absente le jeudi 3 octobre. *Paulette Moulin*

Sortie au château d'Écouen le jeudi 14 novembre. (Prix: 8F) *Paulette Moulin*

Le cours de Sc. Physiques cessera à 16h le lundi 18/11. *Paulette Moulin*

Afin d'éviter les retards devenus trop fréquents il est peut-être nécessaire de signaler que la mise en charge des élèves par les professeurs est à 8h 40. *Paulette Moulin*

Mlle Bertrand,
Denise n'a pas sa rédaction pour demain. *Paulette Moulin*

1. Mettez les activités d'Emilie dans le bon ordre.
   a. Elle va préparer sa leçon d'histoire.
   b. Elle va étudier son anglais.
   c. Elle va faire ses maths.

2. Complétez. Isabelle veut…
   a. travailler avec Emilie.
   b. sortir.
   c. rester chez elle.

3. Vrai ou faux?
   a. Emilie a redoublé l'année dernière.
   b. Emilie et Isabelle vont aller au cinéma ce week-end.
   c. Emilie est très bonne élève.

4. Quel jour est-ce aujourd'hui?
   a. jeudi
   b. vendredi
   c. mardi

1 Des cartes postales

Cet été, Marc est resté chez lui. Ses amis sont partis en vacances. Ils lui ont envoyé des cartes postales.

Salut !
C'est pas génial, Arcachon.
Je vais tous les jours à
la plage et je bronze.
Je fais aussi de la planche
à voile. Toujours la même
chose ! Et toi, qu'est-ce
que tu fais ?
Amitiés
Marie

Marc !
Je suis chez ma grand-mère
en Auvergne. On s'amuse
beaucoup. Il fait très beau.
Je fais de longues
promenades.
Qu'est-ce que tu fais ?
Raconte !
Alexandre

Cher ami,
Comment vas-tu? Nous
pensons beaucoup à toi.
Nous visitons la région.
Les Pyrénées, c'est
fantastique. Nous
rencontrons de nouveaux
copains. Nous rentrons
le 25 août.
A bientôt,
Hélène et Béatrice

Salut, mon vieux,
quelle chance tu as de
rester à la maison.
L'Allemagne, c'est horrible!
Tout le monde parle allemand!
Il n'y a pas de films français. Je ne fais pas
grand-chose. Je ne sors
pas beaucoup. Je m'ennuie,
alors je travaille mon
allemand. Je suis bon
maintenant.
A la prochaine,
Ton ami Jérôme

Activité • Racontez

Vous êtes Marc. Racontez les vacances de vos amis. Employez le passé composé.

1. Marie / aller / faire
2. Hélène et Béatrice / visiter / rentrer
3. Alexandre / être / faire
4. Jérôme / ne pas aimer / ne pas sortir

3   Activité • Ecrivez

C'est toujours la même chose! A la rentrée, le professeur de français vous demande de décrire vos vacances d'été. Ecrivez ce que vous avez fait cet été en quatre ou cinq phrases. Ensuite, imaginez ce que vous allez faire l'été prochain. Rêvez un peu; tout est possible. Ecrivez encore quatre ou cinq phrases. Employez le verbe **aller** et l'infinitif.

Reprinted by permission of UFS, Inc.

Activité • Ecrivez

Emilie, la nouvelle élève, a reçu une carte postale de son amie de Marseille. Ecrivez sa réponse.

le 20 Septembre

Chère Emilie,

Tu sais, la rentrée ici, c'est toujours la même chose.
Comment tu trouves la nouvelle école?
Comment sont les profs?
Tu as rencontré de nouveaux copains?
Moi, j'ai intérêt à travailler cette année, je suis nulle en tout! Et toi? Tu as pris des résolutions?   Ecris-moi.
    A bientôt.
        Bises,
            Julie

5 Activité • Catastrophe!

Travaillez en groupe avec deux ou trois camarades de classe. Il faut inventer une catastrophe pour finir ces anecdotes.

1. Je suis parti(e) en Angleterre pour deux semaines en séjour linguistique. J'ai pris l'avion à Orly, et nous sommes arrivés à Londres en une heure.
2. Avec trois amis, nous avons décidé de faire une boum chez moi pour célébrer la fin des vacances. Nous avons téléphoné à une douzaine de copains et copines. Nous avons passé toute la journée de samedi à préparer des sandwiches, ranger le salon et choisir des disques. Enfin, tout a été prêt.

Activité • Les vacances de Jacques

Voici l'histoire en images de Jacques et d'une jolie fille qui travaille dans une pâtisserie. Jacques ne connaît pas la fille, mais il veut faire sa connaissance. Racontez l'histoire. Employez tous les verbes indiqués au passé composé.

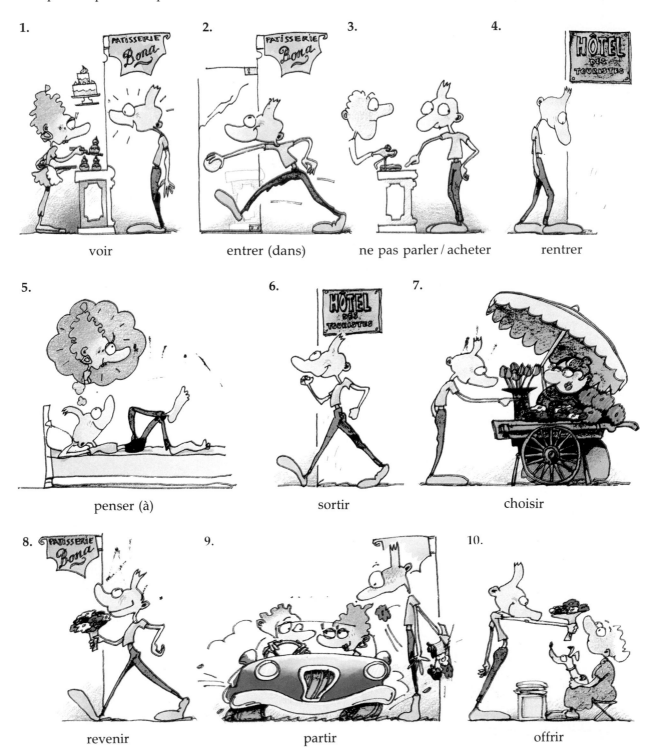

1. voir

2. entrer (dans)

3. ne pas parler / acheter

4. rentrer

5. penser (à)

6. sortir

7. choisir

8. revenir

9. partir

10. offrir

Regardez cette publicité. Pendant les vacances d'été, vous avez choisi de partir en Belgique. Votre camarade est allé(e) en Irlande. Posez des questions à votre camarade sur ses vacances. Vous lui demandez s'il (si elle) est content(e) de ses vacances, ce qu'il/elle a fait, si ça lui a plu, ce qu'il/elle n'a pas aimé… Ensuite, répondez à ses questions sur vos vacances.

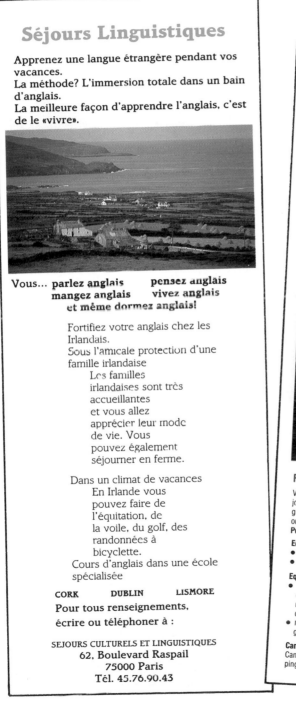

Séjours Linguistiques

Apprenez une langue étrangère pendant vos vacances.
La méthode? L'immersion totale dans un bain d'anglais.
La meilleure façon d'apprendre l'anglais, c'est de le «vivre».

Vous… **parlez anglais pensez anglais mangez anglais vivez anglais et même dormez anglais!**

Fortifiez votre anglais chez les Irlandais.
Sous l'amicale protection d'une famille irlandaise
Les familles irlandaises sont très accueillantes et vous allez apprécier leur mode de vie. Vous pouvez également séjourner en ferme.

Dans un climat de vacances
En Irlande vous pouvez faire de l'équitation, de la voile, du golf, des randonnées à bicyclette.
Cours d'anglais dans une école spécialisée

CORK   DUBLIN   LISMORE
Pour tous renseignements,
écrire ou téléphoner à :

SÉJOURS CULTURELS ET LINGUISTIQUES
62, Boulevard Raspail
75000 Paris
Tél. 45.76.90.43

VACANCES ACTIVES EN ARDENNE BELGE

EXPEDITION EN CANOË

Nouveauté qui plaît aux amoureux de la nature sauvage et du camping sportif. Vivez l'aventure au fil de la rivière Semois. Comme les trappeurs canadiens sur le Saint-Laurent, vous vous embarquez avec bagages sur votre canoë; les réserves de nourriture et d'eau, la tente et l'équipement minimum pour cette randonnée. Vous retrouvez une liberté perdue dans notre monde trop civilisé, le goût des bonheurs simples et le contact authentique avec la nature.

La randonnée : ± 20 km par jour
Retour :
Vers 18 heures, on recherche les bateaux aux points de rendez-vous. Les chauffeurs sont ramenés au point de départ pour reprendre leur voiture.

Accompagnement :
Un guide peut être mis à la disposition de votre groupe (10 pers.) pour accompagner la randonnée. Seulement en mai, en juin et en septembre. Supplément de 110 FB par pers. par jour. Réserver le guide 4 semaines à l'avance.

Randonnée libre

Vous partez sur la rivière 2, 3 ou 4 jours, en solitaire, en famille ou en groupe pour une randonnée de 40, 60 ou 80 km entre Moyen et Bouillon.
Périodes : de mai à septembre.

Equipement fourni :
• un canoë canadien 2 pers.;
• 2 tonneaux pour bagages.

Equipement à emporter (1) :
• matériel de camping : tente, sac de couchage, matelas mousse, vêtements, chaussures pour marcher dans l'eau;
• ravitaillement : nourriture, boissons, gamelle, couverts, camping gaz.

Camping :
Camping sauvage ou dans les campings installés au bord de la Semois.

■ **PRIX PAR CANOE 2 PLACES :**
2 jours : 900 FB par jour.
3 jours : 850 FB par jour.
4 jours et plus : 800 FB par jour.

Possibilité de louer de l'équipement sur place (à payer sur place).
• tente de 2 pers. : 200 FB par jour;
• matelas de mousse : 50 FB par jour;
• réchaud : 50 FB par jour + la bonbonne;
• gamelle : 30 FB par jour;
• gilet de sauvetage (taille enfant, junior et adulte) : 50 FB par jour;
• La Semois Touristique : carte vendue : 135 FB.

Regardez ce qu'ils ont rapporté et dites où ils ont été en vacances.

1.

2.

3.

4.

5.

6.

Vous êtes sorti(e) pendant le week-end. Voici les talons (*stubs*) de vos billets. Pour chaque billet, préparez un dialogue avec un(e) camarade de classe. Votre camarade vous demande si vous êtes sorti(e) pendant le week-end, où vous êtes allé(e), ce que vous avez fait, ce que vous avez vu, comment c'était… Changez de rôle.

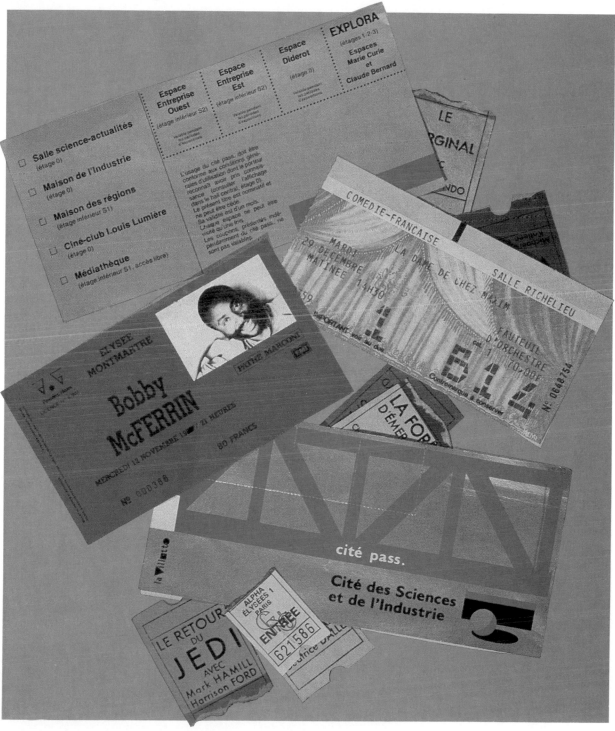

1. Trouvez les mots

Vous avez recommencé l'école. Une nouvelle année de travail commence.

Vous dites *(say)* : — — — —   — —   — — — — — — — !

Pour trouver ces trois mots, écrivez la première lettre de chaque chose représentée par le dessin.

2. Devinette

Qu'est-ce que nous ne voyons *(see)* pas et qui est toujours devant nous? La réponse est un mot de six lettres qui commence par *A*.

3. Le mot qui manque.

Trouvez la logique dans chaque série de mots et complétez la série.

1. Washington, D.C., Etats-Unis; Paris, France; _____, Angleterre
2. passer, vacances; _____, décision; attraper, coup de soleil
3. être, _____; avoir, eu; faire, fait
4. facile, vraiment; content, drôlement; satisfait, _____
5. monter, descendre; arriver, _____; aller, venir

The rhythm of French

1   Ecoutez bien et répétez.

French is spoken, not in words, but in syllables. Repeat these words after your teacher or after the recording.

Chi-ca-go	Ca-sa-blan-ca
To-ron-to	Mi-ssion im-po-ssible
Ca-na-da	nou-velle ad-mi-ni-stra-tion
A-la-ska	ad-mi-ni-stra-tion
Ma-ni-to-ba	a-é-ro-port Ke-nne-dy
To-ky-o	dé-parts in-ter-na-tio-naux
O-tta-wa	

2   Ecoutez et lisez.

Word groups are cut, not into words, but into syllables of equal length, regardless of where one word stops and the other begins. Repeat these words and phrases after your teacher or after the recording.

par exemple	pa-re-xemple
cet été	ce-té-té
un bel été	un be-lé-té
il arrive	i-la-rrive
avec une amie	a-ve-cu-na-mie
par avion	pa-ra-vion
Il arrive avec une amie par avion.	I-la-rri-va-ve-cu-na-mie pa-ra-vion.

3   Copiez les phrases suivantes pour préparer une dictée.

French speakers try to end each syllable with a vowel sound, even though the syllable contains nothing but a vowel. Try this with the following sentences, saying each syllable as you write it.

1. Cette année, j'ai fait du camping avec Anatole.
2. C'était un bel endroit au bord de la mer.
3. C'était le même endroit qu'il y a quatre ans.
4. Nous avons pris le même avion.
5. Mon oncle a tout arrangé.
6. Il nous a montré comment faire.
7. A notre âge, il faut apprendre.

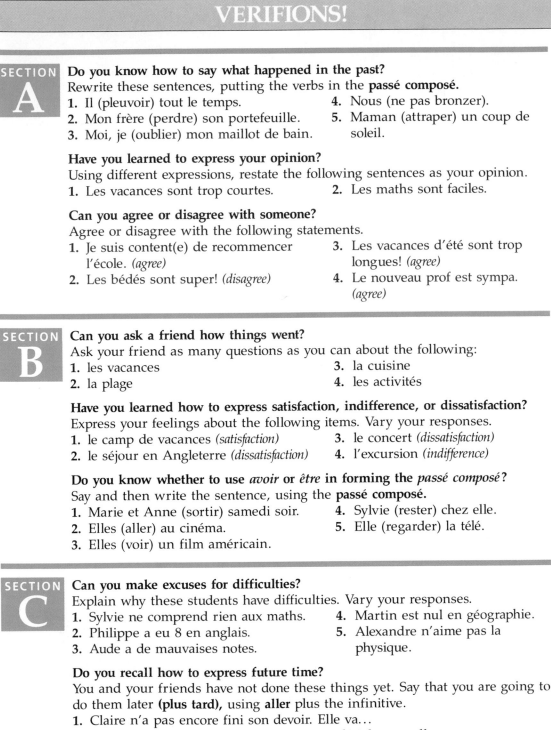

VERIFIONS!

SECTION A

Do you know how to say what happened in the past?
Rewrite these sentences, putting the verbs in the **passé composé.**
1. Il (pleuvoir) tout le temps.
2. Mon frère (perdre) son portefeuille.
3. Moi, je (oublier) mon maillot de bain.
4. Nous (ne pas bronzer).
5. Maman (attraper) un coup de soleil.

Have you learned to express your opinion?
Using different expressions, restate the following sentences as your opinion.
1. Les vacances sont trop courtes.
2. Les maths sont faciles.

Can you agree or disagree with someone?
Agree or disagree with the following statements.
1. Je suis content(e) de recommencer l'école. *(agree)*
2. Les bédés sont super! *(disagree)*
3. Les vacances d'été sont trop longues! *(agree)*
4. Le nouveau prof est sympa. *(agree)*

SECTION B

Can you ask a friend how things went?
Ask your friend as many questions as you can about the following:
1. les vacances
2. la plage
3. la cuisine
4. les activités

Have you learned how to express satisfaction, indifference, or dissatisfaction?
Express your feelings about the following items. Vary your responses.
1. le camp de vacances *(satisfaction)*
2. le séjour en Angleterre *(dissatisfaction)*
3. le concert *(dissatisfaction)*
4. l'excursion *(indifference)*

Do you know whether to use *avoir* or *être* in forming the *passé composé*?
Say and then write the sentence, using the **passé composé.**
1. Marie et Anne (sortir) samedi soir.
2. Elles (aller) au cinéma.
3. Elles (voir) un film américain.
4. Sylvie (rester) chez elle.
5. Elle (regarder) la télé.

SECTION C

Can you make excuses for difficulties?
Explain why these students have difficulties. Vary your responses.
1. Sylvie ne comprend rien aux maths.
2. Philippe a eu 8 en anglais.
3. Aude a de mauvaises notes.
4. Martin est nul en géographie.
5. Alexandre n'aime pas la physique.

Do you recall how to express future time?
You and your friends have not done these things yet. Say that you are going to do them later **(plus tard),** using **aller** plus the infinitive.
1. Claire n'a pas encore fini son devoir. Elle va...
2. Martin et Alexandre n'ont pas encore parlé à la nouvelle.
3. Hélène et Béatrice ne sont pas encore rentrées.
4. Moi, je n'ai pas encore lu ce livre.
5. Sylvie et moi n'avons pas encore étudié notre histoire.

VOCABULAIRE

SECTION A

aller : Comment allez-vous?
How are you?
les anciens (m.) *old friends*
l' Angleterre (f.) *England*
attention : faire attention *to be careful*
attraper *to catch*
au contraire *on the contrary*
une bédé *comic book*
bronzé, -e *tanned*
bronzer *to get a tan*
certains *certain ones*
chaque *each*
comme *like*
la connaissance : faire (la) connaissance *to get acquainted*
content, -e *happy, glad*
un coup de soleil *sunburn*
la cour *courtyard*
débuter *to begin*
un dragueur *flirt*
ennuyer : Je m'ennuie. *I get (am) bored.*
ennuyeux, -euse *boring*
la forme : en (pleine) forme *in (great) shape*
horrible *horrible*
long, longue *long*
moi aussi *me too*
moi non plus *neither do I*
passionnant, -e *exciting*
plu : Il a plu. *It rained.*
prochain, -e *next*
raconter *to tell*
raison : avoir raison *to be right*
recommencer *to start again*
regretter *to regret, miss*
repartir *to leave again*
reprendre *to start again*
retrouver *to meet (again)*
scolaire *school (adj.)*
sévère *strict*
splendide *splendid*
terminé, -e *finished, ended*
tort : avoir tort *to be wrong*

tout : tout le temps *all the time*

SECTION B

amuser : Je me suis amusé(e). *I had a good time.* Tu t'es amusé(e)? *Did you have a good time?*
Arcachon *town south of Bordeaux*
l' Ardèche (f.) *département in southeast France*
l' Auvergne (f.) *region in the center of the Massif Central*
la bicyclette *bicycle, bicycling*
bord : au bord de la mer *at the seashore*
camper *to camp*
le camping *camping*
le canoë *canoeing*
le canoë-kayak *kayaking*
un centre de vacances *vacation resort, camp*
le choix *choice*
ennuyé : Je me suis ennuyé(e). *I got (was) bored.*
énormément *enormously*
l' équitation (f.) *horseback riding*
était *was*
gagner *to earn, win*
le journal *newspaper*
jusqu'à *until*
louer *to rent*
merveilleux, -euse *marvelous*
pareil, pareille *similar*
la pêche *fishing*
le ping-pong *ping pong*
plu : Ça t'a plu? *Did you like it?* Ça m'a plu. *I liked it.*
la possibilité *possibility*
des progrès (m.) *progress*
les Pyrénées (f.) *mountains separating France from Spain*

quelque part *somewhere*
une région *region*
rencontrer *to meet*
satisfait, -e *satisfied*
un séjour *stay;* un séjour linguistique *stay to learn a language*
la spéléologie *cave exploring*
une station-service *gas station*
une villa *country house*
la voile *sailing*

SECTION C

un architecte *architect*
l' avenir (m.) *future*
le bilan : faire le bilan *to assess, take stock of*
comprendre *to understand*
une décision *decision;* prendre une décision *to make a decision*
expliquer *to explain*
la fin *end*
un fort *strong point*
furieux, -euse *furious*
inquiéter : Ne t'inquiète pas. *Don't worry.*
intérêt : avoir intérêt à *to be in one's interest to*
inutile *useless*
une journée *day*
justement *exactly*
loin *far (off)*
mal *poorly, badly*
malade *sick*
une matière *school subject*
moyen, moyenne *average*
la note *grade*
nul, nulle *hopeless, useless*
passé, -e *last*
peu *little, not much*
un projet *project, plan*
redoubler *to repeat a grade*
une résolution *resolution;* prendre une résolution *to make a resolution*
réussir *to succeed*

ETUDE DE MOTS

In French, as in English, the prefix **re-** before a verb indicates that the action is repeated. In French, if the verb begins with a vowel, just the letter **r-** is added. (1) Find some examples in the list above of the use of the prefix **re-**. (2) Copy the following verbs and rewrite them, adding the prefix **re-**: **entrer, venir, tourner, attraper.** (3) Write the meaning of each verb.

A LIRE

Souvenirs de vacances

This selection is taken from *Les Vacances du petit Nicolas* (1962), one of a series of five books written by René Goscinny and illustrated by Jean-Jacques Sempé, a famous French cartoonist. Goscinny, who died in 1977, is noted for several books, in particular *Astérix* and *Lucky Luke.*

Avant de lire

D'abord, regardez le titre de l'histoire et les dessins. Maintenant, qu'en pensez-vous?

1. Quel âge ont le garçon et la fille?
2. De qui parle le garçon?
3. A votre avis, est-ce que le garçon est modeste?
4. Pensez-vous qu'il aime la fille?
5. C'est une histoire sérieuse ou comique?

(C'est Nicolas qui parle.)

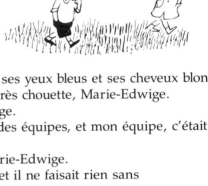

Marie-Edwige, c'est la fille de M. et Mme Courteplaque, nos voisins. Marie-Edwige, elle est très chouette, même si c'est une fille. Tiens, c'est une veine°! La voilà.

— Bonjour, Marie-Edwige, j'ai dit, tu vas dans le jardin?

— Oui, a dit Marie-Edwige. Et elle est passée par le trou dans la haie°. Marie-Edwige est devenue toute bronzée. Et avec ses yeux bleus et ses cheveux blonds, ça fait très joli. Non, vraiment, même si c'est une fille, elle est très chouette, Marie-Edwige.

— T'as passé de bonnes vacances? m'a demandé Marie-Edwige.

— Terrible! je lui ai dit. Je suis allé dans une colo°, il y avait° des équipes, et mon équipe, c'était la meilleure. Elle s'appelait «Œil-de-Lynx» et c'était moi le chef.

— Les chefs dans les colos, ce n'est pas des grands? a dit Marie-Edwige.

— Oui, j'ai dit, je vais t'expliquer : moi, j'étais l'aide du chef et il ne faisait rien sans me demander. Celui qui commandait vraiment, c'était moi.

— Et il y avait des filles dans la colo? a demandé Marie-Edwige.

— Peuh! j'ai répondu, bien sûr que non, c'était trop dangereux pour les filles. On faisait des choses terribles, et puis moi, j'ai sauvé deux filles qui se noyaient°.

— Tu racontes des blagues°, a dit Marie-Edwige.

— Comment des blagues? j'ai crié. C'est pas deux mais trois. J'en avais oublié un. Et puis, je vais te dire, à la pêche°, c'est moi qui ai gagné le concours. J'ai sorti un poisson comme ça! Et j'ai écarté les bras autant que je pouvais et Marie-Edwige a commencé à rigoler comme si elle ne me croyait pas. Et ça ne m'a pas plu; c'est vrai, avec les filles on ne peut pas parler.

---

c'est une veine *what luck;* **haie** *hedge;* **colo** = **colonie de vacances** *summer camp;* **il y avait** *there were;* **se noyaient** *were drowning;* **blagues** *jokes;* **pêche** *fishing*

— Moi, a dit Marie-Edwige, je suis allée à la plage avec mes parents, et j'ai rencontré Jeannot, et on est devenu copains.

— Marie-Edwige! a crié Mme Courteplaque, reviens tout de suite. Le déjeuner est servi.

— Je te raconterai plus tard, a dit Marie-Edwige, je vais rentrer. Et elle est partie en courant par le trou de la haie. Moi, je suis monté en courant dans ma chambre et j'ai donné un coup de pied° dans la porte de l'armoire. C'est vrai, quoi, à la fin, qu'est-ce qu'elle a Marie-Edwige à me raconter des tas de blagues sur ses vacances? D'abord, ça ne m'intéresse pas. Et puis Jeannot, c'est un imbécile et un laid°!

Activité • Devinez

Choisissez le bon équivalent anglais des mots suivants, d'après (according to) le texte.

1. voisins :
   a. *friends*
   b. *neighbors*
   c. *relatives*

2. devenu(e) :
   a. *became*
   b. *came back*
   c. *came from*

3. chef :
   a. *cook*
   b. *leader*
   c. *assistant*

Activité • Répondez

1. Où habite Marie-Edwige?
2. Décrivez Marie-Edwige.
3. Où est-ce que Nicolas a passé ses vacances?
4. Et Marie-Edwige? Où est-elle allée en vacances?
5. A votre avis, est-ce que Nicolas raconte des blagues ou des histoires vraies?

Activité • Avez-vous bien lu?

Nicolas a raconté ses aventures dans la colonie de vacances à Marie-Edwige. Décrivez trois aventures qu'il lui a racontées.

Activité • Réfléchissez

Voici cinq adjectifs. Choisissez ceux qui décrivent Nicolas. Donnez des raisons pour votre choix.

    vantard (*boastful*)   méchant   jaloux (*jealous*)   paresseux   timide

---

coup de pied *kick*; **laid** *ugly boy*

CHAPITRE 2

Après l'école

Yes, there's life outside school! Some students would even say that life begins after school. Around the age of 15, young people in France turn from television to other interests. Music and friends take up more of their time. They like to read, go to the movies, and take part in sports.

In this unit you will:

PREMIER CONTACT	get acquainted with the topic
SECTION **A**	talk about recreational activities . . . invite friends
SECTION **B**	choose activities at a rec center . . . offer encouragement
SECTION **C**	talk about forming a rock group . . . ask for, give, and refuse permission
TRY YOUR SKILLS	use what you've learned
A LIRE	read for practice and pleasure

1 La Maison des Jeunes et de la Culture 📼

mjc⁶

VILLE DE PARIS

LA MJC ORGANISE PENDANT L'ANNEE POUR LES ADHERENTS ET LEURS AMIS :

— SPECTACLES   — COURS   — SORTIES
— CONCERTS   — BIBLIOTHEQUE   — DEBATS
— PIQUE-NIQUES   — BALS   — EXPOSITIONS
— CAFETERIA

ASSEMBLEE GENERALE : JEUDI 19 MARS
BAL : SAMEDI 28 MARS

SANTE PHYSIQUE

Aérobic
Un conditionnement physique sur musique avec chorégraphies

En gymnase et en piscine
45 minutes de mise en forme en gymnase
45 minutes d'exercices en piscine

DANSES

Ballet
Initiation aux techniques de base du ballet classique

Danse créative
Découverte des dominantes corps, temps, espace et mouvement par différentes techniques de danse

LANGUES

Conversation anglaise et espagnole
Niveau I : Débutant   Niveau III : Avancé
Niveau II : Intermédiaire   Niveau IV : Perfectionnement

GENERAL

Bande dessinée
Apprentissage des techniques de dessin, développement de scénario, composition des textes, etc.

Cuisine d'été
Idées originales pour la préparation de pique-nique : barbecues, salades et punchs rafraîchissants

Atelier photo
Connaissance du développement en noir et blanc
Contrôle de la lumière en prise de vues

Informatique
Cours d'initiation, atelier de perfectionnement
Programmation en basic et intelligence artificielle

CARTE JEUNE :
Aux possesseurs de la Carte Jeune, la MJC propose une réduction de 10 % sur les cours payés au trimestre et 10 % sur toutes les animations qui se déroulent au cours de l'année (Bal, soirée, Ciné, spectacles. . .)

INSCRIPTION ANNUELLE : 55 FRANCS
VALABLE POUR TOUTES LES ACTIVITES

2 Activité • Complétez

1. Cette MJC est située…
2. Les membres peuvent inviter…
3. La MJC organise…
4. Les possesseurs de la Carte Jeune…
5. Dans l'atelier photo on peut…
6. Le samedi 28 mars…
7. Il faut payer 55 F pour…

3 Activité • Qu'est-ce qu'ils vont choisir à la MJC?

1. Pierre a reçu un nouvel appareil-photo.
2. Valérie et Nancy vont en Espagne cet été.
3. Pauline aime faire de la natation.
4. Les frères Dumont ont un nouvel ordinateur.
5. Nous aimons faire la cuisine.
6. Catherine est sportive.
7. Thomas aime discuter.

4 Activité • Et vous?

Quelle activité choisissez-vous à la MJC? Pourquoi?

5 VOULEZ-VOUS APPRENDRE A JOUER D'UN INSTRUMENT?

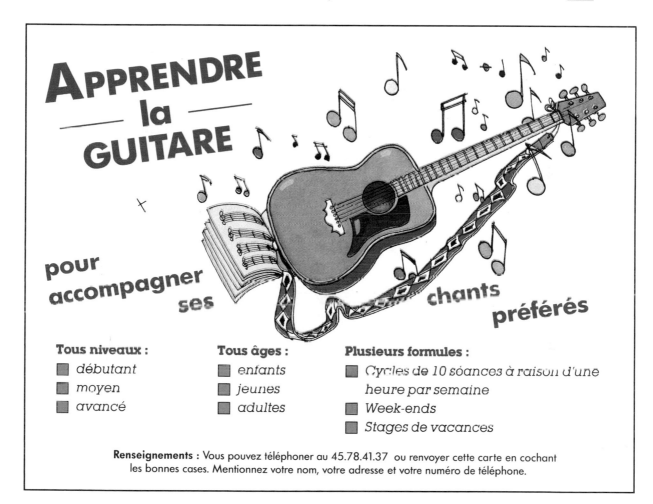

APPRENDRE la GUITARE

pour accompagner ses chants préférés

Tous niveaux :
- débutant
- moyen
- avancé

Tous âges :
- enfants
- jeunes
- adultes

Plusieurs formules :
- Cycles de 10 séances à raison d'une heure par semaine
- Week-ends
- Stages de vacances

Renseignements : Vous pouvez téléphoner au 45.78.41.37 ou renvoyer cette carte en cochant les bonnes cases. Mentionnez votre nom, votre adresse et votre numéro de téléphone.

6 Activité • Et vous?

Vous voulez apprendre la guitare. Relisez la publicité et répondez aux questions suivantes.

1. Quel est votre niveau?
2. Dans quel groupe d'âge êtes-vous?
3. Quelle formule choisissez-vous? Pourquoi?

4. Vous voulez des renseignements. Qu'est-ce que vous faites?

7 Activité • Ecrivez

Vous voulez donner des cours pour gagner un peu d'argent. Qu'est-ce que vous pouvez donner comme cours? Des cours de guitare? De trompette? De maths? D'anglais? De danse? Ecrivez une petite annonce.

talking about recreational activities . . . inviting friends

Le lycée, ce n'est pas tout. Il y a aussi une vie en dehors de l'école, une vie passionnante. Quand ils n'ont pas de devoirs, les jeunes français sortent, font du sport ou pratiquent de nombreuses activités. Il y a toujours quelque chose à faire.

A1

Après-midi libre! 📼

C'est mercredi et il est midi. Dans toute la France, les jeunes ont l'après-midi libre. Qu'est-ce qu'ils vont faire?

ROMAIN   Qu'est-ce que tu fais maintenant?
LAURE   Je vais répéter avec mon groupe de rock. Ça te plairait de venir écouter?
ROMAIN   Je ne peux pas. J'ai un entraînement de foot.

EMMANUELLE   Tu veux venir avec nous à la piscine?
JULIEN   Impossible, je vais au cinéma avec une copine.

CÉCILE   Je vais faire des achats. Tu ne veux pas venir avec moi?
MARIE   Si, je veux bien. J'ai justement besoin d'acheter une paire de chaussures.

CLAUDE Ça te dit de venir regarder un film chez moi? On a un nouveau magnétoscope.

NICOLE Non, il fait trop beau. Je vais faire une balade et prendre des photos.

CAROLINE Ça t'intéresse de venir avec moi à la MJC?

DAMIEN Qu'est-ce qu'on peut y faire?

CAROLINE Des tas de choses. De la danse, de la gym, du judo… Moi, je fais du théâtre.

DAMIEN OK, je veux bien. Mais d'abord, on va déjeuner.

THOMAS Je ne sais pas quoi faire aujourd'hui. Tu n'as pas une idée?

ERIC Si, viens avec nous. On fait un petit film vidéo avec des copains.

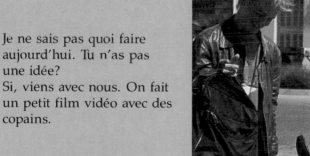

A2   Activité • Vrai ou faux?

Corrigez les phrases incorrectes d'après A1.

1. Laure et Romain vont répéter avec un groupe de rock.
2. Julien va au cinéma avec Emmanuelle.
3. Cécile et Marie vont faire des achats.
4. Claude et Nicole vont prendre des photos.
5. Caroline et Damien vont déjeuner après le théâtre.
6. Thomas et Eric n'ont pas d'idée.

Activité • A vous maintenant!

C'est jeudi matin. Les jeunes dans A1 parlent dans la cour du lycée. Ils racontent ce qu'ils ont fait hier. Relisez A1 et préparez les dialogues avec un(e) camarade de classe.

Damien et Eric

D. — Qu'est-ce que tu as fait hier après l'école?
E. — J'ai fait un film vidéo avec des copains. Et toi?
D. — Moi, je suis allé à la MJC avec Caroline.

1. Caroline et Thomas
2. Claude et Cécile
3. Emmanuelle et Marie
4. Laure et Julien
5. Julien et Romain
6. Nicole et Damien

A4 Savez-vous que... ?

Les jeunes Français ont beaucoup d'heures de cours : de 25 à 30 heures par semaine. De plus, ils ont souvent des devoirs à faire à la maison. Ils sont donc très occupés. Mais ils trouvent quand même le temps de faire ce qui les intéresse hors de l'école. Qu'est-ce qu'ils font? Ça dépend. Ils peuvent faire du sport, mais aussi de la musique, du théâtre, du cinéma, de la photo, de l'informatique... Pour cela, ils vont au club sportif ou à la MJC. Ils veulent oublier l'ambiance de l'école, voir d'autres jeunes, faire autre chose.

A5 COMMENT LE DIRE
Answering a negative question affirmatively

There are two ways to say *yes* in French, **oui** and **si**. **Si** is used when you answer *yes* to a negative question.

Tu ne veux pas venir avec moi?	Si, je veux bien.
Tu veux venir avec moi?	Oui, je veux bien.

A6 Activité • Si ou oui?

Travaillez avec un(e) camarade de classe. Vous lui proposez des activités. Posez vos questions à la forme indiquée entre parenthèses. Il/Elle répond par **si** ou par **oui**. Changez de rôle.

faire une balade

— Tu veux faire une balade?
— Oui, je veux bien.

or

— Tu ne veux pas faire une balade?
— Si, je veux bien.

1. prendre des photos (*affirmative*)
2. faire un film vidéo (*négative*)
3. faire des achats (*affirmative*)
4. regarder un film vidéo (*négative*)
5. aller au cinéma (*affirmative*)
6. aller à la piscine (*négative*)

Activité • A vous maintenant! 📼

Travaillez avec un(e) camarade de classe. Posez les questions suivantes à la forme négative. Répondez affirmativement.

1. Nous allons à la MJC cet après-midi?
2. Elle est ouverte?
3. On prend le métro?
4. On attend Philippe?
5. Tu vas faire de la gym?
6. Tu veux faire du théâtre?

A 8 STRUCTURES DE BASE
The independent pronouns

1. You've already been using the independent pronouns **moi, toi, elle,** and **lui.** The following chart shows you all the independent pronouns and their corresponding subject pronouns. You'll notice that some are the same.

Independent Pronouns	**moi**	**toi**	**lui**	**elle**	**nous**	**vous**	**eux**	**elles**
Subject Pronouns	je	tu	il	elle	nous	vous	ils	elles

2. Independent pronouns are used . . .
   a. when there is no verb in the response. Qui? **Moi? Lui** aussi? **Elles,** non.
   b. to emphasize a noun or a pronoun. **Moi, je** fais du théâtre. **Sylvie, elle,** fait de la danse. **Eux, ils** font de la photo.
   c. after **c'est.** Qui est-ce? C'est **moi.** C'est **nous.** C'est (Ce sont) **eux.**
   d. after prepositions (**pour, sans, entre, chez, avec, loin de,** and so on). Viens **avec moi. Sans toi,** je n'y vais pas.
   e. in a compound subject. **Philippe et moi** allons au cinéma. **Jean et lui** sont au théâtre.

3. The pronoun **eux** may refer to a group of all males or a mixed group of males and females.

A 9 Activité • Qu'est-ce qu'ils font après l'école? 📼

Demandez à un(e) camarade de classe ce que vos amis font après l'école. Il/Elle répond avec les pronoms indépendants. Changez de rôle.

— Paul fait du sport?   — Non, lui, il prend des photos.

Paul	faire du sport	prendre des photos
Caroline	faire des achats	faire du théâtre
Damien	faire une balade	aller à la MJC
Laure	aller au cinéma	répéter avec son groupe
Les garçons	aller à la piscine	faire de la gymnastique
Tu	faire du judo	avoir un entraînement de foot
Les filles	faire de la danse	faire une balade

Activité • A la cafeteria

Vous êtes à la MJC, à la cafeteria. Vous allez, avec un(e) camarade, chercher ce que vos copains ont commandé (*ordered*). Préparez les dialogues. Employez les pronoms corrects dans vos réponses.

> — C'est pour qui, la limonade? Pour Caroline?
> — Oui, c'est pour elle.

1. Et l'eau minérale, c'est pour Damien?
2. C'est pour Philippe et toi, les sandwiches?
3. Les glaces sont pour Caroline et Damien?

4. Et les frites, c'est pour les filles?
5. C'est pour qui, le jus de fruits? Pour Anne?
6. C'est pour toi, la salade?

A 11 Activité • Ecrit dirigé

Anne écrit un petit mot à son amie Caroline. Complétez sa lettre avec les pronoms **moi, toi, lui, elle, nous, vous, eux** ou **elles.**

Devine où je suis, _____ ! Devant un ordinateur! Brigitte et
Chantal font de l'informatique et je suis venue avec _____ à
la Maison des Jeunes. Je suis nulle, mais l'animateur, _____ ,
est très fort. Sans _____ , je n'y comprends rien! Il y a cinq
autres lycéens. A côté d'_____ je suis un vrai amateur, mais
je compose cette lettre pour _____ sur l'ordinateur.
Comment ça va, _____ ? Ecris-moi vite.

A 12 **COMMENT LE DIRE**
Inviting friends

Tu veux		Oui, je veux bien.
Tu ne veux pas		Si, je veux bien.
Ça te dit de	venir avec moi?	D'accord.
Ça t'intéresse de		Bonne idée!
Ça te plairait de		Oui, mais je ne peux pas.

A 13 Activité • A vous maintenant!

Vous avez envie de faire des millions de choses! Proposez à un(e) ami(e) de venir avec vous. Préparez les dialogues avec un(e) camarade de classe. Changez de rôle et variez les questions et les réponses.

aller à la MJC
> — Ça te dit d'aller à la MJC?
> — D'accord. Bonne idée.

1. faire une balade
2. regarder un film vidéo

3. faire des achats
4. aller au cinéma

5. venir à la piscine
6. sortir

7. prendre des photos
8. faire un film vidéo

A 14 Activité • Ecrivez

Caroline voit cette annonce à la porte du théâtre dans la MJC. Elle écrit un petit mot à Damien. Elle lui propose de prendre ce cours avec elle. Qu'est-ce qu'elle écrit?

ACTEURS! ACTRICES!
Vous aimez le théâtre?
Venez nombreux
le mercredi de 14 h à 16 h
le samedi de 15 h à 17 h.
Premier cours le mercredi
18 septembre.
Animateur : Jacques Blanc

A 15 Activité • A vous maintenant!

Vous téléphonez à un(e) ami(e) pour lui demander de sortir avec vous. Vous lui parlez de ces trois spectacles et vous lui demandez s'il (si elle) veut venir avec vous. Avant de choisir, votre ami(e) vous pose des questions : C'est à quelle heure? C'est où? C'est combien?... Commencez par : «Tu veux sortir samedi?»

A 16 Activité • Ecoutez bien

Vous allez écouter des dialogues. Une personne propose à une autre de faire quelque chose. Dites si la deuxième personne accepte ou refuse.

Après l'école   59

Dans une Maison des Jeunes et de la Culture (MJC), on peut faire du théâtre, de la danse, de la musique, du judo et surtout rencontrer des jeunes. Il y a toujours une bonne ambiance.

B1   # A la Maison des Jeunes

Damien et Caroline sont maintenant inscrits. Ils ont commencé leur cours. Entrons dans la MJC et observons.

(A l'accueil)

PHILIPPE	Bonjour, mademoiselle. Qu'est-ce que vous avez comme cours de musique? J'ai envie d'apprendre à jouer d'un instrument.
L'ANIMATRICE	Nous avons d'excellents cours de trompette pour débutants, le mardi et le jeudi soir.
PHILIPPE	C'est combien?
L'ANIMATRICE	Deux cent cinquante francs par mois.
PHILIPPE	Il faut aussi acheter sa trompette?
L'ANIMATRICE	Bien sûr.
PHILIPPE	Oh, ça va faire cher! Vous n'avez pas plutôt des cours de flûte?

La MJC est ouverte
toute la journée
de 10 h 00 à 22 h 00.

Damien et Caroline répètent
une pièce de théâtre.

(Au cours de théâtre)

DAMIEN	«Hélas, madame, je dois partir...
CAROLINE	Monsieur! Déjà? Vous ne m'aimez plus?
DAMIEN	Si, madame, énormément, mais j'ai un train à deux heures pour la Russie.»

L'ANIMATRICE	Non, Damien, non! Ne regarde pas Caroline. Regarde le public, droit devant toi. Et toi, Caroline, parle plus fort. Recommencez, s'il vous plaît.
CAROLINE	Mais, mademoiselle, c'est la cinquième fois!
L'ANIMATRICE	Encore un petit effort!

Roland fait une prise à son adversaire.

(Au cours de judo)

L'ANIMATEUR	Non, non, ce n'est pas bien! Regarde-moi. Comme ça. Mets la main gauche sur son épaule droite. Tu comprends? Reprends maintenant.

Mireille va au cours de danse deux soirs par semaine et le samedi après-midi.

(Au cours de danse)

L'ANIMATRICE	Plus haut, la jambe, plus haut!… Plus vite!… Mais non! Ecoute la musique.
MIREILLE	Je n'y arrive pas!
L'ANIMATRICE	Mais si!
MIREILLE	Non, c'est trop rapide pour moi!
L'ANIMATRICE	Allez! Tu y es presque! On reprend. Encore une fois!

Activité • Ce n'est pas vrai!

D'après B1, ces phrases ne sont pas vraies. Corrigez les erreurs.

1. Caroline et Damien pratiquent un sport.
2. Philippe veut faire du théâtre.
3. Philippe va prendre des cours de trompette.
4. L'animateur de judo est content de Roland.
5. Mireille ne danse pas souvent.
6. Mireille danse très bien.

B3   Activité • Et vous?

1. Quand est-ce que vous êtes libre pour faire ce que vous aimez?
2. Qu'est-ce que vous faites en dehors de l'école?
3. Est-ce qu' il y a un centre de jeunes dans votre ville?
4. Quelles activités est-ce qu'on y propose?
5. Est-ce que vous y allez? Souvent? Avec des amis?

B4   AUTRES ACTIVITES

Les maisons des jeunes de la ville de Paris offrent une variété d'activités. Qu'est-ce que vous voulez faire?

1.
Faites de la philatélie!

2.
Faites de la peinture!

3.
Jouez aux échecs!

4.
Faites de la musculation!

5.
Faites de la poterie!

6.
Jouez aux dames!

B5   Activité • Ecoutez bien

Ecoutez la conversation et ensuite complétez les phrases suivantes.

1. Le garçon a envie de…
   a. faire du théâtre.
   b. apprendre la guitare.
   c. faire du sport.
2. Il peut faire…
   a. du karaté.
   b. du foot.
   c. du basket.
3. Le judo coûte…
   a. six cent francs.
   b. sept cent francs.
   c. cinq cent francs.
4. Le garçon trouve que le judo est…
   a. génial.
   b. cher.
   c. difficile.
5. Il choisit le ping-pong parce que…
   a. ce n'est pas cher.
   b. il est libre le soir.
   c. il aime mieux le ping-pong.

De la musique avant toute chose! C'est le passe-temps favori des jeunes français. Branchés sur leur radio FM, leur stéréo ou leur baladeur *(Walkman)*, ils écoutent toutes sortes de musique : funk, new-wave, chanson, classique. Ils apprécient le rock anglo-saxon, mais ils aiment aussi bien les chanteurs (Renaud, Jean-Jacques Goldman) et les groupes (Indochine, Carte de Séjour) français.

1

Parmi les activités suivantes, quelle est celle que, personnellement, vous préférez?

	%		%
Ecouter de la musique chez vous	24	Faire du sport	17,5
Aller écouter des concerts	12	La lecture	11
Jouer de la musique	10	La télévision	1,5
Le cinéma	22,5	Autres	1,5
		Total musique	**46**

2

Ecoutez-vous de la musique classique?

	%
Parfois	**60**
Régulièrement	**22**
Jamais	18

3

Quelle somme consacrez-vous chaque mois à la musique?

	%
Moins de 50 F	**43,5**
50 F à 100 F	**45**
100 F à 150 F	7,5
Plus de 150 F	4

4

Vous devez passer une année sur une île déserte et vous avez le droit d'emporter un disque (un seul). Lequel choisissez-vous?

GARÇONS	%	FILLES	%
Dire Straits	**7,8**	**Goldman**	**8,1**
Cure	6,7	Renaud	6,1
Renaud	5,8	Balavoine	5,8
Indochine	3,1	Indochine	3,5
Goldman	3,1	Cure	3,1
Sade	2,5	Sting	2,7
Balavoine	2,5	Sade	2
Jean-Michel Jarre	2,5	Jean-Michel Jarre	2
Pink Floyd	2,5	Dépêche Mode	1,9
Sting	2,2		

Aimez-vous la musique? Répondez aux questions suivantes. Ensuite posez les questions à un(e) camarade de classe.

1. Quel est le dernier disque que vous avez acheté? Ou la dernière cassette?
2. Combien d'argent dépensez-vous *(spend)* chaque mois en musique (disques, cassettes, concerts, etc.)?
3. Quel est le dernier concert que vous êtes allé(e) écouter?
4. Regardez-vous des émissions musicales à la télévision? Quelles émissions préférez-vous?
5. Trouvez-vous votre information musicale dans un journal ou dans un magazine? Quel journal? Quel magazine?
6. Ecoutez-vous de la musique classique? Régulièrement? Quelquefois? Jamais?
7. Vous devez passer une année sur une île déserte et vous avez le droit *(the right)* d'emporter un seul disque. Quel disque choisissez-vous?

B8   VOUS EN SOUVENEZ-VOUS?

You've already learned the irregular verb **prendre.**

prendre *to take*					
Je	**prends**	du lait.	Nous	**prenons**	du lait.
Tu	**prends**	l'autobus.	Vous	**prenez**	l'autobus.
Il/Elle/On	**prend**		Ils/Elles	**prennent**	

The past participle of **prendre** is **pris: Elles ont pris l'autobus.**

B9   STRUCTURES DE BASE
The verbs apprendre *and* comprendre

1. **Apprendre,** *to learn,* and **comprendre,** *to understand,* are compounds of the verb **prendre.** They follow the same pattern as **prendre.**

apprendre *to learn*					
J'	**apprends**	la trompette.	Nous	**apprenons**	la trompette.
Tu	**apprends**		Vous	**apprenez**	
Il/Elle/On	**apprend**		Ils/Elles	**apprennent**	

comprendre *to understand*					
Je	**comprends**	bien.	Nous	**comprenons**	bien.
Tu	**comprends**		Vous	**comprenez**	
Il/Elle/On	**comprend**		Ils/Elles	**comprennent**	

2. As you might expect, the past participles of **apprendre** and **comprendre** resemble that of **prendre: appris, compris. Tu as appris la danse? Je n'ai pas bien compris.**
3. The verb **apprendre** is followed by the preposition **à** before the infinitive of another verb: **J'apprends à danser.**

Activité • Complétez

Complétez cette conversation avec les formes correctes de **prendre, apprendre** ou **comprendre.**

— Vous ____ des cours de musique?
— Oui, nous ____ à jouer de la trompette.
— Et toi, Roland, tu ____ quels cours?
— Je ____ des cours de judo.
— C'est difficile?
— Quelquefois, je ne ____ pas très bien l'animateur.
— L'année dernière, j'ai ____ le judo. Mais j'ai tout oublié.

B 11 **Activité • Ils ne sont pas très bons** 📼

Vos amis prennent des cours. Qu'est-ce qu'ils apprennent à faire?

B 12 **Activité • Ecrit dirigé**

L'animateur de judo à la MJC parle de ses élèves. Complétez le texte en employant les formes correctes des verbes **apprendre** ou **comprendre.**

«Mes élèves veulent ____ le judo, mais ils ne ____ pas mes instructions. Sauf une fille, Sophie! Elle ____ tout! Elle est vraiment extraordinaire! Hier, en deux minutes, elle ____ la nouvelle prise. Les autres ont mis une heure pour ____. Roland, lui, n' ____ pas ____!»

B 13 **Activité • A vous maintenant!**

Demandez à un(e) camarade de classe ce qu'il/elle apprend à l'école. Dites-lui ce que vous y apprenez. Demandez-lui aussi ce qu'il/elle a envie d'apprendre.

B 14 **Activité • Ecrivez**

Vous voulez inscrire votre petite sœur à un cours de musique. Ecrivez votre dialogue avec l'animateur ou l'animatrice de la MJC. Vous voulez savoir quels cours on propose, les heures, les jours et le prix, si on peut louer ou s'il faut acheter son instrument. Commencez par demander : «Qu'est-ce que vous avez comme cours de musique?»

COMMENT LE DIRE
Offering encouragement

Vas-y!	Go for it!
C'est bien!	Yes, that's fine!
Mais si, ça vient!	Of course, it's coming along!
Tu y es presque!	You're almost there!
Mais oui, tu y arrives!	OK, you're getting there!
Continue!	Keep going!
Encore un petit effort!	A little more effort!

B16 Activité • **Encouragez votre ami**

Jean-Pierre fait du ski pour la première fois. Encouragez-le.

B17 Activité • **A vous maintenant!**

Votre ami(e) est découragé(e). Encouragez-le(la). Travaillez avec un(e) camarade de classe.
L'un(e) de vous lit une des phrases; l'autre répond par une phrase d'encouragement.

1. Je n'y arrive pas!
2. Je n'ai pas compris!
3. C'est trop compliqué pour moi!

4. Je suis trop fatigué(e)!
5. Je suis nul(le)!
6. C'est trop difficile!

talking about forming a rock group . . . asking for, giving, and refusing permission

Avez-vous déjà rêvé de former votre propre groupe de rock et de faire un disque? Laure, une jeune fille de 15 ans, a le même rêve.

C1 Comment monter un groupe de rock?

Laure joue de la guitare depuis quatre ans. Elle a déjà écrit des chansons. Elle est ambitieuse et elle rêve de faire un disque. Cette année, elle a décidé de monter un groupe de rock. Elle essaie de persuader sa mère.

LAURE — Maman, je voudrais monter un groupe de rock. Tu es d'accord?

MAMAN — Quelle idée! Comment est-ce que tu vas avoir le temps de faire tes études et de monter un groupe?

LAURE — Tu vas voir, maman, je peux faire les deux.

MAMAN — Fais attention; tu dois passer ton bac. L'année dernière tes notes n'ont pas été brillantes. Tu peux répéter avec ton groupe pendant les vacances et peut-être un week-end par mois. Ça, je veux bien.

LAURE — Mais nous devons répéter deux fois par semaine, au moins!

MAMAN — Pas question. Tu dois d'abord étudier.

LAURE — C'est ton dernier mot?

MAMAN — Oui.

LAURE — Les Rolling Stones n'ont pas demandé la permission à leurs mères pour jouer!

C2 Activité • Répondez

1. Est-ce que Laure apprend à jouer de la guitare?
2. Qu'est-ce qu'elle rêve de faire?
3. Qu'est-ce qu'elle a décidé?
4. Quelles sont les objections de sa mère?
5. Quel est le dernier mot de sa mère?
6. Qui sont les Rolling Stones?

C3 Activité • Et vous?

1. Etes-vous ambitieux/ambitieuse?
2. Qu'est-ce que vous rêvez de faire?
3. Est-ce que vous jouez de la guitare?
4. Est-ce que vous avez déjà essayé de persuader votre mère?
   Pour quoi faire? Qu'est-ce qu'elle a répondu?
5. L'année dernière, vos notes ont-elles été bonnes ou mauvaises?
6. Est-ce que vous avez le temps de faire vos études et aussi de faire autre chose?
   Qu'est-ce que vous faites?

C4 STRUCTURES DE BASE
The verb devoir

The following chart gives you the present-tense forms of the irregular verb **devoir**.

devoir *to have to, must*					
Je	**dois**	} étudier.	Nous	**devons**	} étudier.
Tu	**dois**		Vous	**devez**	
Il/Elle/On	**doit**		Ils/Elles	**doivent**	

The past participle of devoir is **dû: J'ai dû acheter une guitare.** The verb **devoir** is often followed by the infinitive of another verb: **Tu dois passer ton bac.**

C5 Activité • Vouloir ou devoir?

Laure et sa mère ne sont pas d'accord. Qu'est-ce que Laure veut faire? Qu'est-ce qu'elle doit faire? Trouvez au moins deux choses dans C1.

> Laure veut… mais elle doit…

C6 Activité • Et vous?

Qu'est-ce que vous voulez faire? Qu'est-ce que vous devez faire? Faites des listes. Trouvez au moins six choses.

> Je veux…   Je dois…

C7 Activité • Ecrit dirigé

Qu'est-ce qu'ils doivent faire? Ecrivez des phrases complètes avec le verbe **devoir.**

> Laure ne fait pas d'études.
> Elle doit faire des études.

1. Damien et Caroline ne regardent pas le public.
2. Caroline ne parle pas assez fort.
3. Nous ne faisons pas d'effort.
4. Vous n'écoutez pas la musique.
5. Tu ne répètes pas.
6. Je n'étudie pas.

COMMENT LE DIRE
Asking for, giving, and refusing permission

ASKING	GIVING	REFUSING
Je peux . . . , s'il vous (te) plaît? Je voudrais . . . Vous êtes (Tu es) d'accord?	Oui, si vous voulez (tu veux). Je veux bien. Oui, pourquoi pas? D'accord. Bonne idée. Oui, bien sûr.	Quelle idée! Non, c'est mon dernier mot. C'est impossible. Non, je ne veux pas. Non, je refuse. (Il n'en est) pas question.

C9 Activité • A la place des parents

Un(e) camarade de classe joue le rôle de Laure. Vous êtes son père ou sa mère. Donnez votre permission ou refusez. Changez de rôle.

1. Maman, le groupe peut répéter dans ma chambre?
2. Je peux inviter cinq copains à la répétition?
3. Papa, nous pouvons laisser nos instruments dans le garage?
4. Je voudrais offrir des boissons aux musiciens. Vous êtes d'accord?
5. Nous pouvons écouter des cassettes dans le living?
6. Je peux téléphoner aux Etats-Unis à un producteur américain?

C10 Activité • A vous maintenant!

Travaillez avec un(e) camarade. Votre camarade joue le rôle de votre mère ou de votre père. Faites un dialogue pour demander et donner la permission.

monter un groupe de rock
— Je peux monter un groupe de rock?
— Oui, je veux bien.

1. sortir jeudi soir
2. faire du théâtre
3. prendre des cours de judo
4. répéter avec mon groupe
5. écouter des cassettes dans le living
6. téléphoner aux Etats-Unis

Ensuite, demandez la permission et refusez. Utilisez les raisons suivantes pour justifier votre refus.

Ta mère regarde la télévision.

Tu dois faire tes devoirs.

Tu dois passer ton bac.

C'est trop dangereux.

Ta grand-mère vient dîner.

C'est trop cher.

Laure a mis une annonce dans son lycée pour trouver des musiciens.

BERNARD	Allô? Je suis bien au 45.65.34.42?
LAURE	Oui.
BERNARD	Bonjour. Je m'appelle Bernard Dufour. Je téléphone au sujet de l'annonce.
LAURE	Tu es musicien?
BERNARD	Je suis bassiste.

Guitariste et chanteuse, 15 ans, cherche bons (nes) musiciens (nes) pour monter un groupe de rock.

Tél. : 45.65.34.42

LAURE	Merveilleux! Ça fait longtemps que tu joues de la basse?
BERNARD	J'en joue depuis deux ans.
LAURE	Bon. Quand est-ce que tu peux répéter?
BERNARD	Pendant le week-end seulement.
LAURE	Ça va, moi aussi.
BERNARD	Où est-ce qu'on répète?
LAURE	J'ai un local au 44, rue Lafayette. C'est le garage d'une amie. Samedi à dix heures, ça va?
BERNARD	C'est d'accord.

C12 Activité • Complétez

Laure prend des notes en répondant au téléphone. Complétez les phrases.

1. Le garçon s'appelle…
2. Il est…
3. Il joue… depuis…

4. Il peut répéter…
5. On va répéter…

C13 Activité • Qu'est-ce qu'il faut faire?

Pour monter un groupe de rock, il y a beaucoup de choses à faire. Mettez ces choses dans le bon ordre.

Il faut…

1. chercher un local
2. persuader sa mère
3. faire un disque

4. mettre une annonce
5. apprendre à jouer d'un instrument
6. répéter très souvent

C14 Activité • Ecrit dirigé

Ce texte n'est pas entièrement vrai. Faites les changements nécessaires.

> Laure joue du piano depuis trois ans. Elle rêve de monter un groupe de jazz. Sa mère est d'accord. Laure peut répéter tous les soirs de la semaine. Elle met une annonce dans son immeuble. Une bassiste lui téléphone. Elles prennent rendez-vous pour le dimanche à neuf heures. Elles vont répéter dans la chambre de Laure.

 C15 STRUCTURES DE BASE
The pronoun en

1. The object pronoun **en** is used to refer to things. It stands for a phrase beginning with **de, du, de la, de l',** or **des.**

Laure joue	de la guitare.	Elle	en	joue.
Elle prend	des cours.	Elle	en	prend.
Elle rêve	de faire un disque.	Elle	en	rêve.
Elle a envie	de monter un groupe.	Elle	en	a envie.
Elle a déjà écrit	des chansons.	Elle	en	a déjà écrit.

2. **En** comes immediately before the verb to which its meaning is tied. In an affirmative command, however, it immediately follows the verb and, in writing, is separated from it by a hyphen.

Elle	en prend.			
Elle n'	en prend	pas.		
Elle	en a pris.		*but,*	Prends-**en**!
Elle n'	en a pas pris.			Prenez-**en**!
Elle veut	en prendre.			
N'	en prends	pas.		

3. **Liaison** is obligatory . . .

   a. when **en** follows an affirmative command: **Prends-en.** Note the **liaison** in **Parles-en:** **-er** verbs, which normally have no final **-s** in the singular command, take one before **en.**

   b. when **en** is followed by a verb form beginning with a vowel sound: **J'en ai pris.**

 C16 Activité • Répondez 📼

Répondez aux questions en employant le pronom **en.**

1. Est-ce que les jeunes prennent des cours à la MJC?
2. Est-ce que Philippe veut jouer de la trompette?
3. Est-ce que Roland fait du judo?
4. Est-ce que Mireille fait de la danse?
5. Est-ce que Bernard joue de la basse?
6. Est-ce que Damien et Caroline font du théâtre?

AUTRES INSTRUMENTS 📼

Vous jouez de quels instruments?

De la batterie?

De la guitare électrique?

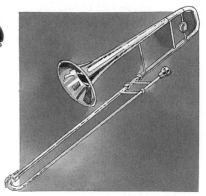

Du trombone?

De la clarinette?

Du piano?

Du saxophone?

C18 Activité • Interrogez vos camarades

Regardez les instruments dans C17. Posez des questions à vos camarades.

— Tu joues de la batterie?
— Oui, j'en joue. (Non, je n'en joue pas.)

C19 **COMMENT LE DIRE**
Asking and telling how long something has been going on

QUESTION	ANSWER
Tu joues de la basse depuis combien de temps?	Depuis deux ans. J'en joue depuis deux ans.
Ça fait combien de temps que tu joues de la basse?	Ça fait deux ans. Ça fait deux ans que j'en joue.

French uses the present tense where English uses the present perfect tense: **Je joue depuis...,**
Ça fait... que je joue. *I have been playing for . . .*

C20 Activité • Ça fait combien de temps?

Laure reçoit plusieurs réponses à son annonce. Elle veut avoir des renseignements sur les musiciens. Qu'est-ce qu'elle leur demande? Qu'est-ce qu'ils répondent? Préparez les questions et les réponses avec un(e) camarade de classe.

— Ça fait combien de temps que tu joues de la basse?
— Ça fait deux ans que j'en joue.

1. jouer de la basse / deux ans
2. être musicien / quatre ans
3. jouer de la guitare / six ans
4. rêver de monter un groupe / longtemps
5. apprendre à jouer de la trompette / un an
6. être bassiste / deux ans

C21 Activité • A vous maintenant!

Demandez à un(e) camarade de classe ce qu'il/elle fait comme passe-temps. Ensuite, demandez-lui depuis combien de temps il/elle fait ça.

— Qu'est-ce que tu fais comme passe-temps?
— …
— Tu… depuis combien de temps?
    (Ça fait combien de temps que tu… ?)

C22 Activité • Et vous?

1. Jouez-vous d'un instrument ou rêvez-vous d'en jouer?
2. De quel instrument?
3. Depuis combien de temps en jouez-vous ou rêvez-vous d'en jouer ?
4. Avez-vous un(e) ami(e) qui joue d'un instrument?
5. De quel instrument joue-t-il/elle?
6. Depuis combien de temps?

C23 Activité • Ecrit dirigé

Répondez aux questions suivantes pour décrire votre groupe favori. Ecrivez vos réponses en forme de paragraphe.

1. Comment s'appelle votre groupe favori?
2. Depuis combien de temps est-ce que ces musiciens jouent ensemble?
3. Depuis combien de temps aimez-vous ce groupe?
4. Pourquoi est-ce que vous aimez ce groupe?
5. Êtes-vous déjà allé(e) à un de leurs concerts?
6. Est-ce que vos parents aiment aussi ce groupe? Pourquoi? Pourquoi pas?

Un groupe francophone des Antilles : KASSAV

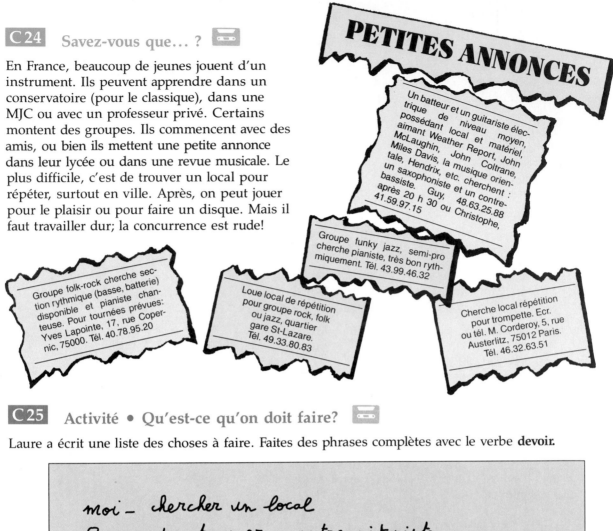

C24 Savez-vous que… ?

En France, beaucoup de jeunes jouent d'un instrument. Ils peuvent apprendre dans un conservatoire (pour le classique), dans une MJC ou avec un professeur privé. Certains montent des groupes. Ils commencent avec des amis, ou bien ils mettent une petite annonce dans leur lycée ou dans une revue musicale. Le plus difficile, c'est de trouver un local pour répéter, surtout en ville. Après, on peut jouer pour le plaisir ou pour faire un disque. Mais il faut travailler dur; la concurrence est rude!

PETITES ANNONCES

Un batteur et un guitariste électrique de niveau moyen, possédant local et matériel, aimant Weather Report, John McLaughin, John Coltrane, Miles Davis, la musique orientale, Hendrix, etc. cherchent un saxophoniste et un contrebassiste. Guy, 48.63.25.88 après 20 h 30 ou Christophe, 41.59.97.15

Groupe funky jazz, semi-pro cherche pianiste, très bon rythmiquement. Tél. 43.99.46.32

Groupe folk-rock cherche section rythmique (basse, batterie) disponible et pianiste chanteuse. Pour tournées prévues: Yves Lapointe, 17, rue Copernic, 75000. Tél. 40.78.95.20

Loue local de répétition pour groupe rock, folk ou jazz, quartier gare St-Lazare. Tél. 49.33.80.83

Cherche local répétition pour trompette. Ecr. ou tél. M. Corderoy, 5, rue Austerlitz, 75012 Paris. Tél. 46.32.63.51

C25 Activité • Qu'est-ce qu'on doit faire?

Laure a écrit une liste des choses à faire. Faites des phrases complètes avec le verbe **devoir**.

> moi – chercher un local
> Bernard – trouver un autre guitariste
> Philippe et moi – écrire des chansons
> Bernard et Marie-Hélène – faire de la publicité
> Marie-Hélène – téléphoner à un producteur

C26 Activité • Ecoutez bien

Ecoutez le dialogue et choisissez la bonne réponse.

1. Benjamin est   **a.** guitariste   **b.** chanteur   **c.** bassiste.
2. Il joue d'un instrument depuis   **a.** longtemps   **b.** trois ans   **c.** trois mois.
3. Guy a envie de   **a.** faire un disque   **b.** jouer de la basse   **c.** monter un groupe.
4. Benjamin rêve de   **a.** monter un groupe   **b.** faire du foot   **c.** faire un disque.
5. Guy joue   **a.** de la guitare   **b.** de la batterie   **c.** de la basse.
6. Guy et Benjamin peuvent répéter   **a.** le week-end et deux soirs par semaine   **b.** les autres soirs   **c.** le week-end.

Voici une chanson composée par Laure.

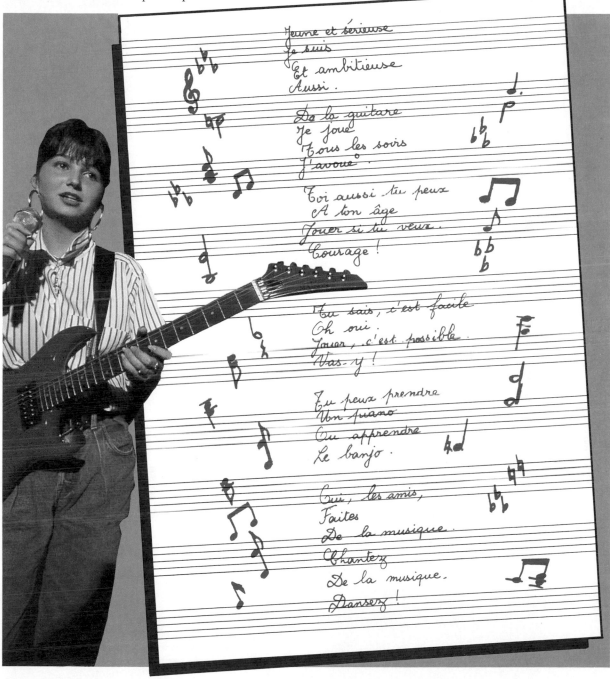

Jeune et sérieuse
Je suis
Et ambitieuse
Aussi.

De la guitare
Je joue
Tous les soirs
J'avoue.

Toi aussi tu peux
A ton âge
Jouer si tu veux.
Courage !

Tu sais, c'est facile
Oh oui.
Jouer, c'est possible.
Vas-y !

Tu peux prendre
Un piano
Ou apprendre
Le banjo.

Oui, les amis,
Faites
De la musique.
Chantez
De la musique.
Dansez !

C28 Activité • Le personnage de Laure

Maintenant, vous connaissez Laure. En quelques phrases, décrivez-la. Dites ce qu'elle fait et quels sont ses rêves.

---

avoue *admit*

1 Devant la Maison des Jeunes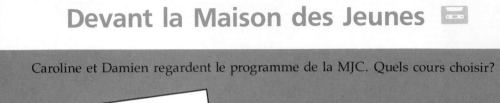

Caroline et Damien regardent le programme de la MJC. Quels cours choisir?

GYM-DANSE

Christine Boudreau

De la danse
De la gymnastique

Horaires :
Lundi 17h45 – 18h30 Ts niveaux
18h30 – 19h15 Ts niveaux

Jeudi 17h45 – 18h30 Ts niveaux
18h30 – 19h15 Ts niveaux

DAMIEN Ça t'intéresse de faire de la gym-danse?
CAROLINE Qu'est-ce que c'est, la gym-danse?
DAMIEN Je ne sais pas. De la gymnastique avec de la danse.
CAROLINE On peut essayer, non?

CAROLINE Ça te plairait d'aller au cours de claquettes américaines?
DAMIEN Quelle différence il y a avec les claquettes françaises?
CAROLINE Il n'y a pas de différence. Mais claquettes américaines, ça fait mieux.

CLAQUETTES° AMERICAINES

Sarah Antonio

Horaires :		
Lundi	18h00 – 19h30	Moyens
	19h30 – 21h00	Débutants/Moyens
Mardi	18h00 – 19h30	Avancés
	19h30 – 21h00	Débutants
Jeudi	14h00 – 15h30	Débutants
	18h00 – 19h30	Moyens/Avancés
Samedi	10h00 – 11h30	Moyens
	11h30 – 13h00	Débutants

claquettes *tap-dancing*

DANSE CLASSIQUE

Jane Wicks   Arthur Maquis

La danse classique est la base de toute forme de danse.

Horaires :

Mardi 12h00 – 13h30
Avancé avec piano
Vendredi 12h00 – 13h30
Débutant
Samedi 10h30 – 12h00
Intermédiaire avec piano

CAROLINE   Tu ne veux pas faire des percussions?
DAMIEN   Si, mais je ne suis pas libre ces soirs-là.

DANSE MODERNE

Sandrine Raina

Horaires :

Mercredi	10h00 – 11h00	6–7 ans
	11h00 – 12h00	8–10 ans
	12h30 – 13h30	11–13 ans
	14h00 – 15h00	14–17 ans

DAMIEN   Tu as envie de faire de la danse moderne ou de la danse classique?
CAROLINE   Pour moi, danse classique.
DAMIEN   Pas pour moi! Je veux être moderne!

PERCUSSIONS

Anatole Dubois

Chaque étudiant doit apporter son propre instrument : tam-tam, bongo, . . .

Horaires :

Lundi	18h00 – 19h30	Débutants
Mercredi	18h00 – 19h30	Inter
Vendredi	18h00 – 19h30	Avancés

THÉATRE

Blanche Sarlat

Horaires :

Lundi	18h00 – 21h00
Mardi	13h45 – 18h00
	18h00 – 21h00
Mercredi	13h45 – 18h00
Jeudi	18h00 – 21h00

Niveaux : Débutant/Intermédiaire Avancé/Professionnel

DAMIEN   Ça te dit de faire du théâtre?
CAROLINE   Oui, je veux bien. Et toi?
DAMIEN   Pourquoi pas? Quand ça?
CAROLINE   Eh bien, le mardi et le jeudi soir, par exemple.

2   Activité • Qui est-ce?

C'est Caroline ou c'est Damien qui… ?

1. préfère la danse classique
2. veut essayer la gym-danse
3. n'a pas le temps de faire des percussions
4. préfère les claquettes américaines
5. veut bien faire du théâtre

3   Activité • Et vous?

1. Faites-vous de la danse? Classique? Moderne? Des claquettes?
2. Quel genre de danse préférez-vous?
3. Connaissez-vous un danseur ou une danseuse de claquettes célèbre?
4. Avez-vous votre propre instrument?
5. Faites-vous du théâtre? Où? Avec qui?
6. Qu'est-ce que vous faites pour garder la forme? Des exercices? Du jogging? De la danse?

4   Activité • Choisissez un cours

Regardez les annonces de la MJC dans 1. Travaillez avec un(e) camarade de classe. Préparez une conversation entre un animateur ou une animatrice de la MJC et un(e) client(e). Posez des questions sur les cours et puis choisissez-en un. Changez de rôle. Ensuite, racontez vos choix à la classe.

5   Activité • Ecrivez

Un(e) musicien(ne) de votre groupe de rock est découragé(e). Il/Elle a l'impression de jouer mal et a envie d'abandonner le groupe. Ecrivez-lui un petit mot d'encouragement.

6   Activité • Sondage

Voici le résultat d'un sondage récent fait parmi les jeunes français. Travaillez en groupes de quatre. Faites la même enquête dans votre groupe. Comparez vos résultats à ceux des Français.

Parmi les activités suivantes, quelle est celle que, personnellement, vous préférez? %

Ecouter de la musique chez vous	24
Aller écouter des concerts	12
Jouer de la musique	10
Le cinéma	22,5
Faire du sport	17,5
La lecture	11
La télévision	1,5
Autres	1,5
Total musique	**46**

Jouez-vous d'un instrument de musique? %

Oui	56
Non	44

Si oui, précisez le(s) quel(s). %

Piano	30
Flûte	27
Guitare ou basse	13
Synthétiseur	6
Violon	5
Saxo	3
Batterie	3
Autres	12,5

Circulez dans la classe et posez des questions aux autres élèves : «Tu joues de la trompette?»
Jouez comme au «loto». Vous devez trouver cinq réponses affirmatives en ligne droite ou
en diagonale. Qui… ?

joue de la trompette	fait des claquettes	aime la musique classique	fait du théâtre	joue du piano
est déjà allé (e) à un concert de rock	joue au football	va au cinéma trois fois par mois	a une collection de disques de rock	fait de l'informatique
joue au volley-ball	doit partir tout de suite après l'école	regarde la télé tous les jours	fait du judo	a déjà vu une pièce de théâtre
essaie de monter un groupe de rock	prend des cours de danse	essaie d'entrer dans un groupe de rock	va à une boum ce week-end	n'aime pas la musique rock
connaît les Rolling Stones	est fort(e) en maths	apprend à jouer d'un instrument	doit travailler vendredi soir	fait de l'aérobic

8 · Activité • Le cours de claquettes

Avec un(e) camarade, complétez ces conversations.
Ajoutez une invitation, un mot d'encouragement,
une permission ou un refus.

— *(invitation)*
— Des cours de claquettes? Non, je suis nulle!
— *(encouragement)*

— Je n'arrive pas à marcher avec ces
chaussures!
— *(encouragement)*

— Madame Antonio, je peux partir? J'ai un
rendez-vous à cinq heures.
— *(refus)*

— Je n'y arrive pas! C'est trop compliqué pour
moi!
— *(encouragement)*

— *(invitation)*
— Après le cours? Je veux bien. Ça fait deux
mois que je n'ai pas vu de film.

9 Activité • Projet

Vous travaillez dans une MJC. Faites une affiche pour annoncer une activité. Indiquez les horaires,
les niveaux, les prix, le local et le nom de l'animateur/animatrice.

Mademoiselle Boncœur est animatrice à la télévision. Les jeunes lui écrivent et lui parlent de leurs problèmes. Elle trouve toujours une solution. Vous êtes mademoiselle Boncœur. Travaillez avec un(e) camarade de classe. Trouvez des solutions à ces problèmes. Employez le verbe **devoir** et l'infinitif : «Vous devez…, Vous ne devez pas… »

Chère mademoiselle Boncœur,
J'ai quinze ans. Je suis nouvelle à l'école cette année et je n'ai pas d'amis. Aidez-moi.

Brigitte M.

Chère Mademoiselle,
Je voudrais apprendre à jouer d'un instrument mais il n'y a pas de cours de musique dans mon école.

Philippe L.

Chère mademoiselle Boncœur,
J'ai envie de monter un groupe de rock. Pour ça il faut répéter au moins une fois par semaine. Comment faire pour rencontrer des musiciens ?

Laure D.

11 Activité • Ecrivez

Et vous, avez-vous un problème?
Avez-vous besoin de conseils?
Ecrivez à mademoiselle
Boncœur.

Reprinted by permission of UFS, Inc.

12 Activité • Et vous?

Il y a des choses qu'on doit faire ou qu'on veut faire, d'autres qu'on apprend à faire, et
d'autres encore qu'on oublie de faire.

Dites…

1. deux choses que vous devez faire.
2. deux choses que vous voulez faire.
3. deux choses que vous apprenez à faire.
4. deux choses que vous oubliez souvent de faire.

13 Activité • Récréation

1. **Que de mots!**

   En utilisant les seules lettres du mot **voudrais,** formez le plus possible de mots de trois
   et de quatre lettres.

2. **Le mot commun**

   Essayez de trouver un mot pour accompagner chacun de ces groupes de mots.

   _____ arriver { à danser / en retard / ce soir }   _____ { l'heure du cours / le nom du prof / son parapluie }

   _____ { une chanson / une pièce de théâtre / une phrase }   _____ { l'alphabet / à danser / la guitare }

   _____ { de théâtre / de la maison / d'un franc }   _____ { un groupe de jazz / une valise / à la tour Eiffel }

The vowel sound /ə/

1 Ecoutez bien et répétez.

1. In French, don't slur or swallow any sound.

photo	minute	collection
photographie	attitude	gouvernement
photographique	latitude	administration

2. In French, the vowel sound is given its complete value, or else it's completely left out and the syllable is dropped.

Je dois venir. / Jé dois vénir.   Au revoir. / Au révoir.
Je ne sais pas. / Je né sais pas.   A demain. / A démain.

3. The vowel sound /ə/ is made with the lips rounded and pushed forward: **me, te, se, le, je.**

the train / le train   the government / le gouvernement
the bus / le bus   probably / probablement
the premier / le premier

4. The sound most often left out in French is /ə/, as you hear it in **je, le, ce,** and **ne.**

a. It is left out *between* two consonant sounds near the middle of a word.

certainément	ennémi	samédi	achéter
boulévard	rapidément	pétite	lentément

b. It is left out between two consonant sounds in the middle of a meaning-group.

demain / à démain   le jour / et lé jour
le train / dans lé train   le dentiste / chez lé dentiste

5. The sound /ə/ is pronounced with full value *after* two consonant sounds: **probablement, gouvernement, oncle.**

2 Ecoutez et lisez.

1. il aimé — il est maladé — ils partént — tu parlés

Je dois / Jé dois   Je le sais / Je lé sais   Je ne dois pas / Je né dois pas

2. Try reading the following half of a phone conversation.

Allô?… Je t'écoute… Vendredi après-midi? Impossible… Samedi midi, alors… Certainement… Au boulevard Saint-Michel… Je sais… Au revoir… A demain.

3 Copiez les phrases suivantes pour préparer une dictée.

1. Moi aussi, je suis libre.
2. Tu veux faire de la musique? Il y a de petites guitares pour les jeunes.
3. Combien de fois par semaine?
4. On y va deux soirs par semaine et le samedi après-midi.
5. Je ne peux pas le faire. Je dois travailler.

VERIFIONS!

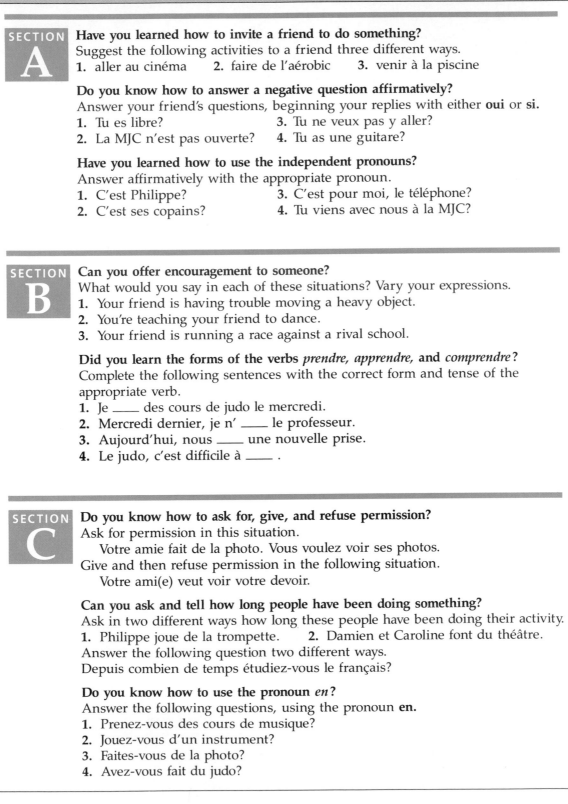

SECTION A

Have you learned how to invite a friend to do something?
Suggest the following activities to a friend three different ways.
1. aller au cinéma   **2.** faire de l'aérobic   **3.** venir à la piscine

Do you know how to answer a negative question affirmatively?
Answer your friend's questions, beginning your replies with either **oui** or **si**.
1. Tu es libre?   **3.** Tu ne veux pas y aller?
2. La MJC n'est pas ouverte?   **4.** Tu as une guitare?

Have you learned how to use the independent pronouns?
Answer affirmatively with the appropriate pronoun.
1. C'est Philippe?   **3.** C'est pour moi, le téléphone?
2. C'est ses copains?   **4.** Tu viens avec nous à la MJC?

SECTION B

Can you offer encouragement to someone?
What would you say in each of these situations? Vary your expressions.
1. Your friend is having trouble moving a heavy object.
2. You're teaching your friend to dance.
3. Your friend is running a race against a rival school.

Did you learn the forms of the verbs *prendre*, *apprendre*, and *comprendre*?
Complete the following sentences with the correct form and tense of the appropriate verb.
1. Je ___ des cours de judo le mercredi.
2. Mercredi dernier, je n' ___ le professeur.
3. Aujourd'hui, nous ___ une nouvelle prise.
4. Le judo, c'est difficile à ___ .

SECTION C

Do you know how to ask for, give, and refuse permission?
Ask for permission in this situation.
    Votre amie fait de la photo. Vous voulez voir ses photos.
Give and then refuse permission in the following situation.
    Votre ami(e) veut voir votre devoir.

Can you ask and tell how long people have been doing something?
Ask in two different ways how long these people have been doing their activity.
1. Philippe joue de la trompette.   **2.** Damien et Caroline font du théâtre.
Answer the following question two different ways.
Depuis combien de temps étudiez-vous le français?

Do you know how to use the pronoun *en*?
Answer the following questions, using the pronoun **en**.
1. Prenez-vous des cours de musique?
2. Jouez-vous d'un instrument?
3. Faites-vous de la photo?
4. Avez-vous fait du judo?

VOCABULAIRE

SECTION A

les **achats** (m.) *purchases;*
  faire des achats *to go shopping*
la **danse** *dance*
dehors : en dehors de *outside of, beyond*
déjeuner *to have lunch*
dit : Ça te dit... ? *Do you want to . . . ?*
un **entraînement** *practice, training*
la **gym** *gymnastics*
intéresser : Ça t'intéresse de... ? *Are you interested in . . . ?*
le **judo** *judo*
justement *as a matter of fact*
plairait : Ça te plairait de... ? *Would it please you to . . . ?*
pratiquer *to take part in*
répéter *to rehearse*
théâtre : faire du théâtre *to take part in a theater group*
tout *all, everything*

SECTION B

l' **accueil** (m.) *reception, registration desk*
un(e) **adversaire** *opponent*
l' **animateur, -trice** *activity leader*
apprendre *to learn*
arriver à *to manage;*
  Je n'y arrive pas! *I can't manage to do it!*
comme *in the way of*
dames : jouer aux dames *play checkers*

un(e) **débutant(e)** *beginner*
droit *straight*
échecs : jouer aux échecs *play chess*
un **effort** *effort*
encore *another*
l' **épaule** (f.) *shoulder*
la **flûte** *flute*
fort *loudly;* **plus fort** *louder*
haut, -e *high*
hélas *alas*
inscrit, -e *enrolled*
un **instrument** *instrument*
la **jambe** *leg*
journée : toute la journée *all day long*
la **main** *hand*
la **musculation** *body building*
observer *to observe*
la **peinture** *painting*
la **philatélie** *stamp collecting*
une **pièce : une pièce de théâtre** *play*
la **poterie** *pottery*
une **prise** *hold*
le **public** *audience*
rapide *fast*
la **Russie** *Russia*
la **trompette** *trumpet*

SECTION C

ambitieux, -euse *ambitious*
une **annonce** *announcement, ad*
attention : Fais attention. *Be careful. Pay attention.*
au moins *at least*
le **bac(calauréat)** *exam taken upon completion of secondary school*

la **basse** *bass guitar*
un(e) **bassiste** *bass player*
la **batterie** *set of drums*
brillant, -e *brilliant*
une **chanson** *song*
la **clarinette** *clarinet*
depuis *for*
devoir *to have to, must*
électrique *electric*
essayer *to try*
les **études** (f.) *studies*
étudier *to study*
former *to form*
le **garage** *garage*
un **local** *place*
longtemps *a long time*
marcher *to get started, to function*
moins : au moins *at least*
monter *to assemble, to organize*
un(e) **musicien, -ienne** *musician*
par : un week-end par mois *one weekend a month*
passer *to take (a test)*
la **permission** *permission*
persuader *to persuade*
peut-être *perhaps, maybe*
le **piano** *piano*
propre *own*
le **saxophone** *saxophone*
seulement *only*
sujet : au sujet de *regarding, concerning, about*
le **trombone** *trombone*
voudrais : je voudrais *I would like*

ETUDE DE MOTS

1. The feminine forms of several masculine nouns ending in **-teur** end in **-trice**: **animateur→animatrice.** You should recognize the following words. Copy them and then write their feminine forms.

    directeur   acteur   aviateur   dessinateur

2. In French, a person who plays the **guitare** is a **guitariste.** What are the French words for the players of the following instruments?

    clarinette   saxophone   basse   violon   piano

A LIRE

Une chanson :
En sortant du lycée

Patricia Lavila, a French singer, made this song a hit several years ago. In the song a young French girl tells about the best time of her day.

Avant de lire

Before you read all the lyrics, scan the first stanza for the answers to the following questions:
1. How does the girl feel about school?
2. What are the key words and phrases that reveal her feelings?

Le café est un lieu de rencontres très important dans la vie des jeunes Français. Qu'est-ce qu'ils font au café? Trouvez trois réponses.

En sortant du lycée,
Je commence à respirer
A la seconde où la cloche° a sonné.
En sortant du lycée,
A nous deux la liberté.
C'est le meilleur moment de la journée.
Je ne suis jamais pressée, oh non,
D'aller m'enfermer° à la maison.

Vite, vite, vite
Je rejoins mes amis au café d'en face.
Vite, vite, vite
Je te paye un café, tu m'offres une glace.
On se retrouve à la terrasse,
Et l'on s'amuse en se moquant° un peu des gens qui passent.

Vite, vite, vite
On se pose des questions: «Que fais-tu ce soir?»
Vite, vite, vite
«Est-ce que tu es d'accord pour la patinoire?»
En attendant, va mettre un disque.
Les Rolling Stones, eh bien, d'accord,
Ça, c'est de la musique.

---

cloche *bell;* **m'enfermer** *shut myself up;* **se moquant… des** *making fun of*

En sortant du lycée,
Je retrouve Jean-Marie.
J'adore faire de la moto avec lui.
En sortant du lycée,
Nous roulons, cheveux° au vent.
Sur l'autoroute on s'offre du bon temps.
Mais il va pleuvoir et la nuit descend.
Faisons demi-tour, on nous attend.

Vite, vite, vite
On rejoint nos amis au café d'en face.
Vite, vite, vite
Je te paye un café, tu m'offres une glace.
Quelle heure est-il? Plus de sept heures.
J'en connais une° qui va passer un bien mauvais quart d'heure.

Vite, vite, vite
Je rentre à la maison. Je suis en retard.
Vite, vite, vite
Ne comptez plus sur moi pour la patinoire.
Ça va sûrement être ma fête.
Depuis longtemps mon père sûrement me guette° à la fenêtre

Activité • Devinez

Choisissez les équivalents anglais.

1. pressée
   a. *ironed*
   b. *free*
   c. *rushed*

2. Ça va sûrement être ma fête.
   a. *I'm really going to be in trouble.*
   b. *It's going to be my birthday.*
   c. *There's going to be a party.*

Activité • Après le lycée

Faites une liste de tout ce que la chanteuse fait après le lycée.

Activité • Et vous?

1. Qu'est-ce que vous faites après l'école?
2. Où est-ce que vous rencontrez vos copains?
3. Sortez-vous le soir pendant la semaine?
4. Allez-vous à la patinoire? Avec qui?

Activité • A vous maintenant!

Imaginez le dialogue entre la chanteuse et son père quand elle rentre chez elle. Son père lui demande où elle a été, avec qui, ce qu'elle a fait… Préparez le dialogue avec un(e) camarade de classe.

---

cheveux *hair;* **j'en connais une** *I know one person;* **guette** *wait impatiently*

Jazz Jazz Jazz Jazz et

Il y a eu de merveilleux guitaristes de jazz et de rock tout au long du XXe siècle.
Django Reinhardt (1910–1953), né en Belgique dans une famille de Gitans°, est le créateur d'un style de jazz unique qui reflète le tempérament tzigane°. Django Reinhardt a perdu à la suite d'un accident l'usage de trois doigts de la main gauche; il a inventé avec seulement deux doigts une technique guitaristique. Il est devenu un merveilleux virtuose, improvisant sur scène des compositions extraordinaires. Il a travaillé avec différents musiciens de jazz dont° Stéphane Grapelli, violoniste français. Ses compositions sont devenues des classiques du jazz.

Jean-Baptiste (dit Django) Reinhardt

L'Américain Charlie Christian est né en 1919 à Dallas (Texas). Il a imposé la guitare électrique dans les formations de jazz. Sous ses doigts, la guitare rivalise° soudain avec les autres instruments de jazz. En 1939, il a travaillé avec le célèbre clarinettiste Benny Goodman. Sa carrière est brusquement interrompue par sa mort en 1942.

Charlie Christian et Benny Goodman

Gitans *Gypsies;* **tzigane** *gypsy;* **dont** *among them;* **rivalise** *rivals*

Rock Rock  Rock Rock

Avec le musicien noir Jimi Hendrix, on quitte° le domaine du jazz pour pénétrer dans celui du rock. Jimi Hendrix est né à Seattle (Washington) en 1942. Travaillant uniquement sur la guitare électrique, il a fait profondément évoluer la technique guitaristique de la musique rock. Jimi Hendrix est devenu un guitariste de rock hors du commun °, sans doute le plus grand de son temps. Sa guitare a eu sur les spectateurs un effet magique. Après avoir accompagné B. B. King, il a composé sa propre musique qui a suscité° une immense émotion chez les auditeurs de rock. Virtuose de la guitare, il a été aussi chanteur, poète et homme de spectacle. Il est devenu, à la fin des années soixantes, l'un des personnages mythiques de la jeunesse passionnée de musique rock. Il est mort à Londres en 1970, à l'âge de 28 ans.

Jimi Hendrix

Activité • Trouvez les dates

Arrangez ces événements par ordre chronologique.

1. Django Reinhardt est mort.
2. Jimi Hendrix est mort.
3. Django Reinhardt est né.
4. Charlie Christian est né.
5. Charlie Christian a travaillé avec Benny Goodman.

Activité • Avez-vous bien lu?

D'après le texte, qu'est-ce qui est arrivé *(happened)* en... ?

1. 1970
2. 1939
3. 1942
4. 1919

Activité • Et vous?

Répondez aux questions suivantes.

1. Aimez-vous mieux le jazz ou le rock?
2. Connaissez-vous d'autres genres de musique?
3. Connaissez-vous d'autres instruments de jazz?
4. Connaissez-vous d'autres guitaristes?

---

quitte *leaves;* **hors du commun** *out of the ordinary;* **suscité** *created*

CHAPITRE 3

Amusons-nous!

Winter or summer, the French-speaking world enjoys itself. *Carnaval* in Quebec is a winter spectacle not to be missed. July in France is alive with festivities celebrating Bastille Day. Entertainment, though, isn't just for special occasions. Amusement parks provide everyday pleasure.

In this unit you will:

PREMIER CONTACT	get acquainted with the topic
SECTION A	talk about Carnival in Quebec . . . exclaim, express admiration and surprise
SECTION B	talk about rides at an amusement park . . . express feelings, indecision, and indifference
SECTION C	make arrangements to celebrate France's national holiday . . . express regret
TRY YOUR SKILLS	use what you've learned
A LIRE	read for practice and pleasure

1 Le Carnaval de Québec 📼

Amusons-nous au Carnaval de Québec. Il y a des activités pour tous. Voici le programme.

PROGRAMME OFFICIEL

Carnaval de Québec
du 4 au 14 février

bonjour!
Québec ::
Canada

SAMEDI 7 FEVRIER
19h00 DEFILE DE NUIT DU CARNAVAL
Variété de chars allégoriques tous illuminés, fanfares, personnages loufoques et animation.
Parcours : départ coin boulevard Henri-Bourassa, 1re avenue, 41e rue est, 4e avenue est, 22e rue, boul. des Alliés, Avenue du Colisée.

MERCREDI 11 FEVRIER
19h00 SOUPER CANADIEN
Lieu : Château Frontenac.
Réservations : 612-9120
20h00 PREMIER MATCH LNH/URSS
Partie de hockey opposant les joueurs étoiles de la Ligue nationale de hockey aux membres de l'équipe nationale d'Union Soviétique.
Lieu : Colisée de Québec.
Match télévisé.

DIMANCHE 8 FEVRIER
10h00 FETE POPULAIRE DE L'HIVER
Ouvert à la participation populaire.
Ski de fond, patin, raquette, glissade, marche en plein-air.
Lieu : St-Frédéric, St-Simon-des-Mines, St-Théophile, St-Prosper, Ste-Justine.

MARDI 10 FEVRIER
21h00 SOIREE DU MARDI-GRAS
Super soirée costumée et dansante aux rythmes de la Louisiane et de l'Acadie.
Groupes invités : EXPRESSO S.V.P. de l'Acadie et WAYNE TOUPS de la Louisiane. Artiste spécial invité : MICHAEL DOUCET du groupe Beausoleil.
Lieu : Centre Durocher, 290, rue Carillon.
Admission : 6 $.

VENDREDI 13 FEVRIER
21h00 LA NUIT NOIRE
Inspirée du célèbre vidéo-clip de Michael Jackson, «Thriller», cette soirée thématique où l'humour noir sera à l'honneur vous promet des sensations de toutes sortes. Vidéos, animation et présence des Zoo-boys. Plusieurs prix à gagner.
Lieu : Centre municipal des congrès.
Admission : 6 $.

21h00 SOIREE FAIS DODO
Soirée de danse dans la tradition. de la Louisiane. Les enfants sont les bienvenus. Avec WAYNE TOUPS. Artiste invité : MICHAEL DOUCET du groupe Beausoleil.
Lieu : Théâtre du Grand Dérangement, 30 St-Stanislas.
Admission : 6 $.

2 Activité • Cherchez des renseignements

Lisez le programme pour trouver ces renseignements sur le Carnaval.

1. En quelle saison est le Carnaval?
2. Dans quel pays?
3. Dans quelle ville?
4. Quand?
5. Combien de jours dure-t-il?

3 Activité • Réfléchissez

1. Qu'est-ce qu'on peut faire pendant le Carnaval?
2. Pourquoi est-ce qu'il y a des danses et de la musique de Louisiane?

4 LE 14 JUILLET

Le 14 Juillet est la fête nationale en France. Tous les journaux en parlent!

MARDI 14 JUILLET

LA VIE POLITIQUE

De la place Charles-de-Gaulle à la place de la Concorde

Plus de 6000 hommes participent au défilé

Dès 7 heures, sont appliquées des restrictions au stationnement et à la circulation.

Pl. Charles-de-Gaulle

Pl. de la Concorde

De sept heures à douze heures environ, la circulation et le stationnement seront interdits à l'intérieur de ce périmètre.

Sous le double thème de la tradition et de la technologie, se déroulera ce matin le défilé du 14 Juillet. Plus de six mille hommes participeront à la revue de la place Charles-de-Gaulle à la place de la Concorde, où a été édifiée la tribune présidentielle.

Voici la chronologie générale du défilé :

– 8 h 30 : Animation musicale jusqu'à 9 h 30.
– 9 heures : Mise en place des troupes.
– 10 heures : Arrivée du président de la République place Charles-de-Gaulle.
– 10 h 20 : Arrivée du président de la République place de la Concorde.

– 10 h 30 : Défilé aérien.
– 10 h 35 : Défilé des troupes à pied.
– 11 heures : Défilé des troupes montées et motocyclistes.
– 11 h 05 : Défilé des troupes mécanisées.
– 11 h 35 : Fin du défilé.

Il coûte 900.000 F

Un feu d'artifice jamais vu à Paris !

La mairie de Paris offre ce soir, à 22 h 30, aux habitants de la capitale et aux visiteurs le plus gigantesque feu d'artifice jamais tiré à l'occasion d'un 14 Juillet.

Sept cent cinquante tonnes d'explosifs, des fusées éclatant à cinq cents mètres d'altitude, quatre cent mille spectateurs attendus, le tout pour un coût de 900.000 francs, dont 450.000 pour la seule pyrotechnie. Pour l'illustration musicale, les artificiers de la maison Lacroix ont puisé dans les œuvres de vingt et un grands compositeurs classiques.

Un bon conseil : pour vous y rendre, préférez le métro à la voiture, les places seront rares et éloignées. C'est vu du Champs-de-Mars ou des bords de la Seine que le spectacle sera le plus beau.

5 Activité • Complétez

Relisez l'article sur le défilé et complétez ces phrases.

1. Le défilé commence...
2. Il finit...
3. Les deux thèmes du défilé sont...
4. Avant le défilé il y a...
5. Les avions défilent à...

6 Activité • Et vous?

1. Aimez-vous regarder les défilés? Et les feux d'artifice?
2. Quand est-ce qu'il y a un défilé et un feu d'artifice dans votre ville?
3. Avez-vous déjà participé à un défilé? Racontez votre expérience.

talking about Carnival in Quebec . . . exclaiming, expressing admiration and surprise

L'hiver est long et rude au Canada. Au début de février, les Québécois sont fatigués de la neige, de la glace et du froid. Ils sont prêts à s'amuser.

A1   Bienvenue au Carnaval 📼

Rendez-vous à Québec pour le Carnaval! Venez nombreux, jeunes et vieux! C'est formidable, c'est fantastique! Tout le monde est joyeux… enfin, presque tout le monde.

«Chaque année, je viens exprès de Montréal pour assister au Carnaval. Pourquoi? Parce que l'ambiance est merveilleuse! Les gens sont gais, ouverts, sympathiques. On est ami avec tout le monde. On peut parler à tout le monde. C'est vraiment spécial.»

(Marie)

«Le Carnaval, nous, on adore! La ville est pleine de couleurs et de musique! Il y a des compétitions sportives et artistiques, des tournois de hockey, des défilés de chars… Dommage que ça ne dure pas toute l'année!»

(Raymond et Monique)

«J'ai soixante-huit ans et je suis une fan de Bonhomme Carnaval. Je ne cours pas les rues avec les jeunes mais je danse au Carnaval tous les ans avec mon mari.»

(Mme Gagné)

«Le Carnaval, j'en ai assez! Déjà le Saint-Laurent est gelé, les rues sont enneigées, c'est difficile de circuler en voiture; mais en plus, avec les défilés et les danses, on ne peut plus avancer. Et la nuit, comme j'habite la place Carnaval, j'entends le bruit, la musique, les cris, les chants; je n'arrive pas à dormir!»

(M. Côté)

A2 Activité • Ajoutez une phrase

Parlez du Carnaval. Ajoutez une ou deux phrases.

Le Carnaval est une fête.   Tout le monde est joyeux.

1. Il fait froid à Québec.
2. Marie vient de Montréal pour assister au Carnaval.
3. Il y a des compétitions et des défilés.
4. Mme Gagné aime le Carnaval.
5. C'est difficile de circuler.
6. M. Côté n'aime pas le Carnaval.

A3 Activité • Le pour et le contre

Faites une liste des avantages et des inconvénients (*disadvantages*) du Carnaval.

Avantages	Inconvénients
Tout le monde est joyeux.	C'est difficile de circuler en voiture.

A4 Activité • A vous maintenant!

Vous assistez au Carnaval à Québec avec votre classe de français. Votre ami(e) français(e) vous téléphone de Paris. Préparez la conversation avec un(e) camarade de classe. Parlez de la ville de Québec, du temps, de l'ambiance, des gens et des activités du Carnaval.

A5   Activité • Ecrit dirigé

Vous êtes à Québec. Vous écrivez une lettre à votre ami(e) français(e). Choisissez les verbes pour compléter ce paragraphe. Mettez-les à la forme correcte. Attention au temps des verbes!

participer — avancer — durer — circuler — neiger — être

    Hier soir il ____ ! Ce matin, toute la ville ____ blanche! C'est très joli. Les voitures ____ avec difficulté et les gens ____ lentement dans les rues. Le Carnaval ____ dix jours. Il y a beaucoup de choses à faire; nous allons ____ à presque toutes les activités!

A6   Savez-vous que... ?

Le Carnaval de Québec a lieu chaque année en février. Pendant dix jours, Bonhomme Carnaval est partout. Bonhomme Carnaval a sa rue — la rue Carnaval, sa place — la place Carnaval, son palais — le Palais de Glace, sa Reine et ses Duchesses, sept jolies filles qui représentent sept divisions de la ville de Québec. Tous les Québécois participent joyeusement à la fête, et des milliers de visiteurs viennent de toute la province pour célébrer le Carnaval.

Le Palais de Glace

A7   VOUS EN SOUVENEZ-VOUS?
Adjectives

Here's a review of what you've learned about French adjectives.

Masculine		Feminine	
Singular	*Plural*	*Singular*	*Plural*
Il est **grand**.	Ils sont **grands**.	Elle est **grande**.	Elles sont **grandes**.
Il est **joyeux**.	Ils sont **joyeux**.	Elle est **joyeuse**.	Elles sont **joyeuses**.
Il est **joli**.	Ils sont **jolis**.	Elle est **jolie**.	Elles sont **jolies**.
Il est **immense**.	Ils sont **immenses**.	Elle est **immense**.	Elles sont **immenses**.
Il est **canadien**.	Ils sont **canadiens**.	Elle est **canadienne**.	Elles sont **canadiennes**.

1. Adjectives agree in gender and number with the nouns they refer to.
2. Most adjectives follow the nouns they refer to: **une rue étroite, une fête joyeuse.** A few common, short adjectives come before the nouns: **grand, petit, bon, mauvais, jeune, joli, autre, beau, vieux,** and **nouveau.**
3. **Beau, vieux,** and **nouveau** have a special form that is used before a masculine singular noun beginning with a vowel sound: **un bel enfant, un vieil homme, un nouvel ami.**

STRUCTURES DE BASE
Adjectives ending in -al *and* -if

Masculine		Feminine	
Singular	Plural	Singular	Plural
Il est **spécial**.	Ils sont **spéciaux**.	Elle est **spéciale**.	Elles sont **spéciales**.
Il est **sportif**.	Ils sont **sportifs**.	Elle est **sportive**.	Elles sont **sportives**.

1. To form the masculine plural of most adjectives that end in **-al**, change **-al** to **-aux**: **spécial**→**spéciaux**. **Banal** is an exception: **banal**→**banals**.
2. To make the feminine forms of adjectives that end in **-if**, change **f** to **v** and then add **-e** or **-es**: **sportif(s)**→**sportive(s)**.
3. You've already seen several adjectives that make their plural and feminine forms in this way: **original, principal, familial, actif, naïf,** and **vif**.
4. In familiar language, the masculine singular form of adjectives is used after **c'est: C'est spécial!**

Activité • Décrivez les gens au Carnaval

Au carnaval de Québec, il y a des gens de toute nationalité : des Américains, des Canadiens, des Français, des Mexicains... Décrivez-les avec les adjectifs **américain, canadien, français, mexicain, sportif, créatif, grand, joli** et **joyeux**. Par exemple : Ils sont américains. Ils sont...

1.
2.
3.
4.

Activité • Ecrit dirigé

Continuez la lettre que vous avez commencée dans A5. Voici un autre paragraphe. Complétez la description du Carnaval par des adjectifs à la forme correcte.

Le Carnaval est ____ ! Tout le monde est ____ . Jeunes et vieux sont ____ et ____ . L'ambiance est ____ . Avec la neige la ville de Québec est ____ . Dans les rues j'entends les cris ____ de·la foule. C'est vraiment ____ !

Samedi soir, tout le monde va au défilé. Les Québécois attendent le long de l'avenue du Colisée pour voir passer le défilé. Lucie et Robert expriment leur joie.

LUCIE Quelle foule! C'est à quelle heure, le défilé?
ROBERT A sept heures, je crois. Les voilà! Ils arrivent!

LUCIE Qu'il est drôle, Bonhomme Carnaval! Tu ne trouves pas?
ROBERT Si, très drôle!

LUCIE Eh! Regarde ce char! Ce qu'elle est belle, la Reine! Mais qu'est-ce qu'elle doit avoir froid!
ROBERT Vive la Reine! Vive les Duchesses!

LUCIE Quel froid! Moi, je rentre.
ROBERT Mais non, reste! Ce n'est pas encore fini. Maintenant il y a un superbe feu d'artifice.

A 12 Activité • Complétez

1. Samedi soir…
2. Le défilé…
3. Lucie et Robert…
4. Dans le défilé il y a…
5. La Reine…
6. Après le défilé…

A 13 Activité • A vous maintenant!

Répétez ce dialogue avec un(e) camarade. Changez le nom et les adjectifs pour créer des dialogues différents. Changez de rôle.

— Qu'il est grand, Bonhomme Carnaval! Tu ne trouves pas?
— Si, très grand!

> Reine   défilé   Bonhomme Carnaval   foule   Duchesses   feu d'artifice

> fantastique   beau   joli   superbe   grand   drôle

A 14 COMMENT LE DIRE
Exclaiming

Here are some ways to express admiration and surprise.

Ce qu'elles sont belles, les Duchesses!	How beautiful the Duchesses are!
Qu'il est drôle, Bonhomme Carnaval!	How funny Bonhomme Carnaval is!
Qu'est ce qu'elle doit avoir froid!	How cold she must be!
Quelle foule!	What a crowd!

Ce que, que, qu'est-ce que, or a form of the adjective **quel** may be used to mean *how* or *what a*.

A 15 Activité • Faites des exclamations

Vous parlez à votre ami(e). Changez vos remarques en exclamations. Variez les expressions d'exclamation.

Il fait beau.   Qu'il fait beau!

1. J'ai faim.
2. La foule est immense.
3. C'est une idée originale.
4. Il neige.
5. Le défilé est long.
6. Le feu d'artifice est beau.

A 16 Activité • Quel beau défilé!

Vous regardez le défilé du Carnaval avec un(e) ami(e). A tour de rôle, utilisez des exclamations pour exprimer votre joie. Variez les expressions. Attention à la forme de l'adjectif.

la neige / beau   Ce que la neige est belle!

1. les Duchesses / beau
2. la foule / joyeux
3. le Bonhomme / drôle
4. les chars / beau
5. la fête / génial
6. l'ambiance / gai
7. les rues / enneigé
8. la Reine / joli

Activité • A vous maintenant!

Travaillez avec un(e) camarade de classe. Lisez les situations suivantes et préparez des dialogues.

1. (Vous regardez le programme.)
   Proposez une activité à votre camarade. Employez les expressions dans A12 au Chapitre 2. Il/Elle refuse. Vous discutez et vous choisissez ensemble une autre activité.
2. (Vous assistez au spectacle.)
   Exprimez votre joie. Employez les exclamations dans A14.
3. (Le spectacle est terminé.)
   Vous sortez et vous discutez. Vous avez beaucoup aimé. Employez le passé composé et aussi les expressions dans A4 et B4 au Chapitre 1.

MERCREDI 11 FEVRIER
19h00 SOUPER CANADIEN
Lieu : Château Frontenac.
Réservations : 612-9120

20h00 PREMIER MATCH LNH/URSS
Partie de hockey opposant les joueurs étoiles de la Ligue nationale de hockey aux membres de l'équipe nationale d'Union Soviétique.
Lieu : Colisée de Québec.
Match télévisé.

VENDREDI 13 FEVRIER
21h00 LA NUIT NOIRE
Inspirée du célèbre vidéo-clip de Michael Jackson, «Thriller», cette soirée thémurique où l'humour noir sera à l'honneur vous promet des sensations de toutes sortes. Vidéos, animation et présence des Zoo-boys. Plusieurs prix à gagner.
Lieu : Centre municipal des congrès.
Admission : 6 $.

21h00 SOIREE FAIS DODO
Soirée de danse dans la tradition de la Louisiane. Les enfants sont les bienvenus. Avec WAYNE TOUPS. Artiste invité : MICHAEL DOUCET du groupe Beausoleil.
Lieu : Théâtre du Grand Dérangement, 30 St-Stanislas
Admission : 6 $.

Le Château Frontenac

Activité • Ecoutez bien

Vous téléphonez pour savoir le programme du Carnaval pour le week-end. Ecoutez bien le message et choisissez vos activités.

Vous voulez...	Quel jour?	A quelle heure?
1. voir un match sportif.		
2. aller au théâtre.		
3. dîner.		
4. aller danser.		

Pour s'amuser, on peut toujours aller passer l'après-midi dans un parc d'attractions. Qu'est-ce que vous préférez? Le palais des Glaces ou les montagnes russes?

B1

A Zygofolis 📼

Un parc d'attractions, ça peut être drôlement amusant! Demandez à Nicole et à son ami Simon.

Moi, je suis une fonceuse. Je veux vivre rapidement, intensément. Pour moi, les attractions, c'est fabuleux!

Fonceur? Pas moi. Je suis plus réservé. Je suis passionné d'ordinateurs. J'aime vivre tranquillement.

Mais, pour lui faire plaisir, Simon accompagne Nicole à Zygofolis, près de Nice.

NICOLE	Par quoi est-ce que tu veux commencer?
SIMON	Euh…
NICOLE	Par les montagnes russes ou par le train fantôme?
SIMON	Je ne sais pas trop.
NICOLE	Bon! Commençons par le train fantôme. D'accord?
SIMON	Comme tu veux.

NICOLE   Ou par les montagnes russes?
SIMON   Ce que tu préfères.
NICOLE   Tu n'as pas de préférence?
SIMON   Non, ça m'est égal.
NICOLE   Alors, commençons par le palais des Glaces. Ça te va?
SIMON   Oui, oui… Dis, on mange à quelle heure?

B2   Activité • Répondez

1. Comment est Nicole?
2. Quelle est la passion de Simon?
3. Pourquoi est-ce que Simon accompagne Nicole au parc?
4. Par où est-ce qu'ils commencent?
5. Qui a pris la décision? Pourquoi?

B3   Activité • Devinez

Maintenant, vous connaissez un peu Nicole et Simon. A votre avis, quels sont leurs goûts? C'est Nicole ou c'est Simon qui… ?

1. fait du canoë-kayak
2. aime beaucoup lire
3. adore la musique classique

4. va souvent à des concerts de rock
5. regarde les documentaires à la télé
6. fait du judo

B4   STRUCTURES DE BASE
The verb vivre

vivre		*to live*		
Je	**vis**	} tranquillement.	Nous	**vivons**	} tranquillement.
Tu	**vis**		Vous	**vivez**	
Il/Elle/On	**vit**		Ils/Elles	**vivent**	

1. The past participle of **vivre** is **vécu: Il a vécu intensément.**
2. The verb **vivre** and the verb **habiter** both mean *to live*. **Habiter** means *to reside, to have one's home somewhere:* **J'habite à Paris. Vivre** means *to be alive, to live one's life:* **Elle vit rapidement.**
3. A special form of **vivre** is used in exclamations: **Vive le roi!** *Long live the king!* **Vive les vacances!** *Hurray for vacation!*

B5   Activité • Comment vivent-ils?

Est-ce que ces gens vivent rapidement ou tranquillement?

1. Nicole
2. Simon
3. Les jeunes

4. Les Américains
5. Vos grands-parents
6. Vous

COMMENT LE DIRE
Asking for agreement and expressing indecision and indifference

These expressions will help you when you're neither for nor against an action.

ASKING		RESPONDING
D'accord?	Je ne sais pas trop.	I don't really know.
Ça va?	Ça m'est égal.	It's all the same to me.
Ça te va?	Comme tu veux.	Whatever you want.
	Ce que tu préfères.	Whatever you want.
	Je n'ai pas de préférence.	I don't have any preference.

B7 Activité • A vous maintenant!

Travaillez avec un(e) camarade de classe. Proposez-lui de faire quelque chose. Votre camarade est indécis(e).

> — On va au parc d'attractions? D'accord?
> — Comme tu veux.

Ça te dit de…	aller au parc d'attractions	Je ne sais pas trop.
Ça te plairait de…	commencer par le palais des Glaces	Ça m'est égal.
Ça t'intéresse de…	prendre le train fantôme	Comme tu veux.
Tu veux…	manger	Ce que tu préfères.
… D'accord?	monter sur les montagnes russes	
… Ça te va?	rentrer	

B8 Activité • Insistez 🎞️

Proposez à un(e) camarade d'aller à l'endroit suggéré par le dessin. Il/Elle est indécis(e) mais vous insistez. Voici quelques arguments pour vous aider : Allez! C'est drôlement bien! C'est Marseille contre Bordeaux! Il y a de bons cours!

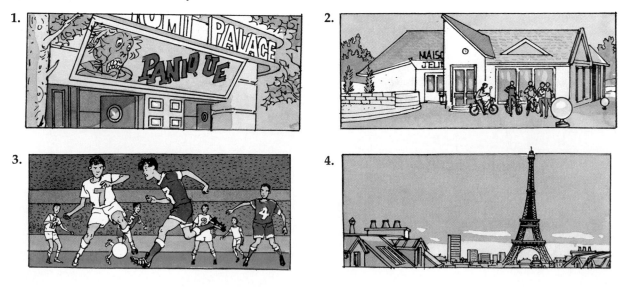

Nicole et Simon sont prêts pour le train fantôme.

NICOLE   Ça va drôlement lentement... Tu n'as pas peur?
SIMON   Non, j'ai faim.
NICOLE   Au secours! Un squelette!
SIMON   Tu es vraiment incompréhensible! Pourquoi tu viens si tu as peur?
NICOLE   J'adore avoir peur!

Nicole emmène Simon sur les montagnes russes.

NICOLE   Yaouh!... Ça te plaît?
SIMON   Pas tellement, non. J'ai mal au cœur, j'ai faim et j'ai soif... Eh, ne bouge pas continuellement! J'ai le vertige!
NICOLE   Ah, tu n'apprécies pas les émotions fortes, toi! Attention, une nouvelle descente!... Yaouh!

Enfin, les deux amis s'arrêtent à la cafeteria.

NICOLE   Ouf! Quelle émotion!
SIMON   Tu n'es pas fatiguée?
NICOLE   Pas du tout!
SIMON   Quelle résistance! Tu vis à deux cents à l'heure et tu as l'air en pleine forme!... Où vas-tu?
NICOLE   Faire un dernier tour de montagnes russes!

B 10   Activité • Quelles sont leurs réactions?

Qu'est-ce que Nicole et Simon font dans les endroits suivants? Quelles sont leurs réactions?

1. Dans le train fantôme
2. Sur les montagnes russes
3. A la cafeteria
4. Au parc d'attractions

Activité • Qui parle? De qui? De quoi?

C'est Nicole qui parle? Ou Simon? De quoi ou de qui est-ce qu'elle/il parle?

1. Ça te plaît?
2. Au secours!
3. Quelle résistance!

4. Tu es incompréhensible!
5. Ça va drôlement lentement!

B12 Activité • Ecrit dirigé

Nicole et Simon racontent leur visite à Zygofolis dans une lettre à leurs amis. Ecrivez la description du point de vue de Nicole. Ensuite écrivez la description du point de vue de Simon.

B13 STRUCTURES DE BASE
The formation and position of adverbs

1. Words like **lentement,** *slowly,* and **rapidement,** *quickly,* are called adverbs.
2. Many adverbs are formed by adding the suffix **-ment** to the feminine singular form of an adjective: **continuel→continuelle→continuellement; agréable→agréablement.**
3. Some adverbs are made by adding **-ment** to the masculine singular form of an adjective, but only if that form ends in **i** or **u: vrai→vraiment, absolu→absolument. Gai→gaiement** is an exception.
4. A few of the adverbs formed from adjectives whose masculine and feminine forms both end in a silent **e** are written with an **accent aigu** above the **e** before the suffix **-ment: intense→intensément, énorme→énormément.**

Adjective		Adverb
Masculine	*Feminine*	
continuel	**continuelle**	**continuellement**
intense	**intense**	**intensément**
vrai	vraie	**vraiment**

5. Many adverbs are not formed from an adjective: **beaucoup, bien, d'habitude, déjà, quelquefois, souvent, toujours, très, trop,** and **vite** are some you've already seen.
6. An adverb is most frequently placed after a verb: Elle bouge **continuellement.**
7. When the verb is in the **passé composé,** some adverbs immediately follow the auxiliary verb: Elle est **déjà** rentrée.

B14 Activité • Découvrez les adjectifs et les adverbes 🔲

Voici quelques adverbes. Découvrez l'adjectif de base et donnez les deux formes, masculine et féminine.

1. lentement
2. complètement

3. tranquillement
4. rapidement

5. drôlement
6. intensément

Voici quelques adjectifs. Formez des adverbes.

1. heureux
2. passionné

3. agréable
4. énorme

5. chaud
6. parfait

7. juste
8. froid

9. vif
10. gai

B15 Activité • Ajoutez un adverbe

Répétez les phrases suivantes en ajoutant un adverbe.

1. Nicole est incompréhensible.
2. Elle aime vivre.
3. Simon aime vivre.
4. Simon prend des décisions.

5. Les parcs d'attractions sont amusants.
6. Simon n'aime pas les montagnes russes.
7. Nicole bouge sur les montagnes russes.

B16 Activité • Trouvez des adverbes

1.

Elle avance…

2.

Il mange…

3.

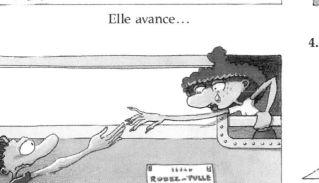

Il aime…

4.

Elle lit…

B17 Activité • Et vous?

Comment est-ce que vous faites ces choses? Employez un adverbe dans votre phrase.

1. vivre
2. manger
3. parler français
4. répondre en classe
5. prendre une décision
6. faire du sport

B18 COMMENT LE DIRE
Expressing feelings

The verb **avoir** is used in many expressions of emotion and feeling. Here are a few.

FEAR	PAIN	HUNGER	THIRST	DISCOMFORT
J'ai peur. J'ai le vertige.	J'ai mal au cœur.	J'ai faim.	J'ai soif.	J'ai chaud. J'ai froid.

Activité • Qu'est-ce qu'ils ont?

Comment est-ce qu'ils se sentent *(feel)*?

1. 2. 3.

4. 5. 6.

Activité • A vous maintenant!

Un(e) camarade vous propose ces activités. Vous refusez en employant les expressions dans B18.

> — Ça te dit de monter sur les montagnes russes?
> — Euh non, j'ai le vertige.

1. 2. 3. 4.

B21 Savez-vous que… ?

Zygofolis a ouvert à Nice en 1987. En 1987 aussi, le maire de Paris a inauguré le grand parc d'attractions de Mirapolis, à 50 km à l'ouest de Paris. Le thème choisi est les contes et légendes d'Europe. La figure symbole du parc est la statue de Gargantua.

A Marne-la-Vallée, à l'est de Paris, la compagnie Walt Disney va construire un immense parc d'attractions, comme Disneyland aux Etats-Unis. Il va ouvrir en 1992. On va naturellement donner des noms français aux personnages célèbres, sauf à Mickey Mouse et à Donald Duck. Cinderella va devenir Cendrillon, Goofy va devenir Dingo et Dopey va devenir Simplet. Pouvez-vous deviner les noms français pour Happy et pour Snow White?

Solution : Joyeux et Blanche Neige

B22 Activité • Ecoutez bien

Ecoutez la conversation et puis décidez si les phrases suivantes sont vraies ou fausses.

1. Muriel a accompagné Eric au parc d'attractions.
2. Muriel a trouvé le parc drôlement bien.
3. Les montagnes russes donnent le vertige à Eric.
4. Eric a peur du train fantôme.
5. Muriel aime manger.

*Les Français célèbrent leur fête nationale le quatorze juillet. Les quartiers de Paris, théâtres de la
Révolution de 1789, sont aujourd'hui des endroits où on danse et où on fait la fête.*

C1   La fête commence. 📼

La veille du 14 Juillet, dans chaque quartier de Paris, il y a des bals... à Montmartre, à
Montparnasse, à la Bastille, sur l'île Saint-Louis. Quand une bande de jeunes Parisiens
veut sortir, le téléphone fonctionne toute la journée.

(9 h 10 — Corinne téléphone à Laure.)

CORINNE   Laure? Où veux-tu aller danser ce
          soir?
LAURE   Je ne sais pas. Et toi?
CORINNE   J'ai bien envie d'aller à
          Montmartre. Il y a un très bon
          orchestre.
LAURE   Moi, ça me va. Mais appelle les
          autres.

(10 h 45 — Corinne appelle Fabienne.)

CORINNE   Salut, Fabienne! J'ai eu Laure au
          téléphone. On est d'accord pour
          aller au bal de Montmartre.
FABIENNE   Je regrette, mais c'est trop loin
          pour moi.
CORINNE   Je suis désolée. Tu es toujours
          d'accord pour le défilé demain?
FABIENNE   Bien sûr!
CORINNE   Eh bien, à demain.

(11 h 20 — Corinne rappelle Laure.)

CORINNE   Oui, c'est encore moi. Fabienne ne
          peut pas venir.
LAURE   Quel dommage!
CORINNE   Quand est-ce que tu veux y aller?
LAURE   Ça m'est égal.
CORINNE   Vers neuf heures, ça te va?
LAURE   Parfait.

(13 h 40 — Corinne parle à Jean.)

CORINNE Jean? Corinne à l'appareil. Qu'est-ce que tu fais ce soir? Ça t'intéresse d'aller au bal de Montmartre?

JEAN Malheureusement, je ne peux pas. Je dois aller vendre des sandwiches et des boissons avec mon frère. J'ai absolument besoin de fric.

CORINNE C'est bien dommage!

JEAN A quelle heure y allez-vous? Je peux peut-être venir après minuit?

CORINNE Si tu veux. Il y a un café à l'angle de la place du Tertre. Rendez-vous à minuit et quart là-bas?

JEAN D'accord. A ce soir!

(16 h 05 — Corinne appelle Henri.)

CORINNE Coucou, Henri, c'est moi! Ça te dit de venir danser avec nous ce soir?

HENRI Qui vient?

CORINNE Laure, Jean et moi.

HENRI Où est-ce que vous allez?

CORINNE Au bal de Montmartre.

HENRI Montmartre? Ah non! Il y a toujours plein de touristes! Allons à la Bastille. C'est beaucoup mieux.

CORINNE Ecoute, je veux bien. Mais tu organises! Moi, j'abandonne! Décide avec les autres et rappelle-moi! Bonne chance!

C2 Activité • Pourquoi?

Expliquez pourquoi…

1. Jean ne sort pas avec les autres à neuf heures.
2. Fabienne ne va pas au bal.
3. Henri ne veut pas aller à Montmartre.
4. Corinne a envie d'aller à Montmartre.
5. Henri doit téléphoner aux autres.

C3 Activité • Présentez-vous (Introduce yourself)

Pouvez-vous trouver dans C1 plusieurs expressions pour vous présenter au téléphone?

Activité • A vous maintenant!

Henri doit téléphoner aux autres. Il commence par appeler Stéphanie. Préparez le dialogue avec un(e) camarade de classe. Présentez-vous, proposez quelque chose, demandez l'avis de votre ami(e), fixez un rendez-vous, choisissez l'heure et l'endroit.

C5 Activité • Ecrivez

Corinne a aussi téléphoné à Olivier. Elle a laissé un message sur le répondeur *(telephone answering machine)*. Ecrivez le message.

C6 Savez-vous que... ?

Le 14 Juillet est la fête nationale française. Elle commémore la prise de la Bastille — une ancienne prison — le 14 juillet 1789. La prise de la Bastille symbolise le début de la Révolution française. La Bastille a été détruite en 1790. C'est aujourd'hui une vaste place, la place de la Bastille. Au centre, il y a une colonne en bronze. Elle commémore une autre révolution française, celle de juillet 1830. En haut de la colonne, une petite statue représente la Liberté.

La place de la Bastille

C7 VOUS EN SOUVENEZ-VOUS?
Asking questions

1. You've already learned that in informal conversation you ask a yes/no question simply by raising your voice at the end of a statement.

> Tu as rappelé Laure?   Oui. / Non.

2. You also know that you can ask for information by placing an interrogative word or phrase at the end of a statement.

> Elle a téléphoné **à quelle heure?**

3. Interrogative words that you've already seen include **quoi, quand, comment, où, combien, qui, avec qui, à qui, pourquoi,** and **à quelle heure.**
4. Remember that **qu'est-ce que,** instead of **quoi,** is placed at the beginning of a statement to ask *what* in writing and more formal conversation.

1. You may use the phrase **est-ce que** to ask yes/no questions.

Yes/no questions	**Est-ce que** Laure a téléphoné? **Est-ce qu'**elle va rappeler Corinne?

To ask a yes/no question with **est-ce que**, place the phrase before a statement and raise your voice at the end. **Est-ce que** tu vas au bal? **Elision** occurs when the word following **est-ce que** begins with a vowel: **Est-ce qu'elles** vont sortir?

2. You may also use **est-ce que** in questions asking for information. These questions usually follow this pattern:

   interrogative word or phrase + **est-ce que** + (pro)noun + verb

Your voice starts at a high pitch on the question word(s) and gradually falls as it goes on.

A quelle heure **Où**	**est-ce que** **est-ce qu'**	Laure a téléphoné? elle va ce soir?

   a. When **qui** is the subject of the question, **est-ce que** is not used: **Qui a téléphoné?**
   b. When **où, comment**, or **à quelle heure** is followed by a form of the verb **être**, **est-ce que** is not used: **Où sont les téléphones? Comment est Nicole?**

3. You may form questions in another way, using inversion instead of **est-ce que**. Inversion means that the subject pronoun and the verb are reversed, or inverted. In writing, a hyphen is placed between the verb and the pronoun that follows it. Inversion may be used in both yes/no and information questions.

Viens-tu avec moi? Quand **allons-nous** partir?

   a. When the verb ends in a vowel and the subject pronoun following it begins with a vowel, you make a **t**-sound between the two words. This makes the pronunciation easier. In writing, you add the letter **t** surrounded by hyphens:

Comment s'appelle-**t**-elle? A-**t**-elle un frère? Parle-**t**-il anglais?

   b. When the verb is in the **passé composé**, the subject pronoun and the auxiliary verb are inverted: **As-tu parlé avec Corinne?**

   c. When the subject of the question is a noun, use the following pattern of inversion: noun subject + verb + subject pronoun. **Jean vient-il avec nous?**

   d. **Liaison** occurs when you use inversion. When the verb ends with the letter **d**, you pronounce the **d** as a **t**.

   Ecoutent - ils des disques?   A quelle heure prend - elle le métro?

   e. The way you choose to ask questions depends on the situation you're in — formal or informal, speaking or writing — and the people you're talking to — young people or adults, acquaintances or strangers.

Votre ami(e) téléphone. Il/Elle vous invite à une soirée pour célébrer le 14 Juillet. Posez-lui des questions. Vous voulez savoir...

1. où est la soirée.
2. à quelle heure elle commence.
3. quand vous devez partir.

4. si vous devez prendre le métro.
5. comment vous pouvez rentrer.
6. qui vient.

C10 Activité • Encore des questions

Vous allez au défilé du 14 Juillet avec des amis. Votre mère veut quelques renseignements. Devinez ses questions.

— Dis, maman, on va sortir. C'est d'accord?
— ... ?
— Au défilé.
— ... ?
— On va prendre le métro tous ensemble.
— ... ?
— Oh, vers 13 h 00.
— ... ?
— Laure, Corinne, Henri et peut-être Jean.
— ... ?
— Oui, j'ai cinquante francs.

La Garde Républicaine défile le 14 Juillet.

C11 Activité • Ecrit dirigé

Pour célébrer le 14 Juillet, Laure et son frère Didier préparent une petite surprise pour leur mère. Laure pose des questions à Didier. Ecrivez ses questions en employant **est-ce que.**

1. Tu as acheté le cadeau, Didier?
2. Grand-mère arrive comment?
3. On va dîner dans quel restaurant?

4. Papa a réservé une table?
5. Tu vas prendre quelques photos?
6. Combien tu as payé les fleurs?

C12 Activité • A vous maintenant!

Votre ami(e) français(e) a vu cette annonce dans le journal. Il/Elle vous invite au bal. Demandez des renseignements en posant cinq questions avec **est-ce que.** Préparez le dialogue avec un(e) camarade de classe.
— Ça te plairait d'aller au bal?

Grand Bal du 14 Juillet
Lundi   13 Juillet
Montparnasse
Venez tous!   Gratuit°
A partir de 20 h 00
Feu d'artifice à minuit

gratuit *free*

C13 COMMENT LE DIRE
Expressing regret

Je regrette.	Malheureusement, . . .
Quel dommage!	Je suis désolé(e) mais . . .
C'est bien dommage.	C'est regrettable. (formal)

C14 Activité • Exprimez le regret

Vos amis vous parlent. Qu'est-ce que vous leur dites? Employez les expressions de regret.

1. Pierre ne peut pas venir au bal.
2. Il pleut. Il n'y a pas de feu d'artifice.
3. Tu vas voir le défilé?

4. Quelle foule! Je ne vois pas le défilé!
5. Fabienne ne peut pas sortir ce soir.

C15 Activité • A vous maintenant!

Travaillez avec un(e) camarade de classe. A tour de rôle, composez une phrase négative au passé composé et exprimez le regret.

Catherine / venir — Catherine n'est pas venue.
— C'est bien dommage.

1. Je / voir le défilé
2. Laure / rappeler

3. On / répondre au téléphone
4. Nous / aller à Montmartre

5. Jean / trouver ses copains
6. Tu / téléphoner

C16 Activité • Complétez le dialogue

Vous avez une conversation avec un(e) camarade. Il/Elle vous propose d'aller au bal. Vous avez une raison pour ne pas venir. Votre camarade insiste. Exprimez vos regrets.

— Ça te dit de venir au bal avec moi?
— *(regrets) (raison)*
— Viens après minuit!
— *(regrets) (raison)*
— Prends un taxi!
— *(regrets) (raison)*
— Demande de l'argent à ton père!
— *(regrets) (raison)*
— Ben, fais comme tu veux. Moi, j'y vais!

Voici des raisons :

— Il ne veut pas.
— Je n'ai pas d'argent.
— Je dois vendre des boissons.
— J'ai peur de prendre le métro la nuit.

C17 Activité • Ecoutez bien

Choisissez la bonne réponse.

1. C'est **a.** le matin **b.** l'après-midi **c.** le soir.
2. Il fait **a.** mauvais **b.** froid **c.** beau.
3. Le défilé est à **a.** Marseille **b.** Paris **c.** Lyon.
4. Des spectateurs, il y en a **a.** beaucoup **b.** peu **c.** plusieurs.

5. Les pompiers défilent **a.** en premier **b.** en troisième **c.** en dernier.
6. L'armée de l'air est **a.** en moto **b.** en avion **c.** à pied.

1   Après le défilé

Laure est allée voir le défilé du 14 Juillet. Sa mère veut savoir comment c'était.

SA MÈRE	C'était comment, le défilé?
LAURE	Oh, merveilleux! J'ai vraiment beaucoup aimé!
SA MÈRE	Tu as vu le président de la République?
LAURE	Non. Malheureusement, je suis arrivée trop tard.
SA MÈRE	Dommage. Alors, comment sont nos avions, nos militaires?
LAURE	Pas mal. Mais j'ai surtout aimé les pompiers°!

pompiers *firemen*

2   Activité • Répondez

1. Où est-ce que Laure est allée?
2. Qu'est-ce que sa mère veut savoir?
3. Comment était le défilé?
4. Pourquoi est-ce que Laure n'a pas vu le président?
5. Qu'est-ce qu'elle a surtout aimé?

3 Activité • Au défilé

Regardez cette illustration. Quelles questions est-ce que vous pouvez poser à un(e) camarade?

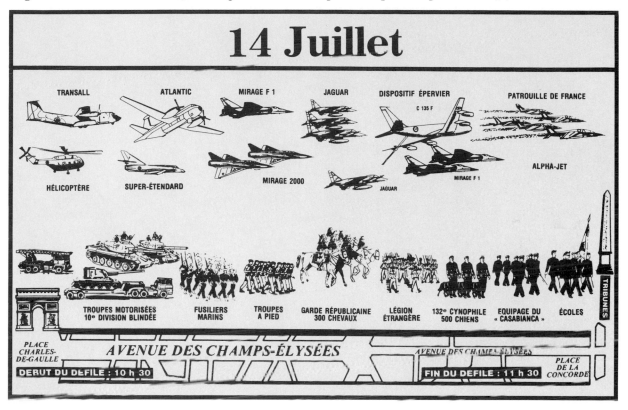

4 Activité • Célébrez le 14 Juillet

Vous êtes à Paris avec votre correspondant(e) français(e). Qu'est-ce que vous allez faire? Regardez ce programme et faites vos plans pour la journée. Allez-vous assister au défilé ou préférez-vous le regarder à la télé? Il y a une cérémonie à l'Hôtel des Invalides. N'oubliez pas le feu d'artifice! Travaillez avec un(e) camarade et préparez le dialogue.

14 JUILLET
Le 14 Juillet au Musée de l'Armée

Les musées de l'Hôtel national des Invalides (musée de l'Armée, dôme royal, tombeau de l'Empereur, église Saint-Louis) sont ouverts le mardi 14 juillet, de 10h à 18h.

Le public a accès au tombeau de Napoléon jusqu' à 19 heures.

La projection permanente de documentaires et de grands films sur les guerres de 1914–1918 et 1939–1945 a lieu dans la salle de cinéma du musée de l'Armée à partir de 14 heures.

10 Ans — 100.000 Étoiles

grand spectacle pyrotechnique présenté par la mairie de Paris mardi 14 juillet, à 22 h 30, devant le Palais de Chaillot, d'une durée de 25 minutes.

Sélection Télévision

9.45 | A2 | Défilé du 14 Juillet

Travaillez avec un(e) camarade de classe. Préparez un dialogue pour chaque situation.

1.

Votre ami(e) vous propose de monter à la tour Eiffel. Vous ne voulez pas. Vous refusez en exprimant vos regrets.

2.

Vous êtes sur les montagnes russes à un parc d'attractions. Vous aimez, mais votre ami(e) n'aime pas. Il/Elle donne une raison.

3.

Vous êtes au Carnaval à Québec. Vous admirez les sculptures de neige.

4.

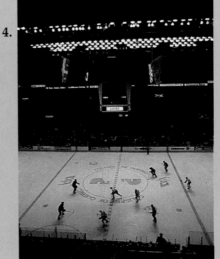

Vous êtes au Carnaval à Québec. Votre ami(e) canadien(ne) vous propose plusieurs choses : un match de hockey, un bal, un concert, le feu d'artifice. Vous n'arrivez pas à prendre une décision. Pour finir, votre ami(e) vous emmène voir un match de hockey.

Vous avez organisé une soirée le dernier jour du Carnaval à Québec. Votre ami(e) veut savoir comment était la soirée. Il/Elle vous demande ce que vous avez fait. Répondez en employant l'adverbe suggéré par l'adjectif.

— Vous avez discuté?
— Ah oui, nous avons discuté vivement!

(vif)

1.

(gai)

2.

(long)

3.

(continuel)

4.

(joyeux)

5.

(triste)

7   Activité • A vous maintenant!

Vous avez assisté à la Soirée du Mardi Gras au Carnaval de Québec. Votre ami(e) veut savoir comment c'était. Préparez le dialogue avec un(e) camarade de classe.

MARDI 10 FEVRIER
21h00 SOIREE DU MARDI-GRAS

Super soirée costumée et dansante aux rythmes de la Louisiane et de l'Acadie.

Groupes invités : EXPRESSO S.V.P. de l'Acadie et WAYNE TOUPS de la Louisiane. Artiste spécial invité : MICHAEL DOUCET du groupe Beausoleil.
Lieu : Centre Durocher, 290, rue Carillon.
Admission : 6 $

Activité • Bon appétit!

Vous êtes au Carnaval à Québec avec des ami(e)s. Il est midi et vous avez faim. Alors, vous entrez dans un petit restaurant québécois pour déjeuner.

Regardez la carte, choisissez les plats et commandez votre repas.

Un(e) camarade va jouer le rôle du serveur/de la serveuse.

PATRIMOINE TERRASSE

entrées

Frites (French fries)	1.00
Frites avec sauce hot chicken	1.95
(French fries with hot chicken sauce)	
Oignons français (Onion rings)	1.95
Fondue Parmesan (Parmesan Fondue)	2.75
Salade du chef (Chef's salad)	2.50
Frites avec sauce à spaghetti	2.75
(French fries with spaghetti sauce)	
Poutine maison	3.50
(French fries with sauce and cheese)	
Poutine maison à l'italienne	3.95
Escargots de Bourgogne	3.50
(Snails with garlic butter)	
Coquille de fruits de mer	4.25

soupes (soups)

Jus de tomates ou V-8	1.00
(Tomato juice or V-8)	
Deux choix de soupe du jour	1.25
(Two choices of today's soup)	
Soupe à l'oignon gratinée	3.25
(Onion soup with cheese)	

sandwichs
(servis avec frites et salade de choux)
(served with french fries and cole slaw)

Aux tomates (Tomatoes)	3.25
Jambon (Ham)	3.25
Fromage grillé (Grilled cheese)	4.25
Tomates et fromage (Tomatoes and cheese)	4.25
Poulet (Chicken)	4.25
Tomate et bacon (Tomatoes and bacon)	4.25
Western	4.25

club sandwich

Poulet (Chicken)	6.50
Fromage (Cheese)	5.50
Jambon (Ham)	5.75

mets italiens (Italian)
(choix sauce tomate ou viande)
(choice of tomato or meat sauce)

Spaghetti à la viande ou tomate	5.50
(Spaghetti with meat or tomato sauce)	
Spaghetti aux champignons	6.25
(Spaghetti with mushrooms)	
Spaghetti au pepperoni	6.25
(Spaghetti with pepperoni)	
Hamburger Caruso	5.75
(Caruso hamburger)	
Spaghetti à la viande gratiné	6.95
(Spaghetti with meat sauce)	
Lasagne (Lasagna)	6.50

pizzas

	6"	9"
Fromage (Cheese)	3.00	4.50
Champignons et piment	3.25	4.95
Pepperoni	3.50	5.25
Garnie (All dressed)	4.25	5.75
Patriomine	4.75	6.95

poissons

Fish & Chips	4.75
Filet de sole au beurre	6.75
(Filet of sole cooked in butter)	

salades

Spécial du Chef (Chef's special salad)	4.75
Jambon (Ham)	6.50
Du Patrimoine	6.50
De poulet (Chicken)	7.50
Mimosa	6.95
César	8.50

sous-marins
(servis avec frites et salade de choux)
(served with french fries and cole slaw)

Végétarien	4.25
(Fromage, salade, tomate, piments, champignons)	
(Cheese, salad, tomato, green peppers, mushrooms)	
Pepperoni	4.95
(Pepperoni, fromage, salade, tomate, piments, champignons)	
(Pepperoni, cheese, salad, tomato, green peppers, mushrooms)	

hamburger
(servis avec frites et salade de choux)
(served with french fries and cole slaw)

Hamburger	3.50
Cheeseburger	3.75
Hot hamburger	4.95

biftecks

Bifteck haché (Chopped sirloin)	5.25
Bifteck minute (Minute steak)	6.50
Brochette (Sirloin brochette)	7.50
Filet mignon	8.95
Surlonge	14.95
Rib	16.95
T-Bone	16.95

desserts

Dessert du jour	1.00
Tartes (Pies)	1.25
Gâteau moka	2.25
Chocolat	2.25

TABLE D'HÔTE

Fondue Parmesan ou Salade César
(Fondue Parmesan or Cesar salad)
—○—
Soupe maison (Home soup)
—○—
Au choix (Your choice)
Lasagne (Lasagna)
Filet de sole au beurre (Filet of sole in butter)
Bifteck minute (Minute steak)
—○—
Dessert du jour (Dessert of the day)
—○—
Café ou Thé (Coffee or Tea)

10,99

FESTIVAL DU BIFTECK

Salade du Chef ou Salade César
(Chef's salad or Cesar salad)
—○—
Soupe maison (Home soup)
—○—
Au choix (Your choice)
Surlonge
Rib
T-Bone
—○—
Tartes assorties (Assorted pies)
—○—
Café ou Thé (Coffee or Tea)

19,95

Activité • Ecrit dirigé

Il est dix heures du soir. Vous avez passé la journée au parc d'attractions avec des amis. Vous voulez raconter cette journée dans votre journal. Répondez aux questions suivantes et écrivez un paragraphe au passé composé.

1. Où êtes-vous allé(e) aujourd'hui? Avec qui?
2. A quelle heure y êtes-vous arrivé(e)s?
3. Avez-vous commencé par le palais des Glaces?
4. Etes-vous monté(e)s sur les montagnes russes?
5. Avez-vous eu le vertige?
6. Avez-vous pris le train fantôme?
7. Comment avez-vous trouvé le parc?
8. A quelle heure êtes-vous rentré(e)s?

MAI
JEUDI **19**

VENDREDI **20**

MAI
SAMEDI **21**

Aujourd'hui, j'ai passé une journée extra au parc d'attractions avec...

DIMANCHE **22**

Activité • Récréation

Jeu d'association

Quel mot est suggéré par chaque groupe de trois mots?

| rue marcher gens | rapidement vertige descente | homme froid blanc | équipe rondelle glace | ciel couleurs beau |

PRONONCIATION

Liaison

1 Ecoutez bien et répétez.

Linking two vowels
   midi et demi   samedi à midi   samedi ou dimanche   Je sais où il est.

2 Ecoutez et lisez.

1. Most of the final consonants of written French are not sounded.
   est / est   les / les   nos / nos   chez / chez   projets / projets

2. You do hear the final **l** and **r** sounds but not the consonants that follow them.
   ils / ils   elles / elles   hôtels / hôtels   tard / tard   fort / fort   vers / vers

3. Final consonants, usually not heard, are sometimes pronounced to link words.
   Il est là.   I-lé-la.   *but*   Il est ici.   I-lé-ti-ci.
   a. The most often heard linking sound is /z/, even though it may be written as an **s.**
      nos amis   no-za-mi   les amis   lé-za-mi   les Etats-Unis   lé-zé-ta-zu-ni
   b. Another frequent linking sound is /t/.
      tout à l'heure   tou-ta-l'heure   comment allez-vous   co-men-ta-lé-vous
   c. Sometimes a final **d** is pronounced as **t** when linking occurs.
      vend-elle   ven-telle   prend-il   pren-til
   d. A **t** may even be added to make pronunciation easier.
      il y a   y a-t-il?   Elle a un frère.   A-t-elle un frère?
   e. The third most frequent linking sound is /n/.
      mon frère et mon ami   ton père et ton oncle

4. In some cases a stop is needed rather than a linkage.
   a. This happens before certain words beginning with **h,** often to keep meanings clear.
      les zéros   lé-zé-ro   les héros   lé-é-ro
   b. Repeat these pairs, being careful not to link the words.
      haricot / les haricots   Hollande / la Hollande   homard / le homard   haut / en haut
   c. Many numerals also contain stops.
      le onze   cent onze   le huit
   d. A stop occurs before certain words like **oui** and **alors.**
      mais oui   et alors

5. Read this dialogue, making the correct linkages and stops.
   — Tu pars quand? Le onze?
   — Mais oui. Samedi à midi et demi avec mon oncle Albert. Et toi?
   — Lundi après-midi. Nous arrivons chez eux vers six heures.

3 Copiez les phrases suivantes pour préparer une dictée.

1. On est arrivé le onze.
2. C'est chouette d'être en haut.
3. Quand est-ce que Laure a téléphoné?
4. A-t-elle un frère?
5. Comment allez-vous?

VERIFIONS!

SECTION A

Do you know how to express excitement and amazement in French?
Transform these statements into exclamations in different ways.

1. Les musiciens jouent bien.
2. Il fait beau.
3. La foule est immense.
4. La reine est belle.
5. Ce char est drôle.

Do you know all the patterns of adjective agreement?
Complete these noun phrases by putting the adjective in parentheses in its correct form and position.

1. des chars (original)
2. une couleur (vif)
3. une foule (joyeux)
4. des filles (sportif)
5. un feu d'artifice (beau)
6. une compétition (spécial)

SECTION B

Can you express indecision and indifference in French?
React to each of these suggestions in an indecisive or indifferent manner. Vary your remarks.

1. Ça te dit d'aller au parc d'attractions?
2. Tu veux commencer par le train fantôme?
3. On va dans le palais des Glaces. D'accord?
4. Montons sur les montagnes russes.
5. On va manger maintenant?

Have you learned the forms of the verb *vivre*?
How do these people live their lives? Complete each sentence with the correct form of **vivre**.

1. Moi, je ___ tranquillement.
2. Mes copains ___ rapidement.
3. Nicole ___ à deux cents à l'heure.
4. Vous ___ intensément.
5. Tu ___ bien.
6. Nous ___ passionnément.

Do you know how to make adverbs from certain adjectives?
Change the adjective in parentheses to an adverb and place it in the correct position in the sentence.

1. Les voitures circulent dans la neige. (lent)
2. Le défilé avance. (rapide)
3. Ils jouent bien. (drôle)
4. La foule crie. (gai)
5. Les jeunes dansent. (joyeux)

SECTION C

Can you express regret in French?
React to your friends' statements and questions. Use a different expression of regret each time.

1. Je ne peux pas aller voir le défilé.
2. Tu n'as pas téléphoné à Fabienne?
3. Tu ne vas pas au bal?
4. Les rues sont bloquées!

Do you know how to ask questions using *est-ce que*?
Ask these questions using **est-ce que**.

1. Nous allons voir le feu d'artifice?
2. Le défilé commence à quelle heure?
3. Vous y allez avec qui?
4. On va danser?

VOCABULAIRE

SECTION A

assez : J'en ai assez! *I'm fed up!*
assister (à) *to attend*
avancer *to advance*
un **bonhomme (de neige)** *snowman*
le **bruit** *noise*
le **carnaval** *carnival*
ce que *how*
un **chant** *song*
un **char** *float*
circuler *to circulate*
une **compétition** *contest*
cours : Je cours *I run*
un **cri** *shout*
crois : Je crois *I believe*
un **défilé** *parade*
dommage *pity, too bad*
drôle *funny*
la **duchesse** *duchess*
durer *to last*
enfin *well*
enneigé, -e *snow-covered*
en plus *in addition*
entendre *to hear*
exprès *purposely*
exprimer *to express*
un(e) **fana(tique)** *fan*
fantastique *fantastic*
un **feu d'artifice** *fireworks*
formidable *great*
une **foule** *crowd*
le **froid** *cold (weather)*
gai, -e *gay, happy*
gelé, -e *frozen*
la **joie** *joy*
joyeux, -euse *joyous, happy*
le long de *along*
ouvert -e *open*
plein, -e (de) *full (of)*
les **Québécois** *inhabitants of Quebec*
la **reine** *queen*
rude *harsh*
le **Saint-Laurent** *Saint Lawrence River*
spécial, -e (m. pl. -aux) *special*
sportif, -ive *athletic*
un **tournoi** *tournament*
vive *long live . . . , hurrah for . . .*

SECTION B

accompagner *to accompany*
amusant, -e *fun, amusing*
apprécier *to appreciate*
arrêter (s') *to stop*
une **attraction** *attraction*
bouger *to move, budge*
le **cœur : mal au cœur** *stomach ache, nausea*
commencer par *to begin with (by)*
continuellement *continually*
une **descente** *descent*
drôlement *pretty, very*
égal, -e (m.pl. -aux) *equal; Ça m'est égal.* *I don't care.*
emmener *to take (someone somewhere)*
une **émotion** *emotion*
fabuleux, -euse *fabulous*
un **fantôme** *ghost*
un(e) **fonceur, -euse** *bold, courageous person*
la **forme : être en forme** *to be in good shape*
fort, -e *strong*
une **glace** *ice, mirror*
incompréhensible *incomprehensible*
intensément *intensely*
lentement *slowly*
les **montagnes russes (f.)** *roller coaster*
un **parc d'attractions** *amusement park*
passionné, -e (de) *enthusiastic (about)*

SECTION C (continued at right)

plaisir : faire plaisir à *to please*
plaît : Ça te plaît? *Do you like it?*
une **préférence** *preference*
rapidement *rapidly*
réservé, -e *reserved*
la **résistance** *resistance, endurance*
secours : Au secours! *Help!*
un **squelette** *skeleton*
tellement *so much*
un **tour** *spin, tour, ride*
tranquillement *quietly, peacefully*
le **vertige** *vertigo, fear of heights*
vivre *to live*

SECTION C

abandonner *to give up*
absolument *absolutely*
l' **angle (m.)** *angle, corner*
appeler *to call, to phone*
un **bal** *dance*
une **bande** *group*
la **chance** *luck*
coucou *hi*
dommage : C'est dommage! *That's too bad!*
fonctionner *to function, work*
le **fric (slang)** *money*
malheureusement *unfortunately*
un **orchestre** *orchestra*
parfait, -e *perfect*
rappeler *to call again, to call back*
regrettable *regrettable*
regretter *to regret*
un(e) **touriste** *tourist*
la **veille** *eve*
vendre *to sell*
vers *about, toward*

ETUDE DE MOTS

1. If **malheureusement** means *unfortunately,* can you guess the French word for *fortunately?* Now you should be able to form the two adjectives *fortunate* and *unfortunate* in French.
2. Can you find a pattern in the following pairs of words?

    abandon / abandonner   **fonction / fonctionner**

    Now apply the same pattern to make verbs of these nouns.

    collection   station   don   mention   bouton

A LIRE

La Marseillaise

You're going to read the story of how the French national anthem was born and how it got its name.

Avant de lire

Before you read the entire story, skim the first paragraph. Then explain the meaning of the word **paradoxe** and how it applies to the anthem.

Voilà le paradoxe de l'hymne national de la France : il a été composé en Alsace et il a finalement été appelé «La Marseillaise». La plus grande chanson de l'histoire de France a donné naissance° à une belle légende.

Nous sommes au début de la Révolution française. Le 20 avril 1792, la France a déclaré la guerre° à l'Autriche. Le 25 au soir, le maire de Strasbourg, M. Dietrich, invite à dîner quelques militaires. Claude Rouget de Lisle, un jeune officier de l'armée du Rhin, est triste. Il a passé des semaines heureuses à Strasbourg. Il y a rencontré de vrais amis, des amoureux des arts et de la musique.

Au cours du dîner on entend chanter des soldats dans la rue.

Le maire dit : Vous entendez cette chanson révolutionnaire? Il faut trouver quelque chose de mieux pour nos soldats! Un chant aux paroles simples! Une musique capable d'émouvoir°! Puis il demande à Rouget de Lisle : Pourquoi ne leur écrivez-vous pas un chant, Monsieur de Lisle?

Rentré chez lui, le jeune officier prend son violon et sa plume. Il fait nuit. Le silence est total… Rouget de Lisle cherche… cherche… et compose finalement son «Chant de guerre pour l'armée du Rhin».

Le lendemain, il court montrer son chant à Dietrich. Le maire regarde longtemps la feuille de papier. Puis il appelle sa femme. Elle joue l'hymne nouveau au piano. Soudain, le maire lui dit : Allez chercher nos amis d'hier soir!

---

naissance *birth*; **guerre** *war*; **émouvoir** *move*

Bientôt, tout le monde est là. Sans un mot, Dietrich conduit ses amis près du piano. Le maire commence à chanter :

— Allons enfants de la patrie,
Le jour de gloire est arrivé...

Un tonnerre d'applaudissements° salue la note finale. Avec ce chant, dit Dietrich, nous allons gagner toutes les batailles, vaincre° tous nos ennemis!

Dans la ville de Marseille, un groupe de volontaires organise un banquet avant de partir en guerre. Au cours du banquet, un certain Manier reprend le chant de Rouget de Lisle. Le lendemain, le journal publie le texte; il est distribué aux soldats. En allant à Paris, les soldats marseillais répètent le «Chant de guerre pour l'armée du Rhin». Quand les Parisiens entendent chanter les soldats marseillais, ils appellent leur chanson le «Chant des Marscillais». Plus tard, elle devient «La Marseillaise».

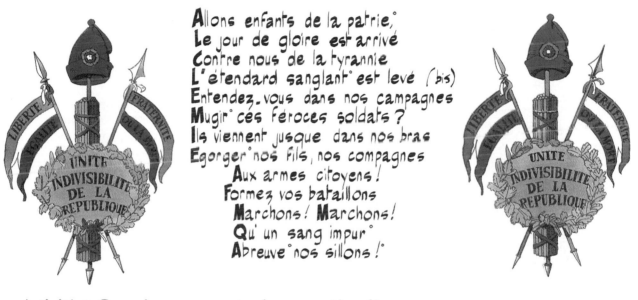

Allons enfants de la patrie,°
Le jour de gloire est arrivé
Contre nous de la tyrannie
L'étendard sanglant° est levé (bis)
Entendez-vous dans nos campagnes
Mugir° ces féroces soldats?
Ils viennent jusque dans nos bras
Egorger° nos fils, nos compagnes
　Aux armes citoyens!
　Formez vos bataillons
　Marchons! Marchons!
　Qu'un sang impur°
　Abreuve° nos sillons!°

Activité • Connaissez-vous votre hymne national?

Connaissez-vous l'hymne national de votre pays? Répondez aux questions suivantes.

1. Comment s'appelle l'hymne national de votre pays?
2. Qui a composé la chanson?
3. Quand?
4. C'est une chanson de guerre?
5. Votre pays était en guerre avec quel autre pays à ce moment?

Activité • Ecrit dirigé

Le paragraphe suivant parle de «La Marseillaise». Ecrivez le paragraphe en faisant les changements nécessaires pour qu'il parle de l'hymne national de votre pays.

Claude Rouget de Lisle a composé «La Marseillaise» en 1792. A ce moment, la France était en guerre avec l'Autriche. «La Marseillaise» est maintenant l'hymne national de la France.

---

tonnerre d'applaudissements *thunderous applause;* **vaincre** *defeat;* **patrie** *fatherland;* **étendard sanglant** *bloody flag;* **mugir** *roar;* **égorger** *to cut the throats of;* **sang impur** *impure blood;* **abreuve** *water;* **sillons** *plowed fields*

Bonhomme Carnaval

Février à Québec n'est pas un mois ordinaire, un mois d'hiver sombre. C'est au contraire un mois de gaieté, un mois de plein air et de bonne humeur. C'est la période du Carnaval!

Bonhomme Carnaval est le symbole de cette joyeuse période de l'année. Habillé en blanc, il porte une tuque° rouge et une ceinture fléchée°. Environ un mois avant le début du Carnaval, il fait une entrée spectaculaire dans la ville. Lors de° son arrivée dans la capitale, le maire de Québec lui offre les clés de la ville.

Bonhomme est un personnage important. En dehors de° son rôle de Roi du Carnaval, c'est un véritable diplomate de son pays. Il voyage à travers° le monde : dans toutes les provinces canadiennes et en Nouvelle Angleterre; en Europe et aux Bahamas; dans les Alpes françaises et à Paris. On a même vu Bonhomme au Carnaval de Nice et au Tournoi de roses de Pasadena. Il représente les Québécois et leur hospitalité légendaire.

Durant le Carnaval, Bonhomme est le Roi de la fête. Entouré de sa cour d'honneur, composée de la Reine et de six Duchesses, il préside à tous les grands événements : activités culturelles et sportives, défilés... Tous ses sujets lui montrent une joyeuse affection.

La Reine est un symbole de charme, de grâce et de majesté. Le couronnement de la Reine du Carnaval est un spectacle en plein air ouvert à tous, suivi de° danses et de feux d'artifice. La foule enthousiaste acclame la Reine. L'heureuse élue° représente l'un des sept duchés de la ville de Québec. Les duchés portent les noms glorieux des grands personnages de l'histoire du Canada : Cartier, Champlain, Laval, Frontenac, Lévy, Montcalm et Montmorency.

Une fois le nom de la principale héroïne du Carnaval de Québec divulgué°, la fête commence vraiment... Dix jours de rêve et de joie!

---

tuque *woolen cap;* **fléchée** *decorated with arrows;* **lors de** *at the time of;* **en dehors de** *apart from;* **à travers** *throughout;* **suivi de** *followed by;* **élue** *chosen one;* **divulgué** *revealed*

Activité • Devinez

Choisissez l'équivalent anglais.

début	en plein air	*outside*	*court*
clés	cour	*beginning*	*keys*

Activité • Qui est-ce? Qu'est-ce que c'est?

Vous avez vu les adjectifs suivants dans l'histoire du Bonhomme Carnaval. Qu'est-ce que chaque adjectif décrit? Une personne? Une chose? Un événement? Complétez le tableau.

Adjectif	Qui?	Quoi?
joyeuse		
sportives		
légendaire		
glorieux		
heureuse		
spectaculaire		
enthousiaste		

Activité • La leçon d'histoire

Trouvez dans le texte les noms de deux explorateurs et d'un général célèbres.

La Chanson du Carnaval

Les Québécois aiment chanter, surtout au moment du Carnaval. Voici une chanson populaire.

A Québec, ça commence royalement
Par le grand et joyeux déploiement°
Des tambours, des trompettes, des brillants°
Que l'on voit dans les vrais couronnements.

Carnaval, Mardi Gras, Carnaval
A Québec, c'est tout un festival.
Carnaval, Mardi Gras, Carnaval
Chantons tous le joyeux Carnaval.

---

déploiement *display;* **brillants** *diamonds*

CHAPITRE 4

Week-end en Belgique

Chapitre de révision

Projets de week-end 📼

Qu'est-ce que vous faites généralement le week-end? Jérôme Loup habite à Valenciennes, en France, pas loin de la frontière belge. Il a un projet formidable pour le week-end. Il veut aller au Grand Prix de Formule 1 à Spa-Francorchamps en Belgique. Mais il y a 200 kilomètres et il n'a pas son permis de conduire *(driver's license)*. Son frère Antoine a une voiture, mais lui, il n'est pas passionné de sport automobile. Comment faire?

JÉRÔME	Tu sais, dimanche, il y a le Grand Prix de Belgique.
ANTOINE	Ah oui?
JÉRÔME	Avec Alain Prost.
ANTOINE	Pourquoi tu n'y vas pas? Il y a certainement des trains.
JÉRÔME	Oui, mais c'est pas pratique. Il faut changer à Bruxelles et après, à Spa, il faut prendre un bus jusqu'à Francorchamps.
ANTOINE	Ah, mon vieux, c'est ça le sport!
JÉRÔME	Et puis c'est ennuyeux d'y aller seul.
ANTOINE	Ça passe pas à la télévision?
JÉRÔME	Si, mais c'est différent... Ça te dit d'y aller?
ANTOINE	Où?
JÉRÔME	Eh bien, au Grand Prix!

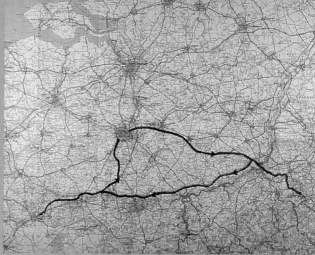

ANTOINE	Ah, je vois! Tu veux y aller en voiture, et moi, je dois venir avec toi pour conduire.
JÉRÔME	Voilà! Tu as compris!
ANTOINE	Ça ne m'intéresse pas beaucoup, les courses de voitures.
JÉRÔME	Allez! Sois sympa. Et puis, il faut aller applaudir Prost, notre champion national!

ANTOINE	Mmmm... Ça te plairait?
JÉRÔME	Enormément!
ANTOINE	Ça commence à quelle heure?
JÉRÔME	A quatorze heures trente.
ANTOINE	Bon, c'est d'accord. Mais on part samedi, comme ça on passe par Bruxelles. Ça fait longtemps que je rêve de visiter la ville.
JÉRÔME	Génial! Je prends mon appareil-photo!

Activité • Répondez

1. Où est la Belgique, par rapport *(in relation to)* à la France?
2. Où a lieu le Grand Prix de Belgique? Qu'est-ce que c'est?
3. Pourquoi Antoine doit-il accompagner Jérôme à Francorchamps?
4. Qui est Alain Prost?
5. Racontez l'itinéraire que vont suivre Jérôme et Antoine.

3 Activité • Les préparatifs

Pour ne rien oublier, Antoine fait une liste. Qu'est-ce que Jérôme et lui doivent faire avant de partir?

1. demander la permission aux parents — Jérôme et moi
2. prendre les billets — moi
3. changer de l'argent — Jérôme et moi
4. faire les valises — Jérôme et moi
5. emporter l'appareil-photo — Jérôme
6. faire des sandwiches — Jérôme

4 Activité • Projetez le week-end

Pour bien profiter du week-end, il faut faire des projets détaillés. Qu'est-ce que les frères Loup vont faire? Aidez Jérôme à projeter son week-end. Employez le verbe **aller** plus l'infinitif.

Samedi		Dimanche	
11h	départ	10h	en route!
12h30	déjeuner à Bruxelles	12h	arrivée à Francorchamps
14h_19h	visite de la ville	14h30	Grand Prix
19h	dîner	18h	départ de Francorchamps
21h	hôtel	20h	arrivée à Valenciennes

Vous habitez à Valenciennes. Vous voulez passer le week-end en Belgique. Proposez ces activités à un(e) camarade. Votre camarade accepte, refuse ou il/elle est indécis(e). Variez les expressions: Ça te dit de… ? Tu veux… ?

1.

visiter Bruges

2.

voir la Grand-Place à Bruxelles

3.

aller au bord de la mer

4.

passer le dimanche à Waterloo

5.

aller à la Fête des Chats à Ypres

6.

faire une balade en Belgique

6 Savez-vous que... ?

En 1971, quatre régions linguistiques ont été constitutionnellement établies en Belgique : Flandre dans le nord, Wallonie dans le sud, les régions de langue allemande dans l'est, et Bruxelles. Les Flamands parlent flamand, ou néerlandais. Les Wallons sont francophones; ils parlent français. Bruxelles est bilingue. Dans l'est près de la frontière allemande, on parle allemand.

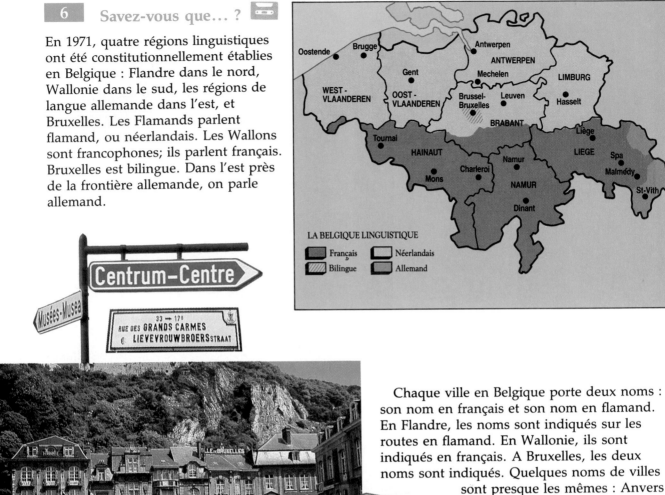

LA BELGIQUE LINGUISTIQUE

- Français
- Néerlandais
- Bilingue
- Allemand

Chaque ville en Belgique porte deux noms : son nom en français et son nom en flamand. En Flandre, les noms sont indiqués sur les routes en flamand. En Wallonie, ils sont indiqués en français. A Bruxelles, les deux noms sont indiqués. Quelques noms de villes sont presque les mêmes : Anvers en français est Antwerpen en flamand. D'autres sont différents : Ypres en français est Ieper en flamand.

Antwerpen–Anvers
Leuven–Louvain
Namur–Namen
Gent–Gand

7 Activité • Un jeune Flamand parle

Ecoutez ce jeune Flamand parler néerlandais. Est-ce que vous comprenez? Racontez en français ce qu'il dit.

«Mijn naam is Mark Vander Linden. Ik ben Belg en 15 jaar oud. Ik woon in Antwerpen, de hoofdstad van Vlaanderen. Antwerpen is gekend voor zijn diamantindustrie. Ik spreek thuis Nederlands met mijn ouders° en mijn vrienden, maar ik leer Frans op school. Ik spreek een betje° Engels en dat doe ik graag. Ik zou graag Amerika bezoeken. Om een goede betrekking° in België te kunnen hebben moet ik Nederlands, Frans en Engels kennen. Verstaat u mijn Nederlands?»

ouders *parents;* **een betje** *un peu;* **betrekking** *travail*

La frontière est à quelques kilomètres de Valenciennes. Jérôme et Antoine sont maintenant en Belgique.

(Sur la route)

| JÉRÔME | C'est encore loin, Bruxelles? |
| ANTOINE | Non, on y est dans une heure. |

| JÉRÔME | Combien est-ce que j'en prends? |
| ANTOINE | Fais le plein. |

(A Bruxelles)

| ANTOINE | Pardon, monsieur, où est-ce qu'on peut trouver un bureau de change? |
| L'AGENT | Il y en a un dans la petite rue, là. |

| JÉRÔME | Combien d'argent est-ce que tu as changé? |
| ANTOINE | Cent francs. Ça fait six cents francs belges. |

ANTOINE	Elle est drôlement impressionnante, cette place!
JÉRÔME	Oui… Dis, quelle heure est-il?
ANTOINE	Trois heures et demie.
JÉRÔME	Tu n'as pas faim?
ANTOINE	Si, un peu. Viens, on va prendre un sandwich dans un de ces cafés.

9   Activité • Situations

Vous êtes en Belgique et vous êtes dans les situations suivantes. Quelles questions posez-vous?
Utilisez l'inversion ou **est-ce que**. Travaillez avec un(e) camarade.

1. Vous avez besoin de changer de l'argent.
2. Vous voulez connaître l'heure.
3. Vous avez faim.
4. Vous demandez le prix d'un sandwich.

5. Vous avez soif.
6. Vous voulez savoir le temps qu'il fait à Francorchamps.

10   Activité • A vous maintenant! 📼

Ça y est, vous êtes à Bruxelles! Mais c'est la première fois et vous avez besoin de renseignements.
Demandez des renseignements à un agent de police pour savoir où vous pouvez trouver :

Vous et votre ami(e) allez à l'Office de tourisme et vous trouvez cette publicité touristique. Lisez-la attentivement et faites des dialogues avec un(e) camarade.

1. Votre camarade joue le rôle de l'employé de l'Office de tourisme. Posez-lui des questions.
2. Proposez à votre camarade chacune des activités.

3. C'est le soir. Vous racontez votre journée à d'autres camarades et vous donnez votre opinion personnelle.

BRUXELLES VOUS INVITE!

Dînez dans un des nombreux restaurants de la rue des Bouchers. Goûtez le plat national de moules° et frites.

Visitez la Grand-Place : l'élégant Hôtel de Ville (1402); les belles maisons des Corporations (1695); les illuminations; les marchés aux fleurs. Une cassette, votre «guide personnel», explique tout!

Venez goûter du chocolat! En pralines ou en tablettes, la variété est infinie! Emportez-en avec vous; c'est le cadeau le plus agréable.

Allez voir l'Atomium, depuis l'exposition de 1958 le symbole de l'âge atomique en forme de molécule de fer°. Circulez dans les neuf sphères, reliées par des tubes. Visitez l'exposition de l'emploi non violent de l'énergie atomique.

Achetez de la dentelle° La dentelle de Bruxelles est connue dans le monde entier. Choisissez des cols°, des blouses, des nappes°.

fer *iron;* **moules** *mussels;* **dentelle** *lace;* **cols** *collars;* **nappes** *tablecloths*

JÉRÔME   Qu'elles sont rapides,
ces voitures! Elles
vont trop vite! On n'a
pas le temps de voir
les pilotes!

ANTOINE   On voit mieux à la
télévision.

Jérôme et Antoine arrivent
à Francorchamps.

JÉRÔME   Allez Prost!
ANTOINE   Il est dans quelle voiture?
JÉRÔME   La blanche et rouge.
Il va gagner!

13 Activité • Encouragez les pilotes

Vous assistez au Grand Prix de Belgique. Encouragez chaque pilote avec une phrase différente.

1. Johansson

2. de Cesaris

3. Fabre

4. Prost

5. Cheever

SPORTS

WEEK-END RESULTATS

Automobile
Grand Prix de Belgique
Classement
1. Alain Prost (Fra-Marlboro McLaren TAG) les 298,420 km en 1h27'03"217 (moyenne 205,680 km/h); **2. Stefan Johansson** (Suè-Marlboro McLaren TAG) à 24"764; **3. Andrea de Cesaris** (Ita-Brabham BMW) à un tour; **4. Eddie Cheever** (E-U-Arrows BMW) à un tour; **5. Satoru Nakajima** (Jap-Lotus Honda) à un tour; **6. René Arnoux** (Fra-Ligier Gitanes) à deux tours; **7. Piercarlo Ghinzani** (Ita-Ligier Gitanes) à trois tours; **8. Philippe Alliot** (Fra-Larrousse/Calmels) à trois tours; **9. Philippe Streiff** (Fra-Tyrrell Ford Cosworth) à quatre tours; **10. Pascal Fabre** (Fra-AGS Ford Cosworth) à cinq tours
Les autres concurrents n'ont pas été classés.

14 Activité • Ecrivez

Vous êtes journaliste pour la *Page Sportive Belge*. Ecrivez un paragraphe pour votre journal sur le Grand Prix de Belgique. Faites attention. Un bon reportage répond aux questions : où? qui? quoi? pourquoi? et comment? Vous pouvez terminer par une opinion ou une expression personnelle.

15 Activité • Interview

Vous êtes journaliste. Vous avez interviewé Alain Prost. Voici votre article. Quelles questions est-ce que vous lui avez posées?

Un(e) camarade joue le rôle d'Alain Prost. Posez-lui les questions. Il/Elle répond d'après l'article.

IL N' Y EN A QU'UN, C'EST PROST!

5 Juillet 1981 : Grand Prix de France. Prost remporte° ce jour-là à Dijon le premier Grand Prix de sa carrière.
20 Septembre 1987 : Grand Prix du Portugal. Aujourd'hui, à Estoril, Prost est le roi, le seul. Vingt-huit succès en Grands Prix. Le record.
Pour dépasser Jackie Stewart, le précédent recordman des victoires en Formule 1, Alain Prost a eu besoin de six ans.

Alain Prost court pour gagner. Avec deux titres mondiaux°, le record de victoires en Grands Prix, Alain Prost est incontestablement un «super». A trente-deux ans, Alain n'a plus grand-chose à prouver. Mais il veut rester le meilleur. Alors, un troisième titre lui plairait bien. Prost ne pense pas prendre sa retraite° à quarante ans.

remporte *wins;* **titres mondiaux** *world titles;*
retraite *retirement*

16 Activité • Jeu : Pilote de course

Formez deux équipes. Chaque équipe choisit un de ses membres pour être son «pilote de course». Le «pilote» quitte la salle. L'équipe prépare des questions à poser à son «pilote» : des questions simples (Quel est votre nom?) et des questions un peu compliquées (Depuis combien de temps est-ce que vous participez à des courses?). A tour de rôle, chaque équipe pose une question à son «pilote». L'équipe gagne un point pour une bonne question et un point pour une bonne réponse.

Au retour de Belgique, Jérôme essaie de raconter son week-end à son copain Patrice, mais ce n'est pas facile.

PATRICE   Salut, Jérôme! Tu as passé un bon week-end?
JÉRÔME   Excellent! Tu sais où je suis allé? Je...
PATRICE   Moi, je suis resté à la maison. Samedi, je suis allé au cinéma et dimanche, on a regardé le Grand Prix de Belgique à la télé.
JÉRÔME   Je sais, je...
PATRICE   C'était drôlement chouette. Prost a gagné devant Johansson. Toi aussi, tu as regardé la télé?
JÉRÔME   Non, je...
PATRICE   Dommage, tu as raté quelque chose! Tu as vraiment de la chance d'être parti! J'adore partir de Valenciennes, ça change. Moi, le weekend dernier, je suis allé à Ypres en Belgique, pour la Fête des Chats. Tu connais la Belgique?

Bienvenue (Welkom) à la Fête des Chats.

Le grand défilé des chats à Ypres (Ieper)

JÉRÔME   Oui, justement je...
PATRICE   C'est pas mal. Les gens sont sympa. Ils ont un drôle d'accent, les Belges. Vas-y un jour, c'est pas loin... Tu as pris des photos?
JÉRÔME   Oui, pl...
PATRICE   Moi, j'en ai pris plein. Si tu veux, viens chez moi un soir de la semaine, on peut regarder mes photos.
JÉRÔME   D'ac...
PATRICE   Et si tu en as, bien sûr, tu peux venir avec!... Au fait, qu'est-ce que tu as fait ce week-end?

18 Activité • Faux, mais pourquoi?

Avez-vous bien compris le monologue de Patrice? Corrigez les phrases suivantes.

1. Patrice est parti lui aussi pour le week-end.
2. Patrice a vu la Fête des Chats à la télévision.
3. Valenciennes est une ville belge près de la frontière française.
4. Les Belges parlent français exactement comme les Français.
5. Patrice écoute attentivement les autres.

19 Activité • Encore des questions

Patrice veut tout savoir sur le séjour en Belgique de Jérôme. Répondez-lui en utilisant le pronom **en** et une expression de quantité, si possible. Faites les dialogues avec un(e) camarade.

prendre des photos — Tu as pris des photos?
— Oui, j'en ai pris beaucoup.

1. changer de l'argent
2. voir des voitures de course
3. rencontrer des Belges
4. manger des frites
5. trouver un hôtel
6. envoyer des cartes postales

20 Activité • Ecrit dirigé

Enfin c'est le tour de Jérôme. Il va raconter son week-end. Ecrivez ses réponses aux questions de Patrice.

P. Au fait, Jérôme, tu n'as pas encore raconté ton week-end. Où est-ce que tu es allé?
J. ...
P. C'est vrai? Au Grand Prix! Pourquoi tu n'as rien dit?
J. ...
P. Tu y es allé seul?
J. ...
P. Quand est-ce que vous êtes partis?
J. ...
P. Samedi? Mais c'était dimanche, le Grand Prix.
J. ...
P. C'est bien, Bruxelles?
J. ...
P. Qu'est-ce que vous avez mangé? Où avez-vous dormi?
J. ...
P. A la télé j'ai vu une foule énorme. C'était difficile de trouver une place?
J. ...
P. Tu as pris des photos de quoi?
J. ...
P. Super! On va faire une séance photo!

21 Activité • Ecrivez

Racontez le week-end de Jérôme et Antoine. Dites où ils habitent, à quelle heure ils sont partis, où ils sont allés...

Vous êtes à la Fête des Chats à Ypres en Belgique. Vous regardez le défilé avec des amis. Exprimez votre opinion avec des exclamations : Ce qu'elle est belle! Qu'ils sont beaux!…

1.

2.

3.

4.

5.

6.

23 Activité • A vous maintenant!

Vous avez passé le week-end à Bruxelles avec un(e) ami(e). De retour, vous répondez aux questions de votre camarade de classe. Variez vos réponses et changez de rôle.

prendre des photos — Vous avez pris des photos?
— Non, j'ai oublié mon appareil-photo.

1. manger des moules et des frites
2. acheter des chocolats
3. dîner dans la rue des Bouchers
4. parler avec des Belges
5. aller voir l'Atomium

6. voir la Grand-Place
7. prendre un tram
8. passer devant le palais Royal
9. visiter le musée de la Dentelle
10. descendre dans un hôtel

24 Activité • Et vous?

Racontez un week-end où vous avez quitté votre ville.

1. Où êtes-vous allé(e)?
2. Pourquoi?
3. Avec qui avez-vous voyagé?

4. Comment y êtes-vous allé(e)? En voiture? En train?
5. Qu'est-ce que vous y avez fait?
6. Comment était votre week-end?

25 Activité • Conversation

Travaillez avec un(e) camarade. Posez-lui des questions sur un week-end où il/elle a quitté sa ville. Employez les questions dans l'activité 24. Ensuite changez de rôle.

26 Activité • Ecrivez

Pendant votre week-end en Belgique vous avez acheté cette carte postale pour envoyer à un(e) ami(e). Ecrivez un message.

Bruges
Festival médiéval

Sophie Leblanc
7, rue Gauguin
91 600 Savigny
FRANCE

CONSULTONS LE DICTIONNAIRE 📼

A dictionary helps you . . .

1. find the meanings of words.

French-English dictionary

| **interdit** *adj* banned, forbidden. |

French-French dictionary

| **interdit** *adj* non autorisé. |

2. find out how a French word sounds.

| **interdit** [ɛ̃terdi] *adj* banned, forbidden. |

| **doigt** [dwa] *nm* finger. |

3. find out the French equivalents of English words.

| **gift** *n* **(a)** cadeau **(b)** donation **(c)** don. |

Je n'ai pas de cadeau.
Je n'ai pas le don des langues.

| **gift** *n* **(a)** *(present)* cadeau   **(b)** *(New Year's gift)* étrennes   **(c)** *(talent)* don. **he has a . . . for math**   il a le don des maths. |

4. find out how a word is spelled.
   a. Look up these words to find out how **-que** is pronounced.
       disque   musique   classique   fantastique   artistique
   b. Look up these words and write them in two groups, one where the final consonant is sounded, the other where it isn't.
       chaud   sportif   trop   beaucoup   club
   c. Use your dictionary to find out in which of these words the final **-s** is pronounced. Rewrite the words, underlining each **-s** that is sounded and crossing out each **-s** that is not.
       dos   plus   repas   ours   avis
   Do the same for these words that end in **-r** . . .
       arriver   hiver   ouvrir   aimer   char
   for these words that end in **-t** . . .
       chat   objet   tout   direct   respect
   for these that end in **-l** . . .
       sol   bol   ciel   pareil   spécial
   and for these that end in **-c.**
       parc   porc   blanc   chic   donc
   d. Write these words in three groups, according to whether the **x** is sounded or how it is pronounced. Use your dictionary.
       deuxième   prix   choix   Bruxelles   six
   e. Look up these words to find out which **e**'s are sounded and which are not. Rewrite the words, crossing out each **e** that is not heard and underlining each **e** that is sounded. In the dictionary the sounded letter **e** will appear as /ə/.
       maintenant   cheval   samedi   développement
       devoir   partenaire   besoin   poissonnerie
   f. Use your dictionary to find out whether or not the **e** before **-ment** is sounded in these adverbs. Rewrite them in two groups.
       drôlement   éventuellement   seulement   exactement
       tranquillement   probablement   tristement   finalement

APERÇU CULTUREL 2

Bonjour de Québec

Salut, Stéphane!

La semaine dernière, j'ai lu ton annonce dans le magazine Okapi, et j'ai pensé: "Quelle coïncidence!" Moi aussi, j'ai 15 ans. J'habite à Québec, et les maths, c'est la barbe! Alors, tu veux bien correspondre avec moi? Oh, j'ai oublié: je m'appelle Héloïse Dufour! Je t'envoie dans cette lettre quelques photos pour te donner une petite idée de ma famille, mes copains et aussi mon pays...

Ça, c'est notre quartier. Nous habitons dans une maison toute en briques très ancienne, rue des Érables, dans la vieille ville.

Portrait de famille devant l'entrée: papa et maman au fond, et mon grand frère Paul à droite. Celle avec la chemise blanche, c'est moi. Zut, j'ai fermé les yeux!

A droite, je pose, très studieuse, devant mon école. Je vais au collège des Jésuites. C'est une école privée pour filles et garçons. Beaucoup de devoirs, et les profs sont super sévères, mais l'ambiance est sympa.

Papa est un gourmet ! Là, il montre avec fierté les champignons qu'il a achetés au marché. Quand il n'est pas dans la cuisine, papa est médecin à l'hôpital de l'Enfant Jésus.

Toute occupée à faire la vaisselle, c'est maman. Elle est prof d'histoire à l'université Laval. Maman est très chouette. C'est ma confidente, et en plus, elle fait les meilleurs "grands-pères" au sirop d'érable du monde ! C'est un dessert québécois délicieux ...

Au-dessus, c'est Paul. Sur la photo, il a l'air très travailleur, mais en vérité, quel paresseux ! Paul va au collège dans une des plus vieilles écoles du Canada, le petit séminaire de Québec. Je crois qu'il préfère le hockey à la géométrie, mais chut ! La fille à ma droite, c'est Anne-Sophie, ma meilleure amie. On est dans la même classe. C'est sympa quand on est tous réunis à table pour un souper aux chandelles !

Pendant l'été, je vends des fleurs sur le marché découvert du Vieux Port (regarde à gauche : j'aide une cliente ...). C'est un petit boulot super !

Mais travailler dehors toute la journée, ça donne faim et soif ! Alors, après le boulot, j'aime bien aller au café du coin (ça, c'est la photo en haut, à droite !).

En bas, à gauche, c'est encore moi, à la marina du Vieux Port. Des fois, avant de rentrer chez moi, je fais une petite balade. Moi, j'adore bronzer et rêver au soleil. Et puis, on a une vue magnifique sur la baie de Québec.

Après le travail, la détente ! Moi, j'aime bien quand Anne-Sophie vient à la maison. On lit, on écoute des disques, on parle du collège, des copains, de tout et de rien ! Et toi, qu'est-ce que tu fais pendant tes loisirs ?

Paul, lui, n'a pas travaillé cet été. Il préfère se balader dans le parc et discuter avec ses copains. Pas fou, mon frère !
Sur la photo du dessous, toute la bande est en train de dévorer une délicieuse pastèque de Floride.
Celui sur la gauche, c'est Eric.
Il vient de Paris !

Paul adore bricoler. Cet été, il a décidé de repeindre la vieille porte de sa chambre... en orange criard ! Il n'a pas demandé la permission à mes parents, et maman était furieuse. Quand papa a vu le résultat, il a dit : « Quelle horreur, mon fils ! Mais chacun ses goûts ! »

Mon frère est super bon en musique.
Quand il invite les copains à la maison, il aime bien écouter du rock ou des disques du fameux chanteur québécois Robert Charlebois.
Mais quand il est tout seul, il fait du piano. Qu'est-ce qu'il joue bien !

Nous, on a une maison de campagne à Notre-Dame-du-Rosaire (quel nom difficile à écrire !).

Notre-Dame-du-Rosaire, c'est un petit village génial à 60 milles à l'est de Québec. On y passe une partie des vacances et presque tous les week-ends. Après la ville, vive le calme de la nature ! Moi, j'aime...

Et voilà notre maison. Pas mal, hein ? Tu as vu le jardin ? Il est immense ! Alors, tu ne trouves pas ça chouette ?

Moi, ce que je préfère, c'est le porche. C'est de là que j'ai pris cette photo de Paul. On a une belle vue sur la campagne !

Tu peux voir sur la photo de droite que tout le reste de la maison est assez rustique. Beaucoup de meubles, comme le vaisselier massif au fond de la salle à manger, ont plus de cent ans ! Et chez toi, c'est comment ? Vous aussi, vous avez une maison de vacances ?

Tonton André (à gauche, avec le chapeau et les moustaches) a passé une semaine avec nous. C'est le frère de papa. Quel rigolo!

Là, il nous donne une leçon de pêche (dommage, sur la photo, on ne voit pas la rivière!). C'était un désastre! Imagine, pour souper, on a dû acheter du poisson congelé au supermarché de la ville voisine...

Cet été, Paul a découvert la passion des oiseaux. Le voilà qui les observe avec ses jumelles. Il a l'air inspiré! Lui qui a peur des chiens, il dit maintenant qu'il veut être vétérinaire. Avant, c'était président. Paul change toujours d'avis! Maman dit que c'est l'âge...

Ici, on dit: "Au Canada, il y a deux saisons: l'hiver et juillet." Après le froid, nous apprécions beaucoup le soleil, crois-moi! Que c'est agréable de faire les clowns dans la rivière d'à côté. Plus on est de fous, plus on rit! Mais après toute une journée en plein air, c'est chouette de retrouver l'ambiance sympa de notre maison...

Dans ma famille, on aime faire du vélo! Là, à gauche, on se prépare à aller à un pique-nique à 2 milles de la maison.

Et en route! Le champion en tête, maman au milieu, et puis moi. Papa et tonton André sont en retard, comme d'habitude! Ils ne gagneront jamais le Tour de France, c'est sûr...

Regarde comme c'est joli, la campagne québécoise!

Enfin arrivés!
Nous avons très faim après tant d'effort.
Il y a déjà beaucoup de monde au pique-nique, des amis de vacances. À droite, c'est la star du pique-nique. Mais non, pas Paul! Le mouton en train de cuire, bien sûr! On appelle ça un «méchoui.»

Mes grands-parents maternels sont venus passer deux jours avec nous. Ils habitent à Montréal, et je ne les vois pas souvent, mais je les adore! Quand ils sont repartis, j'étais très triste...

A la fin des vacances, nous avons fait un souper extra. Celui qui examine les saucisses d'un air expert, c'est papa bien sûr! Pour ce repas très spécial, nous avons mangé une tarte à la viande. Ici, ça s'appelle une "tourtière." Miam!

Anne-Sophie a passé les derniers jours de vacances à Notre-Dame-du-Rosaire. Là, à droite, c'est elle, Paul et moi, en train de discuter autour d'un feu de camp. La nuit est belle, mais nous sommes un peu nostalgiques.

Adieu, les vacances! Bientôt, la rentrée scolaire, les devoirs, les copains...

Bon, Stéphane, c'est tout! J'espère que maintenant, tu me connais un petit peu mieux. Alors, à ton tour de m'écrire!

Ta nouvelle copine, Héloïse

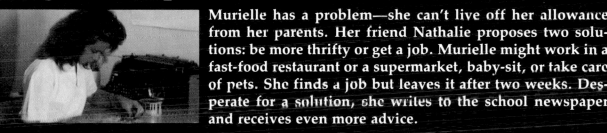

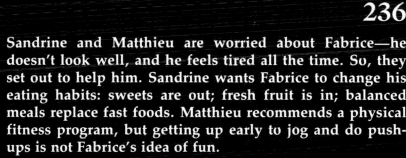

CHAPITRE 5

En famille

Do French young people help out at home? What chores do they do? What are they allowed to do and not allowed to do? Do they complain? Do they talk over their problems with their family, or do they share confidences with a special friend?

In this unit you will:

PREMIER CONTACT	get acquainted with the topic
SECTION **A**	refuse invitations . . . express obligation . . . ask permission
SECTION **B**	talk about family responsibilities . . . complain
SECTION **C**	share confidences and ask for advice . . . give advice and encouragement
TRY YOUR SKILLS	use what you've learned
A LIRE	read for practice and pleasure

1   Quels sont vos rapports avec vos parents? 📼

Béatrice a envoyé une lettre à un magazine. Dans sa lettre, elle pose une question. Les lecteurs écrivent leurs réponses.

Est-ce que vous parlez à vos parents de vos problèmes? Moi, je n'en parle pas avec ma mère. Je n'ose pas, ça m'embarrasse. Je voudrais savoir quels sont vos rapports avec vos parents.

Béatrice

Chère Béatrice, un jour j'ai décidé de faire le premier pas et de parler à ma mère de mes problèmes. Je lui ai posé des questions: elle m'a écouté et répondu. Maintenant, je suis mieux dans ma peau.

Xavier

Quand j'ai le cafard, quand j'ai eu une dispute avec une amie ou quand je pense à un garçon... ma mère le voit bien. Alors, elle demande ce qui se passe, et je lui raconte mes problèmes. Tu es timide? Alors, fonce! Et aie confiance. N'oublie pas que ta mère, elle aussi, a eu ton âge!

Marianne

Pour être honnête, Béatrice, non, je ne me confie jamais à mes parents, car j'ai peur de leur réaction. Moi, je me confie à des copains et copines, à des filles plus âgées que moi! Pour moi, le grand problème de l'adolescence, c'est d'être compris par ses parents. Moi, mes parents ne comprennent pas mes idées, et je ne peux donc pas me confier à eux!

Emma

Béatrice, tu sais, moi aussi je ne dis pas tout, c'est vrai, à mes parents, car je n'ose pas trop. Mais il faut avoir le courage de leur dire tes problèmes. Ils sont là pour ça, pour les résoudre et en parler avec toi.

Didier

2   Activité • Avez-vous compris?

1. Qui parle à ses parents de ses problèmes? Qui ne leur parle pas?

2. Pourquoi ne parlent-ils pas à leurs parents? Trouvez deux raisons.

3   Activité • Et vous?

Avec qui êtes-vous d'accord? Avec Didier? Avec Emma?... Pourquoi?

AIMERIEZ-VOUS AVOIR UN CONFIDENT?

C'est la question posée aux jeunes français par un magazine. Voici quelques-unes de leurs réponses.

Je crois que chaque être humain trouve, un jour ou l'autre, un ami capable de comprendre les sentiments les plus profonds.
Par exemple, moi, mon grand confident, c'est mon journal.
C'est, je crois, le moyen idéal pour conserver mes petits secrets, mes regrets, mes chagrins, et mes joies.

Catherine

J'ai un copain que je ne voudrais perdre pour rien au monde. On se comprend parfaitement, et, quand on a un problème, on en parle. On partage beaucoup de choses : des sentiments, des ennuis....

Frédéric

Chacun rêve de soulager son coeur ou de partager ses joies. Il faut un ami qui écoute, qui donne ses impressions sans mentir, et surtout qui ne répète rien. Moi, ce confident exemplaire, je l'ai trouvé. C'est ma correspondante. Je lui dis tout et elle, elle me fait confiance.

Myriam

C'est très difficile de trouver l'ami confident; c'est une chose rare. Parfois mes amies répètent mes secrets, et ça ne me fait pas plaisir.

Marie

5 **Activité • Avez-vous compris?**

1. Catherine, Frédéric, Myriam et Marie ont-ils tous trouvé un(e) confident(e)? Qui est-ce? Qu'est-ce que c'est?

2. Trouvez dans les lettres au moins deux «sentiments».

6 **Activité • Et vous?**

Avez-vous un(e) confident(e)? Qui est-ce? Qu'est-ce que vous lui racontez?

Vivre en famille, c'est sympathique, mais ça crée aussi des obligations. Chaque famille a ses propres règles. Comment est-ce que c'est chez vous? Est-ce qu'il faut que vous aidiez vos parents, que vous gardiez votre petit frère ou votre petite sœur, ou encore que vous rentriez à une certaine heure? Qu'est-ce que vous avez le droit ou pas le droit de faire?

A1   Impossible, je suis pris! 📼

Quand on vit en famille, on doit souvent refuser des invitations.

JEAN-MARC	Tu ne veux pas venir regarder un film vidéo chez moi?
PATRICE	Désolé, je garde mon petit frère.
JEAN-MARC	Jusqu'à quelle heure?
PATRICE	Je ne sais pas. Il faut que j'attende mes parents.

CAROLINE	Ça te dit de jouer au tennis?
DAMIEN	Je suis pris. Il faut que j'aide ma mère. Mais si tu es libre, on peut jouer demain après l'école.
CAROLINE	Je ne peux pas. Il faut que je finisse mes devoirs.

XAVIER	Vous n'avez pas envie d'aller faire des jeux vidéo?
JACQUES	Non, il faut qu'on rentre à six heures.
MURIEL	Allez, vous pouvez bien rentrer à sept heures!
HÉLÈNE	Impossible, nos parents sont très stricts.

MURIEL	On y va ce soir?
ISABELLE	Non, mes parents ne veulent pas que je sorte pendant la semaine. Je dois rester à la maison.
MURIEL	Eh bien, ils sont sévères! Moi, je peux faire ce que je veux.
ISABELLE	Tu as le droit de sortir tous les soirs?
MURIEL	Euh, non, de temps en temps seulement… Il faut que je demande la permission.

A2 Activité • Avez-vous compris?

Sont-ils pris ou libres?

1. Jean-Marc   **2.** Caroline   **3.** Damien   **4.** Xavier   **5.** Hélène   **6.** Isabelle

A3 Activité • Pourquoi?

Patrice, Damien, Jacques, Caroline et Isabelle refusent les invitations de leurs amis. Pour quelles raisons? Qu'est-ce qu'ils doivent faire? Répondez avec le verbe **devoir.**

A4 Activité • Imaginez

A votre avis, maintenant que leurs amis ont refusé leurs invitations, qu'est-ce que Jean-Marc Caroline, Xavier, et Muriel vont faire ce soir? Trouvez le maximum d'activités.

A5 Activité • Et vous?

Qu'est-ce que vous devez faire chez vous? Répondez en employant le verbe **devoir.**

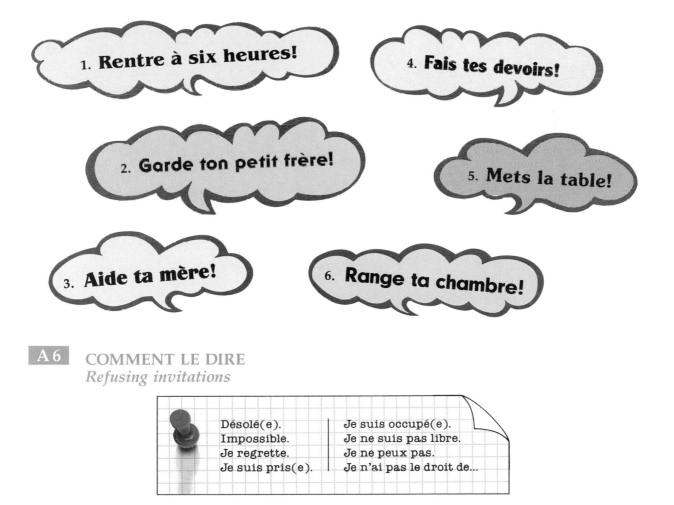

1. Rentre à six heures!

4. Fais tes devoirs!

2. Garde ton petit frère!

5. Mets la table!

3. Aide ta mère!

6. Range ta chambre!

A6 COMMENT LE DIRE
Refusing invitations

Désolé(e).	Je suis occupé(e).
Impossible.	Je ne suis pas libre.
Je regrette.	Je ne peux pas.
Je suis pris(e).	Je n'ai pas le droit de...

Activité • A vous maintenant!

Proposez quelque chose à un(e) camarade. Il/Elle refuse en utilisant les expressions dans A6, le verbe **devoir** et les activités dans A5.

— Ça te dit de jouer au tennis?
— Je ne peux pas. Je dois aider ma mère.

A8   QU'EST-CE QU'ILS N'ONT PAS LE DROIT DE FAIRE CHEZ EUX?

1.

Ils n'ont pas le droit de fumer. C'est mauvais pour la santé.

2.

Il n'a pas le droit de regarder la télévision après dix heures. C'est trop tard.

3.

Elle n'a pas le droit de faire de la mobylette en ville. C'est trop dangereux.

4.

Elle n'a pas le droit de téléphoner trop longtemps. Ça coûte cher.

Activité • Et vous?

Qu'est-ce que vous avez le droit ou pas le droit de faire chez vous?

J'ai le droit de…   Je n'ai pas le droit de…

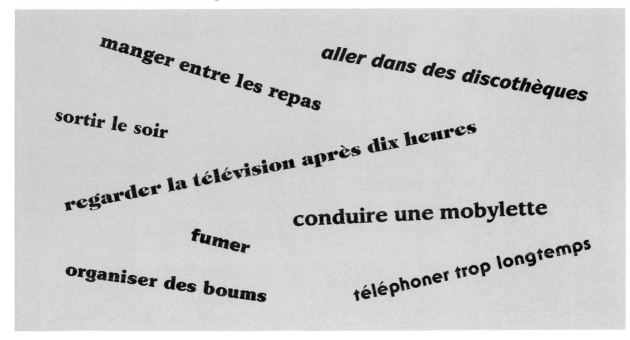

manger entre les repas

aller dans des discothèques

sortir le soir

regarder la télévision après dix heures

conduire une mobylette

fumer

organiser des boums

téléphoner trop longtemps

Et à l'école? Dans la classe de français?

A 10   Savez-vous que… ?

La France vieillit. Le nombre de jeunes dans la population diminue; le nombre de personnes âgées augmente.

Les familles nombreuses sont l'exception aujourd'hui. La famille française a en moyenne deux enfants.

Pour encourager la natalité, le gouvernement offre aux familles nombreuses des allocations familiales : une certaine somme d'argent qui dépend du revenu de la famille et du nombre d'enfants. Les familles nombreuses ont aussi droit à des déductions fiscales.

Les jeunes français sont majeurs à dix-huit ans. A partir de cet âge, ils peuvent voter… vivre leur vie. Enfin, en théorie, parce qu'en moyenne ils vivent encore longtemps dans leur famille, souvent jusqu'à vingt-cinq ans.

La France vieillit...

Evolution démographique de la France (1850–2000).

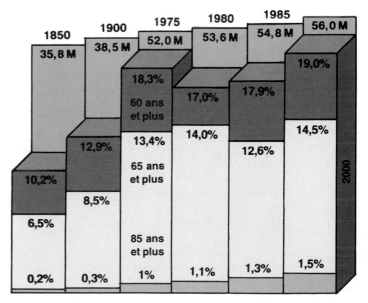

STRUCTURES DE BASE
The subjunctive with **il faut que...** *and* **vouloir que...**
The subjunctive of **faire**

1. The verb forms you have been using so far are called indicative forms. However, if you want to say that someone must do something, using **il faut que...**, or that someone wants or doesn't want someone else to do something, using **vouloir que,** then you have to use special verb forms called subjunctive forms. Look at these examples.

INDICATIVE	SUBJUNCTIVE
J'**attends** mes parents.	Il faut que j'**attende** mes parents.
Je **sors**.	Ils ne veulent pas que je **sorte**.

2. To make the present subjunctive forms of all regular verbs and many irregular verbs, you drop the verb ending of the **ils/elles** form of the present indicative. Then you add to the stem the endings **-e, -es, -e, -ions, -iez,** and **-ent**.

Present Subjunctive		
Stem	*Endings*	
rest~~ent~~	**-e**	Il faut que je **reste** ici.
rentr~~ent~~	**-es**	Ils veulent que tu **rentres**.
attend~~ent~~	**-e**	Il faut qu'il **attende**.
choisiss~~ent~~	**-ions**	Il faut que nous **choisissions**.
sort~~ent~~	**-iez**	Ils veulent que vous **sortiez**.
mett~~ent~~	**-ent**	Il faut qu'ils **mettent** la table.

3. As you might expect, some irregular verbs have irregular subjunctive forms. **Venir, prendre (apprendre, comprendre),** and **recevoir** form their subjunctive stem for the **je, tu, il(s),** and **elle(s)** forms from the **ils/elles** forms of the present indicative: **vienn~~ent~~→je vienne, prenn~~ent~~→tu prennes, reçoiv~~ent~~→il reçoive.** The stem for the **nous** and **vous** forms comes from the first-person plural of the present indicative: **ven~~ons~~→nous venions, pren~~ons~~→vous preniez, recev~~ons~~→nous recevions.**

   To make the subjunctive forms of **faire,** you have to add the regular subjunctive endings to the stem **fass-**: **fasse, fasses, fasse, fassions, fassiez, fassent.**

4. There are only three spoken forms of the present subjunctive: the **je, tu, il(s),** and **elle(s)** verb forms are pronounced alike; the **nous** and **vous** forms are sounded differently.

COMMENT LE DIRE
Expressing obligation

DEVOIR + infinitive	**IL FAUT QUE** + subjunctive
Je dois rester à la maison.	Il faut que je reste à la maison.
Nous devons partir.	Il faut que nous partions.

A 13 Activité • Organisez une soirée

Arnaud veut organiser une soirée. Qu'est-ce qu'il doit faire d'abord? Et ensuite?
Employez **Il faut que…**

ranger le salon

demander la permission aux parents

acheter de la nourriture

téléphoner aux copains

choisir les cassettes

fixer la date

A 14 Activité • La liste des parents

Les parents d'Hélène et de Jacques sont partis et ils leur ont laissé une liste de choses à faire.
Hélène regarde la liste et elle dit à Jacques ce qu'ils doivent faire. Qu'est-ce qu'elle lui dit?
Employez **Il faut que…**

> N'oubliez surtout pas de
> 1. ranger votre chambre.   4. déjeuner avec votre tante.
> 2. passer l'aspirateur.   5. téléphoner à vos grands-parents.
> 3. finir vos devoirs.   6. acheter des fruits.
> Bonne journée! A ce soir!

A 15 Activité • Ecrit dirigé

Vous vivez intensément; vous n'avez pas le temps de tout faire. Pour ne pas oublier, vous faites une liste de quelques affaires pendantes *(unfinished business)*. Ecrivez votre liste en employant **Il faut que…**

1. regarder le reportage sur la Une
2. téléphoner à Julien
3. organiser une soirée
4. faire du jogging
5. répondre à la lettre de Corinne
6. acheter de nouvelles chaussures

> à faire
> Il faut que je regarde
> le reportage …

A 16 Activité • Trouvez des excuses

Travaillez avec un(e) camarade. Votre camarade vous propose de faire ces choses. Malheureusement, vous ne pouvez pas. Choisissez une excuse. Employez **Il faut que…**

venir dîner demain — Tu peux venir dîner demain?
— Non, je ne peux pas. Il faut que je dîne chez ma tante.

1. venir dîner demain
2. jouer au foot
3. aller à la MJC
4. venir au cinéma
5. faire une balade
6. sortir samedi soir

rester à la maison
travailler
garder son petit frère
dîner chez sa tante
finir ses devoirs
rentrer à sept heures
attendre ses parents

A 17 Activité • A vous maintenant!

Vous avez certainement des projets pour ce soir. Ecrivez au moins cinq choses que vous avez envie de faire. Votre camarade écrit cinq choses qu'il/elle doit faire. Ensuite, faites un dialogue. Vous lui proposez de venir avec vous et il/elle refuse en employant **Il faut que…** Changez de rôle.

Vous :
aller au cinéma
— Ça te dit d'aller au cinéma?

Votre camarade :
finir mes devoirs
— Je ne peux pas. Il faut que je finisse mes devoirs.

A 18 Activité • Tu peux venir avec moi?

Vous avez envie de sortir. Vous allez chez tous vos amis et vous leur proposez de venir avec vous. Malheureusement, ils sont tous occupés. Regardez les dessins. Quelles excuses donnent-ils? Faites des dialogues avec un(e) camarade.

1.

2.

3.

Activité • Jamais libre

Votre camarade veut absolument faire quelque chose avec vous, mais vous n'êtes jamais libre.
Trouvez le plus d'expressions possibles. Faites un dialogue sans fin.

> — Ça te plairait de jouer au baby-foot ce soir?
> — Malheureusement, je ne suis pas libre. Il faut que je…
> — Et demain matin?
> — Ah, je suis pris(e). Il faut que je…
> — Alors, jeudi à cinq heures?
> — …

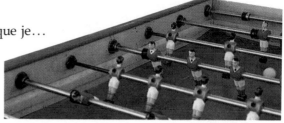

A 20 VOUS VOULEZ BIEN… ?

Julien Legal demande la permission à ses parents de sortir.

JULIEN	Vous voulez bien que je dîne avec des copains?
M. LEGAL	D'accord, mais il faut que tu rentres à dix heures.
JULIEN	Dix heures!
MME LEGAL	Ton père a raison. Tu es déjà sorti hier.
JULIEN	Mais…
M. LEGAL	Ne discute pas. C'est dix heures ou rien.
JULIEN	Bon, alors, j'y vais! Salut! A dix heures!

A 21 Activité • Et vous?

1. Trouvez-vous que les parents de Julien sont trop sévères?
2. Quel est le meilleur moment de demander la permission aux parents?
3. Vos parents sont-ils stricts?
4. Avez-vous le droit de sortir le soir?
5. Faut-il que vous rentriez à une certaine heure?

A 22 COMMENT LE DIRE
Asking permission

POUVOIR + infinitive	VOULOIR BIEN QUE + subjunctive
Est-ce que je peux sortir?	Vous voulez bien que je sorte?

Activité • Demandez la permission 📼

Un(e) camarade joue le rôle de votre père ou de votre mère. Vous lui demandez la permission de faire certaines choses. Il/Elle refuse et donne une raison.

> — Tu veux bien que je fasse de la mobylette?
> — Non, c'est trop dangereux.

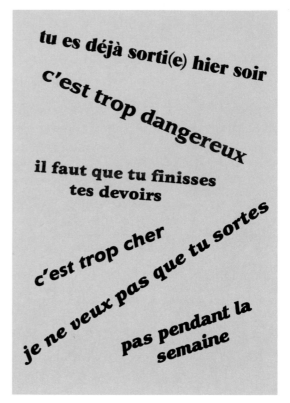

faire de la mobylette

sortir au café

téléphoner aux Etats-Unis

regarder la télévision

dîner avec des copains

jouer de la guitare

tu es déjà sorti(e) hier soir

c'est trop dangereux

il faut que tu finisses tes devoirs

c'est trop cher

je ne veux pas que tu sortes

pas pendant la semaine

A 24 Activité • A vous maintenant! 📼

Demandez à un(e) camarade si ses parents veulent bien qu'il/elle fasse ces choses.

> faire de la mobylette — Tes parents veulent bien que tu fasses de la mobylette?
> — Non, ils ne veulent pas.
> (Oui, ils veulent bien.)

1. fumer
2. faire de la mobylette
3. écouter du rock dans le salon

4. organiser une boum chez vous
5. sortir le soir pendant la semaine
6. regarder la télévision après dix heures

A 25 Activité • Ecoutez bien 📼

Votre mère a téléphoné et elle a laissé un message sur le répondeur. Ecoutez le message et écrivez ce que vous devez faire. Employez **Il faut que je...** et **Ils veulent que je...** ou **Il/Elle veut que je...**

Quand on vit en famille, il faut souvent participer aux tâches domestiques. Qui fait les courses chez vous? Le ménage? La vaisselle? A votre avis, c'est normal?

B1 C'est à qui de faire les courses? 📼

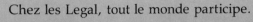
Chez les Legal, tout le monde participe.

Un jour Mme Legal fait la cuisine…   …et M. Legal fait la vaisselle.

Le lendemain c'est le contraire. Aurélie et Julien ont aussi des choses à faire mais ce soir ils n'ont pas envie de bouger.

MME LEGAL	Tiens, Aurélie, voilà la liste pour les courses.
AURÉLIE	J'écoute de la musique, maman.
MME LEGAL	Dépêche-toi, ça ferme à sept heures.
AURÉLIE	Tu ne peux pas demander à Julien d'y aller?
JULIEN	Moi, je lis.
AURÉLIE	Je fais les courses tous les jours! C'est à toi de les faire ce soir.
MME LEGAL	Allez, Aurélie.
AURÉLIE	C'est injuste! Pourquoi c'est toujours moi qui travaille ici?
JULIEN	J'ai passé l'aspirateur hier.
AURÉLIE	Et moi, j'ai fait la vaisselle.
JULIEN	C'est normal.
AURÉLIE	Non, c'est pas normal!
JULIEN	Si, c'est aux filles de la faire…
AURÉLIE	Macho!
JULIEN	Féministe!
MME LEGAL	Arrêtez de dire des bêtises! Aurélie, va faire les courses! Et toi, Julien, va mettre la table!
JULIEN	Mais je lis, maman!
MME LEGAL	Allez, pas de discussion!

Aurélie fait les courses.

Julien met la table.

En famille   165

Activité • Avez-vous compris?

Chez les Legal, qui… ?

1. fait la cuisine
2. fait la vaisselle
3. doit aller faire les courses

4. a passé l'aspirateur hier
5. a fait la vaisselle hier
6. va mettre la table maintenant

B3   Activité • Donnez votre opinion

Aurélie et Julien ne veulent pas faire les courses. Trouvez-vous qu'ils ont raison ou tort?
Pourquoi? Commencez votre réponse par **Je trouve qu'Aurélie a raison parce que**…

B4   Activité • Trouvez des excuses

Votre mère ou votre père vous demande de faire ces choses. Trouvez des excuses. Faites des
dialogues avec un(e) camarade. Changez de rôle.

— Fais les courses, s'il te plaît.
— Je lis, maman (papa).

1. faire les courses
2. faire la vaisselle
3. mettre la table

4. ranger ta chambre
5. passer l'aspirateur
6. aider ta mère (ton père)

B5   AUTRES RESPONSABILITES

1. laver la voiture

2. arroser le jardin

3. sortir les poubelles

4. tondre la pelouse

5. faire le ménage

6. donner à manger au chat

B6 Activité • A vous maintenant!

Qu'est-ce que vous faites chez vous? Faites une liste et ensuite demandez à un(e) camarade s'il (si elle) fait aussi ces choses chez lui/elle.

B7 Savez-vous que… ? 📼

La plupart des familles françaises n'ont pas de femme de ménage *(cleaning woman)* et les tâches domestiques sont souvent partagées par tous les membres de la famille. D'habitude, le père participe au travail de la maison, surtout si sa femme travaille. Mais bien sûr, ça dépend des familles et du milieu : beaucoup de Français sont encore très traditionnels et, par exemple, dans les campagnes, c'est généralement la mère qui s'occupe de la maison. Les enfants doivent souvent aider leurs parents. Ils font les «petits travaux». Parfois, en échange, ils reçoivent de l'argent de poche, par exemple, pour laver la voiture.

A la maison, ce n'est pas encore l'égalité.
«Etes-vous d'accord ou non?»

	Filles	Garçons
Dans la famille, il est normal que la mère fasse les travaux ménagers.	OUI : 58% NON : 42%	OUI : 68% NON : 32%
Dans la famille, il est normal que le père fasse le bricolage.	OUI : 75% NON : 25%	OUI : 83% NON : 17%
En rentrant de son travail le soir, il est normal que le père aide la mère à la maison.	OUI : 76% NON : 24%	OUI : 71% NON : 29%

Monsieur, est-ce que vous faites… ?

	Souvent	Parfois	Jamais
la vaisselle	34%	42%	23%
le ménage	20	47	33
la lessive	9	14	76
la toilette des enfants	10	24	39
les courses	53	37	10
les repas	22	41	37

B8 COMMENT LE DIRE
Assigning responsibility

C'est à Julien de faire les courses.	It's up to Julien to do the shopping.
C'est aux filles de faire les courses.	Girls are supposed to do the shopping.

B9 Activité • Donnez votre opinion 📼

A votre avis, c'est à qui de faire quoi?

C'est
{
aux garçons
aux filles
à la mère
au père
à tout le monde
}
de
{
faire la vaisselle.
faire les courses.
faire la cuisine.
faire le ménage.
laver la voiture.
sortir les poubelles.
donner à manger au chien.
garder les enfants.
}

STRUCTURES DE BASE
The direct-object pronouns **le, la, les**

1. The pronouns **le,** *him* or *it,* **la,** *her* or *it,* and **les,** *them,* may stand for people or things.

Singular	Je persuade	**mon frère.**	Je	**le**	persuade.
	Il fait	**le ménage.**	Il	**le**	fait.
	Je persuade	**ma sœur.**	Je	**la**	persuade.
	Elle fait	**la vaisselle.**	Elle	**la**	fait.
Plural	Je persuade	**mes copains.**	Je	**les**	persuade.
	Ils font	**les courses.**	Ils	**les**	font.

2. In most cases, a direct-object pronoun comes immediately before the verb of which it is the object.

Je	**la** fais.
Je vais	**la** faire.
Je ne	**la** fais pas.
Ne	**la** fais pas!

3. In an affirmative command, the direct-object pronoun immediately follows the verb. In writing, it is separated from the verb by a hyphen.

> Faites-**le**!
> Faites-**la**!
> Faites-**les**!

4. **Elision** occurs when **le** or **la** comes before a verb that begins with a vowel.

J'aide mon père.	**Je l'aide.**
J'aide ma mère.	**Je l'aide.**

5. **Liaison** occurs when **les** comes before a verb that begins with a vowel.

J'écoute mes parents.	**Je les** $\overset{z}{\smile}$ **écoute.**

B 11 Activité • Chez les Legal 📼

Chez les Legal, tout le monde participe. Répondez aux questions suivantes avec un pronom, **le, la** ou **les.** Travaillez avec un(e) camarade.

> — M. Legal fait la cuisine? — Oui, il la fait.

1. M. Legal fait la cuisine?
2. Il fait aussi la vaisselle?
3. Mme Legal fait la cuisine?
4. Elle fait la vaisselle aussi?
5. M. Legal fait les courses?
6. Aurélie met la table?
7. Elle prépare le dîner?
8. Julien passe l'aspirateur?

B 12 Activité • A votre avis 📼

Imaginez la famille Legal et donnez votre avis. Est-ce que les membres de la famille font les choses représentées par les dessins 1–5 dans B5? Travaillez avec un(e) camarade. Employez les pronoms **le, la** et **les** dans vos réponses.

> — A ton avis, M. Legal arrose le jardin? — Oui, il l'arrose. (Non, il ne l'arrose pas.)

B13 Activité • A vous maintenant!

Vous voulez savoir ce que vos amis font chez eux. Vous leur posez des questions. Ils répondent avec un pronom. Changez de rôle.

— Tu passes l'aspirateur chez toi?
— Oui, je le passe. Et toi, tu laves la voiture?
— Non, je ne la lave pas.

B14 Activité • Chacun sa tâche

On est bien organisé chez les Ballard. Madame Ballard a mis une liste de tâches domestiques sur le réfrigérateur. Qui fait quoi?

Travaillez avec un(e) camarade. Posez des questions et répondez avec un pronom.

— Qui arrose le jardin chez les Ballard?
— C'est M. Ballard qui l'arrose.

Tâches domestiques
Maman : – La cuisine
– les courses
Papa : – Le jardin
– La voiture
Véronique : – le ménage
– le chien
– la vaisselle
– la table
Nicolas – les poubelles
– l'aspirateur
– la vaisselle
– La table

B15 Activité • Et chez vous?

Faites une liste de choses que vous faites chez vous. Demandez ensuite à un(e) camarade si c'est lui/elle qui les fait chez lui/elle.

— C'est toi qui fais les courses chez toi?
— Oui, c'est moi qui les fais.
(Non, c'est ma sœur qui les fait.)

B16 COMMENT LE DIRE
Complaining

C'est injuste!	C'est moi qui fais tout ici!
C'est pas juste!	C'est toujours moi qui...
C'est pas normal!	Tu ne fais rien, toi!

B17 Activité • Elle n'est pas contente

Cette fille doit tout faire chez elle. Qu'est-ce qu'elle dit?

B18 Activité • A vous maintenant!

Travaillez avec un(e) camarade. Il/Elle joue le rôle de votre père ou de votre mère. Vous demandez la permission de faire des choses. Il/Elle refuse et vous demande de faire une tâche domestique. Ensuite, vous vous plaignez *(complain)*.

— Je peux sortir ce soir?
— Non, il faut que tu arroses le jardin.
— C'est injuste! C'est toujours moi qui l'arrose!
— …

B19 Activité • Ecoutez bien

Ecoutez Madame Lenoir et Madame Benoît parler du travail à la maison et répondez aux questions suivantes.

1. Qui fait la cuisine et le ménage chez Madame Benoît?
2. Pourquoi est-ce que Monsieur Benoît fait tout à la maison?
3. Qui fait le travail chez Madame Lenoir?
4. A quoi est-ce que Monsieur Lenoir passe son temps?
5. Que fait Madame Benoît pendant que son mari travaille?
6. Pourquoi est-ce que Madame Benoît n'aide pas son mari?

sharing confidences and asking for advice . . . giving advice and encouragement

En dehors de sa famille, Sophie a de nombreux amis. Elle passe beaucoup de temps avec eux, surtout avec Mélanie, sa meilleure amie. C'est sa confidente et elle lui raconte tout.

C1   Une affaire de cœur 📼

Sophie est un peu amoureuse de Julien. Mélanie lui donne des conseils.

SOPHIE	J'ai besoin de te parler. Tu connais Julien?
MÉLANIE	Oui, je l'ai rencontré à l'anniversaire d'Aurélie.
SOPHIE	Comment tu le trouves?
MÉLANIE	Pas mal.
SOPHIE	Super mignon, tu veux dire! Tu le vois souvent?
MÉLANIE	Non, je l'ai vu une seule fois. Pourquoi?

SOPHIE	J'ai bien envie de le rencontrer. Tu ne sais pas comment je peux faire?
MÉLANIE	Si, c'est facile. Il faut absolument que tu organises une soirée et que tu l'invites.
SOPHIE	Mais je ne le connais pas!
MÉLANIE	Et alors? Il ne faut pas être timide. Tu l'appelles ou tu lui envoies une invitation.
SOPHIE	Je n'ose pas.

MÉLANIE	Allez! Un peu de courage!
SOPHIE	Tu crois vraiment que je peux l'inviter?
MÉLANIE	Pourquoi pas? Il adore danser.
SOPHIE	Bon, eh bien, je vais organiser une soirée samedi soir.
MÉLANIE	Euh non, pas samedi, mes grands-parents viennent dîner et mes parents veulent que je reste à la maison.

C2   Activité • Vrai ou faux?

1. Sophie est amoureuse de Julien.
2. Elle connaît Julien.
3. Mélanie voit Julien tous les jours.
4. Mélanie écoute les conseils de son amie.
5. Sophie est timide.
6. Mélanie est libre samedi soir.

C3 Activité • Les conseils de Mélanie

Qu'est-ce que Mélanie conseille à Sophie? Trouvez quatre choses que Sophie doit faire,
d'après Mélanie, pour rencontrer Julien.

C4 Activité • Conversation téléphonique

Finalement, Sophie a décidé de téléphoner à Julien pour l'inviter à une soirée. Travaillez
avec un(e) camarade et reconstituez leur conversation en choisissant les mots.

SOPHIE   … C'est Julien?
JULIEN   …
SOPHIE   Je m'appelle… Je suis une… de
          Mélanie.
JULIEN   Ah oui!
SOPHIE   Voilà. J'ai envie d'organiser une…
          Ça te dit de… ?
JULIEN   Bien sûr!
SOPHIE   Quand est-ce que tu es… ?
JULIEN   … soir.
SOPHIE   Ah, c'est… ! Mélanie est… Elle doit
          dîner avec ses… Qu'est-ce que tu
          penses de… ?
JULIEN   Dimanche? C'est… !

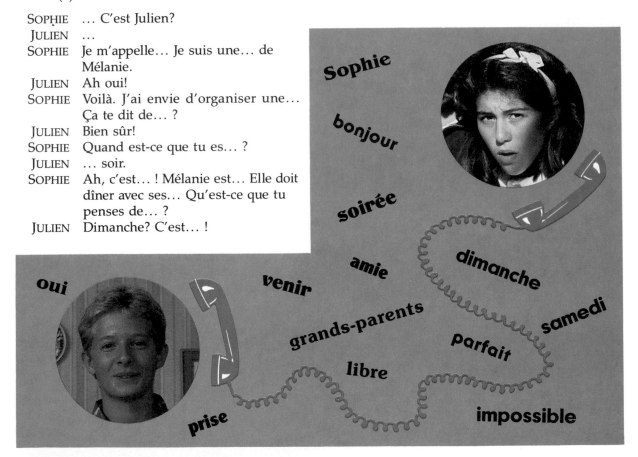

C5 STRUCTURES DE BASE
The verb voir

voir		*to see*			
Je	**vois**	} souvent les copains.	Nous	**voyons**	} souvent les copains.
Tu	**vois**		Vous	**voyez**	
Il/Elle/On	**voit**		Ils/Elles	**voient**	

The past participle of **voir** is **vu**: **J'ai vu Julien une seule fois.**
The subjunctive forms of **voir** are: **voie, voies, voie, voyions, voyiez, voient.**
The verb **croire**, *to believe*, *think*, follows the same patterns as **voir**.

 172   Chapitre 5

C6 Activité • Qu'est-ce qu'ils aiment voir? 🔲

Complétez les phrases avec le verbe **voir.**

1. Je ____ souvent mes copains.
2. Nous aimons ____ des films d'horreur.
3. Sauf Sophie. Elle, elle ____ toujours les films d'amour avec plaisir.
4. Samedi dernier nous ____ le nouveau film de Stephen King.
5. Est-ce que vous ____ souvent des films à la télévision?

C7 Activité • Ecrit dirigé

Complétez ces dialogues avec les formes correctes du verbe **voir.**

1.

— Tu ____ souvent Mélanie?
— Oui, je la ____ tous les jours.

2.

— Quand est-ce que vous ____ vos grands-parents?
— Nous les ____ à Noël.

3.

— Sophie a ____ Julien?
— Non, elle le ____ dimanche.

C8 Activité • Et vous?

1. Est-ce que vous voyez souvent vos copains?
2. Où est-ce que vous les voyez d'habitude?
3. Est-ce que vous voyez souvent des films?
4. Est-ce que vos parents ne veulent pas que vous voyiez certains films?

C9 COMMENT LE DIRE

Sharing confidences and asking for advice

J'ai un petit problème.
Je peux te parler?
J'ai besoin de te parler.
Qu'est-ce que tu me conseilles?
Tu crois que je peux l'inviter?
Tu as une idée?
	A ton avis,...
	  qu'est-ce que je fais?
	  qu'est-ce que je dois faire?
	  qu'est-ce qu'il faut faire?
	  qu'est-ce qu'il faut que je fasse?

Giving advice and encouragement

ADVICE	ENCOURAGEMENT
Invite-la.	Bien sûr!
Il faut que tu l'invites.	Sûrement!
Téléphone-lui.	Pourquoi pas?
Il faut que tu lui téléphones.	Il faut oser.
Oublie-le.	Un peu de courage!
Il faut que tu l'oublies.	N'hésite pas.

C10 Activité • Ecoutez bien

Est-ce qu'on demande des conseils ou la permission?

C11 Activité • Donnez des conseils

Vos amis Marie et Laurent vous demandent des conseils. Aidez-les.

Activité • A vous maintenant!

Travaillez avec un(e) camarade. Vous êtes dans les situations suivantes. Demandez et donnez des conseils. Changez de rôle.

1. Vous avez besoin d'argent.
2. Vous voulez avoir une mobylette.
3. Vous avez envie de rencontrer un garçon/une fille.
4. Vous voulez être invité(e) à la boum de Sophie.
5. Vous êtes invité(e) à une boum, mais vous ne voulez pas y aller.
6. Vous trouvez votre note en maths injuste. Vous hésitez à en parler à votre professeur.

C13 Activité • Ecrivez

Choisissez une des situations dans C12. Vous n'osez pas discuter de votre problème avec le conseiller ou la conseillère (*counselor*). Alors, vous lui écrivez un petit mot. Dans la lettre, vous décrivez le problème et lui demandez des conseils.

C14 Savez-vous que... ?

Les copains, c'est une autre famille. Les jeunes français passent beaucoup de temps entre eux, à l'école à la récréation, après l'école, le week-end et souvent pendant les vacances. Ils forment une «bande» de copains. Toute la bande va au café. Là, ils jouent au baby-foot, au flipper (*pinball*) ou aux jeux vidéo. Les filles préfèrent souvent rester entre elles et parler à leurs confidentes.

Interlocuteurs privilégiés : les copains et la mère En général, avec qui parlez-vous de vos problèmes?	
copains ou copines	51%
mère	48%
frères ou sœurs	24%
père	18%
un des grands-parents	4%
un ou une adulte ami(e)	3%
certains professeurs	2%
autres	1%
je n'ai personne à qui parler	-
ne se prononcent pas	1%

C15 Activité • Sondage

Quand vous êtes avec des copains, de quoi parlez-vous? Faites ce sondage dans votre classe. Demandez à vos camarades : «Quand vous êtes avec des copains, parlez-vous souvent ou pas souvent des sujets suivants?»

1. Des devoirs, des cours, des professeurs
2. De votre famille
3. De musique
4. De vos lectures *(reading)*
5. De vos sorties (boums, cinéma)
6. De sport
7. Des histoires entre filles et garçons
8. De vos vacances
9. De vos copains et de vos copines
10. Des vedettes de la télévision, du cinéma et de la chanson
11. Des programmes de télévision
12. De l'actualité politique
13. De la faim dans le monde
14. De religion
15. De la drogue
16. Du SIDA *(AIDS)*
17. De ce que vous voulez faire plus tard

Sujet	Souvent	Pas souvent
1. Des devoirs, des cours		
2. De vos professeurs		

C16 VOUS EN SOUVENEZ-VOUS?
Object pronouns

Let's review the pronouns you've seen so far that have been used as the objects of verbs.

lui	*Replaces phrase:* **à** + *one person*	Elle parle **au professeur.** Elle **lui** parle.
leur	*Replaces phrase:* **à** + *more than one person*	Nous téléphonons **aux copains.** Nous **leur** téléphonons.
en	*Replaces phrase:* **de** + *object or place*	Il joue **de la guitare.** Il **en** joue.
y	*Replaces phrase:* *preposition* + *location*	Ils vont **en France.** Ils **y** vont.
le, la, les	*Replaces nouns:* *objects or people*	Ils font **la vaisselle.** Ils **la** font.

You remember that an object pronoun comes immediately before the verb to which its meaning is tied, except in an affirmative command or request form.

Parle-**lui.** Prenez-**en.** Faites-**la.**
Téléphonez-**leur.** Restes-**y.**

STRUCTURES DE BASE
Object pronouns with the passé composé

1. In the **passé composé,** an object pronoun immediately precedes the auxiliary verb.

Nous	**lui** avons	parlé.
Nous	**en** avons	pris.
Nous	**l'** avons	trouvé(e).

2. **Elision** takes place when the pronoun **le** or **la** precedes the auxiliary verb **avoir.**

   (le) Nous **l'avons** trouvé.   (la) Tu **l'as** invitée?

3. **Liaison** occurs when the plural pronoun **les** appears before the auxiliary verb **avoir.**

   Ils **les** ͡ᶻ **ont** trouvés.

4. When the words **ne... pas** are used to make the verb negative, **ne** is placed before the object pronoun and **pas** is placed after the auxiliary verb.

   Je **ne lui ai pas** téléphoné.

5. The past participle of a verb used with **avoir** may change its spelling. Just as an adjective agrees with the noun it modifies, the past participle of a verb in the **passé composé** must agree in gender and number with the direct object that comes before it. If the preceding direct object is feminine singular, **-e** is added to the past participle. If the preceding direct object is masculine plural, **-s** is added to any past participle that doesn't already end in **-s**. If the direct object is feminine plural, **-es** is added.

Son ami?	Elle **l'**a rencontré.	**Les copains?**	Elle **les** a invités.
La boum?	Elle **l'**a organisée.	**Les copines?**	Elle **les** a vues au café.

If the past participle of a verb ends with a consonant, the addition of **-e** or **-es** to make it agree with a preceding direct object will cause you to pronounce the consonant.

Le ménage?	Nous **l'**avons fai**t**. (**t** is not pronounced)
La vaisselle?	Nous **l'**avons fai**te**. (**t** is pronounced)
Les courses?	Nous **les** avons fai**tes**. (**t** is pronounced)

The spelling change in the past participle must not be made when the preceding object of the verb is an indirect object or the pronouns **y** or **en.**

Sophie?	Je **l'**ai invitée.	*But,*	Je **lui** ai téléphoné.
Julien et Didier?	Je **les** ai rencontrés.	*But,*	Je **leur** ai parlé.
La tour Eiffel?	Je **l'**ai vue.	*But,*	J'**y** suis monté.
Les légumes?	Je **les** ai achetés.	*But,*	J'**en** ai mangé.

Activité • Sophie a tout fait? 🔲

Travaillez avec une camarade. Votre camarade joue le rôle de Sophie. Vous lui demandez si elle a fait les préparatifs pour sa soirée. Elle répond avec un pronom.

   la date / fixer   — La date, tu l'as fixée?
                     — Oui, je l'ai fixée.

1. la date / fixer
2. la permission / demander
3. les copains / appeler
4. Julien / inviter
5. les boissons / acheter
6. les sandwiches / faire
7. la musique / choisir
8. le salon / ranger

Activité • Conversation à la boum

A la boum de Sophie vous entendez des conversations variées. Choisissez les remarques qui vont ensemble et faites les dialogues avec un(e) camarade.

1. Ils sont nouveaux, tes bracelets?
2. C'est ta cassette?
3. La mousse est délicieuse!
4. Véronique ne vient pas?
5. Tu as toujours ta mob?

Oui, je les ai achetés hier.

Non, je l'ai empruntée à Guy.

Non, je l'ai vendue.

Tu trouves? Ma mère l'a faite.

Non, Sophie ne l'a pas invitée.

C20 Activité • C'était bien, la soirée de Sophie?

Vous êtes allé(e) à la soirée chez Sophie. Votre camarade vous demande ce que vous y avez fait. Répondez avec un pronom.

1. Tu as rencontré Mélanie?
2. Tu as vu Julien?
3. Tu as aimé la musique?
4. On a fini les sandwiches?
5. Julien a invité Sophie à danser?
6. Tu as aidé Sophie à ranger le salon après la soirée?

C21 Activité • Ecrit dirigé

Qui a fait quoi après la soirée? Complétez les réponses avec le pronom correct. Faites l'accord du participe, s'il le faut.

1. Qui a fait la vaisselle?
   C'est Sophie et Mélanie qui _____ ont fait _____ .

2. Qui a rangé la pièce?
   C'est nous qui _____ avons rangé _____ .

3. Qui a sorti la poubelle?
   C'est Julien qui _____ a sorti _____ .

4. Qui a passé l'aspirateur?
   C'est Arnaud qui _____ a passé _____ .

5. Qui a mis les sandwiches dans le frigo?
   C'est Sylvie qui _____ a mis _____ dans le frigo.

6. Qui a fini les gâteaux?
   C'est moi qui _____ ai fini _____ .

C22 Activité • Ecoutez bien

Votre amie Agnès est rentrée d'une boum. Elle a téléphoné pour tout vous raconter. Elle a laissé un message sur votre répondeur. Ecoutez le message et dites ensuite si les phrases suivantes sont vraies ou fausses.

1. Agnès est allée à l'anniversaire de Catherine.
2. Le garçon qu'elle a rencontré s'appelle Henri.
3. François est un ami d'Henri.
4. D'habitude Agnès est timide.
5. Elle a le numéro de téléphone de François.
6. Elle a décidé de lui téléphoner demain.

1

La boum d'anniversaire 🖭

Sylvain fête son anniversaire. Il y a la famille, mais aussi quelques amis.

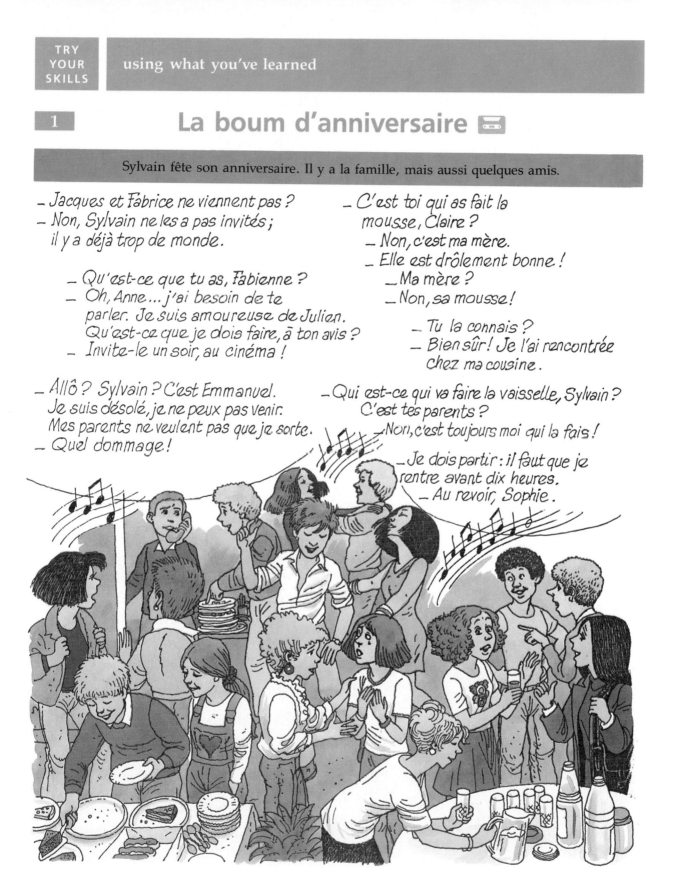

— Jacques et Fabrice ne viennent pas ?
— Non, Sylvain ne les a pas invités ;
il y a déjà trop de monde.

— Qu'est-ce que tu as, Fabienne ?
— Oh, Anne…j'ai besoin de te
parler. Je suis amoureuse de Julien.
Qu'est-ce que je dois faire, à ton avis ?
— Invite-le un soir, au cinéma !

— Allô ? Sylvain ? C'est Emmanuel.
Je suis désolé, je ne peux pas venir.
Mes parents ne veulent pas que je sorte.
— Quel dommage !

— C'est toi qui as fait la
mousse, Claire ?
— Non, c'est ma mère.
— Elle est drôlement bonne !
— Ma mère ?
— Non, sa mousse !

— Tu la connais ?
— Bien sûr ! Je l'ai rencontrée
chez ma cousine.

— Qui est-ce qui va faire la vaisselle, Sylvain ?
C'est tes parents ?
— Non, c'est toujours moi qui la fais !

— Je dois partir : il faut que je
rentre avant dix heures.
— Au revoir, Sophie.

En famille   179

2　Activité • Qui est-ce?

Identifiez ces gens d'après «La boum d'anniversaire».

1. Deux personnes n'ont pas été invitées.
2. Quelqu'un refuse l'invitation à regret.
3. Quelqu'un est amoureux.
4. Quelqu'un donne un conseil.
5. Quelqu'un a fait une mousse.
6. Quelqu'un fait toujours la vaisselle.

3　Activité • Qu'est-ce qu'ils disent?

Trouvez les phrases dans «La boum d'anniversaire».

1. Someone is giving advice.
2. Someone is asking for information.
3. Someone is expressing obligation.
4. Someone is politely refusing.
5. Someone is giving an excuse.
6. Someone is complaining.

4　Activité • Ecrit dirigé

Le paragraphe suivant parle de la boum de Sylvain. Mais quelques phrases ne sont pas «vraies». Recopiez le paragraphe. Faites les changements nécessaires.

　　Il n'y a pas beaucoup de monde à la boum de Sylvain. Il a invité tous ses amis. Jacques et Fabrice sont là. Emmanuel est venu aussi : ses parents lui laissent faire tout ce qu'il veut. Il y a de bons sandwiches sur la table. C'est la mère de Sylvain qui les a faits. Tout le monde a l'air content. Il est presque dix heures et une des invitées doit partir... Dommage! Une jeune fille, Fabienne, est amoureuse de Sylvain. Elle demande conseil à Anne. Anne ne veut pas que Fabienne parle à Sylvain.

5　Activité • Qu'est-ce que vous répondez?

Vous êtes à la boum de Sylvain. Différentes personnes vous parlent. Qu'est-ce que vous leur répondez?

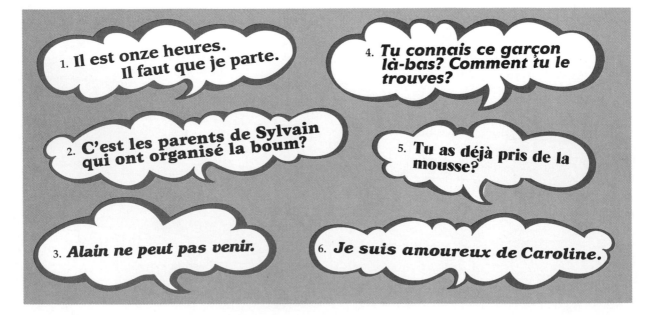

1. **Il est onze heures. Il faut que je parte.**

2. **C'est les parents de Sylvain qui ont organisé la boum?**

3. **Alain ne peut pas venir.**

4. **Tu connais ce garçon là-bas? Comment tu le trouves?**

5. **Tu as déjà pris de la mousse?**

6. **Je suis amoureux de Caroline.**

6   Activité • Changez tout

Travaillez avec un(e) camarade. Répétez ce dialogue deux fois. Changez les phrases soulignées chaque fois.

— Salut! Ça te dit d'aller au cinéma?
— Impossible. Je suis pris(e).
— Qu'est-ce que tu fais?
— Mes parents veulent que je garde ma petite sœur.
— C'est toujours toi qui la gardes!

7   Activité • Ecrivez

Vous avez reçu cette lettre de votre amie Julie. Elle est élève dans une école privée. Elle a un petit problème. Répondez à sa lettre en lui donnant des conseils.

Cher (Chère)...

J'ai envie de sortir avec des garçons. Mes parents ne veulent pas. Qu'est-ce que je dois faire pour que mes parents changent d'avis? Mon école n'est pas mixte. Qu'est-ce qu'il faut que je fasse pour rencontrer des garçons? Au secours!
Ton amie
Julie

8   Activité • Ecrivez

Répondez aux questions suivantes et ensuite, écrivez quelques lignes sur vos relations avec votre ami(e) ou vos copains.

1. Vous lui / leur racontez tout?
2. Vous lui / leur demandez des conseils? Sur quoi?
3. Vous l' / les aidez? A faire quoi?
4. Ils / Elles vous aident? A faire quoi?
5. Vous aimez être avec lui / eux / elle(s)?

Activité • Le(La) confident(e) idéal(e)

Formez un groupe de quatre avec trois autres camarades. Préparez ensemble une description d'un(e) confident(e) idéal(e). Ecrivez votre description et puis lisez-la à la classe.

10   **Activité • A vous maintenant!**

Regardez les gens sur ces photos. A qui parlent-ils? De quoi? Demandent-ils des conseils? Racontent-ils un secret? Discutent-ils d'un problème? Imaginez leurs conversations et préparez les dialogues avec un(e) camarade.

11   **Activité • Récréation**

Jeu des pronoms
Devinez ce que les pronoms **le, l', les** représentent dans les phrases suivantes.

1. C'est ma mère qui le prépare.
2. Je les ai écoutés.
3. Tu les as invitées?
4. C'est mon frère qui l'a faite.
5. Nous l'avons mise.
6. C'est elle qui les a achetées.
7. Anne les a faits après l'école.

déjeuner   table   Anne et Caroline
Alain et Pierre   disques
vaisselle
devoirs   cassettes   ménage

The French **r**-sound /R/

1 Ecoutez bien et répétez.

1. In the middle of a word

arabe	arracher	arrêt	arriver
oraux	oral	horrible	orange
heureux	amoureux	durer	purée

2. At the end of a word

purée→pur   heureux→heure
durée→dur   carré→car

par, père, pire, port, pour, peur   faire, fort, four
sur, sort, soir   mer, mort, mur
tard, tort, tire

3. Combining

pour→pourquoi   sort→sortir
par→parfait   sur→ surtout
jour→journée   mer→merci

4. At the beginning of a word

après	c'est trop	ouvrier	en gros
adresse	très bien	ouvrage	c'est grand

après→près   c'est trop →trop
en gros →gros   c'est froid→froid

froid	vrai	très	grand
franc	vrac	triste	brun

froid→trois→crois→roi   grand→prend→cran →rang   front→tronc→prompt→rond

rat	rêve	rouge	rigide	réaction
riz	rose	riche	repas	répéter

rire, rare, regard, retard, retour, au revoir

2 Ecoutez et lisez.

— La porte est fermée.
— Pourtant, l'adresse est correcte.
— Il est déjà trois heures. Nous sommes arrivés trop tard.
— Tu as raison. Voilà. C'est écrit. «Fermé le mardi après-midi.»
— On retourne demain?
— D'accord.
— Très bien.

3 Copiez les phrases suivantes pour préparer une dictée.

1. Pourquoi tu es triste, alors?
2. Je suis malheureuse.
3. Des affaires de cœur?
4. Oui, je suis amoureuse.
5. Quoi, encore?

VERIFIONS!

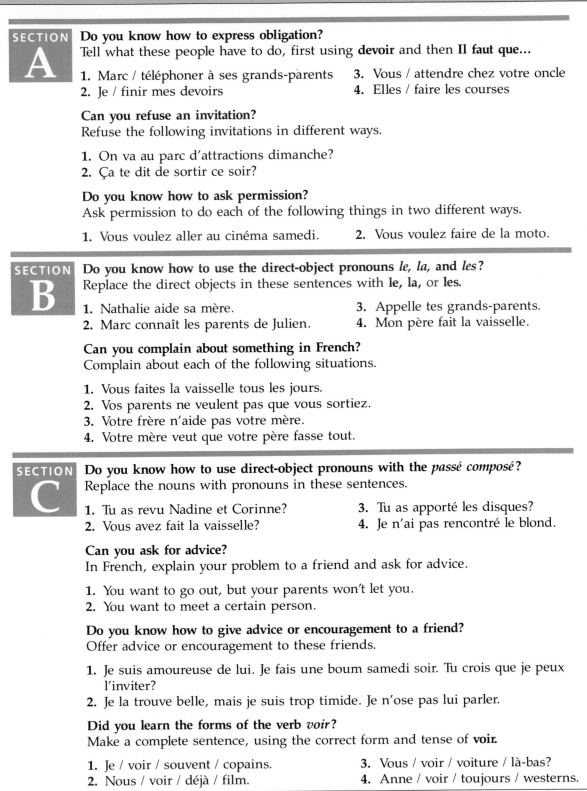

SECTION A

Do you know how to express obligation?
Tell what these people have to do, first using **devoir** and then **Il faut que...**

1. Marc / téléphoner à ses grands-parents
2. Je / finir mes devoirs
3. Vous / attendre chez votre oncle
4. Elles / faire les courses

Can you refuse an invitation?
Refuse the following invitations in different ways.

1. On va au parc d'attractions dimanche?
2. Ça te dit de sortir ce soir?

Do you know how to ask permission?
Ask permission to do each of the following things in two different ways.

1. Vous voulez aller au cinéma samedi.
2. Vous voulez faire de la moto.

SECTION B

Do you know how to use the direct-object pronouns *le, la,* and *les*?
Replace the direct objects in these sentences with **le, la,** or **les.**

1. Nathalie aide sa mère.
2. Marc connaît les parents de Julien.
3. Appelle tes grands-parents.
4. Mon père fait la vaisselle.

Can you complain about something in French?
Complain about each of the following situations.

1. Vous faites la vaisselle tous les jours.
2. Vos parents ne veulent pas que vous sortiez.
3. Votre frère n'aide pas votre mère.
4. Votre mère veut que votre père fasse tout.

SECTION C

Do you know how to use direct-object pronouns with the *passé composé*?
Replace the nouns with pronouns in these sentences.

1. Tu as revu Nadine et Corinne?
2. Vous avez fait la vaisselle?
3. Tu as apporté les disques?
4. Je n'ai pas rencontré le blond.

Can you ask for advice?
In French, explain your problem to a friend and ask for advice.

1. You want to go out, but your parents won't let you.
2. You want to meet a certain person.

Do you know how to give advice or encouragement to a friend?
Offer advice or encouragement to these friends.

1. Je suis amoureuse de lui. Je fais une boum samedi soir. Tu crois que je peux l'inviter?
2. Je la trouve belle, mais je suis trop timide. Je n'ose pas lui parler.

Did you learn the forms of the verb *voir*?
Make a complete sentence, using the correct form and tense of **voir.**

1. Je / voir / souvent / copains.
2. Nous / voir / déjà / film.
3. Vous / voir / voiture / là-bas?
4. Anne / voir / toujours / westerns.

VOCABULAIRE

SECTION A

aider *to help*
ce que *what*
créer *to create*
dangereux, -euse *dangerous*
désolé, -e *sorry*
discuter *to discuss, argue*
le **droit** *right*
fumer *to smoke*
garder *to take care of*
une **obligation** *obligation*
pris, -e *busy, occupied*
refuser *lo refuse*
la **règle** *rule*
la **santé** *health*
strict, -e *strict*
tard *late*
temps : de temps en temps *from time to time*

SECTION B

Allez! *Come on!*
arroser *to water*

les **bêtises** (f.) *nonsense*
bouger *to move, budge*
le **contraire** *opposite*
les **courses** (f.) *shopping*
la **cuisine** *cooking*
Dépêche-toi! *Hurry!*
une **discussion** *discussion*
domestique *domestic, household*
Féministe! *Feminist!*
fermer *to close*
injuste *unfair, unjust*
la *it, her*
laver *to wash*
le *it, him*
le **lendemain** *the next day*
les *them*
lis : je lis *I'm reading*
Macho! *Male chauvinist!*
le **ménage** *housework*
normal, -e *normal*
participer *to take part, participate*
la **pelouse** *lawn*
la **poubelle** *garbage can*

la **responsabilité** *responsibility*
sortir *to take out*
la **tâche** *task*
tiens *here*
tondre *to mow*
la **vaisselle** *dishes*

SECTION C

une **affaire de cœur** *love affair*
amoureux, -euse (de) *in love (with)*
un(e) **confident(e)** *confidant*
un **conseil** *advice*
conseiller *to advise*
le **courage** *courage*
hésiter *to hesilate*
meilleur, -e *best*
oser *to dare*
une **soirée** *party, evening*
sûrement *certainly*
timide *shy, timid*
vouloir dire *to mean*

ETUDE DE MOTS

In French, as in English, the prefix **in-** is sometimes used to make the base word negative. Find a French word in the list above that contains the prefix **in-**. Write the word and its English meaning. Then write the French word without the prefix **in-**. What is the base word? What does it mean in English? Now do the same for these French words: **invisible, inexact, inactif, incorrect,** and **inattentif.** If the base word begins with a consonant, the French prefix **in-** represents the nasal sound [ɛ̃], as in **invisible.** If the base word begins with a vowel, the letters **i** and **n** are sounded separately, as in **inutile.** Practice pronouncing the words that you wrote on your paper.

A LIRE

Pierre et Djemila

Avant de lire

Before you dash out to the movies with your friends, you scan, or look over very quickly, the following description of a new film that's playing nearby. You want to find out the following information:

1. The name of the film
2. The names and ages of the two heroes
3. The nationalities of the heroes
4. What kind of film it is
5. Whether or not it has a happy ending

Impossible amour

Un film de Gérard Blain avec Jean-Pierre André, Nadja Reski, Abdelkader.

C'est un très beau film, très actuel que nous propose Gérard Blain, acteur et auteur, réalisateur depuis 1970. Un excellent film sélectionné pour le 40ᵉ Festival de Cannes où, espérons-le, il obtiendra un prix. Une histoire simple, sans star, mais avec beaucoup d'émotion et une interprétation parfaite des deux jeunes héros. Pierre a dix-sept ans. Djemila, quatorze ans, vient d'une famille algérienne. Ils vivent tous deux dans une cité populaire° de Roubaix où les affaires de cœur entre Français et immigrés sont une source permanente de conflits. Cependant, la pureté et l'innocence de ces deux ados sont une réponse lumineuse à ce racisme et cette intolérance. L'amour de Pierre pour Djemila porte un degré de violence telle que° cette histoire si simple, si belle, si naïve finit très mal. *Pierre et Djemila* concerne sûrement de très nombreux spectateurs, sensibles° aux problèmes de racisme.

Activité • Trouvez les mots

1. Trouvez deux mots qui donnent le thème du film.

2. Trouvez trois adjectifs qui décrivent l'histoire.

---

cité populaire *low-cost housing development;* **telle que** *so that;* **sensibles** *sensitive*

Ah, les parents! ▭

Alexandra, Isabelle, Patrice et Laurent sont allés au café. Ils parlent des problèmes qu'ils ont avec leurs parents, se plaignent *(complain)* de leur sévérité, des permissions qu'ils sont obligés de demander chaque fois qu'ils ont envie de faire quelque chose.

ALEXANDRA C'est simple, ils me laissent rien faire.

ISABELLE Moi, c'est pas terrible non plus. Ils doivent savoir où je vais, qui je vois, ce que je fais…

PATRICE Moi, c'est pareil. Défense de° faire de la moto, d'inviter les copains quand les parents ne sont pas à la maison, de les inviter plus d'une fois par mois même quand ils sont à la maison. Défense de dépenser° de l'argent… Défense par-ci, défense par-là. Mais toi, Laurent, tes parents sont moins sévères!

LAURENT Ah, pas du tout! Ils sont beaucoup plus sévères avec moi que ne l'étaient leurs parents avec eux!

PATRICE Comment ça?

LAURENT C'est simple. A quinze ans, mon père avait le droit d'inviter qui il voulait à la maison. Il avait les plus chouettes parents de la terre. Modernes, et tout. Maintenant, c'est pas pareil. Le week-end, mon père est fatigué. Il récupère°. On ne doit surtout pas faire de bruit. C'est pas marrant°, je vous assure. Pendant les vacances, il ne veut pas que mes copains viennent chez nous, mettent du rock, fassent du bruit. Je les envie, moi, les copains qui sont libres de faire ce qu'ils veulent.

ALEXANDRA C'est pas plus brillant chez nous. Mes deux parents travaillent. Alors, les samedis-dimanches, ils veulent la paix. Regarder la télé, lire les journaux au lit. Résultat, c'est mortel! Toi, Isabelle, c'est vrai que tu dois demander la permission à tes parents, mais, au moins, tu peux faire des programmes! Tes parents sont d'accord! L'important, c'est de savoir leur demander la permission.

ISABELLE Leur demander la permission!… Tu me fais rire°! Tu crois que c'est drôle de devoir demander des permissions du matin au soir?

PATRICE Eh, les filles, vous ne croyez pas que vous exagérez un peu? Heureusement qu'on a des parents qui s'inquiètent à notre sujet°. Ça veut dire qu'ils nous aiment.

LAURENT Eh bien moi, j'aimerais qu'ils m'aiment moins, mais qu'ils me laissent faire un peu plus ce que je veux.

PATRICE On ne peut pas tout avoir! Aujourd'hui, la vie est plus dangereuse. Alors, les parents sont plus sévères!

ALEXANDRA Suffit de philosopher! On va au cinéma?

TOUS On n'a pas la permission des parents!

---

défense de *forbidden;* **dépenser** *to spend* **récupère** *recovers;* **marrant** *fun;* **rire** *laugh;* **s'inquiètent à notre sujet** *worry about us*

Activité • Trouvez les synonymes

Trouvez dans la lecture l'équivalent des mots soulignés.

1. C'est pas drôle.
2. Tes parents sont moins stricts.
3. Il a les plus chouettes parents du monde.
4. Les week-ends, ils veulent récupérer.
5. Elle doit demander des permissions toute la journée.

Activité • Et vous?

Maintenant, vous connaissez la situation chez Alexandra, Isabelle, Patrice et Laurent. Est-ce que c'est pareil chez vous?

Ma famille

Voici un poème écrit par Camille, une jeune Française. Lisez son poème pour savoir pour qui elle écrit le poème et pourquoi elle l'écrit.

Mon nom est Camille,
Et je suis une fille.
J'écris ce poème
Pour ceux que j'aime,
Ma mère, mon père,
Mes sœurs et mes frères.
Je veux leur dire
Que je suis heureuse
De vivre
Dans une famille nombreuse.

C'est vrai.
Vivre avec ses parents,
C'est pas toujours marrant.
Moi, je n'ai pas le droit
De sortir le soir.
Je dois faire mes devoirs
Et rentrer à six heures.
Il faut que je garde ma sœur,
Mon petit frère
Et que j'aide ma mère.
Mais ça ne fait rien
Parce que je suis bien
Dans ma famille.
Tout le monde est sympa,
Et même si on ne peut pas
Faire ce qu'on veut,
On est tous heureux
D'être si nombreux.

Il faut que ma mère soit heureuse.

Ibrahim, un jeune lycéen, parle de sa famille et de sa vie au Burkina Faso, un pays d'Afrique.

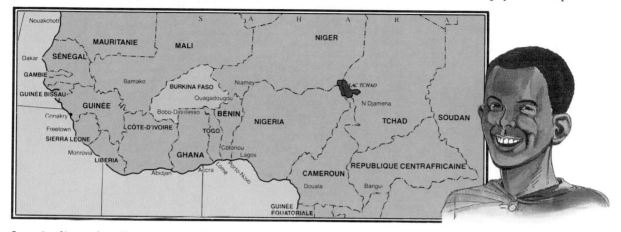

Je suis d'une famille pauvre. Ma mère est veuve°. Elle touche une pension de 8 000 F° par an. Quelquefois, sa petite sœur qui travaille à Dakar lui envoie 1 000 F. J'ai neuf frères et sœurs et je suis l'aîné des garçons. Je vais à l'école tous les jours. Je suis le seul à faire des études. Je dois aider ma mère. Je le veux. Ma mère n'a qu'une petite case° avec le sol en terre, une natte° et des jarres où elle garde des provisions. Il n'y a pas l'électricité et on doit aller aux toilettes chez les voisins.

Dans mon village, on marie les jeunes à 15 ou 16 ans. Moi, je n'ai pas de copines. Il y avait une fille qui me plaisait bien l'année dernière, mais elle a redoublé, et on n'est plus dans la même classe. Elle n'est pas venue me voir, et je n'ai pas insisté. Peut-être aussi parce qu'elle est d'une famille plus riche que la mienne. Ici, pour sortir avec filles, il faut de l'argent.

---

veuve *widow;* **8 000 F** *approx. $1,300;* **case** *hut;* **natte** *mat*

A Ouaga, les filles rêvent de boutiques chères comme «Au chic parisien». Elles veulent des robes, pas des pagnes°. Et de belles chaussures. Pour acheter un jean, j'ai dû économiser l'argent de ma bourse° pendant un mois. Les filles des familles pauvres veulent aussi être bien habillées.

Je suis au lycée technique, et on m'envie à cause de ça. Mais j'aurais préféré° faire des études littéraires : je voudrais écrire un roman qui parle de l'Afrique. L'Afrique a beaucoup de problèmes. Ici, il y a beaucoup d'enfants scolarisés, mais au niveau des résultats, c'est zéro. On est souvent 100 par classe. La plupart ne peuvent pas continuer au-delà du° primaire. Et même ceux qui vont à l'école tous les jours, et qui réussissent, n'arrivent pas à trouver de travail. Je vois les enfants de la rue, les petits mendiants° qui gardent les vélos, qui portent les paniers°. Je me dis qu'ils sont innocents. Ils n'ont jamais rien à manger, et ils ne vont jamais à l'école.

Parfois je me sens° contraint. J'accepte la souffrance. Seul, je médite, je regarde le ciel. J'ai des copains, des fils de commerçants, qui ne pensent qu'à sortir et à s'amuser.

---

pagnes *African skirt;* **bourse** *scholarship;* **aurais préféré** *would have preferred;* **au-delà du** *beyond;* **mendiants** *beggars;* **paniers** *baskets;* **me sens** *feel*

Je peux travailler pendant l'été. Toute la journée, pendant un mois chez un commerçant, pour 100 F seulement. Je dois réussir pour aider ma mère, un jour. Pour qu'elle soit° heureuse, pour que mes petits frères puissent° aussi aller à l'école tous les jours. Je suis le premier responsable de ma famille. Tout le monde me regarde. Et moi, toute la journée, je pense à cela. J'ai dit à maman qu'elle ne s'inquiète° pas. Je suis un bon fils et je vais réussir.

Activité • Devinez

Choisissez l'équivalent anglais du mot souligné dans chaque phrase.

1. Elle touche une pension de 8 000 F par an.
   a. *touches*   **b.** *pays into*   **c.** *receives*
2. J'ai neuf frères et sœurs. Je suis l'aîné des garçons.
   a. *the best*   **b.** *the oldest*   **c.** *the friend*
3. Elle est d'une famille plus riche que la mienne.
   a. *me*   **b.** *my*   **c.** *mine*
4. Je voudrais écrire un roman qui parle de l'Afrique.
   a. *Roman*   **b.** *novel*   **c.** *romance*
5. Ici, il y a beaucoup d'enfants scolarisés.
   a. *in school*   **b.** *sick*   **c.** *scolded*

Activité • Vrai ou faux?

Dites si les phrases suivantes sont vraies ou fausses, d'après la lecture. Si la phrase est fausse, corrigez-la.

1. Ibrahim vient d'une famille nombreuse.
2. Ibrahim ne peut pas acheter de jean.
3. La majorité des enfants continuent leurs études au lycée.
4. Les filles préfèrent les vêtements africains.
5. Ibrahim et ses frères vont à l'école.
6. Ibrahim fait des études littéraires au lycée.
7. La tante d'Ibrahim travaille au Sénégal.

---

soit (subjunctive) = *est;*   **puissent** (subjunctive) = *peuvent;*   **s'inquiète** *worry*

CHAPITRE 6

L'argent et les petits boulots

French young people have a language all their own. *Les petits boulots* are jobs. How do French teenagers get their money? Do they receive an allowance? Do they have part-time jobs? And when they earn money, do they tend to spend it or save it?

In this unit you will:

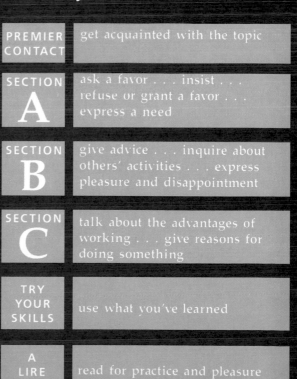

PREMIER CONTACT	get acquainted with the topic
SECTION A	ask a favor . . . insist . . . refuse or grant a favor . . . express a need
SECTION B	give advice . . . inquire about others' activities . . . express pleasure and disappointment
SECTION C	talk about the advantages of working . . . give reasons for doing something
TRY YOUR SKILLS	use what you've learned
A LIRE	read for practice and pleasure

1 Le bas de laine 📼

Beaucoup de jeunes français ont leur «bas de laine». Ils mettent leur argent de poche dans leur tirelire ou sur leur compte bancaire. D'autres dépensent tout leur argent.

Le bas de laine

Une tirelire

L'argent de poche
(en moyenne)

	par semaine	par mois
5–11 ans	11 F	
12–14 ans		60 F
15–18 ans		150 F

Le bas de laine des 15–20 ans
«Mettez-vous de l'argent de côté?»

	Dépense tout	En met de côté	Ne peut pas dire
Ensemble	26 %	64 %	10 %
Hommes	29 %	63 %	8 %
Femmes	24 %	65 %	11 %
15–16 ans	20 %	69 %	11 %
17–18 ans	20 %	70 %	10 %
19–20 ans	40 %	52 %	8 %

2 Activité • Devinez

Bien sûr, les jeunes français ne mettent pas leur argent dans un vrai bas de laine. Qu'est-ce que le «bas de laine» signifie?

3 Activité • Et vous?

1. Recevez-vous de l'argent de poche? Combien? Par semaine? Par mois?
2. Dépensez-vous tout votre argent ou mettez-vous de l'argent de côté?
3. Avez-vous déjà ouvert un compte bancaire?
4. Mettez-vous de l'argent dans une tirelire? Pourquoi?

4 Activité • Sondage

Demandez à vos camarades de classe s'ils reçoivent de l'argent de poche et combien, s'ils dépensent tout leur argent ou s'ils mettent de l'argent de côté.

En France, de nombreuses banques essaient d'attirer les jeunes de 13 ans.

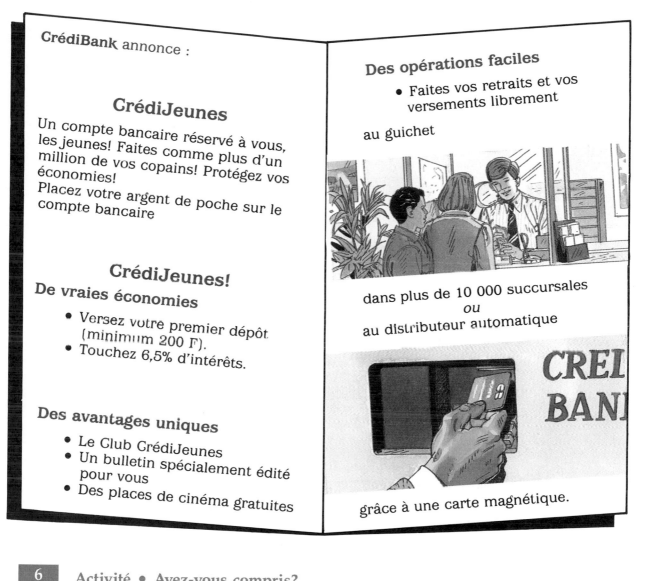

CrédiBank annonce :

CrédiJeunes

Un compte bancaire réservé à vous, les jeunes! Faites comme plus d'un million de vos copains! Protégez vos économies!
Placez votre argent de poche sur le compte bancaire

CrédiJeunes!
De vraies économies

- Versez votre premier dépôt (minimum 200 F).
- Touchez 6,5% d'intérêts.

Des avantages uniques

- Le Club CrédiJeunes
- Un bulletin spécialement édité pour vous
- Des places de cinéma gratuites

Des opérations faciles

- Faites vos retraits et vos versements librement

au guichet

dans plus de 10 000 succursales
ou
au distributeur automatique

grâce à une carte magnétique.

6 Activité • Avez-vous compris?

Répondez aux questions suivantes d'après la publicité.

1. Pour ouvrir un compte bancaire les jeunes français ont besoin de combien d'argent?
2. Combien d'intérêts touchent-ils dans cette banque?
3. Où peuvent-ils faire des retraits et des dépôts?

7 Activité • Imaginez

Vous avez reçu beaucoup d'argent. Qu'est-ce que vous faites de l'argent? Dépensez-vous le tout? Qu'est-ce que vous achetez? Mettez-vous de l'argent de côté? Combien? Mettez-vous de l'argent sur un compte bancaire ou achetez-vous des valeurs *(stocks)*?

asking a favor . . . insisting . . . refusing or granting a favor . . . expressing a need

Comment faites-vous quand vous avez besoin d'argent? En empruntez-vous à vos parents ou cherchez-vous un job? Les parents de Murielle lui donnent un peu d'argent de poche par semaine, mais elle le dépense très vite.

A1 Murielle demande de l'argent à son père. 📼

Il y a des personnes économes et d'autres dépensières. Murielle fait plutôt partie de la deuxième catégorie.

(Vendredi soir)

MURIELLE	Papa, tu n'as pas 30 francs à me donner?
SON PÈRE	Pour quoi faire?
MURIELLE	Pour aller au cinéma avec Nathalie.
SON PÈRE	Et ton argent de poche?
MURIELLE	Il est déjà dépensé.
SON PÈRE	Eh bien!
MURIELLE	Allez, papa, c'est la dernière fois!
SON PÈRE	Tu as demandé à ta mère?
MURIELLE	Oui.
SON PÈRE	Qu'est-ce qu'elle a dit?
MURIELLE	«Demande à ton père.»
SON PÈRE	Bravo! Voilà une femme économe! Tiens, les voilà. Mais, en échange, je veux que tu me laves la voiture.
MURIELLE	D'accord!

(Le week-end suivant)

MURIELLE	Papa, tu peux me prêter de l'argent?
SON PÈRE	Encore!
MURIELLE	Oui, il faut que je m'achète une jupe.
SON PÈRE	Mais tu en as des centaines dans ton placard!
MURIELLE	Elles sont démodées.
SON PÈRE	Désolé, mais c'est impossible.
MURIELLE	Allez, papa, sois gentil! C'est pas cher, une jupe!
SON PÈRE	Combien tu veux?
MURIELLE	Oh, juste 150 F.
SON PÈRE	Bon, voilà 100 F.
MURIELLE	Merci, papa!

(Quinze jours plus tard)

MURIELLE	Tiens, papa, je te rends tes 100 F.
SON PÈRE	Déjà!
MURIELLE	J'ai reçu de l'argent de grand-mère pour ma fête.
SON PÈRE	Félicitations. Tu lui as dit merci?
MURIELLE	Bien sûr... Je suis ravie... Mais... euh... J'ai besoin de 50 F... Tu ne peux pas me...
SON PÈRE	Ah non! Cette fois-ci, c'est fini!
MURIELLE	S'il te plaît, papa! C'est pour la fête des Pères. C'est pour t'offrir un cadeau!

A2 Activité • Avez-vous compris?

Répondez aux questions suivantes d'après les dialogues dans A1.

1. Pourquoi est-ce que Murielle veut emprunter de l'argent à son père? Pouvez-vous trouver trois raisons?
2. Murielle demande de l'argent à son père. Quelles autres sources d'argent a-t-elle?
3. Qu'est-ce que Murielle a fait en échange des 30 francs?
4. Trouvez-vous Murielle économe ou dépensière?
5. Murielle demande de l'argent à son père pour lui acheter un cadeau. Trouvez-vous que c'est normal?

A3 Activité • Actes de parole

Trouvez dans les dialogues entre Murielle et son père deux façons (ways) de demander de l'argent, deux façons de refuser de l'argent, deux façons de persuader quelqu'un et deux façons de donner de l'argent.

Demander	Refuser	Persuader	Donner

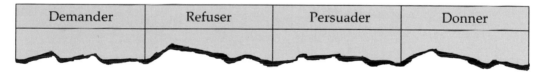

A4 Activité • A vous maintenant!

Travaillez avec un(e) camarade de classe. Votre camarade joue le rôle de votre père ou de votre mère. Vous lui demandez de l'argent. Vous essayez de le/la persuader. Il/Elle refuse ou accepte de donner de l'argent. Changez de rôle.

A5 Activité • Et vous?

1. Recevez-vous de l'argent de poche ou demandez-vous de l'argent à vos parents chaque fois que vous en avez besoin?
2. Gagnez-vous de l'argent? Comment faites-vous? Quand?
3. Empruntez-vous de l'argent à vos amis? Le rendez-vous tout de suite?
4. Etes-vous économe ou dépensier/dépensière?
5. Qu'est-ce que vous faites avec votre argent? Le dépensez-vous? Pour quoi faire?

En général, les jeunes français reçoivent un peu d'argent de poche chaque semaine pour leurs dépenses quotidiennes *(daily)*. Avec cet argent, ils peuvent prendre le bus ou déjeuner à midi s'ils ne mangent pas à la cantine de l'école. Pour les dépenses exceptionnelles : sortir, acheter des vêtements ou partir en vacances, ils demandent à leurs parents de les aider. Souvent, ils doivent faire quelque chose en échange : laver la voiture ou tondre la pelouse. Quand ils ont vraiment besoin d'argent, ils cherchent un job.

On peut ouvrir un compte en banque à l'âge de treize ans. On a alors une carte bancaire pour retirer de l'argent dans des distributeurs automatiques. On apprend ainsi à faire un budget.

A7 VOUS EN SOUVENEZ-VOUS?

You've already seen the direct-object pronouns **le, la,** and **les** and the indirect-object pronouns **lui** and **leur.**

Object Pronouns		
	Direct	Indirect
Singular	**le, la**	**lui**
Plural	**les**	**leur**

You remember that the direct-object pronouns **le, la,** and **les** may represent people or objects.

Elle persuade **son père.** Elle **le** persuade.
Elle dépense **son argent.** Elle **le** dépense.

Do you recall that the indirect-object pronouns **lui** and **leur** only represent people?

Elle emprunte de l'argent **à son père.** Elle **lui** emprunte de l'argent.
Elle téléphone **à ses amies.** Elle **leur** téléphone.

STRUCTURES DE BASE
The object pronouns me, te, nous, *and* vous

1. The object pronouns **me**, *me*, **te**, *you*, **nous**, *us*, and **vous**, *you*, can be used as either direct or indirect objects.

Object Pronouns		
	Direct	*Indirect*
Singular	**me** **te** **le, la**	**me** **te** **lui**
Plural	**nous** **vous** **les**	**nous** **vous** **leur**

2. The object pronouns **me, te, nous,** and **vous** come before the verb to whose meaning they are most closely related. In the affirmative command, the pronoun follows the verb and, in writing, is separated from it by a hyphen.

Elle	**nous** aide.			
Elle ne	**nous** aide	pas.		
Elle ne peut pas	**nous** aider.		*But,*	Aidez-**nous!**
Ne	**nous** aidez	pas!		

3. In an affirmative command, **moi** is used instead of **me**.
   Ne me téléphonez pas. *But,* Téléphonez-**moi**.

4. **Elision** occurs when **me** or **te** is used before a verb that begins with a vowel.
   Elle m'écoute.   **Elle t'écoute.**

5. **Liaison** occurs when **nous** or **vous** comes before a verb that begins with a vowel.

   Elle nous^z aide.   **Elle vous^z aide.**

A 9   Activité • Les parents vous aident

Est-ce que votre père ou votre mère fait ces choses pour vous ou pour vous et vos frères et sœurs?

   préparer le petit déjeuner   — Ma mère me (nous) prépare le petit déjeuner.
                                          (Ma mère ne me (nous) prépare pas le petit déjeuner.)

1. acheter les vêtements   3. aider à faire les devoirs   5. écouter
2. donner de l'argent de poche   4. offrir des cadeaux   6. donner des conseils

A 10   Activité • Vos ami(e)s vous aident

Est-ce que vos ami(e)s font ces choses pour vous?

   écouter   — Ils/Elles m'écoutent.
                  (Ils/Elles ne m'écoutent pas.)

1. comprendre   3. inviter   5. prêter de l'argent   7. envoyer des lettres
2. aider   4. téléphoner   6. raconter leurs secrets   8. conseiller

Activité • Qu'est-ce que vous lui offrez?

Travaillez avec un(e) camarade. Répétez le dialogue suivant en employant les pronoms **me** et **te**.

— C'est bientôt ton anniversaire. Qu'est-ce que je peux ___ offrir?
— Je ne sais pas. Tu peux peut-être ___ acheter un disque.
— Bonne idée! Tu peux ___ prêter de l'argent?
— Combien veux-tu? Je ne peux pas ___ prêter beaucoup.
— Oh, pas beaucoup. C'est pour ___ offrir un disque.
— Ah bon! Tiens, voilà 100 F. Comme ça tu peux ___ offrir un très bon disque!

A 12 Activité • Qu'est-ce que je fais?

Travaillez avec un(e) camarade. Votre camarade offre de faire quelque chose pour vous, mais vous préférez autre chose.

offrir un livre (un disque) — Je t'offre un livre?
— Non, offre-moi plutôt un disque.

1. prêter le disque de jazz (le disque de rock)
2. acheter des fleurs (des bonbons)
3. offrir un cadeau (de l'argent)
4. donner 100 F (200 F)
5. aider à faire la vaisselle (faire les courses)
6. attendre au café (à la patinoire)
7. téléphoner ce soir (demain matin)
8. envoyer une lettre (une carte postale)

A 13 COMMENT LE DIRE

Asking a favor and insisting

ASKING	INSISTING
Tu peux me prêter 10 francs?	S'il te (vous) plaît!
Tu ne peux pas me prêter 100 francs?	Sois (Soyez) sympa!
Tu as 100 francs à me prêter?	Sois (Soyez) gentil(le)!
Tu n'as pas 100 francs à me prêter?	Allez!
Prête-moi 100 francs, s'il te plaît.	

Refusing or granting a favor

REFUSING	GRANTING
Ah non! Cette fois, c'est fini!	Bon, ça va pour cette fois.
Pas question!	D'accord.
Demande à ta mère!	Bon, voilà.
Désolé(e), c'est impossible.	Tiens, le/la/les voilà.

Activité • **A vous maintenant!**

Regardez ce qu'il y a sur la table de votre
camarade de classe. Demandez-lui de vous
prêter quelque chose. Il/Elle refuse. Vous
insistez. Enfin, il/elle vous donne ce que
vous demandez.

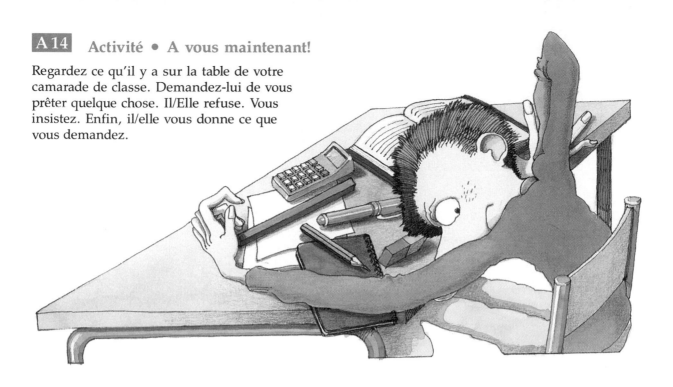

A 15 Activité • **Demandez de l'aide**

Demandez à votre ami(e) s'il (si elle) peut faire ces choses pour vous. Il/Elle accepte ou refuse.
Changez de rôle.

aider à faire les devoirs — Tu peux m'aider à faire mes devoirs?
— Bien sûr! (Désolé(e), je ne peux pas.)

aider à organiser une boum   conseiller

téléphoner ce soir

donner quelques francs

accompagner chez le médecin

acheter des feuilles

prêter ta mob, ton livre...

rappeler demain

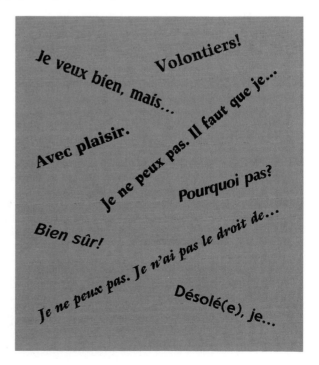

Je veux bien, mais...   Volontiers!

Avec plaisir.

Je ne peux pas. Il faut que je...

Bien sûr!   Pourquoi pas?

Je ne peux pas. Je n'ai pas le droit de...

Désolé(e), je...

COMMENT LE DIRE
Expressing a need

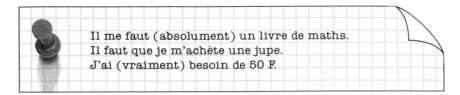

Il me faut (absolument) un livre de maths.
Il faut que je m'achète une jupe.
J'ai (vraiment) besoin de 50 F.

A 17   Activité • Le lèche-vitrine

Vous êtes dans un centre commercial avec
votre ami(e). Vous avez envie de tout acheter,
mais vous n'avez pas assez d'argent. Vous lui
demandez qu'il/elle vous en prête. Faites un
dialogue et changez de rôle.

— Tu peux me prêter 100 F?
— Pour quoi faire?
— J'ai besoin d'un tee-shirt.
— Tiens, les voilà.

Activité • Qu'est-ce qu'il vous faut?

Avez-vous absolument besoin de quelque chose? Qu'est-ce qu'il vous faut pour… ?

1. votre chambre
2. l'école
3. être heureux/heureuse
4. être indépendant(e)

A 19 Activité • Ecrit dirigé

Murielle a laissé un message sur le répondeur d'une amie pour lui demander quelque chose. Mais le répondeur marche mal et le message est pratiquement inaudible. Pouvez-vous l'écrire?

> Salut. Je… téléphone pour… demander quelque chose. Est-ce que tu peux… prêter ton livre de maths? J'en ai… besoin pour l'examen jeudi. Merci. Murielle.

A 20 Activité • Ecrivez

Vous avez encore dépensé votre argent de poche. Mais cette fois-ci, vos parents ne veulent pas vous en donner. Vous écrivez alors une lettre à vos grands-parents. Vous leur demandez de vous prêter un peu d'argent. Expliquez-leur pourquoi vous en avez besoin.

> lundi 23 janvier
>
> Chers grands-parents,
>
> Devinez! J'ai eu 18 à mon interro d'anglais. C'est bien, non? Pourtant, papa ne veut pas me prêter d'argent pour acheter le dernier disque de Dire Straits. Quelle barbe! C'est très bon pour mon anglais, les disques… Mais papa ne comprend pas très bien. Est-ce que vous pouvez me prêter 50 francs?
>
> Grosses bises de Françoise

A 21 Activité • Ecoutez bien 📼

Votre ami vous téléphone. Choisissez vos réponses dans la liste suivante. Indiquez l'ordre de vos réponses en écrivant les numéros de 1 à 6 à côté.

_____ Bonne idée. Qu'est-ce qu'il y a à voir?
_____ Ça va très bien.
_____ Pas question. J'ai déjà eu mon argent de poche.

_____ Tu ne peux pas me prêter 30 francs?
_____ Comment il s'appelle?
_____ Je veux bien, mais j'ai besoin d'argent.

SECTION
B
giving advice . . . inquiring about others' activities . . . expressing
pleasure and disappointment

Murielle n'arrive pas à faire un budget. Elle est toujours à court d'argent. Comment est-ce qu'elle peut faire pour acheter ce qui lui plaît? Il y a deux solutions.

B1 # Murielle cherche un job. 📼

Murielle n'a plus d'argent. Sur les conseils de son amie Nathalie, elle va chercher un job.

MURIELLE Je suis désespérée. J'ai envie d'offrir un cadeau à mes grands-parents, mais je n'ai rien sur mon compte.

NATHALIE Désolée, mais cette fois-ci je ne peux rien te prêter. Je n'ai que 30 francs et il faut que je les garde pour prendre le bus. Tu n'as jamais d'argent! Pourquoi est-ce que tu n'économises pas?

MURIELLE J'ai essayé, je ne peux pas.

NATHALIE Alors pourquoi est-ce que tu ne cherches pas un job?

MURIELLE Tu as raison. Un job! Voilà la solution!

Vous êtes dynamique? Vous aimez travailler dans une ambiance sympa? Nous vous offrons un job au Palais du Hamburger!
Tél. 45.76.43.15.

Supermarché demande caissière. Tous les jours de 15h à 18h. Venir au 47, rue Lagrange.

Nous cherchons une jeune fille sérieuse et patiente pour garder nos deux enfants le mardi et le jeudi soir.
Tél. 46.02.32.14.

NATHALIE Tiens! Ça ne t'intéresse pas de travailler dans un fast-food?

MURIELLE Surtout pas! Je déteste l'odeur des hamburgers!

NATHALIE Oh, regarde! Caissière dans un supermarché!

MURIELLE Je ne sais pas compter.

NATHALIE Voilà ce qu'il te faut : baby-sitter!

MURIELLE Ah non! Pas d'enfants! Ça m'énerve! J'ai déjà gardé mes neveux. Ils crient, ils cassent tout! Je préfère mille fois les animaux!

NATHALIE Eh bien, pourquoi tu ne mets pas une annonce pour garder des chiens?

MURIELLE Excellente idée! Moi, les animaux, j'adore!

B2 Activité • Avez-vous compris?

Répondez aux questions suivantes d'après la conversation entre Murielle et Nathalie.

1. Quel est le problème de Murielle?
2. Quels sont les deux solutions que son amie lui propose?
3. Pourquoi est-ce que son amie ne peut pas lui prêter d'argent?
4. Pourquoi est-ce que Murielle ne veut pas travailler dans un fast-food? Comme caissière? Comme baby-sitter?
5. Enfin, qu'est-ce que Murielle décide de faire?

B3 Activité • Ecrit dirigé

Complétez ce paragraphe d'après B1.

Murielle veut… mais elle… Son amie ne peut pas… d'argent parce qu'elle doit… Murielle a essayé d'économiser mais… Son amie lui propose deux solutions : il faut que Murielle… ou qu'elle…

B4 Activité • Qu'est-ce qu'il faut?

Regardez les annonces et relisez le dialogue dans B1. Qu'est-ce qu'il faut pour être caissière? Pour travailler dans un fast-food? Pour garder les enfants?

B5 Activité • Vous ne pouvez pas prêter d'argent 📼

Murielle vous demande de lui prêter de l'argent. Vous refusez. Choisissez une raison. Pouvez-vous penser à d'autres raisons? Travaillez avec un(e) camarade et changez de rôle.

— Tu peux me prêter… ?
— Désolé(e), il faut que je…

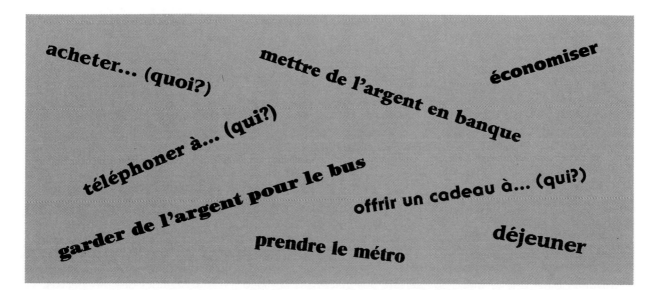

acheter… (quoi?)

mettre de l'argent en banque

économiser

téléphoner à… (qui?)

garder de l'argent pour le bus

offrir un cadeau à… (qui?)

prendre le métro

déjeuner

Formez un groupe de quatre. Un(e) camarade joue le rôle d'un conseiller/d'une conseillère. Les autres lui racontent leurs problèmes et lui demandent des conseils. Il/Elle leur donne des conseils. Changez de rôle.

Vous avez un problème…   Vous demandez des conseils…

> **Je n'arrive pas à faire un budget.**
> **Je suis toujours à court d'argent.**
> **Je n'ai rien sur mon compte.**
> **Je n'ai plus d'argent.**

> **Qu'est-ce que je dois faire?**
> **Qu'est-ce qu'il faut que je fasse?**
> **Vous avez une idée?**
> **Qu'est-ce que vous me conseillez?**

Il faut que tu…

> **économiser**   **demander à tes parents**   **mettre une annonce**
> **faire des économies**   **chercher un job**   **ne pas dépenser**

B7 AUTRES JOBS

Vous cherchez un job? Vous pouvez…

travailler comme animateur/
animatrice.

être serveur/serveuse
dans un restaurant.

travailler au pair dans un
pays étranger.

travailler dans une ferme.

vendre des glaces sur la plage.

distribuer des prospectus.

1. Est-ce que vous avez (avez déjà eu) un job?
2. Est-ce que vous travaillez (avez travaillé) pendant l'année scolaire? Le week-end? Le soir?
3. Combien d'heures par jour et combien de jours par semaine travaillez-vous (avez-vous travaillé)?
4. Est-ce que vous aimez (avez aimé) le job?
5. Si vous n'avez jamais travaillé, est-ce que vous avez envie d'avoir un job? Quel job? Pourquoi?

B 9   Savez-vous que... ? 📼

Officiellement, les jeunes français doivent avoir seize ans minimum pour travailler, mais certains ont un petit job, ou boulot, par exemple aide-pompiste *(service station attendant)*. Ils n'ont pas beaucoup de temps pendant l'année scolaire et ils travaillent surtout pendant les mois de juillet ou d'août pour payer leurs vacances. La plupart du temps, ils trouvent leur job par l'intermédiaire de leur famille ou grâce à des amis. Ils peuvent

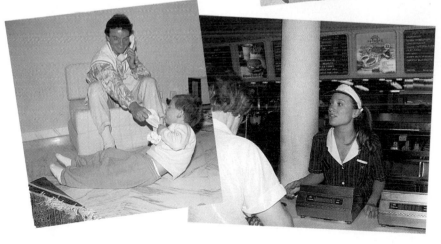

aussi mettre une petite annonce dans leur immeuble ou dans leur école. Parfois, on trouve également des petites annonces dans les magasins, dans les CIDJ (Centres d'information et de documentation jeunesse) et dans des magazines pour jeunes. Pour trouver un petit boulot, c'est souvent plus facile si vous connaissez une langue étrangère. Mais surtout, il faut être patient et courageux : trouver un job n'est jamais facile!

B 10   COMMENT LE DIRE
Giving advice

> Pourquoi (est-ce que) tu ne cherches pas un job?
> Pourquoi (est-ce que) tu ne mets pas une annonce?

Votre ami(e) cherche un job. Vous lui donnez des idées mais il/elle a une attitude négative. Il/Elle choisit une réponse. Travaillez avec un(e) camarade et changez de rôle.

— Pourquoi tu ne mets pas une annonce dans le journal?
— Je n'ai pas assez d'argent!

Pourquoi tu ne… ?

faire le ménage dans un hôtel   répondre à cette annonce

garder les chiens   mettre une annonce

vendre des glaces sur la plage

arroser les plantes des voisins qui partent en vacances

faire du baby-sitting

travailler dans un fast-food

Parce que…

Il fait trop chaud sur la plage!   Les enfants, ça m'énerve!

Je déteste l'odeur des hamburgers!

Mes parents ne veulent pas.   Ça ne m'intéresse pas!

J'en ai assez des chiens!

J'ai déjà mis 50 annonces!   C'est la barbe!

B12   VOUS EN SOUVENEZ-VOUS?
The negative ne… pas

You've already learned to use **ne… pas** to make a sentence negative. Do you remember these points?

1. You place **ne (n')** before the verb and **pas** after it.
   Nous **ne** sommes **pas** économes. Nous **n'**économisons **pas.**

2. In the **passé composé** the words **ne… pas** surround the auxiliary verb.
   Elle **n'a pas** économisé son argent.

3. Object pronouns are placed between **ne** and the verb form that follows it.

   — Tu as **de l'argent?**   — Non, je **n'en** ai pas.
   — Tu as dépensé **ton argent de poche?**   — Non, je **ne l'**ai pas dépensé.

4. In a negative construction **de** is used instead of **un, une, des, du, de la,** or **de l'.**
   Elle n'a pas **d'**argent. Elle n'a pas **de** job.

Other words used with ne: plus, jamais, rien, *and* que

1. Several other negative expressions are used in the same way as **ne... pas.** Some of these are **ne... plus,** *no longer,* **ne... jamais,** *never,* and **ne... rien,** *nothing.*

Present	Elle **ne** garde **pas** les enfants. Elle **ne** les garde **plus.** Elle **ne** les garde **jamais.** Elle **n'**a **rien** sur son compte.	She does *not* take care of children. She *no longer* takes care of them. She *never* takes care of them. She has *nothing* in her account.
Passé composé	Ils **n'**ont **pas** lavé la voiture. Ils **ne** l'ont **jamais** lavée. Ils **n'**ont **rien** fait.	They did *not* wash the car. They *never* washed it. They did *nothing.*

2. In a short negative remark without a verb form, **ne** is not used.

   — Tu fais souvent de petits jobs?   — Non, **jamais.** *(No, never.)*
   — Qu'est-ce que tu as?   — **Rien.** *(Nothing.)*

3. The word **que** is used with **ne** to mean *only.* **Ne** is placed before the verb; **que** precedes the noun it limits.

Je **n'**ai **que** 30 francs. Elle **n'**achète **que** des vêtements. Elle **n'**aime acheter **que** des vêtements.	I *only* have 30 francs. She *only* buys clothes. She likes to buy *only* clothes.

In the **passé composé, ne** comes before the auxiliary verb, as you might expect, but **que** follows the past participle.

Je **n'**ai **pas** demandé beaucoup d'argent. Je **n'**ai demandé **que** 30 francs.	I did *not* ask for a lot of money. I *only* asked for 30 francs.

B 14   Activité • Travaillent-ils toujours?

Un(e) camarade vous demande si vos copains font toujours *(still)* leurs jobs. Répondez avec **ne... plus.**

Pierre / être serveur   — Pierre est toujours serveur?
                              — Non, il n'est plus serveur.

1. Murielle / garder les chiens
2. Hélène / travailler au pair
3. Guy / garder les enfants
4. Les frères Duclos / distribuer des prospectus
5. Nathalie et Emilie / être animatrices
6. Fabienne / vendre des glaces sur la plage

Activité • Déjà ou jamais?

Dites quelles activités vous avez déjà faites et quelles activités vous n'avez jamais faites.
Répondez au passé composé avec **déjà** ou **ne… jamais.**

— J'ai déjà fait du baby-sitting.
  (Je n'ai jamais fait de baby-sitting.)

1.

2.

3.

4.

5.

6.

B16 Activité • Pas assez d'argent

Votre ami(e) veut vous emprunter de l'argent. Vous ne pouvez pas lui prêter d'argent;
vous n'en avez pas assez. Refusez en employant **ne… que.**

    100 F / 50 F   — Tu me prêtes cent francs?
                 — Désolé(e), je n'ai que cinquante francs.

1. 30 F / 10 F   **3.** 20 F / 5 F   **5.** 75 F / 60 F
2. 65 F / 25 F   **4.** 200 F / 100 F   **6.** 5 F / 1 F

MURIELLE TROUVE UN JOB

Murielle écrit une petite annonce et la met dans les boutiques de son quartier.

Murielle a tapé l'annonce à la machine.

> Vous avez des chiens à garder ou à promener? Téléphonez-moi au 42.22.20.00. Je suis une jeune fille sérieuse et j'adore les animaux!

Elle a trouvé un job.
Elle promène le chien.

Quinze jours plus tard, Nathalie lui téléphone pour avoir des nouvelles.

NATHALIE	Alors, ton job? Ça boume?
MURIELLE	J'ai arrêté hier.
NATHALIE	Pourquoi? Ça ne te plaît plus?
MURIELLE	Non, ça m'embête. Les chiens, c'est l'enfer! Ça aboie et ça mange tout!
NATHALIE	Pourquoi tu ne gardes pas les chats?
MURIELLE	Ne me parle plus d'animaux! Les chats, ça miaule et ça griffe! J'en ai assez des animaux! En plus, c'est mal payé! Maintenant, c'est décidé : j'économise!

B18   Activité • Avez-vous compris?

Répondez aux questions suivantes d'après le dialogue entre Murielle at Nathalie.

1. Est-ce que Murielle travaille toujours?
2. Pourquoi a-t-elle arrêté?
3. Pendant combien de temps a-t-elle travaillé?
4. Aime-t-elle toujours les animaux?
5. Qu'est-ce que Murielle a décidé de faire?
6. Comment trouvez-vous Murielle?

L'argent et les petits boulots   211

B19 Activité • Qu'est-ce que Murielle peut répondre?

Connaissez-vous Murielle? A votre avis, qu'est-ce qu'elle répond aux conseils de ses amis?

1. Cherche un petit boulot.

3. Pourquoi tu ne gardes pas les enfants?

4. Garde les chiens.

5. Mets une annonce.

2. N'achète plus rien.

B20 Activité • Le personnage de Murielle

Maintenant que vous connaissez bien Murielle, pouvez-vous faire une liste de ce qu'elle aime et de ce qu'elle n'aime pas?

B21 COMMENT LE DIRE
Inquiring about others' activities
Expressing pleasure and disappointment

INQUIRING	PLEASURE	DISAPPOINTMENT
Ça va, ton job?	Super, c'est très bien payé!	Non, c'est mal payé.
Ça marche, ton job?	Je trouve ça super!	Non, j'en ai assez.
		J'en ai marre. (fam.)
Ça boume, ton job? (fam.)	(Je trouve que) c'est passionnant (intéressant).	Non, c'est l'enfer.
Ça t'intéresse, ton job?	J'adore!	Non, je déteste.
Ça te plaît, ton job?	Ça me plaît beaucoup.	Non, ça m'ennuie.
Ça t'amuse, ton job?	Je suis ravi(e).	Non, ça m'embête (m'énerve).

B22 Activité • Répondez à Murielle

Murielle a une attitude négative. Vous, vous avez une attitude positive. Qu'est-ce que vous dites à Murielle? Trouvez des expressions positives dans B21. Travaillez avec un(e) camarade et changez de rôle.

> MURIELLE   Les enfants, c'est l'enfer!
> VOUS   Moi, j'adore les enfants!

1. J'en ai marre de faire du baby-sitting!
2. Travailler dans un fast-food, j'en ai assez!
3. Les chiens, ça m'énerve!
4. J'ai déjà travaillé; c'est mal payé!
5. J'en ai assez de faire des économies!
6. Les animaux, ça m'embête!
7. Travailler comme caissière, c'est l'enfer!

B23 Activité • Ça boume? 📼

Travaillez avec un(e) camarade. Vous lui demandez si ça marche. Il/Elle répond avec une expression positive ou négative. Changez de rôle.

le job   — Alors, ça boume, le job?
          — Non, j'en ai marre d'arroser les plantes!

1. le job   **3.** l'informatique   **5.** les enfants   **7.** les économies
2. les études   **4.** les amours   **6.** les animaux   **8.** le budget

B24 Activité • A vous maintenant!

Faites une conversation avec un(e) camarade. Suivez le modèle. Choisissez une attitude positive ou négative. Variez les phrases soulignées. Changez de rôle.

— Je n'ai jamais d'argent!
— Cherche un job.
— Je ne sais rien faire.
— Pourquoi tu ne fais pas du baby-sitting?

           (Positive)   *ou*   *(Négative)*
— Bonne idée! Je vais mettre des   — Ah non! Les enfants, j'en ai marre!
annonces dans mon quartier.

B25 Activité • Et vous?

1. Ça marche, les études?   **4.** Ça vous amuse de donner des conseils aux amis?
2. Ça vous plaît, les petits jobs?   **5.** Les amours, ça boume?
3. Ça vous intéresse, l'informatique?   **6.** Les enfants, ça vous intéresse? Et les animaux?

B26 Activité • Ecrivez

Regardez les petites annonces suivantes. Imaginez. Vous avez trouvé un de ces jobs. Vous travaillez depuis un mois. Ecrivez une lettre à votre correspondant(e) français(e). Parlez-lui de votre job, des heures, de la paie… Dites-lui si vous aimez le job ou si vous ne l'aimez pas et pourquoi.

B27 Activité • Ecoutez bien 📼

Ecoutez les dialogues et dites si les personnes aiment ou n'aiment pas leurs jobs.

talking about the advantages of working . . . giving reasons for
doing something

*Murielle a voulu trouver un job pour gagner un peu d'argent et le dépenser. Est-ce qu'il y a
d'autres raisons pour avoir un job? Qu'en pensez-vous?*

C1 Un petit boulot, pour quoi faire? 📼

Murielle est inquiète. Elle adore dépenser,
elle ne peut pas économiser et elle est trop
paresseuse pour garder un job. Est-ce qu'elle
est normale? Elle a écrit au journal de son
lycée pour avoir l'opinion d'autres lycéens.

Est-ce que vous avez travaillé? Moi, je
suis dépensière, mais dès que je
commence un job pour gagner de
l'argent, j'ai envie d'arrêter.
Qu'est-ce qu'il faut faire?
Répondez-moi.

Murielle

Tu sais, Murielle, un job, ça peut être sympa.
Pour moi, c'est une occasion d'aider mes
parents. A Noël je les ai aidés au
restaurant et ils m'ont payée. C'est
aussi un apprentissage, une façon
d'apprendre un métier. Ça me plaît
beaucoup.

Marianne

Moi, je n'ai pas de job et je suis heureux.
Je suis d'accord avec toi: le travail, c'est
la barbe! Quand j'ai vraiment besoin
d'argent, je propose mes services. La semaine
dernière par exemple, j'ai lavé la voiture
de nos voisins. Ils m'ont donné 50 F.
Pour être heureux, il faut travailler un
minimum. Donc dépenser le minimum!

Patrice

Je trouve que tes désirs sont
incompatibles, Murielle. Moi, j'ai
une passion, la planche à voile.
L'année dernière, j'ai fait un stage
en Bretagne. Mes parents m'ont
aidé et m'ont offert la moitié
du stage, mais j'ai dû trouver le
reste. J'ai travaillé et j'ai économisé.
Voilà!... Toi, ta passion, c'est
dépenser. Pour dépenser, il te faut
de l'argent. Si tu ne changes pas,
il n'y a pas de solution.

Nicole

L'important, Murielle, c'est d'être indépendant.
Mes parents ne me donnent pas beaucoup d'argent
de poche mais je n'aime pas leur en demander plus:
alors je cherche des jobs. Au mois d'août, j'ai
travaillé comme réceptionniste dans un hôtel.
Ce n'est pas difficile, mais il faut parler anglais.
On gagne pas mal et c'est aussi un moyen de
rencontrer des gens. Après, j'ai acheté des disques.
C'est ça, l'indépendance!

Marc

Activité • Avez-vous compris?

Répondez aux questions d'après les réponses à la lettre de Murielle.

MARIANNE

(La réponse de Marianne)

1. Quel job est-ce que Marianne a eu?
2. Pourquoi est-ce que ce job lui plaît? Donnez deux raisons.

(La réponse de Patrice)

PATRICE

3. Pourquoi est-ce que Patrice est heureux?
4. Comment est-ce qu'il trouve le travail en général?
5. Comment est-ce qu'il fait pour avoir de l'argent?

NICOLE

(La réponse de Nicole)

6. Qu'est-ce que ses parents ont fait pour elle?
7. Comment est-ce qu'elle a trouvé le reste de l'argent?
8. A son avis, qu'est-ce qu'il faut faire quand on aime dépenser?

(La réponse de Marc)

9. Pourquoi est-ce qu'il cherche un job?
10. Quel job est-ce qu'il a trouvé?
11. Qu'est-ce qu'il a fait avec l'argent gagné?

MARC

C3

Activité • Comment sont-ils?

D'après leurs réponses, comment trouvez-vous Murielle et les lycéens?

Murielle — Marianne — Patrice — Nicole — Marc

travailleur/travailleuse

paresseux/paresseuse

dépensier/dépensière

sérieux/sérieuse

sportif/sportive

économe

C4 Savez-vous que... ?

Qu'est-ce que les jeunes français font de leur argent? Beaucoup d'entre eux adorent acheter des vêtements. Pour être à la mode, il faut en changer souvent! Ils achètent aussi des disques et des bandes dessinées. La plupart mettent cependant de l'argent de côté pour sortir avec des copains, aller au cinéma ou au concert. Pour les gros achats, leurs parents les aident et ils économisent, par exemple pour acheter une planche à voile, une chaîne stéréo, une petite moto ou passer leur permis de conduire. Les petits boulots, ça leur permet de gagner un peu d'argent et d'acheter ce qui leur plaît. C'est une façon d'être indépendant.

Que font-ils de leur argent?

15 ans	
Garçons	**Filles**
1. Sorties ciné, restau: 32,5 %	Vêtements : 30 %
2. Cigarettes : 22,5 %	Sorties ciné, restau: 30 %
3. Café, jeux : 20 %	Disques : 30 %
4. Essence : 20 %	Café, jeux : 30 %
5. Nourriture : 17,5 %	Livres, journaux : 20 %
6. Livres, journaux : 15 %	Cigarettes : 20 %
7. Disques : 12,5 %	Cadeaux : 20 %
8. Vêtements : 7,5 %	Nourriture : 17,5 %

N.B. : La rubrique café, jeux indique les dépenses effectuées dans les cafés pour boire et jouer aux jeux électroniques (flipper...).

C5 COMMENT LE DIRE
Giving reasons for doing something

Avoir un job,	c'est un moyen de (d') c'est une façon de (d') c'est une occasion de (d')	être indépendant(e). aider les parents. apprendre un métier.
Having a job	is a means of is a way to is an opportunity to	being independent. help your parents. learn a trade.

C6 Activité • Vive les petits boulots!

Trouvez dans C1 trois raisons de travailler.

Travailler,...

1. c'est un moyen de(d')... **2.** c'est une façon de(d')... **3.** c'est une occasion de(d')...

C7 Activité • Pour quoi faire?

Voici plusieurs raisons d'avoir un job. A votre avis, quel est leur ordre de préférence?

Avoir un job,...

 c'est un moyen de (d')...

 c'est une façon de (d')...

c'est une occasion de (d')...

être indépendant(e)   apprendre un métier   voyager

changer sa vie   acheter quelque chose   aider ses parents

s'amuser

offrir des cadeaux

faire comme les autres   rencontrer des gens

économiser   payer ses études

C8 Activité • Donnez votre avis

Pouvez-vous donner des raisons pour ces autres activités?

1. aller à l'école
2. faire les devoirs
3. faire un voyage
4. faire du sport
5. avoir un(e) correspondant(c)
6. apprendre le français

C9 Activité • Conversation

Faites une conversation avec un(e) camarade. Suivez le modèle. Vous pouvez varier les phrases soulignées.

— Tu es content(e) d'avoir un job?
— Ah oui, c'est une occasion de rencontrer des gens.
  (Non, ça m'ennuie.)

C10 VOUS EN SOUVENEZ-VOUS?
Object pronouns with the passé composé

You've learned that when a verb is in the **passé composé**, object pronouns come before the auxiliary verb. In a negative sentence, object pronouns are placed between **ne** and the auxiliary verb.

Nous **lui** avons parlé.   Nous **ne lui** avons **pas** parlé.

You may also recall that the spelling of the past participle of a verb in the **passé composé** may change to agree in gender and number with a preceding direct-object pronoun. Remember that the spelling of the past participle does not change when the preceding pronoun is an indirect object, **y,** or **en.**

Elle a appelé **Marie.**   *But,*   Elle a téléphoné **à Marie.**
Elle **l**'a appelé**e.**   Elle **lui** a téléphoné.

Object pronouns with the passé composé: me, te, nous, vous

1. The object pronouns **me, te, nous,** and **vous** appear in the same position in the sentence as the object pronouns **le, la, les, lui, leur, y,** and **en.**

Present	Tu **me** prêtes de l'argent?
Passé composé	Il **m'**a prêté de l'argent.

2. **Me, te, nous,** and **vous** may be either direct objects or indirect objects of a verb. **Me** may mean *me* or *to (for) me;* **nous** may mean *us* or *to (for) us;* **te** and **vous** may mean *you* or *to (for) you.*

3. With few exceptions, when you speak, you don't have to know whether **me, te, nous,** and **vous** are direct or indirect objects. Only when you write will you have to know for sure, and then only when you write a sentence in which **me, te, nous,** or **vous** is used with a verb in the **passé composé.** Why? Because you may have to change the spelling of the past participle if **me, te, nous,** or **vous** is a direct object of the verb. Once you have decided that the pronoun is the direct object, you must then know to whom the pronoun refers. To one person? To more than one? To a male? To a female? Look at these examples.

	Direct-Object Pronoun	*Indirect-Object Pronoun*
Masculine Singular	Il **m'**a invité. Il **t'**a invité? Il **vous** a invité?	Il **m'**a téléphoné. Il **t'**a téléphoné? Il **vous** a téléphoné?
Masculine Plural or Mixed Group	Il **nous** a invités. Il **vous** a invités?	Il **nous** a téléphoné. Il **vous** a téléphoné?
Feminine Singular	Il **m'**a invitée. Il **t'**a invitée? Il **vous** a invitée?	Il **m'**a téléphoné. Il **t'**a téléphoné? Il **vous** a téléphoné?
Feminine Plural	Il **nous** a invitées. Il **vous** a invitées?	Il **nous** a téléphoné. Il **vous** a téléphoné?

4. How can you tell whether **me, te, nous,** or **vous** is a direct object or an indirect object? Unfortunately, there is no single, fixed rule that you can apply. The best way to tell is to try to remember which verbs take an indirect object. Here are a few verbs of this type that you've already seen.

téléphoner	répondre	prêter	envoyer
montrer	donner	emprunter	écrire
parler	offrir	acheter	

C12 Activité • Qu'est-ce que Murielle répond?

Vous connaissez bien Murielle. Répondez pour elle à ces questions. Employez le pronom **me** dans les réponses.

1. Est-ce que vos parents vous donnent de l'argent de poche?
2. Comment est-ce que vous avez fait pour acheter cette jupe?
3. Qu'est-ce que vos grands-parents vous ont donné pour votre fête?
4. Qu'est-ce que votre amie Nathalie vous a conseillé de faire?
5. Pourquoi est-ce que vous ne gardez pas d'enfants ou de chiens?

C13 Activité • Ecrit dirigé

Maintenant, écrivez les réponses aux questions dans C12. Faites attention à l'accord du participe passé.

C14 Activité • Qu'est-ce que les lycéens répondent?

Relisez C1. Ensuite répondez aux questions suivantes pour les camarades de Murielle. Travaillez avec un(e) camarade. Posez les questions et répondez. Changez de rôle.

(Marianne)
1. Travailler dans le restaurant de vos parents, ça vous a plu?
2. Est-ce que vos parents vous ont payée?

(Patrice)
3. Combien d'argent est-ce que vos voisins vous ont donné pour laver leur voiture?

(Nicole)
4. Comment est-ce que vous avez fait pour payer votre stage en Bretagne l'été dernier?

(Marc)
5. Comment est-ce que vous faites pour avoir de l'argent?
6. Est-ce que votre job comme réceptionniste vous a intéressé?

C15 Activité • Ecrit dirigé

Ecrivez les réponses aux questions dans C14.

C16 Activité • Conversation

Lisez ce dialogue avec un(e) camarade en employant les pronoms **me, te,** ou **lui.**

— Tes parents ____ ont offert de l'argent?
— Non, j'ai lavé la voiture des voisins.
— Ils ____ ont payé(e)?
— Oui, ils ____ ont donné 50 F.
— Et ton frère, il ____ a aidé(e)?
— Oui, un peu.
— Et tu ____ as donné de l'argent?
— Mais non, il ____ a arrosé(e) tout le temps! Ça ____ a embêté(e)!

Activité • A vous maintenant!

Vous avez mauvaise mémoire. Vous demandez à votre ami(e) si c'est lui/elle qui a fait quelque chose. Il/Elle répond que non. Travaillez avec un(e) camarade. Employez les pronoms **me** et **te** dans vos dialogues.

téléphoner hier soir — C'est toi qui m'as téléphoné hier soir?
— Non, je ne t'ai pas téléphoné.

1. donner ce livre
2. appeler ce matin
3. envoyer cette carte postale

4. emprunter une cassette
5. téléphoner cet après-midi
6. prêter 100 francs

C18 Activité • Ecrit dirigé

Murielle parle de ses vacances dans une lettre à son amie Nathalie.

> Chère Nathalie,
> Très gentiment, mon oncle et ma tante m'ont invitée pour les vacances. Malheureusement, je n'ai pas eu le temps d'aller à la plage; je les ai aidés tous les jours au magasin. Ça m'a intéressée, mais ils ne m'ont pas bien payée! Et toi, on t'a bien payée pour ton travail?
> Grosses bises
> Murielle

Maintenant, réécrivez la lettre. Cette fois, c'est Marc et sa sœur Anne qui écrivent à leurs amis Célia et Jean-Luc. Faites tous les changements nécessaires.

C19 Activité • Ecrivez

Vous êtes en vacances dans un centre de loisirs au bord de la mer. Vous écrivez un petit mot à vos parents pour leur demander de l'argent. Vous leur expliquez qu'un copain ou une copine vous a emprunté de l'argent, mais qu'il/elle ne vous a pas encore rendu l'argent. Dites que votre copain/copine a écrit à ses parents, mais qu'ils ne lui ont pas encore envoyé d'argent.

C20 Activité • Ecoutez bien

Ecoutez la conversation entre François et Jérôme. Ensuite complétez les phrases suivantes.

Jérôme n'est pas content parce que… Alors, il prend… et il la rend quand…

1   Nicole répond à une annonce. 📼

NICOLE   Allô? Je suis bien au 42.43.21.30?
M. PERROT   Oui, mademoiselle.
NICOLE   Bonjour, monsieur. Je vous téléphone au sujet de l'annonce.
M. PERROT   Oui. Bonjour. Vous avez quel âge?
NICOLE   Quinze ans.
M. PERROT   Vous avez déjà gardé des enfants?
NICOLE   Non, je n'ai jamais gardé d'enfants, mais je les aime bien. C'est combien d'heures par semaine?
M. PERROT   Six. Le mardi, le jeudi et le vendredi. Deux heures par jour de six à huit. Ça vous va?
NICOLE   Oui. C'est combien de l'heure?
M. PERROT   Vingt-cinq francs.
NICOLE   Bon, d'accord. Je commence quand?
M. PERROT   Demain à six heures, si vous voulez.
NICOLE   Oui, ça va. Vous pouvez me donner votre adresse?
M. PERROT   Bien sûr. Vingt-deux, rue du Cherche-Midi, dans le 6ᵉ. C'est au deuxième étage à droite. Monsieur et Madame Perrot. Vous pouvez me donner votre nom?
NICOLE   Nicole. Nicole Sinclair.
M. PERROT   Eh bien, à demain, Nicole.
NICOLE   Au revoir, monsieur.

> Couple cherche jeune fille sérieuse pour garder des enfants le soir.
> Téléphonez au : 42.43.21.30.

2   Activité • Qu'est-ce que Nicole dit?

Trouvez dans la conversation téléphonique ce que Nicole dit pour...

1. vérifier le numéro de téléphone.
2. donner la raison de son appel *(call)*.
3. demander l'adresse.
4. demander combien les Perrot vont la payer.

3   Activité • Ecrit dirigé

Nicole a préparé une feuille de papier pour noter les renseignements. Pouvez-vous les noter pour elle?

> Combien d'heures par semaine ?
> Quels jours ?
> Je commence quand ?
> Où?
> Combien est-ce qu'ils me paient?
> Nom de la famille ?

4   Activité • Répondez à une annonce

Vous cherchez un job. Vous lisez cette annonce et vous téléphonez au Palais du Hamburger pour demander des renseignements. Voici les réponses du directeur du Palais. Quelles sont vos questions?

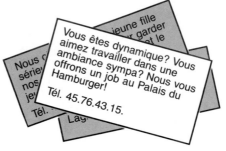

1. — ...
   — Oui, mademoiselle (monsieur).

2. — ...
   — Rue de Rennes, à cent mètres de Saint-Germain-des-Prés.

3. — ...
   — C'est un travail à mi-temps, de neuf heures à treize heures ou de dix-sept heures à vingt et une heures, tous les jours, samedi compris.

4. — ...
   — Quarante francs de l'heure.

Maintenant, c'est le directeur du Palais du Hamburger qui vous demande des renseignements. Voici vos réponses. Trouvez ses questions.

1. — ...
   — J'ai seize ans.

2. — ...
   — Oui, j'ai été serveur (serveuse) dans un restaurant.

3. — ...
   — Au Bœuf sur le Toit. Vous pouvez téléphoner au 47.36.29.12.

4. — ...
   — Il s'appelle Monsieur Durand.

5. — ...
   — Quand vous voulez, monsieur. Samedi prochain, si vous voulez.

6. — ...
   — (Votre nom)

5   Activité • Jeu de rôle

Choisissez une de ces annonces et répondez-y par téléphone. Faites la conversation téléphonique avec un(e) camarade. Vous faites d'abord une liste de renseignements que vous voulez demander. Votre camarade fait une liste de questions qu'il/elle veut vous poser. Puis, choisissez une autre annonce et changez de rôle.

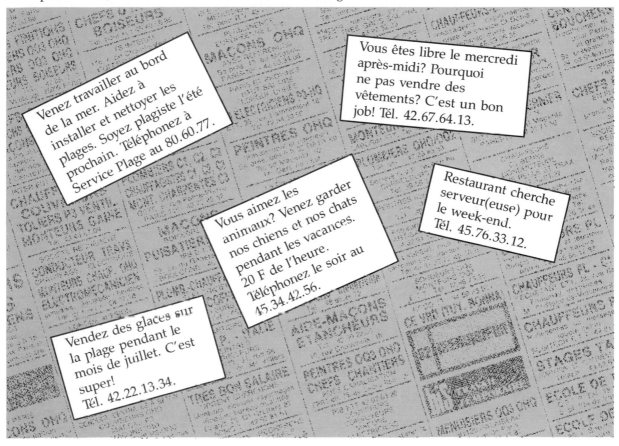

> Venez travailler au bord de la mer. Aidez à installer et nettoyer les plages. Soyez plagiste l'été prochain. Téléphonez à Service Plage au 80.60.77.

> Vous êtes libre le mercredi après-midi? Pourquoi ne pas vendre des vêtements? C'est un bon job! Tél. 42.67.64.13.

> Vous aimez les animaux? Venez garder nos chiens et nos chats pendant les vacances. 20 F de l'heure. Téléphonez le soir au 45.34.42.56.

> Restaurant cherche serveur(euse) pour le week-end. Tél. 45.76.33.12.

> Vendez des glaces sur la plage pendant le mois de juillet. C'est super! Tél. 42.22.13.34.

6   Activité • Ecrivez

Vous avez besoin d'argent. Vous mettez une annonce dans votre quartier pour trouver un job. Ecrivez votre annonce. Dites quel job vous cherchez, quand, combien vous voulez gagner… N'oubliez pas d'indiquer un moyen d'entrer en contact avec vous.

7   Activité • Situations

Vous êtes dans ces situations. Préparez trois dialogues avec un(e) camarade.

1. Vous demandez de l'argent à un(e) ami(e). Il/Elle vous demande pourquoi. Vous répondez. Il/Elle accepte.
2. Vous voulez aller à un concert de rock. Vous demandez à votre père ou à votre mère de vous donner 100 francs. Il/Elle refuse. Vous lui demandez alors de vous prêter 100 francs. Il/Elle accepte.
3. Vous demandez à votre sœur ou à votre frère de vous prêter 50 francs. Elle/Il demande quand vous allez lui rendre son argent. Vous répondez. Elle/Il vous donne 50 francs.

L'argent et les petits boulots   223

Activité • A vous maintenant!

Vous n'avez pas d'argent. Vous allez voir quelqu'un. Vous lui demandez de vous prêter de l'argent. Vous lui dites combien et vous lui expliquez pourquoi vous en avez besoin. Il/Elle refuse. Vous insistez. Il/Elle refuse encore! Vous trouvez une autre raison. Il/Elle refuse encore une fois! Vous continuez. Bonne chance!

9   Activité • Récréation

1. Devinez

Nous avons demandé à un artiste de dessiner des jeunes qui travaillent. Malheureusement, il n'a pas fini ses dessins. Pouvez-vous deviner ce que ces jeunes font?

a.   b.   c.

2. Devinettes

Voici des phrases célèbres qui parlent d'argent ou de travail. Choisissez le dessin qui illustre chaque phrase.

1. L'argent est une troisième main.
2. Si vous voulez savoir la valeur de l'argent, essayez d'en emprunter.
3. L'abeille laborieuse n'a pas le temps d'être triste.

a.   b.   c.

The sounds /y/, /œ/, /ø/

1 Ecoutez bien et répétez.

1. The sound /y/

tube	tube	*humid*	humide	*surface*	surface
cube	cube	*bureau*	bureau	*subtle*	subtil
pure	pure	*volume*	volume	*buffet*	buffet
cure	cure	*ridicule*	ridicule	*minute*	minute

2. The sound /œ/

œuf	bœuf		
œuf	seul	fleuve	
neuf	peuvent	jeune	
sœur	beurre	peur	erreur
cœur	fleur	pleure	valeur

3. The sound /ø/

œuf / œufs	peu	veut	
bœuf / bœufs	deux	mieux	
un œil / des yeux	ceux	monsieur	

2 Ecoutez et lisez.

— Tu as vu la lune? — Qui est venu? — Qu'est-ce que tu as bu?
— Ça t'a plu? — Tu l'as vu? — Du jus pur.

— Tu es seule? Où est ta sœur? — Pourquoi tu pleures? Tu as peur de faire des erreurs?
— Chez le coiffeur. — Non, c'est une affaire de cœur.

Le vieux monsieur n'a que deux cheveux.
Il ne pleut pas quand le ciel est bleu.

3 Copiez les phrases suivantes pour préparer une dictée.

1. — Je n'ai pas reçu d'argent. Mes parents ont refusé.
2. — Trouve-toi un job. Voici : «On cherche une jeune fille sérieuse pour garder deux enfants le jeudi soir au vingt-deux, rue du Cherche-Midi.»
3. — Ah non. Pas d'enfants. J'ai déjà gardé mes neveux. Ça suffit.
4. — Voilà, on cherche des serveuses. Tu peux téléphoner à Monsieur Durand au Bœuf sur le Toit.
5. — Surtout pas. Je déteste l'odeur des frites.
6. — Toi, tu es paresseuse. Tu ne sais pas ce que tu veux.

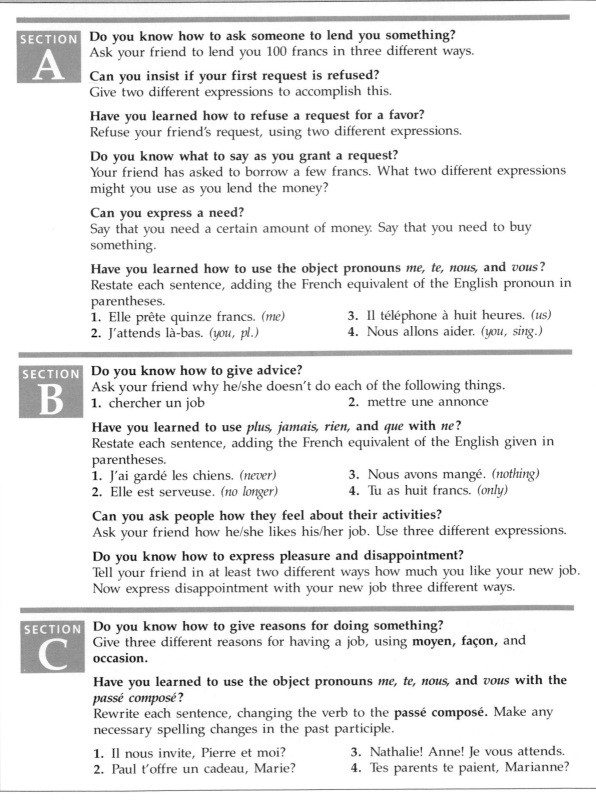

VERIFIONS!

SECTION A

Do you know how to ask someone to lend you something?
Ask your friend to lend you 100 francs in three different ways.

Can you insist if your first request is refused?
Give two different expressions to accomplish this.

Have you learned how to refuse a request for a favor?
Refuse your friend's request, using two different expressions.

Do you know what to say as you grant a request?
Your friend has asked to borrow a few francs. What two different expressions might you use as you lend the money?

Can you express a need?
Say that you need a certain amount of money. Say that you need to buy something.

Have you learned how to use the object pronouns *me, te, nous,* and *vous*?
Restate each sentence, adding the French equivalent of the English pronoun in parentheses.
1. Elle prête quinze francs. *(me)*
2. J'attends là-bas. *(you, pl.)*
3. Il téléphone à huit heures. *(us)*
4. Nous allons aider. *(you, sing.)*

SECTION B

Do you know how to give advice?
Ask your friend why he/she doesn't do each of the following things.
1. chercher un job
2. mettre une annonce

Have you learned to use *plus, jamais, rien,* and *que* with *ne*?
Restate each sentence, adding the French equivalent of the English given in parentheses.
1. J'ai gardé les chiens. *(never)*
2. Elle est serveuse. *(no longer)*
3. Nous avons mangé. *(nothing)*
4. Tu as huit francs. *(only)*

Can you ask people how they feel about their activities?
Ask your friend how he/she likes his/her job. Use three different expressions.

Do you know how to express pleasure and disappointment?
Tell your friend in at least two different ways how much you like your new job. Now express disappointment with your new job three different ways.

SECTION C

Do you know how to give reasons for doing something?
Give three different reasons for having a job, using **moyen, façon,** and **occasion.**

Have you learned to use the object pronouns *me, te, nous,* and *vous* with the *passé composé*?
Rewrite each sentence, changing the verb to the **passé composé.** Make any necessary spelling changes in the past participle.

1. Il nous invite, Pierre et moi?
2. Paul t'offre un cadeau, Marie?
3. Nathalie! Anne! Je vous attends.
4. Tes parents te paient, Marianne?

VOCABULAIRE

SECTION A

l' **argent de poche** (m.)
*spending money,
allowance*
Bravo! *Well done!*
la **catégorie** *category*
une **centaine** *hundred*
démodé, -e *out of style*
dépenser *to spend*
dépensier, -ière
spendthrift
**dit : Qu'est-ce qu'elle a
dit?** *What did she say?*
**échange : en
échange** *in exchange*
économe *economical,
thrifty*
emprunter (à) *to borrow
(from)*
encore *again*
Félicitations! *Congratulations!*
juste *just, only*
**partie : faire partie
de** *to belong to*
une **personne** *person*
prêter *to lend*
ravi, -e *delighted*
rendre *to give back,
return*
vraiment *really*

SECTION B

aboyer *to bark*
arrêter *to stop*
**boume : Ça
boume?** *How's it
going?*
un **budget** *budget*
un(e) **caissier, -ière** *cashier*
casser *to break*
un **centre de loisirs**

vacation camp, resort
un **compte** *bank account;*
sur mon compte
in my account
compter *to count*
court : à court de
short of
crier *to shout*
décidé *decided*
désespéré, -e
discouraged
distribuer *to distribute*
dynamique *dynamic*
économiser *to economize*
embêter *to annoy*
énerver *to upset*
l' **enfer** (m.) *hell*
étranger, -ère *foreign*
un **fast-food** *fast-food
restaurant*
une **ferme** *farm*
garder *to keep*
griffer *to claw, scratch*
intéresser *to interest*
jamais *never*
marcher : Ça marche?
Is it going well?
miauler *to meow*
un **neveu** (pl. -x) *nephew*
des **nouvelles** (f.) *news*
l' **odeur** (f.) *odor*
pair : travailler au pair
*to work as a mother's
helper*
patient, -e *patient*
payé *paid*
un **pays** *country*
promener *to walk (an
animal)*
un **prospectus** *handbill,
flier*
sérieux, -se *serious*

un(e) **serveur, -euse** *waiter,
waitress*
une **solution** *solution*
taper à la machine *to
type*

SECTION C

un **apprentissage** *apprenticeship*
un **boulot** (fam.) *job*
changer *to change*
un **désir** *desire*
dès que *as soon as*
donc *therefore*
écrit : elle a écrit *she
wrote*
une **façon** *way*
l' **important** (m.)
important thing
incompatible *incompatible*
l' **indépendance** (f.) *independence*
indépendant, -e
independent
inquiet, -ète *worried*
un **métier** *trade, craft*
un **minimum** *minimum*
la **moitié** *half*
un **moyen** *means*
une **occasion** *opportunity*
payer *to pay*
proposer *to propose,
suggest*
la **raison** *reason*
un(e) **réceptionniste** *receptionist,
desk clerk*
le **reste** *rest, remainder*
les **services** (m.) *services*
un **stage** *training course*
travailleur, -euse
hardworking
un(e) **voisin, -ine** *neighbor*

ETUDE DE MOTS

Can you find the following words in the list above?
1. Find one word to illustrate the rule that nouns ending in **-ion** are feminine.
2. Find four adjectives that are also past participles of verbs.
3. Find one verb that requires an indirect-object pronoun.
4. Find the word that has the opposite meaning of **prêter**.
5. Find three words that add an **accent grave** in the feminine form.

A LIRE

Le Katalavox

Quand on a une passion et qu'on aime travailler, il y a toujours moyen de réussir. Voici l'histoire de Martine Kempf, une jeune Alsacienne.

Avant de lire

Ceci est l'histoire d'une jeune femme française qui a inventé un appareil extraordinaire. Avant de lire l'histoire, pouvez-vous trouver rapidement :
— le nom de son invention?
— la description de l'invention?
— la raison de cette invention?

Une invention française pleine d'avenir...

Le Katalavox, c'est une petite boîte, un peu plus grande qu'un walkman. Installé sur une chaise roulante, il ne reconnaît que la voix° de son maître° et lui obéit au 10ᵉ de seconde. La chaise avance, recule, tourne à droite ou à gauche sur un seul mot de son utilisateur. Adapté sur une voiture, la porte s'ouvre, le rétroviseur° s'ajuste, la radio s'allume, le moteur se met en marche à la voix. En salle d'opération, le micro-chirurgien° peut, avec l'ordinateur à commande vocale, utiliser toutes les fonctions de son microscope ou contrôler la lumière° de la salle d'opération.

Aujourd'hui, dans son local de Sunnyvale dans la Silicon Valley aux Etats-Unis, Martine Kempf explique : «Mon père a depuis 30 ans une entreprise qui adapte des voitures pour les handicapés physiques. Lorsqu'il a voulu développer un système pour aider les gens sans bras°, nous avons pensé à la commande vocale.»

Nous sommes en 1981. Martine Kempf est alors étudiante en astronomie à Bonn en Allemagne. Son père et elle se renseignent°. Partout, la réponse est la même : l'ordinateur à commande vocale existe au stade expérimental, mais il n'y a pas de produit commercialisable. Qu'à cela ne tienne°! Martine Kempf décide de chercher.

«J'ai obtenu mon premier ordinateur, j'ai appris à l'utiliser et sept mois plus tard, j'ai fabriqué mon premier prototype du Katalavox.»

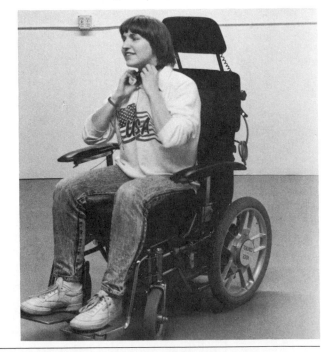

---

voix *voice;* **maître** *master;* **rétroviseur** *rear-view mirror;* **micro-chirurgien** *micro-surgeon;* **lumière** *light;* **bras** *arms;*
se renseignent *inquire;* **Qu'à cela ne tienne!** *That doesn't matter!*

Martine Kempf a été surprise par le succès de son Katalavox. «Quand j'ai fait le prototype, dit-elle, je l'ai fait parce que c'est très utile et que ça rend service.» Des applications «pour rendre service», Martine Kempf en fait encore beaucoup aujourd'hui. «J'ai fait une application pour un ingénieur qui est totalement paralysé à l'âge de 42 ans. Je lui ai fait des lunettes avec un capteur infrarouge. Quand il cligne de l'œil°, il envoie un signal. J'ai adapté une stéréo pour lui. Maintenant il peut écouter des livres enregistrés. C'est une belle application qui me fait plaisir.»

Après deux ans aux Etats-Unis, l'entreprise Kempf va bien. Pourtant Martine Kempf ne veut pas faire carrière° dans l'électronique. «J'ai beaucoup d'idées sur ce que je vais faire mais je ne le dis pas. C'est une surprise. Le principal, c'est d'avoir une passion et de beaucoup travailler.»

Aujourd'hui, en Alsace, dans le village où Martine est née, il y a une rue Martine Kempf. Les villageois sont fiers° de cette jeune femme connue dans le monde entier pour sa merveilleuse invention, le Katalavox.

Abridgment of "Scandale en France, succès aux Etats-Unis" (Retitled: "Le Katalavox") by Dominique Brémond from *Journal Français d'Amérique*, October 1987. Reprinted by permission of Journal Français d'Amérique.

Activité • Qu'est-ce que c'est?

Choisissez la bonne définition.

1. prototype
2. reculer
3. une entreprise
4. rendre service
5. villageois

a. aider
b. les habitants d'un village
c. modèle
d. le contraire d' «avancer»
e. une compagnie

Activité • Imaginez

Vous êtes inventeur/inventrice. Qu'est-ce que vous allez inventer? Donnez des raisons.

Activité • Ecrivez

Martine Kempf reçoit beaucoup de lettres de remerciements envoyées par les gens qu'elle a aidés. Imaginez une lettre de remerciements envoyée par une des personnes suivantes.

1. Une personne handicapée qui peut maintenant conduire une voiture
2. Un micro-chirurgien

---

cligne de l'oeil *winks;* **carrière** *career;* **fiers** *proud*

Les jeunes entrepreneurs 🎦

Avez-vous l'esprit d'entreprise? Voici des jeunes français qui ont créé une entreprise. Ils fabriquent pour revendre avec un bénéfice°.

Avant de lire

Lisez rapidement ces histoires pour trouver les réponses aux questions suivantes.

1. Qui fabrique et revend un produit? Quel produit?
2. Qui offre ses services? Quels services?

Stéphanie, 15 ans, fait des confitures. Elle adore l'odeur des fruits qui éclatent° dans le sirop. Pour faire baisser son prix de revient°, elle a différents moyens. Les fraises, elle va les cueillir° directement chez les producteurs. Les myrtilles, elle les ramasse° chez sa tante Christine, qui habite dans les Vosges. Les pêches et les abricots, elle les achète au marché. Elle vend sa production à des amis de sa mère et à des voisins. Ses prix? Ceux de supermarché, mais avec la qualité en plus. Seule obligation pour sa clientèle, lui rendre les pots vides. Prix : 13 F les 250 grammes.

Laura et Capucine, 12 ans et 14 ans, fabriquent avec beaucoup de dextérité° de petits bracelets de coton noué°. Elles font des concours°, à celle qui va le plus vite. Leur production, les bons jours : 3 à 4 chacune. Elles les vendent aux copines de classe et espèrent trouver un petit marchand de gadgets ou de souvenirs qui leur en prendrait en dépot-vente°. Le bracelet vaut 50 F.

Valérie, 17 ans, veut plus tard être styliste. Elle a commencé par se bricoler des tenues° bien à elle. Ses copines de terminale ont craqué pour ses mini-jupes et pour ses vestes courtes et cintrées°… Elle a commencé à leur fabriquer des vêtements à la demande. Même les garçons de sa classe lui commandent maintenant des tee-shirts teints ou imprimés au pochoir°. Elle s'est fait une véritable clientèle. La jupe vaut 70 F, le tee-shirt teint 40 F. Plus elle fait de vêtements, plus elle va vite et plus sa cagnotte° augmente.

---

bénéfice *profit;* **éclatent** *burst;* **prix de revient** *cost price;* **cueillir** *pick;* **ramasse** *gather;* **dextérité** *manual skill;* **noué** *knotted;* **concours** *race;* **en dépot-vente** *on consignment;* **tenues** *clothes;* **craqué** *went wild;* **cintrées** *gathered at the waist;* **imprimés au pochoir** *stenciled;* **cagnotte** *nest egg*

Jean-François, 15 ans, lui, a la chance de vivre dans une maison avec un grand jardin. Un copain sympa lui a donné l'idée de monter un club de vacances pour les animaux. Seule condition posée par ses parents : que tous ces hôtes° ne mettent pas les «pattes» dans la maison. Avec un peu de grillage, Jean-François a construit dans un coin° du jardin un chenil°. Le soir, les chiens sont rentrés dans la cave°, les chats dans le garage. Les hamsters et les souris° blanches en pension sont installées dans leur cage, dans un coin du grenier°. Ses tarifs : pour un chien, 500 F par mois; pour un chat, 300 F par mois; pour un hamster, 100 F par mois; la nourriture n'est pas comprise.

Dimitri et Aurélien, 15 et 16 ans, vont sans doute être antiquaires° plus tard. L'été dernier, ils ont décidé de monter une «entreprise» de débarras° de caves et greniers. Ils ont préparé, à l'aide de la photocopieuse du père d'Aurélien, un petit prospectus proposant leurs services et l'ont distribué dans le quartier. Les copains recherchent surtout les objets qui ont un peu de valeur. Ils les nettoient°, les réparent, mettent un petit coup de peinture. Ils ont un véritable trésor de guerre, qu'ils comptent vendre à la braderie° municipale. Ils n'ont pas encore osé pour l'instant s'installer au marché aux puces° en *squatters*; les marchands officiels ont tendance à vous chasser° ou à vous dénoncer à la police.

Activité • Avez-vous compris?

Trouvez dans «Les jeunes entrepreneurs» les renseignements nécessaires pour compléter ce tableau.

Nom	Entreprise	Tarif(s)

Activité • Qu'en pensez-vous?

1. Quel(s) entrepreneur(s) admirez-vous? Pourquoi?
2. Quelle entreprise vous intéresse?
3. A votre avis, est-ce que ces jeunes vont avoir du succès? Pourquoi?

Activité • Et vous?

1. Avez-vous déjà fabriqué quelque chose pour revendre? Expliquez.

2. Avez-vous déjà essayé d'offrir vos services pour gagner de l'argent? Expliquez.

---

hôtes *guests;* **coin** *corner;* **chenil** *kennels;* **cave** *cellar;* **souris** *mice;* **grenier** *attic;* **antiquaires** *antique dealers;* **débarras** *cleaning out;* **nettoient** *clean;* **braderie** *rummage sale;* **marché aux puces** *flea market;* **chasser** *chase*

Test : L'argent et vous

Est-ce que l'argent est important pour vous? Le gardez-vous ou le dépensez-vous? Etes-vous économe ou dépensier/dépensière? Pour savoir, passez d'abord ce test. Ensuite, interprétez vos résultats.

1.

Pour avoir de l'argent de poche,...
- **a.** vous faites de petits travaux chez vous.
- **b.** vous demandez à vos parents quand vous avez besoin.
- **c.** vous demandez chaque mois une augmentation.

2.

Vos parents vous donnent cinq dollars.
- **a.** Vous dépensez tout immédiatement.
- **b.** Vous mettez l'argent dans une tirelire.
- **c.** Vous économisez pour acheter quelque chose.

3.

Pour vous, l'argent c'est...
- **a.** superflu.
- **b.** merveilleux.
- **c.** pratique.

4.

Il y a une pièce de cinq *cents* sur le trottoir.
- **a.** Vous continuez votre chemin sans un regard.
- **b.** Vous hésitez. Finalement vous ne prenez pas la pièce : cinq *cents*, ce n'est pas assez pour vous.
- **c.** Vous ramassez les cinq *cents*.

5.

Vous rêvez d'être riche...
a. tous les jours.
b. jamais.
c. quelquefois.

6.

Vous avez hérité d'une fortune°.
a. Vous pleurez de joie.
b. Vous invitez vos parents dans un restaurant chic et cher.
c. Vous comptez le nombre de maisons que vous allez pouvoir acheter.

7.

Vous voulez recevoir...
a. un peu d'argent tous les mois.
b. tout l'argent tout de suite.
c. beaucoup d'argent tous les ans.

8.

Ensuite...
a. vous organisez une grande fête.
b. vous n'allez plus à l'école.
c. vous donnez un million de dollars aux gens qui ont faim.

---

hérité d'une fortune *inherited a fortune*

L'argent et les petits boulots   233

9.

Vous achetez…
a. une voiture rapide et confortable.
b. une petite maison de campagne.
c. un billet d'avion pour des pays exotiques.

10.

Votre rêve, c'est de…
a. faire pleuvoir en Afrique.
b. construire Manhattan sur la Lune.
c. dépenser tout votre argent.

11.

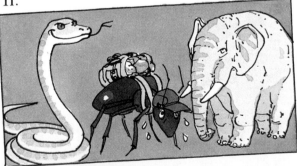

A votre avis, l'argent c'est…
a. un serpent rusé.
b. une fourmi travailleuse.
c. un éléphant puissant.

12.

Maintenant que vous êtes riche, vous voulez…
a. devenir célèbre.
b. être encore plus riche.
c. avoir une vie tranquille et merveilleuse.

Résultats du test

Dans ce tableau, regardez, pour chaque question, la lettre qui correspond à votre réponse. Comptez combien vous avez de réponses par ligne (quand la lettre est *soulignée,* comptez deux points). Vous avez beaucoup de points à la première ligne? Vous êtes «Carte de crédit».

VOUS ÊTES...	1	2	3	4	5	6	7	8	9	10	11	12
Carte de crédit	c	a	b	a	a	c	b	a	a	b	c	a
Porte-monnaie	a	b	a	b	b	b	a	c	c	a	a	c
Tirelire	b	c	c	c	c	a	c	b	b	c	b	b

Carte de crédit

Vous aimez dépenser, vous ne pouvez pas économiser. Pour vous, c'est impossible de garder de l'argent. Vous adorez acheter. Dès que vous avez de l'argent, vous courez au centre commercial, au magasin de disques, vous invitez des amis... C'est si facile de payer avec une carte de crédit! Une petite signature et ça y est! Vous achetez tout et n'importe quoi, simplement pour le plaisir d'acheter. A ce rythme, il faut être milliardaire!

Porte-monnaie°

Pour vous, l'argent c'est un moyen de rendre les autres heureux. Vous aimez offrir, faire des cadeaux à vos amis, aider vos parents. Vous êtes content(e) avec un minimum d'argent. Vous ne voulez pas être riche, ça ne vous intéresse pas. Non, vous désirez être tranquille, à l'abri du° besoin, c'est tout. Un peu d'argent pour vous, le reste pour les autres, c'est votre seule ambition.

Tirelire

Pour vous, l'argent c'est l'argent. Vous savez faire des économies. Vous connaissez la valeur de l'argent. Vous réfléchissez beaucoup avant de dépenser. Vous n'êtes pas égoïste° ou avare°, et vous pouvez dépenser de l'argent pour offrir un beau cadeau. Mais vous êtes sage°, vous ne gaspillez° jamais.

Activité • Donnez votre opinion

1. Etes-vous d'accord avec le résultat de votre test?
2. Pour vous, qu'est-ce que l'argent représente? Et pour vos camarades? Complétez la phrase suivante de différentes façons.

> L'argent, c'est un moyen de...

---

porte-monnaie *change purse;*   **à l'abri du** *sheltered from;*   **égoïste** *selfish;*   **avare** *greedy;*   **sage** *wise;*   **gaspillez** *waste*

CHAPITRE 7

En pleine forme

Working out and eating right have become goals of many Americans. Body-building, aerobics, and health foods are gradually taking hold in France, too. Another imported life-style, *le fast-food*, is slowly changing the eating habits of the French, especially those of young people.

In this unit you will:

PREMIER CONTACT	get acquainted with the topic
SECTION **A**	talk about health . . . express concern for someone's health . . . complain about one's health
SECTION **B**	talk about eating well . . . give and justify advice . . . express doubt, uncertainty, and dislikes
SECTION **C**	talk about getting into shape . . . express fatigue . . . pity, encourage, and reassure others
TRY YOUR SKILLS	use what you've learned
A LIRE	read for practice and pleasure

237

1 Un sport pour l'été 🖅

Voulez-vous commencer une activité sportive? L'été est la saison idéale.

LES PARTIES DU CORPS

la tête
l'oreille
le cou
les poumons
le bras
la main
le doigt

l'œil (m.) (pl. yeux)
le nez
la bouche
le menton
l'épaule (f.)
la poitrine
le cœur
le coude
le ventre
la taille

la jambe
le mollet
la cheville
le pied
la cuisse
le genou

L'été est une bonne période pour commencer une activité sportive. Ce coup de "starter" de la forme sera votre assurance anti-kilos pour l'hiver prochain. Quel sport choisir?

La marche : pour entretenir la forme. Lorsque vous marchez, vous utilisez plus de la moitié des muscles du corps... Marchez d'un pas vif, et sur des distances de plus en plus longues. Le golf est un sport d'adresse qui relève également de la marche. Il fait travailler plus spécialement les bras et les épaules, affine la taille. Promenade en forêt ou golf, en une heure, vous perdez 300 calories!

Le jogging : pour garder la ligne. Déconseillé aux personnes d'un certain âge et à celles qui n'ont jamais fait de sport, le jogging est particulièrement bon pour le cœur et les poumons. Il aide également à conserver la ligne. Au début, arrêtez-vous dès que vous vous sentez fatigué car il ne faut jamais forcer. Vous dépensez 350 à 420 calories en une heure.

La natation : pour se muscler en douceur. Sport excellent pour la respiration et la circulation sanguine, la natation raffermit tous les muscles. Comme pour la marche, il n'est pas nécessaire de nager vite. Mieux vaut parcourir de nombreuses longueurs de bassin. La dépense en calories est de 300 à 350 par heure.

La bicyclette : pour les jambes et les cuisses. Ce sport remodèle cuisses et mollets. Pour que l'exercice soit utile, il faut le pratiquer au moins 30 minutes, trois fois par semaine. 300 à 350 calories dépensées en une heure.

Le tennis : pour les abdominaux et les jambes. Le tennis donne de la souplesse, fortifie les muscles abdominaux et amincit les jambes. A pratiquer une ou deux fois par semaine. La dépense énergétique est de 270 à 400 calories, selon le rythme adopté pendant la partie.

2 Activité • Trouvez des renseignements

Trouvez dans l'article les renseignements pour compléter ce tableau.

Sport	Excellent pour :	Calories dépensées

3   Activité • Et vous?

1. Imaginez. Vous voulez commencer une activité sportive. Quel sport choisissez-vous? Pourquoi?
2. A votre avis, est-ce que l'été est la saison idéale pour commencer une activité sportive? Pourquoi?

4   NE SAUTEZ PAS LE PETIT DEJEUNER!

Sautez-vous le petit déjeuner? C'est un repas important. Prenez le temps de manger!

'Breakfast food' à la française

Depuis longtemps, les nutritionnistes français dénoncent l'insuffisance ou l'absence du petit déjeuner. D'après les chiffres, ils ont raison* :

- 2,5% des Français ne prennent pas de petit déjeuner.
- 27% prennent seulement une boisson chaude.
- 49% prennent une boisson chaude et des tartines.
- 21,5% seulement prennent un petit déjeuner complet.

Le manque de temps est sans doute le principal responsable, puisque 32,6% des Français prennent leur petit déjeuner debout dans la cuisine, 22,5% au bistrot et 8% en arrivant au bureau. Ceux qui ont du temps en profitent : 5,5% le prennent dans leur lit et 1% dans la baignoire.

Même si leurs connaissances en matière diététique ont progressé, trop de Français ignorent encore que le petit déjeuner doit apporter à l'organisme le quart des calories et protéines dont il aura besoin au cours de la journée.

*Sondage effectué dans la région parisienne.

5   Activité • Avez-vous compris?

Répondez aux questions suivantes d'après «Breakfast food à la française».

1. Quelle est la raison principale que donnent les Français pour sauter le petit déjeuner ou pour manger un petit déjeuner insuffisant?
2. Pourquoi est-ce que le petit déjeuner est un repas important?

6   Activité • Et vous?

1. Sautez-vous le petit déjeuner ou le prenez-vous?
2. Qu'est-ce que vous prenez d'habitude au petit déjeuner?
3. Prenez-vous quelquefois le petit déjeuner au lit? Quand?

7   Activité • Sondage

Faites une enquête dans votre classe pour trouver qui saute le petit déjeuner, qui prend le petit déjeuner, et ce qu'ils prennent.

talking about health . . . expressing concern for someone's
health . . . complaining about one's health

*Vous avez du mal à vous lever le matin? Vous n'arrivez pas à dormir? Vous n'êtes jamais en
forme et vous manquez de tonus?... Il faut prendre des mesures énergiques!*

A1 Fabrice n'est pas en forme. 📼

Sandrine, Matthieu et Fabrice passent l'après-midi ensemble. Ils se promènent et ils discutent.
Mais Fabrice n'a pas l'air en forme.

MATTHIEU Qu'est-ce que vous voulez faire
maintenant?
FABRICE Bof.
MATTHIEU Mais qu'est-ce que tu as, Fabrice?
Tu n'as rien envie de faire
aujourd'hui!
FABRICE Je ne me sens pas très bien. J'ai
mal partout.

Sandrine et Matthieu s'inquiètent pour
Fabrice. Ils trouvent qu'il n'est pas en forme.

SANDRINE C'est parce que tu t'es couché trop
tard. Tous les soirs, tu travailles
jusqu'à minuit. Il faut te reposer.
Tu te nourris bien au moins?
FABRICE Non, très mal.
MATTHIEU Et tu fais des exercices?
FABRICE Quels exercices?
SANDRINE Bon, ça ne va pas du tout. On va
s'occuper de toi et te soigner. A
partir de demain, tu fais un
régime.
MATTHIEU Et tu t'entraînes! Dimanche, on se
lève à six heures pour faire du
jogging.
FABRICE Ah, désolé, mais dimanche, je suis
pris. Je fais la grasse matinée.
MATTHIEU Pas question! Tu veux être en
forme ou pas?

Fabrice s'est couché tard parce qu'il a
travaillé jusqu'à minuit.

A2   Activité • Parlons de Fabrice

Est-ce que vous connaissez Fabrice? Répondez aux questions suivantes d'après A1.

1. Qu'est-ce que Fabrice a envie de faire aujourd'hui?
2. A quelle heure est-ce qu'il se couche d'habitude?
3. Pourquoi est-ce qu'il se couche tard?
4. Qu'est-ce qu'il aime faire le dimanche?
5. Qu'est-ce qu'il va faire demain avec Sandrine?
6. Et dimanche avec Matthieu?

A3   Activité • Actes de parole

Pouvez-vous trouver dans A1 au moins deux expressions pour dire que quelqu'un n'est pas en forme?

A4   Activité • Choisissez

Qu'est-ce qu'il faut faire pour être en forme? D'après Sandrine et Matthieu, pour être en forme il faut...

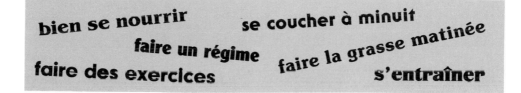

bien se nourrir   se coucher à minuit
faire un régime   faire la grasse matinée
faire des exercices   s'entraîner

A5   Activité • Qu'est-ce qu'il faut faire?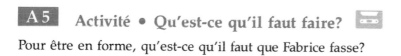

Pour être en forme, qu'est-ce qu'il faut que Fabrice fasse?

Activité • Et vous?

1. Jusqu'à quelle heure travaillez-vous le soir?
2. Avez-vous le droit de regarder la télévision jusqu'à minuit?
3. Faites-vous la grasse matinée? Tous les jours?
4. Est-ce qu'il y a des jours où vous n'êtes pas en forme? Quand?
5. Qu'est-ce que vous faites d'habitude pour être en forme?

A 7 STRUCTURES DE BASE
The reflexive pronouns

1. Sometimes the subject of a sentence is both the doer and receiver of the action of the verb. This is shown in French by a special group of pronouns called reflexive pronouns.

Reflexive Pronouns	me	te	se	se	nous	vous	se	se
Subject Pronouns	je	tu	il	elle	nous	vous	ils	elles

2. The reflexive pronouns represent the subject of the verb and, like all object pronouns, are placed before the verb they refer to.

Je	**me**	couche		Nous	**nous**	couchons	
Tu	**te**	couches	tard.	Vous	**vous**	couchez	tard.
Il/Elle/On	**se**	couche		Ils/Elles	**se**	couchent	

3. In a negative construction, **ne** precedes the reflexive pronoun and **pas, plus, rien,** or **jamais** follows the verb: Il **ne** s'entraîne **pas.** Tu **ne** te reposes **jamais.**

4. In an affirmative suggestion or a command, the reflexive pronouns **nous** and **vous** follow the verb and are separated from it in writing by a hyphen. **Toi** is used, rather than **te.**
    Reposons-nous!   Levez-vous!   Soigne-toi!

5. When the infinitive of a reflexive verb is used in a sentence, the reflexive pronoun must agree with the subject it refers to.
    Je vais **me coucher.   Elles** vont **se promener.   Nous** voulons **nous reposer.**

6. **Elision** occurs with the reflexive pronouns **me, te,** and **se** when the verb begins with a vowel sound. Je **m'**inquiète. Tu **t'**inquiètes? Elle **s'**inquiète.

7. The English equivalent of a French reflexive construction sometimes includes a reflexive pronoun: **Je me soigne bien,** *I take good care of myself.* Most of the time, however, it does not: **Je me lève,** *I get up,* **Ils se promènent,** *They take a walk.*

8. The **passé composé** of verbs taking a reflexive pronoun is always formed with the auxiliary verb **être.** If the reflexive pronoun is the direct object of the verb, the past participle agrees with it and changes its spelling accordingly. If the reflexive pronoun is the indirect object, there is no change in the past participle.

Je	**me**	suis	couché(e)		Nous	**nous**	sommes	couché(e)s	
Tu	**t'**	es	couché(e)	tard.	Vous	**vous**	êtes	couché(e)(s)	tard.
Il	**s'**	est	couché		Ils	**se**	sont	couchés	
Elle	**s'**	est	couchée		Elles	**se**	sont	couchées	

Activité • Qu'est-ce qu'on fait?

Regardez ces dessins. Dites ce qu'on fait et ensuite, ce qu'on a fait.

1.   **2.**   **3.**   **4.**

A9 Activité • A vous maintenant!

Demandez à un(e) camarade s'il (si elle) fait ces choses. Ensuite, répondez à ses questions.

s'entraîner tous les jours   — Tu t'entraînes tous les jours?
                              — Oui, je m'entraîne tous les jours.

1. se coucher tard   3. bien se nourrir   5. se promener avec des amis
2. se lever tôt   4. bien se soigner   6. se reposer après l'école

A10   STRUCTURES DE BASE
          The verb se sentir

The forms of the reflexive verb **se sentir** follow the same pattern as those of **sortir.** There is one stem for the singular forms and another for the plural forms.

se sentir	*to feel*		
je me	sen	-s	Je **me sens** bien.
tu te		-s	Tu **te sens** bien?
il/elle/on se		-t	Elle **se sent** bien.
nous nous	sent	-ons	Nous **nous sentons** bien.
vous vous		-ez	Vous **vous sentez** bien?
ils/elles se		-ent	Ils **se sentent** bien.

A11 Activité • Complétez le dialogue

La mère de Fabrice lui demande de se lever, mais il ne peut pas parce qu'il se sent mal. Complétez leur dialogue en mettant les verbes à la forme correcte.

SA MÈRE   (Se lever)! Il est huit heures!
FABRICE   Je sais, mais je dois (se reposer).
SA MÈRE   Pourquoi?
FABRICE   Je (se sentir) mal.
SA MÈRE   Qu'est-ce que tu as?
FABRICE   Ne (s'inquiéter) pas! Je vais (se soigner).
SA MÈRE   Oui, et ce soir, tu (se coucher) à neuf heures!

Activité • Faites des excuses

Votre camarade vous propose de faire quelque chose, mais vous refusez. Choisissez une raison.

Non, je dois...

se coucher à neuf heures
s'entraîner
se lever tôt demain
s'occuper de son petit frère
se reposer

1. Tu vas regarder la télévision ce soir?
2. Tu peux venir à mon anniversaire?
3. Tu viens dîner avec nous?
4. Ça te dit d'aller au fast-food?
5. Tu es libre pour aller au cinéma?
6. Tu ne peux pas sortir avec moi?

A13 Activité • Et vous?

1. A quelle heure est-ce que vous vous levez d'habitude? Et ce matin?
2. A quelle heure est-ce que vous vous couchez? Et hier soir?
3. Est-ce que vous vous couchez tard? Pourquoi?
4. Qu'est-ce que vous faites quand vous ne vous sentez pas bien? Des exercices? Un régime? Vous vous reposez?

A14 OU EST-CE QU'ILS VONT QUAND ILS ONT MAL?

Il a mal aux dents. Il va chez le dentiste.

Elle a mal à la tête. Elle va acheter des médicaments chez le pharmacien.

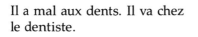

Elle a mal partout. Elle va chez le docteur.

A15 **COMMENT LE DIRE**

Expressing concern for someone's health
Complaining about one's health

EXPRESSING CONCERN	COMPLAINING
Qu'est-ce que tu as?	Je me sens mal.
Qu'est-ce qui t'arrive?	Je ne me sens pas bien.
Tu n'as pas l'air en forme.	J'ai du mal à dormir.
Ça n'a pas l'air d'aller.	J'ai mal à la tête, au cœur...
Tu as mauvaise mine.	

A 16 Activité • Donnez des conseils

Votre camarade n'est jamais en forme. Vous lui suggérez quelque chose pour se soigner.

— Oh là là, je me sens mal!   — Va chez le docteur.
(Pourquoi tu ne vas pas chez le docteur?)

1. Oh là là, je me sens mal!
2. J'ai drôlement mal dormi!
3. Je n'arrive jamais à me lever!
4. J'ai très mal aux dents!
5. Depuis hier, j'ai mal partout!
6. En cours de maths, j'ai toujours mal à la tête!

aller chez le docteur   se coucher tôt
aller chez le pharmacien   se reposer
faire un régime   aller chez le dentiste

A 17 Savez-vous que… ?

D'habitude, combien d'heures dormez-vous chaque nuit? Les Français dorment souvent moins qu'ils ne le désirent : 7 heures 30 en moyenne (1982). La durée du sommeil varie bien sûr selon les individus : Napoléon, par exemple, ne dormait que de 3 à 5 heures pour récupérer. On dit que les adolescents ont besoin d'environ 9 heures de sommeil par jour pour être «bien dans leur peau» *(to feel great)*. Pourtant, un sondage réalisé en Lorraine en 1982 indique qu'à peine 20% des garçons et 17% des filles de 14 à 18 ans satisfont ce besoin vital. Pire, 1 adolescent sur 20 dort même moins de 7 heures par jour. Le coupable *(the guilty one)*? La télévision monopolise sans doute la majeure partie de ces heures volées *(stolen)* au sommeil.

Le sommeil des Français	
Nombres d'heures	**100%**
Plus de 10 heures	1
10 heures	3
9 heures	8
8 heures	31
7 heures	27
6 heures	19
5 heures et moins	11

Sofres (mai 1982)

A 18 Activité • Ecoutez bien

Ecoutez ces jeunes qui ne sont pas en forme. Quels conseils pouvez-vous leur donner?

	1	2	3	4	5	6
Fais des exercices.						
Va chez le docteur.						
Il faut que tu manges mieux.						
Pourquoi tu ne vas pas chez le pharmacien?						
Il faut te coucher plus tôt.						
Va chez le dentiste.						

talking about eating well . . . giving and justifying advice . . . expressing doubt, uncertainty, and dislikes

Pour être en forme, il faut bien se nourrir. C'est essentiel. Avec une bonne alimentation, équilibrée et variée, Fabrice va certainement retrouver des couleurs.

B1   Début de la remise en forme 📼

Fabrice a pris de mauvaises habitudes. Sandrine veut qu'il suive un nouveau régime.

(Sur le chemin de l'école)

SANDRINE	Combien tu pèses?
FABRICE	Cinquante-deux kilos.
SANDRINE	Ce n'est pas assez. Il faut absolument que tu manges plus et mieux. Qu'est-ce que tu prends d'habitude au petit déjeuner?
FABRICE	Une tartine et un bol de café.
SANDRINE	C'est très mauvais! Tu devrais boire un grand verre de jus d'orange et manger des céréales. C'est plus fortifiant et ça donne du tonus.

(A l'heure du déjeuner)

FABRICE	Tu veux que je t'offre un hamburger?
SANDRINE	Merci. Aujourd'hui on déjeune à la cantine.
FABRICE	«On»?
SANDRINE	Toi et moi. Il vaut mieux que tu manges un repas équilibré, avec des légumes, de la salade et du fromage.
FABRICE	Mais c'est mauvais à la cantine!
SANDRINE	Peut-être, mais c'est nourrissant.

(Le soir à la sortie de l'école)

FABRICE	Lâche-moi!
SANDRINE	Non, je ne veux pas que tu entres dans cette boulangerie.
FABRICE	Mais j'ai faim!
SANDRINE	Je te conseille d'acheter des fruits. C'est meilleur, et il y a plus de vitamines.
FABRICE	Allez! Juste un petit éclair au chocolat!
SANDRINE	Pas question… Maintenant, on va aller dans un restaurant végétarien.
FABRICE	Au secours!

B 2 Activité • Complétez

Trouvez des mots dans B1 pour compléter ces phrases.

1. Fabrice ne se soigne pas bien; il a pris...
2. Il ne se nourrit pas bien; il faut qu'il mange...
3. Le café est mauvais; le jus d'orange est plus...
4. Il vaut mieux que Fabrice mange un repas... et...
5. Acheter un éclair, c'est mauvais. Acheter des fruits, c'est...

B 3 Activité • Expliquez

D'après Sandrine, ces choses sont importantes. Pourquoi?

1. Il faut manger un repas équilibré.
2. Il faut acheter des fruits.
3. Il faut prendre du jus d'orange et des céréales au petit déjeuner.
4. Il vaut mieux déjeuner à la cantine.

B 4 Activité • A vous maintenant!

Pouvez-vous trouver trois expressions dans B1 pour conseiller à quelqu'un de faire quelque chose? Ensuite, utilisez les expressions pour conseiller à un(e) camarade de faire ces choses.

1. manger des céréales
2. faire du sport
3. acheter des fruits
4. prendre un repas équilibré
5. faire un nouveau régime
6. se remettre en forme

B 5 STRUCTURES DE BASE
The verb boire

boire *to drink*					
Je	**bois**		Nous	**buvons**	
Tu	**bois**	de l'eau.	Vous	**buvez**	de l'eau.
Il/Elle/On	**boit**		Ils/Elles	**boivent**	

The past participle of **boire** is **bu: Il a bu du jus d'orange.**
The subjunctive forms of **boire** are **boive, boives, boive, buvions, buviez, boivent.**

B 6 Activité • Qu'est-ce qu'ils boivent?

Je...   Nous...   Sandrine...   Vous...   Sandrine et Matthieu
1.   2.   3.   4.   5.

du lait   du chocolat   du jus de fruits   du soda   de l'eau

Activité • Sondage

Faites un sondage dans votre classe. Demandez à vos camarades s'ils (si elles) boivent les boissons dans B6, et quand ils/elles les boivent : «Tu bois du lait? Quand est-ce que tu en bois?»

Elève	Lait	Eau	Jus	Soda	Chocolat
Janine	jamais	tous les jours	jamais	quelquefois	tous les matins

B8 **Activité • Et vous?**

Qu'est-ce que vous mangez au petit déjeuner? Qu'est-ce que vous buvez?

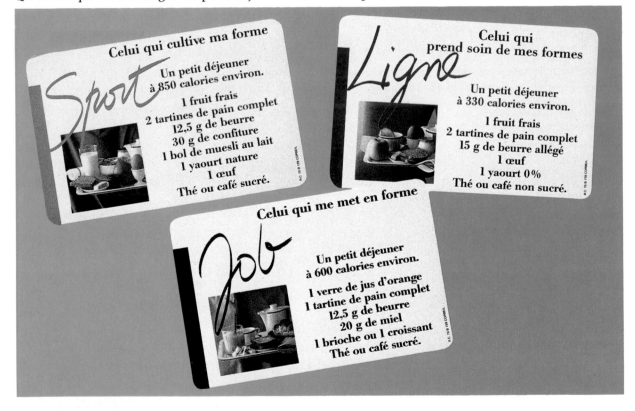

B9 **Activité • A vous maintenant!**

Vous êtes chez un(e) ami(e). Il/Elle vous offre quelque chose à manger et à boire. Faites ce dialogue avec un(e) camarade. Employez les boissons dans B6.

— Tu as faim? Tu veux quelque chose à manger?
— Non merci, mais je veux bien quelque chose à boire.
— Qu'est-ce que tu bois?
— Donne-moi du... , s'il te plaît.

Savez-vous que… ?

En 1988, la compagnie américaine McDonald's a ouvert son 67e fast-food en France, un nouveau restaurant sur l'avenue des Champs-Elysées à Paris. Pour plaire aux Français, McDonald's a décidé de mettre moins de sucre et plus de moutarde dans les sauces pour la salade. On sert aussi de l'eau minérale et de la bière dans ces restaurants. Le dimanche, on offre des cadeaux aux enfants.

Chose étonnante, c'est une compagnie française avec un nom anglais, Quick, qui a le plus de fast-foods en France. Freetime est le nom d'un autre fast-food français. Chez Freetime, on sert le longburger; c'est un hamburger rectangulaire dans un petit pain rectangulaire. La compagnie américaine Burger King a aussi des restaurants en France.

Ce sont surtout les jeunes qui vont dans les fast-foods. Les adultes, eux, préfèrent les cafeterias dans les centres commerciaux et sur les grandes routes, ou les cantines là où ils travaillent. Mais en général, le fast-food devient de plus en plus populaire en France.

B 11 **STRUCTURES DE BASE**
The verb **suivre**

suivre	*to follow*				
Je	**suis**	} un régime.	Nous	**suivons**	} un régime.
Tu	**suis**		Vous	**suivez**	
Il/Elle/On	**suit**		Ils/Elles	**suivent**	

The past participle of **suivre** is **suivi: Ils ont suivi un régime.** The verb **suivre** may also mean *to take* when you talk about courses: **Je suis des cours de musique,** *I'm taking a music course.*

B 12 **Activité • Et vous?**

Répondez aux questions suivantes.

1. Avez-vous déjà suivi un régime? Et votre ami(e)?
2. Qui suit maintenant un régime chez vous? Vous? Votre sœur? Votre mère?
3. Pourquoi? Pour être en forme? Pour perdre des kilos? Pour prendre des kilos?
4. Suivez-vous toujours les conseils de vos ami(e)s?

Sandrine a écrit pour Fabrice son régime de la semaine.

des brocolis (m.)

Lundi

tomates
poisson
riz
pomme

Mardi

pamplemousse
poulet
carottes
fromage

Mercredi

salade
viande
pommes de terre
orange

une carotte

Jeudi

tomates
viande
brocolis
yaourt

Vendredi

salade
poisson
haricots verts
banane

Samedi

tomates
poulet
pâtes
poire

du riz

Dimanche

salade
viande
riz
gâteau (petit !)

Ça, c'est un régime bien équilibré ! Encore un petit effort, et tu vas retrouver tes couleurs ...

une poire

une orange

un pamplemousse

une banane

un yaourt

des pâtes (f.)

une pomme de terre

une tomate

des haricots verts

une pomme

Activité • Avez-vous compris?

Répondez aux questions suivantes d'après B13.

1. Combien de fois par semaine est-ce que Fabrice mange du poulet? Du poisson? Des fruits?
2. Est-ce qu'il ne mange absolument pas de dessert?
3. Comment trouvez-vous le régime de Fabrice? Equilibré? Fortifiant? Nourrissant?
4. A votre avis, est-ce que Fabrice va avoir de la difficulté à suivre le régime? Pourquoi?

B15 Activité • Ecrit dirigé

Qu'est-ce que vous avez mangé hier? Faites une liste et dites si la nourriture est nourrissante ou pas.

Nourriture	Nourrissant
Du gâteau	Non
Une pomme	Oui

B16 **COMMENT LE DIRE**
Giving and justifying advice

Tu devrais
Je te conseille de } boire du lait.
Il vaut mieux que tu boives du lait.

C'est excellent pour la santé.
C'est bon pour toi.
C'est ce qu'il te faut.
C'est nourrissant.
C'est meilleur.

Expressing doubt, uncertainty

Tu crois?   Vraiment?
Tu es sûr(e)?   C'est vrai?

B17 Activité • **Il faut que Fabrice mange mieux**

Qu'est-ce que vous conseillez à Fabrice de manger ou de boire? Dites pourquoi.

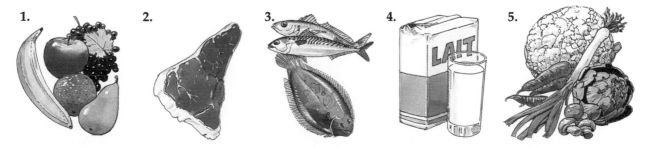

1.   2.   3.   4.   5.

Activité • Donnez des conseils

Vos camarades se plaignent *(complain)*. Donnez-leur des conseils.

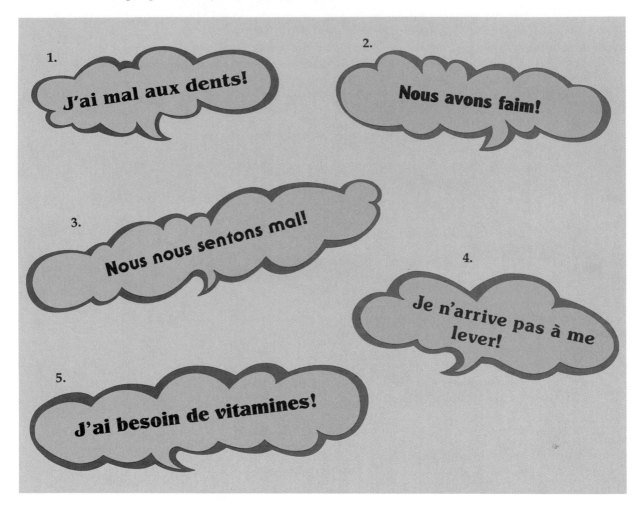

1. J'ai mal aux dents!
2. Nous avons faim!
3. Nous nous sentons mal!
4. Je n'arrive pas à me lever!
5. J'ai besoin de vitamines!

B19   ## Activité • A vous maintenant!

Votre ami(e) exprime ses envies. Vous lui donnez des conseils, mais il/elle a des doutes.
Faites les dialogues avec un(e) camarade. Changez de rôle.

> — J'ai envie d'apprendre l'anglais.
> — Tu devrais aller aux Etats-Unis.
> — Tu crois?
> — Oui, c'est un bon moyen d'apprendre l'anglais.

1. apprendre l'anglais
2. gagner de l'argent
3. voir mes copains
4. jouer de la musique
5. bien manger
6. connaître d'autres pays

aller en Angleterre
aller dans un bon restaurant
organiser une soirée
voyager
chercher un job
apprendre la guitare

COMMENT LE DIRE
Expressing dislike for foods and beverages

Je n'aime pas ça.	I don't like it.
C'est pas bon.	It's not good.
C'est mauvais.	It's bad.
Ça n'a pas de goût.	It's tasteless.
C'est infect.	It's disgusting.

B21 Activité • **Il faut bien se nourrir**

Votre ami(e) ne se nourrit pas bien. Vous lui conseillez de manger de la nourriture fortifiante et nourrissante. Faites les dialogues avec un(e) camarade. Employez les expressions dans B16 et B20. Changez de rôle.

— Tu devrais manger des céréales.
— Je n'aime pas ça.
— Mais c'est excellent pour la santé.
— Tu crois?

B22 Activité • **Ecoutez bien**

Vous écoutez la radio. Il y a une émission pour les jeunes sur la nourriture. Des garçons et des filles téléphonent au docteur Leblanc pour lui demander des renseignements et des conseils. Ecoutez leurs questions et les réponses du docteur. Ensuite, répondez aux questions.

1. Qu'est-ce que la mère de Julien ne veut pas qu'il fasse?
2. En général, qu'est-ce que le docteur Leblanc pense du fast-food?
3. Quel est le problème de Delphine?
4. D'après le docteur, quand est-ce que le chocolat peut être un problème?
5. Qui sont Yannick Noah et Henri Leconte?
6. Qu'est-ce qu'ils boivent le jour du match?

*Bien se nourrir, d'accord, mais il faut faire des exercices. Qu'est-ce que vous faites pour conserver
la forme?*

C1   # La remise en forme (suite) 📼

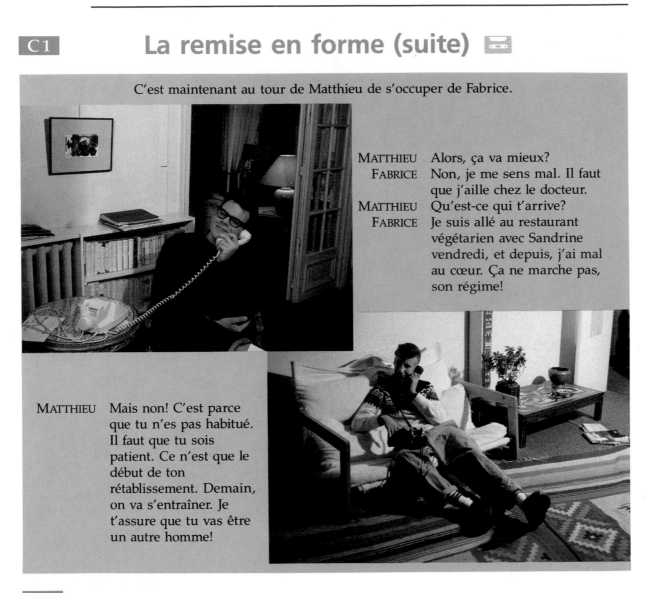

C'est maintenant au tour de Matthieu de s'occuper de Fabrice.

MATTHIEU   Alors, ça va mieux?
FABRICE   Non, je me sens mal. Il faut
           que j'aille chez le docteur.
MATTHIEU   Qu'est-ce qui t'arrive?
FABRICE   Je suis allé au restaurant
           végétarien avec Sandrine
           vendredi, et depuis, j'ai mal
           au cœur. Ça ne marche pas,
           son régime!

MATTHIEU   Mais non! C'est parce
           que tu n'es pas habitué.
           Il faut que tu sois
           patient. Ce n'est que le
           début de ton
           rétablissement. Demain,
           on va s'entraîner. Je
           t'assure que tu vas être
           un autre homme!

C2   Activité • Avez-vous compris?

Répondez aux questions suivantes d'après la conversation entre Matthieu et Fabrice.

1. Comment est-ce que Fabrice se sent?
2. D'après Fabrice, pourquoi est-ce qu'il ne se
   sent pas bien?
3. D'après Matthieu, pourquoi est-ce que
   Fabrice a mal au cœur?

4. Quels conseils est-ce que Matthieu lui
   donne?
5. Qu'est-ce que Matthieu et Fabrice vont faire
   demain?

Activité • Trouvez d'autres raisons

Fabrice n'est pas en forme parce qu'il est allé au restaurant végétarien avec Sandrine. Pouvez-vous trouver d'autres raisons? Faites de courts dialogues avec un(e) camarade d'après les dessins. Changez de rôle.

— Ça va mieux?
— Non, je n'arrive pas à dormir.

C4 Activité • Ecrivez

Imaginez. Avant de téléphoner à Fabrice, Matthieu a téléphoné à Sandrine pour savoir comment marche le régime de Fabrice. Ecrivez leur conversation téléphonique.

Après le régime, les exercices!

FABRICE   Eh, ne cours pas si vite!
Je craque!

MATTHIEU   Pauvre vieux! Force-toi!
Chaque matin il faut que tu
fasses une demi-heure de
jogging. Courage!

FABRICE   Je me sens faible! Je
suis mort!

MATTHIEU   Il faut que tu ailles au
centre sportif une fois
par semaine.

FABRICE   Ooh! Je n'en peux plus! Je
suis crevé!

MATTHIEU   Allez, continue! Il faut que
tu fasses encore dix
pompes!

C6   Activité • Avez-vous compris?

Répondez aux questions suivantes d'après les dialogues entre Matthieu et Fabrice.

1. Qu'est-ce que Matthieu dit pour encourager Fabrice? Trouvez au moins deux expressions dans les dialogues.
2. Fabrice est fatigué. Qu'est-ce qu'il dit? Trouvez au moins deux expressions dans les dialogues.
3. Qu'est-ce que les garçons font le matin? Pendant combien de temps?
4. Est-ce que Matthieu et Fabrice vont aller au centre sportif tous les jours?
5. Qu'est-ce qu'ils font au centre sportif?

Qu'est-ce qu'on fait comme exercices?

1.

des pompes

2.

de l'aérobic

3.

de la musculation

4.

de la gymnastique

5.

de la natation

6.

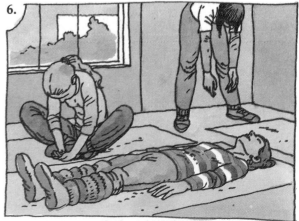

de la relaxation

Comme aux Etats-Unis, mais avec quelques années de retard, les Français font de plus en plus attention à leur corps. Le mouvement est venu des Etats-Unis, et les mots aussi : aérobic, body-building, stretching font maintenant partie du langage courant. La télévision et les éditeurs suivent la mode, et des vedettes comme Sylvie Vartan, célèbre chanteuse des années soixante, ont écrit leur *Beauty Book*.

De nombreux centres proposent des activités corporelles. Le plus important est le Gymnase Club, créé en 1979. Avec une carte d'abonnement à l'année, on peut y faire ce qu'on veut : de la musculation, du judo, de la natation ou du tennis. Il existe aussi un Gymnase Club réservé aux jeunes, le Gymnase Club Junior.

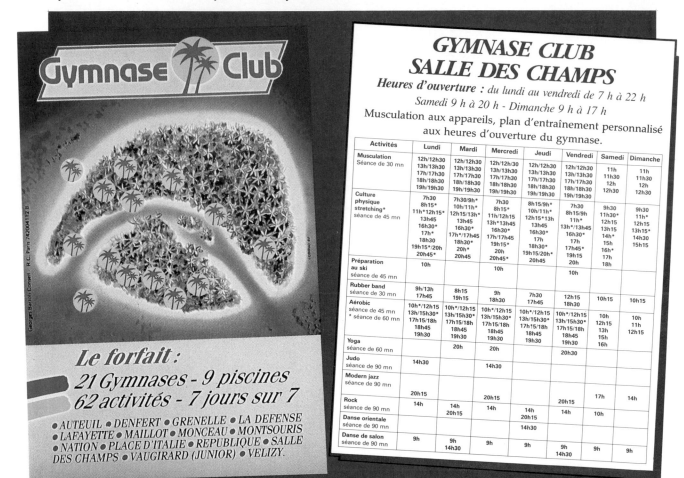

GYMNASE CLUB

Le forfait :
21 Gymnases - 9 piscines
62 activités - 7 jours sur 7

• AUTEUIL • DENFERT • GRENELLE • LA DEFENSE
• LAFAYETTE • MAILLOT • MONCEAU • MONTSOURIS
• NATION • PLACE D'ITALIE • REPUBLIQUE • SALLE
DES CHAMPS • VAUGIRARD (JUNIOR) • VELIZY.

GYMNASE CLUB SALLE DES CHAMPS

Heures d'ouverture : du lundi au vendredi de 7 h à 22 h
Samedi 9 h à 20 h - Dimanche 9 h à 17 h
Musculation aux appareils, plan d'entraînement personnalisé aux heures d'ouverture du gymnase.

Activités	Lundi	Mardi	Mercredi	Jeudi	Vendredi	Samedi	Dimanche
Musculation Séance de 30 mn	12h/12h30 13h/13h30 17h/17h30 18h/18h30 19h/19h30	12h/12h30 13h/13h30 17h/17h30 18h/18h30 19h/19h30	12h/12h30 13h/13h30 17h/17h30 18h/18h30 19h/19h30	12h/12h30 13h/13h30 17h/17h30 18h/18h30 19h/19h30	12h/12h30 13h/13h30 17h/17h30 18h/18h30 19h/19h30	11h 11h30 12h 12h30	11h 11h30 12h 12h30
Culture physique stretching* séance de 45 mn	7h30 8h15* 11h*12h15* 13h45 16h30* 17h* 18h30 19h15*/20h 20h45*	7h30/9h* 10h/11h* 12h15/13h* 13h45 16h30* 17h*/17h45 18h30 20h* 20h45	7h30 8h15* 11h/12h15 13h*13h45 16h30* 17h/17h45 19h15* 20h 20h45*	8h15/9h* 10h/11h* 12h15*13h 13h45 16h30* 17h 18h30* 19h15/20h* 20h45	7h30 8h15/9h 11h* 13h*/13h45 16h30* 17h45* 19h15	9h30 11h30* 12h15 13h15 14h* 15h 16h* 17h 18h	9h30 11h* 12h15 13h15* 14h30 15h15
Préparation au ski séance de 45 mn	10h		10h		10h		
Rubber band séance de 30 mn	9h/13h 17h45	8h15 19h15	9h 18h30	7h30 17h45	12h15 18h30	10h15	10h15
Aérobic séance de 45 mn * séance de 60 mn	10h*/12h15 13h/15h30* 17h15/18h 18h45 19h30	10h*/12h15 13h/15h30* 17h15/18h 18h45 19h30	10h*/12h15 13h/15h30* 17h15/18h 18h45 19h30	10h*/12h15 13h/15h30* 17h15/18h 18h45 19h30	10h*/12h15 13h/15h30* 17h15/18h 18h45 19h30	10h 12h15 13h 15h 16h	10h 11h 12h15
Yoga séance de 60 mn		20h	20h		20h30		
Judo séance de 90 mn	14h30		14h30				
Modern jazz séance de 90 mn	20h15		20h15		20h15	17h	14h
Rock séance de 90 mn	14h	14h 20h15	14h	14h 20h15	14h	10h	
Danse orientale séance de 90 mn				14h30			
Danse de salon séance de 90 mn	9h	9h 14h30	9h	9h	9h 14h30	9h	9h

1. Est-ce que vous faites des exercices? Quel genre d'exercices?
2. Quand est-ce que vous les faites? Tous les jours? Une fois par semaine? Trois fois par jour? Le dimanche?
3. Pourquoi est-ce que vous faites des exercices?
4. Est-ce qu'il y a un centre de musculation près de chez vous? Est-ce que vous y allez? Avec qui? Quand?

C10 STRUCTURES DE BASE
The verb courir

courir *to run*					
Je	**cours**	} vite.	Nous	**courons**	} vite.
Tu	**cours**		Vous	**courez**	
Il/Elle/On	**court**		Ils/Elles	**courent**	

The past participle of **courir** is **couru: Je n'ai pas couru vite.**

C11 Activité • **La course** *The race*

Vous êtes bon(ne) à la course? Au centre sportif, vous avez couru le 100 mètres contre des copains. Vous avez noté les temps. Dites les temps de tous les coureurs.

— Corinne court le 100 mètres en treize secondes deux.

Course: 100 m

Corinne	13"2
Philippe	13"5
Jean - Paul	13"5
Claire	13"8
* Moi	14"3
Matthieu	14"2
Fabrice	16"2

C12 VOUS EN SOUVENEZ-VOUS?
The subjunctive

You recall that you generally use the subjunctive forms of a verb if you want to say that activities must take place, that someone wants or doesn't want them to take place, or that it's better that they do.

> Il faut que tu **manges** mieux.
> Je veux que tu te **nourrisses** bien.
> Il vaut mieux que tu **prennes** un jus de fruit.

Do you remember how to make the subjunctive forms of a verb? First, you find the stem by dropping the verb ending from the regular **ils/elles** form. Then you add these endings: **-e, -es, -e, ions, -iez,** or **-ent.**

Present Subjunctive		
Stem	*Endings*	
rest~~ent~~	**-e**	Il faut que je **reste** ici.
rentr~~ent~~	**-es**	Ils veulent que tu **rentres.**
attend~~ent~~	**-e**	Il vaut mieux qu'il **attende.**
choisiss~~ent~~	**-ions**	Il faut que nous **choisissions.**
sort~~ent~~	**-iez**	Ils ne veulent pas que vous **sortiez.**
mett~~ent~~	**-ent**	Il faut qu'ils **mettent** la table.

Remember that the verb **faire** has an irregular stem in all the subjunctive forms: **fasse, fasses, fasse, fassions, fassiez, fassent.** Some verbs have two different stems: **boive, boives, boive, buvions, buviez, boivent.**

STRUCTURES DE BASE
Irregular subjunctive forms: aller, avoir, *and* être

1. **Aller, avoir,** and **être** have two different irregular stems in the present subjunctive: one for the **je, tu, il(s),** and **elle(s)** forms, and another for the **nous** and **vous** forms.

aller	avoir	être
Il faut...	Il faut...	Il faut...
que j' **aille**	que j' **aie**	que je **sois**
que tu **ailles**	que tu **aies**	que tu **sois**
qu'il/elle/on **aille**	qu'il/elle/on **ait**	qu'il/elle/on **soit**
que nous **allions**	que nous **ayons**	que nous **soyons**
que vous **alliez**	que vous **ayez**	que vous **soyez**
qu'ils/elles **aillent**	qu'ils/elles **aient**	qu'ils/elles **soient**

2. You use the subjunctive forms of **avoir** and **être** in commands.

N'**aie** pas peur!   **Sois** patient(e)!
N'**ayez** pas peur!   **Soyez** patient(e)(s)!

3. **Vouloir** also has two different irregular stems in the present subjunctive: **veuille, veuilles, veuille, voulions, vouliez, veuillent.**

4. **Pouvoir** and **savoir,** like **faire,** have one irregular stem for all forms of the present subjunctive: **puiss-, sach-.**

Activité • Donnez des raisons

Pourquoi est-ce qu'il faut que ces gens fassent ces choses? Donnez des raisons. Employez **Il faut que...** et le subjonctif du verbe **être.** Travaillez avec un(e) camarade. Changez de rôle.

Fabrice fait du jogging. (en forme)   — Pourquoi est-ce que Fabrice fait du jogging?
                                       — Il faut qu'il soit en forme.

1. Ils font de la musculation. (beau)
2. Tu suis un régime. (en bonne santé)
3. Nous faisons de l'aérobic. (en forme)
4. Vous courez si vite. (prêt pour le match)
5. Murielle cherche un job. (indépendant)

Activité • Donnez des conseils

Donnez des conseils à votre ami(e). Dites-lui où il faut qu'il/elle aille. Employez **Il faut que...** et le subjonctif du verbe **aller.** Changez de rôle.

avoir mal au cœur   — J'ai mal au cœur.
                        — Il faut que tu ailles chez le docteur.

1. avoir mal partout
2. avoir mal aux dents
3. avoir envie d'être en forme
4. vouloir faire du théâtre
5. devoir acheter des médicaments
6. manger trop de viande

au centre sportif	chez le docteur
chez le pharmacien	à la Maison des Jeunes
dans un restaurant végétarien	chez le dentiste

COMMENT LE DIRE
Expressing fatigue

Je n'en peux plus!	Je suis mort(e)! (fam.)
Je suis fatigué(e).	Je suis crevé(e)! (fam.)
Je suis épuisé(e).	Je craque! (fam.)
J'abandonne.	

Pitying and encouraging

PITYING	ENCOURAGING
(Mon) Pauvre vieux!	Allez!
(Ma) Pauvre vieille!	Vas-y!
Pauvre Fabrice!	Encore un effort!
Pauvre petit(e)!	Courage!
	Force-toi!

C17 Activité • Ils n'en peuvent plus

Vous proposez à un(e) camarade de faire quelque chose. Il/Elle refuse parce qu'il/elle est fatigué(e). Vous l'encouragez. Variez les expressions et changez de rôle.

— Tu viens avec moi faire du jogging?
— Non, je suis fatigué(e).
— Allez, force-toi!

1. Tu viens avec moi faire de la musculation?
2. Allez, encore des pompes!
3. Mange encore un peu de riz!
4. On va voir un troisième film?
5. Tu devrais faire du vélo maintenant.
6. Fais de la natation. C'est excellent!

C18 COMMENT LE DIRE
Assuring and reassuring someone

Je t' (vous) assure que ça va.	Ça va, je t' (vous) assure.
Je te (vous) promets que je me sens mieux.	Je me sens mieux, je te (vous) promets.
Je te (vous) garantis que je me nourris bien.	Je me nourris bien, je te (vous) garantis.

C19 Activité • Rassurez-le

Votre camarade vous trouve mauvaise mine. Vous lui assurez que vous êtes en pleine forme. Travaillez avec un(e) camarade et changez de rôle. Variez les expressions soulignées. Employez les expressions dans A15, B16 et C18.

— Tu n'as pas l'air en forme.
— Si, ça va.

— Tu es sûr(e)?
— Oui, je t'assure que ça va mieux.

Vos amis ont constaté *(noticed)* plusieurs choses chez vous *(about you)*. Mais vous n'êtes pas d'accord avec eux. Vous les assurez du contraire. Variez les expressions. Changez de rôle.

— Tu ne fais pas assez d'exercices.
— Si, je t'assure que je fais assez d'exercices.

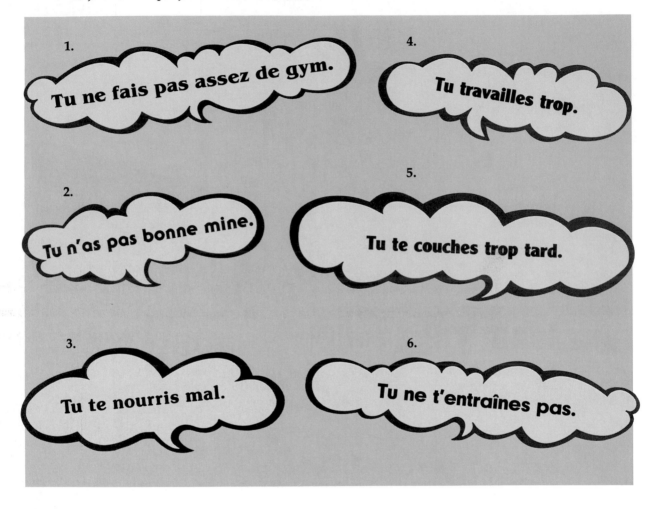

1. Tu ne fais pas assez de gym.

2. Tu n'as pas bonne mine.

3. Tu te nourris mal.

4. Tu travailles trop.

5. Tu te couches trop tard.

6. Tu ne t'entraînes pas.

C21 Activité • Ecoutez bien

Ecoutez cette publicité radiophonique pour le Gymnase Club. Vous voulez encourager un(e) de vos ami(e)s à y aller. Ecrivez le maximum de renseignements pour pouvoir le/la renseigner.

	Activités :
Nom :	
Jours :	
Heures :	
Tél.	

1   Fabrice n'arrive plus à dormir.

Depuis quelques jours, Fabrice fait de drôles de rêves : ses parents, ses amis, tout le monde lui donne des conseils pour être en forme.

Tu as drôlement mauvaise mine! Tu devrais aller chez le médecin!

Mais non, il faut que tu manges mieux!

Pas du tout! A mon avis, tu devrais boire du jus d'orange. C'est excellent pour la santé!

Pourquoi tu ne fais pas de jogging tous les matins?

Mange des fruits. C'est meilleur que les bonbons!

Tu n'as pas l'air en forme. Je te conseille de faire de la gym!

2   Activité • Répondez

Répondez aux questions suivantes d'après 1.

1. Pourquoi est-ce que Fabrice n'arrive plus à dormir?
2. Décrivez ses rêves.
3. Quels conseils est-ce que les autres lui donnent dans ses rêves?
4. Comment est-ce que les autres trouvent Fabrice?
5. Pourquoi est-ce qu'il devrait boire du jus d'orange?

3   Activité • Chez le docteur

Imaginez. Vous allez chez le docteur. Vous lui dites que vous ne vous sentez pas bien. Il vous donne des conseils. Préparez le dialogue avec un(e) camarade.

4   Activité • Donnez des conseils

Votre ami(e) ne se sent pas bien. Il/Elle fume des cigarettes depuis longtemps. Vous lui conseillez de ne plus fumer, de se remettre en forme. Il/Elle vous promet d'abandonner ses mauvaises habitudes. Préparez le dialogue avec un(e) camarade.

Le Tabac ou la Santé

A vous de choisir

COMITE FRANÇAIS D'EDUCATION POUR LA SANTE • ORGANISATION MONDIALE DE LA SANTE

Activité • Réfléchissez

Maintenant vous connaissez bien Fabrice. A votre avis, est-ce que la réforme de Fabrice va réussir ou non? Exprimez votre opinion et donnez vos raisons.

6 Activité • Projet

Comme devoir, votre professeur vous a demandé de dessiner une affiche. Il vous a donné le choix : (1) une affiche qui conseille aux gens de bien se nourrir ou (2) une affiche qui conseille aux gens de faire des exercices. Choisissez un sujet et dessinez l'affiche.

7 Activité • Ecrivez

Fabrice vous a écrit une lettre. Il vous parle de sa remise en forme. Avez-vous pitié de lui ou êtes-vous d'accord avec les efforts de Sandrine et de Matthieu? Répondez à la lettre en exprimant votre opinion.

> Cher / Chère...
>   Comment vas-tu? Moi, ça va pas terrible. Je t'écris de mon lit. J'ai passé une journée horrible. J'ai deux amis, Matthieu et Sandrine; tu les as vus, je crois, quand tu es venu(e) en France en juillet. Je ne sais pas ce qu'ils ont, mais depuis quinze jours, ils veulent absolument que je fasse des exercices et que je me nourrisse mieux. Ils disent que j'ai mauvaise mine, que j'ai l'air faible. C'est vrai, je ne suis pas très en forme, mais ils exagèrent. Maintenant, je suis malade! Imagine: moi qui ne suis pas sportif, je dois faire de la musculation, du jogging, de la gymnastique...! Je suis épuisé! Moi qui aime les pâtisseries, il faut que je suive un régime et que je mange de la nourriture infecte dans les restaurants végétariens!
>   Bon, je te quitte parce qu'il faut que je me couche: demain matin, il faut que j'aille faire du jogging avec Matthieu au jardin du Luxembourg à sept heures! Salut!
>   Amitiés,
>   Fabrice

8 Activité • Récréation

Devinez
  Qu'est-ce que ces symboles représentent?

1. 2. 3. 4.

PRONONCIATION

The nasals

1 — Ecoutez bien et répétez.

1. The sound /ɛ̃/

Saint-Paul	saint	bain	main
Saint-Pierre	pain	faim	train

J'ai faim. Un pain, s'il vous plaît.
J'ai tellement faim. Je vais manger tout un pain.
A quelle heure est le prochain train pour Saint-Germain?
A cinq heures vingt.

2. The sound /ɑ̃/

dent	temps	grand	banque
blanc	vent	franc	langue
plan	gant	pense	jambe

Les sandwiches au pain blanc sont à vingt francs.
Sa tante a de l'argent à la banque.

3. The sound /ɔ̃/

bon, bon   des bonbons   J'aime les bonbons.   C'est bon.
ma blonde   mon oncle   Sur le pont d'Avignon, on y danse tous en rond.
Deux sandwiches au jambon, trois sandwiches au saumon et quatre sandwiches au thon.

4. The sound /œ̃/

un garçon   un à un   emprunter   lundi   du pain brun

5. The sounds /ɛ̃/, /ɑ̃/, /ɔ̃/, and /œ̃/ together

Chacun monte dans le train et prend sa place.
Ça fait cinq cent cinquante et un francs onze.
Un bon pain blanc.

2 — Ecoutez et lisez.

— Tu prends des vacances en septembre?
— Bien sûr, à la campagne, chez mon oncle et ma tante.
— C'est où?
— A vingt kilomètres d'ici. En train, ça ne prend pas longtemps. On arrive juste à temps pour le dîner.

— On mange bien?
— Oui, mais ce n'est pas abondant. Tu sais, mon oncle Armand n'est pas gourmand. Pour lui, du pain blanc frais et un bon camembert, ça suffit.

3 — Copiez les phrases suivantes pour préparer une dictée.

1. Bonjour, Francine. Depuis quand tu es au régime?
2. Depuis le vingt septembre. Ça fait un an que je fais des exercices.
3. Comment tu te sens?
4. J'ai mal à la tête le matin, au ventre après manger et aux jambes toute la journée. Et toi?
5. Moi, ça va, je fais de la natation. Chaque matin je fais de nombreuses longueurs de bassin. C'est excellent pour la santé.

VERIFIONS!

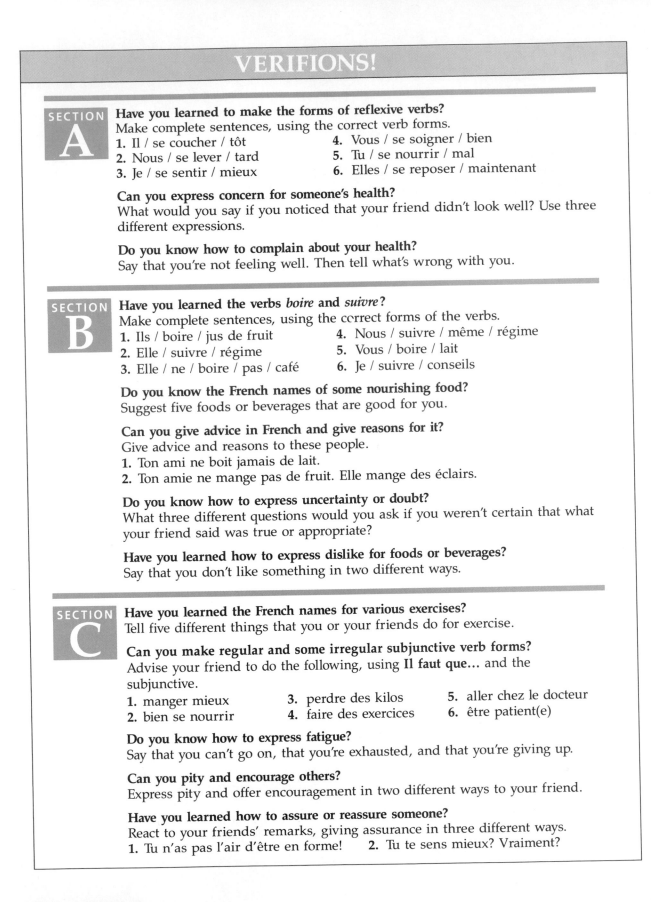

SECTION A

Have you learned to make the forms of reflexive verbs?
Make complete sentences, using the correct verb forms.
1. Il / se coucher / tôt
2. Nous / se lever / tard
3. Je / se sentir / mieux
4. Vous / se soigner / bien
5. Tu / se nourrir / mal
6. Elles / se reposer / maintenant

Can you express concern for someone's health?
What would you say if you noticed that your friend didn't look well? Use three different expressions.

Do you know how to complain about your health?
Say that you're not feeling well. Then tell what's wrong with you.

SECTION B

Have you learned the verbs *boire* and *suivre*?
Make complete sentences, using the correct forms of the verbs.
1. Ils / boire / jus de fruit
2. Elle / suivre / régime
3. Elle / ne / boire / pas / café
4. Nous / suivre / même / régime
5. Vous / boire / lait
6. Je / suivre / conseils

Do you know the French names of some nourishing food?
Suggest five foods or beverages that are good for you.

Can you give advice in French and give reasons for it?
Give advice and reasons to these people.
1. Ton ami ne boit jamais de lait.
2. Ton amie ne mange pas de fruit. Elle mange des éclairs.

Do you know how to express uncertainty or doubt?
What three different questions would you ask if you weren't certain that what your friend said was true or appropriate?

Have you learned how to express dislike for foods or beverages?
Say that you don't like something in two different ways.

SECTION C

Have you learned the French names for various exercises?
Tell five different things that you or your friends do for exercise.

Can you make regular and some irregular subjunctive verb forms?
Advise your friend to do the following, using **Il faut que...** and the subjunctive.
1. manger mieux
2. bien se nourrir
3. perdre des kilos
4. faire des exercices
5. aller chez le docteur
6. être patient(e)

Do you know how to express fatigue?
Say that you can't go on, that you're exhausted, and that you're giving up.

Can you pity and encourage others?
Express pity and offer encouragement in two different ways to your friend.

Have you learned how to assure or reassure someone?
React to your friends' remarks, giving assurance in three different ways.
1. Tu n'as pas l'air d'être en forme!
2. Tu te sens mieux? Vraiment?

VOCABULAIRE

SECTION A

arrive : Qu'est-ce qui t'arrive? *What's wrong with you?*
avoir : Qu'est-ce que tu as? *What's wrong with you?*
coucher (se) *to go to bed*
une **dent** *tooth*
énergique *energetic*
entraîner (s') *to train, work out*
un **exercice** *exercise*
inquiéter (s') *to worry*
lever (se) *to get up*
mal : avoir du mal à *to have difficulty;* **avoir mal à** *to hurt, ache*
manquer (de) *to lack*
matinée : faire la grasse matinée *to sleep late*
une **mesure** *measure*
mine : avoir mauvaise mine *to look sick*
nourrir (se) *to feed, nourish*
occuper (s') (de) *to take charge (of)*
partir : à partir de *from . . . on(ward)*
partout *everywhere*
un(e) **pharmacien, -ienne** *pharmacist*
promener (se) *to walk*
un **régime : faire un régime** *to go on a diet*
reposer (se) *to rest*
sentir (se) *to feel*
soigner (se) *to take care of*
la **tête** *head*
le **tonus** *muscle tone*

SECTION B

l' **alimentation** (f.) *food*
une **banane** *banana*
boire *to drink*
le **brocoli** *broccoli*
la **cantine** *cafeteria*
une **carotte** *carrot*
des **céréales** (f.) *cereal*
certainement *undoubtedly*
le **chemin** *way*
le **début** *beginning*
devrais *should*
un **éclair** *eclair*
équilibré, -e *balanced*
essentiel, -elle *essential*
fortifiant, -e *fortifying*
une **habitude** *habit*
un **haricot vert** *string bean*
infect, -e *disgusting, rotten*
lâcher *to let go, release*
meilleur, -e *better, best*
nourrissant, -e *nourishing*
une **orange** *orange*
un **pamplemousse** *grapefruit*
les **pâtes** (f.) *pasta*
peser *to weigh*
une **poire** *pear*
une **pomme** *apple*
une **pomme de terre** *potato*
la **remise en forme** *remaking*
un **restaurant** *restaurant*
retrouver : retrouver des couleurs *to get your color back*

le **riz** *rice*
suivre *to follow, take*
une **tartine** *slice of bread and butter*
une **tomate** *tomato*
vaut : il vaut mieux que... *it's better that . . .*
végétarien, -ienne *vegetarian*
un **verre** *glass*
une **vitamine** *vitamin*
le **yaourt** *yogurt*

SECTION C

assurer *to assure*
conserver *to keep, preserve*
courir *to run*
craquer (fam.) *to be about to collapse*
crevé, e *exhausted*
depuis *(ever) since*
le **docteur** *doctor*
épuisé, -e *exhausted*
faible *weak*
forcer (se) *to force oneself*
garantir *to guarantee*
habitué, -e *used to, accustomed*
mort, -e *dead*
pauvre *poor*
peux : Je n'en peux plus! *I can't continue!*
une **pompe** *push-up*
promettre *to promise*
le **rétablissement** *restoration*
le **tour** *turn*

ETUDE DE MOTS

You've learned that reflexive pronouns may be used with many verbs to show that the subject is performing the action of the verb on itself; the subject and the reflexive pronoun refer to the same person or thing. You may often use the same verbs without the reflexive pronoun to show that the subject is acting upon someone or something else.

Je me couche. *I go to bed. (I put myself to bed.)*
La mère couche les enfants. *The mother puts the children to bed.*

Make up pairs of sentences similar to those above using the following verbs, first with a reflexive pronoun, then without.

se promener   **s'inquiéter**   **se soigner**   **se nourrir**

A LIRE

Bibi : le fana de la forme

Connaissez-vous des fanatiques de la forme? Alors, vous connaissez déjà Bibi. Il a écrit ses pensées intimes. Est-il heureux?

Avant de lire

Reconnaissez-vous ces mots? Pouvez-vous deviner leurs équivalents anglais?

additif	graisse	kiwis
cholestérol	s'exercer	vanille

Lisez le poème rapidement. Qu'est-ce que Bibi fait pour être en pleine forme?

Je me regarde
Et je me trouve beau.
Cuisine régime,
Cuisine bonne mine.
Additifs?
Jamais.
Cholestérol?
Je ne me laisse pas tenter°.
Je ne mange aucune graisse,
Aucun sucre.
Pas de sel.
Je me regarde
Et je me trouve beau.

Je ne mange rien
Mais j'ai envie de tout.
D'habitude, je me couche
Sans rien manger,
Ou presque.
Une pomme,
Un verre de lait écrémé°.
De bon matin je fais du jogging.
Je me muscle le ventre.
Après, j'ai mal aux genoux.
L'après-midi,
Je fais de la bicyclette.
Je ne mange rien
Mais j'ai envie de tout.

---

me laisse tenter *let myself be tempted;* **écrémé** *skimmed*

Il vaut mieux que ça change.
Il vaut mieux que je mange.
Mais j'avale des corn flakes,
Du lait écrémé,
Du jus d'orange,
Du kasha°, des kiwis,
Du yaourt aux myrtilles°.
Je me fais des muscles.
Je cultive le body-building.
Je cours,
Je dors,
Je rêve de manger.
Il vaut mieux que ça change.
Il vaut mieux que je mange.

Je meurs° de faim,
Je dépéris°.
J'ai mal aux genoux,
Je cours trop!
Quand je me regarde,
Je me trouve beau.
Beau mais affamé°!
J'ai mal de ne rien manger!
Il vaut mieux que ça change.
Il vaut mieux que je mange
Des gâteaux,
Du chocolat,
De la glace à la vanille.
Je ne veux plus m'exercer!
Je meurs de faim,
Je dépéris!

Activité • Réfléchissez

A votre avis, est-ce que Bibi est content? Pourquoi? Citez (quote) des vers (lines) du poème pour justifier votre opinion.

Activité • Donnez des conseils

Donnez des conseils à Bibi. Encouragez-le ou déconseillez-le.

---

kasha crushed wheat;   **myrtilles** blueberries;   **meurs** die;   **dépéris** fade away;   **affamé** starved

Comment soigner les petits maux°?

Comment vous sentez-vous? Avez-vous souvent la grippe°? Un rhume°? Une angine°? Le docteur Bonsoin vous donne des conseils utiles pour soigner les petits maux.

Avant de lire

La grippe et l'angine sont des maladies°. Lisez le texte rapidement pour trouver ce qui cause ou transmet ces maladies.

D͏ʳ Jean Bonsoin
7, rue de l'Hôpital
96102 Guéri, France

LA GRIPPE : COMMENT S'EN DEBARRASSER°?

Tiens, une maladie qui fait voyager! Asiatique ou espagnole, venue de Bangkok ou du Texas, c'est toujours la grippe. Mais est-ce à chaque fois tout à fait la même maladie? Oui et non. La grippe est transmise par un virus, un microbe minuscule qui a le pouvoir de se transformer au fil du temps°, pour infester les hommes, femmes ou enfants qui ont la santé affaiblie.

La grippe est généralement sans gravité, surtout si l'on est jeune. On s'en tire° avec quelques jours de fièvre°, des frissons°, des courbatures°. Que faire? Se reposer, boire beaucoup, prendre de la vitamine C et de l'aspirine si la fièvre est trop désagréable. Ne pas surchauffer sa chambre, et penser même à l'aérer de temps en temps.

En cas de doute ou de fièvre prolongée, appelez votre médecin.

L'ANGINE : POURQUOI VAUT-IL TOUJOURS MIEUX APPELER UN MEDECIN?

Vous avez 40° de fièvre le matin! Impossible d'avaler° quoi que ce soit! Vous avez la sensation d'avoir des boules° dans la gorge°…

Si vous regardez votre gorge dans une glace, vous découvrez vos amygdales très rouges ou couvertes de petits points blancs.

Cette douleur de gorge peut être accompagnée de maux de ventre.

Pas de doute : c'est bien une angine, causée par un redoutable° microbe qu'on appelle «streptocoque».

Il ne faut jamais laisser traîner° une angine.

Elle est susceptible d'entraîner des complications, comme des rhumatismes ou une maladie du rein°.

Une angine doit être prise au sérieux. Appelez votre médecin sans hésiter.

Activité • Complétez

1. Un virus, c'est un ____ .
2. Un virus ____ la grippe.
3. Le streptocoque, c'est un ____ .

4. Les amygdales sont dans la ____ .
5. L'angine et la grippe sont des ____ .

Activité • A vous maintenant!

Vous vous sentez mal. Votre ami(e) vous demande ce que vous avez. Vous lui décrivez vos symptômes. Il/Elle vous donne des conseils. Faites le dialogue avec un(e) camarade. Employez les renseignements dans «La grippe… » et dans «L'angine… ».

---

maux (pluriel de mal) *illnesses;* **grippe** *flu;* **rhume** *cold;* **angine** *sore throat;* **maladies** *illnesses;* **s'en débarrasser** *to get rid of it;* **au fil du temps** *in the course of time;* **s'en tire** *pulls through;* **fièvre** *fever;* **frissons** *chills;* **courbatures** *aches;* **avaler** *swallow;* **boules** *lumps;* **gorge** *throat;* **redoutable** *fearsome;* **laisser traîner** *neglect;* **rein** *kidney*

La Chromogym

Est-ce que les couleurs exercent une influence sur vos émotions? Sur vos actions? Lisez cet article sur un cours de gymnastique unique.

A Paris, deux professeurs d'éducation physique offrent un cours de gymnastique en couleur. Ils ont étudié l'influence des couleurs sur les émotions des gens, surtout la chromothérapie pratiquée aux Etats-Unis et en Grande-Bretagne. Ils ont décidé d'introduire les couleurs dans leurs cours de gymnastique. Voici les résultats de leurs recherches.

Le rouge augmente° le rythme cardiaque.
Il est parfait pour les exercices de tonicité.

Le bleu crée une sensation de bien-être.
Il est recommandé pour les exercices d'assouplissement°.

Le jaune et l'orange sont les couleurs de l'harmonie.
Ils conviennent° aux mouvements difficiles et lents, à la coordination.

Le vert facilite la respiration.
Il est bon pour l'échauffement° et la récupération.

Activité • Cherchez des renseignements

Préparez un résumé de cet article en complétant ce tableau.

Couleur	Influence	Exercice
le rouge	le rythme cardiaque	tonicité

Activité • Choisissez les couleurs

A votre avis, quelles couleurs conviennent à ces activités?
1. le yoga
2. la musculation
3. l'aérobic
4. la danse classique
5. le jogging
6. la natation

Activité • Et vous?

Quelle est votre couleur favorite? Reflète-t-elle votre personnalité? Comment et quand l'utilisez-vous?

---

augmente *increases;*   **assouplissement** *relaxation;*   **conviennent** *are suitable;*   **échauffement** *warming-up, limbering*

CHAPITRE 8

Rendez-vous en Suisse

Chapitre de révision

Premier rendez-vous 📼

Visiter un pays étranger, c'est l'occasion de connaître une autre culture et, très souvent, de rencontrer de nouveaux amis.

Isabelle Velley passe ses vacances de Pâques chez ses cousins en Suisse, un joli pays où on parle français. A Genève, elle a rencontré un garçon, Bruno Tessin. Aujourd'hui, elle a rendez-vous avec lui au bord du lac Léman. Pour ce premier rendez-vous, elle se lève tôt.

Isabelle et Bruno sont timides et la conversation commence difficilement.

BRUNO   Bonjour, comment vas-tu?
ISABELLE   Bien. Et toi?
BRUNO   Moi aussi... On se promène un peu?
ISABELLE   Si tu veux.

ISABELLE   Il est drôlement joli, le lac Léman.
BRUNO   Oui... Ici, on l'appelle le lac de Genève mais à Lausanne, à septante kilomètres, ils l'appellent le lac de Lausanne... Pourquoi est-ce que tu ris?
ISABELLE   Septante! Vous parlez un drôle de français en Suisse!
BRUNO   Pourquoi? Nous sommes logiques : après soixante nous disons septante, octante, nonante. C'est mieux que soixante-dix, quatre-vingts et quatre-vingt-dix!
ISABELLE   C'est vrai, tu as raison.

ISABELLE   On parle aussi français à Lausanne?
BRUNO   Oui, dans l'ouest jusqu'à Sierre. Après, dans le nord, on parle allemand. Vers l'Italie, on parle italien et dans l'est, on parle romanche.
ISABELLE   Quatre langues!
BRUNO   Eh oui!

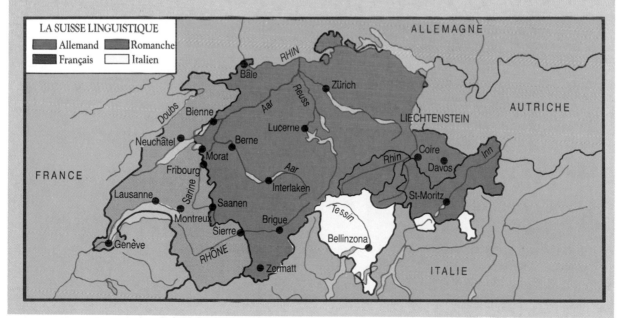

(suite page suivante)

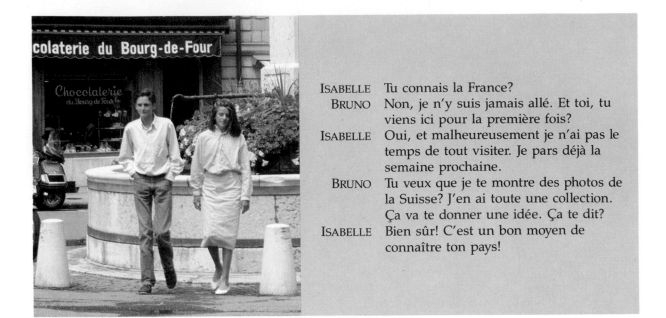

ISABELLE   Tu connais la France?

BRUNO   Non, je n'y suis jamais allé. Et toi, tu viens ici pour la première fois?

ISABELLE   Oui, et malheureusement je n'ai pas le temps de tout visiter. Je pars déjà la semaine prochaine.

BRUNO   Tu veux que je te montre des photos de la Suisse? J'en ai toute une collection. Ça va te donner une idée. Ça te dit?

ISABELLE   Bien sûr! C'est un bon moyen de connaître ton pays!

2   Activité • Avez-vous compris?

Répondez aux questions suivantes d'après «Premier rendez-vous».

1. Pourquoi est-ce qu'Isabelle se lève tôt?
2. Où est-ce qu'Isabelle et Bruno se promènent?
3. Quelles langues est-ce qu'on parle en Suisse?
4. Est-ce qu'Isabelle a déjà visité la Suisse?
5. Est-ce que Bruno est déjà allé en France?
6. Pourquoi est-ce que Bruno propose de montrer ses photos à Isabelle?

3   Activité • Et vous?

1. Etes-vous déjà allé(e) dans un autre pays ou dans un autre état des Etats-Unis? Où ça? Quand?
2. Connaissez-vous d'autres pays où on parle plusieurs langues? Quels pays? Qu'est-ce qu'on y parle comme langues?

4   Activité • Une journée à Genève

Vous visitez Genève avec des copains. Imaginez votre journée typique. Dites ce que vous faites avec vos copains.

Le matin :	L'après-midi :	Le soir :
se lever à sept heures	se reposer	se coucher très tôt
se promener partout	se forcer à ressortir	

A Genève, vous proposez à votre copain/copine de faire ces choses. Il/Elle accepte ou refuse et donne des raisons. Changez de rôle. Commencez par «Tu veux qu'on… ?» + **le subjonctif.**

faire les boutiques   aller voir le Monument de la Réformation

se promener dans le parc de la Grange   visiter le palais des Nations

faire le tour du lac en bateau   aller au musée de l'Horlogerie

6 Activité • A vous maintenant!

Maintenant, votre ami(e) suisse vient vous voir chez vous. Qu'est-ce que vous lui proposez? Il y a des choses à faire dans votre ville? Commencez par «Tu veux qu'on… ?».

7 Activité • Avant le rendez-vous

Vous avez rencontré un garçon/une fille suisse. Vous avez envie de le/la revoir, mais vous êtes timide et vous hésitez. Vous demandez conseil à votre ami(e). Faites le dialogue avec un(e) camarade.

Vous :
Tu crois que je peux… ?
A ton avis, qu'est-ce qu'il faut que je fasse?

Votre ami(e) :
Bien sûr!
Non, il vaut mieux que tu…
Il faut que tu…

Pour vous aider :

donner rendez-vous   inviter   envoyer
oublier   offrir   bien s'habiller
téléphoner

8 Activité • A votre avis

Aller dans un pays étranger, c'est une occasion de faire ou d'apprendre beaucoup de choses. Qu'est-ce que c'est pour vous? Employez les expressions suivantes et trouvez le maximum de réponses.

C'est un moyen de…   C'est une occasion de…   C'est une façon de…

prendre des photos   goûter à une nouvelle cuisine
apprendre une autre langue   rencontrer de nouveaux amis   s'amuser
connaître une autre culture

9 Activité • Ecrivez

Pour payer son voyage en Suisse, il faut qu'Isabelle trouve un travail. Elle met des annonces chez les commerçants et dans son lycée. Ecrivez trois annonces différentes pour elle.

La Suisse est un pays de 6 500 000 habitants à l'est de la France. Sa capitale est Berne. On y parle officiellement quatre langues, l'allemand, (69,3%), le français (18,9%), l'italien (9,5%) et le romanche (0,9%). C'est principalement un pays de montagnes, et ses stations de sports d'hiver des Alpes sont mondialement connues.

Elle accueille tous les ans 6 000 000 de touristes. Ils viennent pour skier, visiter le pays ou faire les vitrines de Genève et de Zurich où ils trouvent des spécialités suisses, comme le chocolat, les montres, les chaussures et les produits de luxe.

La Suisse est un pays neutre, et elle accueille de nombreuses conférences internationales. Certaines associations humanitaires, comme l'OMS (l'Organisation Mondiale pour la Santé) et la Croix Rouge, ont leur siège à Genève. C'est un petit pays (les Etats-Unis sont 227 fois plus grands) mais son influence est importante.

Quand on n'a pas le temps de visiter un pays, il y a une solution pour s'en faire une idée : regarder des photos.

Bruno a sorti sa collection de photos pour les montrer à Isabelle.

— Voici Berne, la capitale. On y parle allemand.

— Ça, c'est Neuchâtel, une ville pittoresque au bord du lac de Neuchâtel.

— Tu devrais vraiment aller visiter Lausanne. On parle français à Lausanne et à Neuchâtel.

— Tu vois, là c'est Crans-Montana, une station de sports d'hiver très connue. Si tu aimes le ski, je te conseille d'y aller. Tu peux faire des kilomètres!

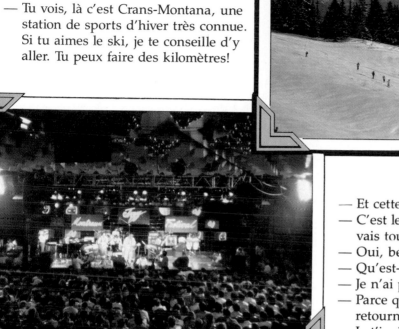

— Et cette photo, qu'est-ce que c'est?
— C'est le festival de jazz de Montreux. J'y vais tous les ans… Tu aimes le jazz?
— Oui, beaucoup.
— Qu'est-ce que tu fais en juillet?
— Je n'ai pas de projets. Pourquoi?
— Parce que… euh… J'ai bien envie d'y retourner. Tu ne veux pas venir avec moi? Je t'invite.

— C'est gentil mais… Tiens, qui est-ce, la fille, là, avec toi? Elle est drôlement jolie!
— Tu trouves?
— C'est une copine?
— Pas du tout! C'est ma sœur. C'est un copain qui nous a pris en photo… Alors, pour Montreux, c'est d'accord?
— Je ne sais pas… Il faut que je demande à mes parents.
— Ça ne t'intéresse pas?
— Si, mais…
— Quoi? Qu'est-ce qu'il y a?
— Il faut que j'y réfléchisse… Je ne peux pas te répondre tout de suite.
— OK, je suis patient!

12   Activité • Vrai ou faux?

Ces phrases sont-elles vraies ou fausses d'après «Visite de la Suisse en photographie»?

1. Bruno n'aime pas prendre des photos.
2. Lausanne est la capitale de la Suisse.
3. On parle allemand à Berne.
4. On peut faire du ski à Crans-Montana.
5. Il y a un festival à Montreux tous les ans.
6. Isabelle est prise en juillet.
7. Bruno a une sœur.
8. Isabelle est d'accord pour venir à Montreux.

13   Activité • Faites le guide

Vous connaissez un peu la Suisse? Votre ami(e) a l'intention d'y aller. Vous savez que votre ami(e)...

parle allemand.
parle italien.
aime skier.
aime les jolies villes.

veut faire des achats.
aime faire des excursions en bateau.
est intéressé(e) par les capitales.
veut visiter des musées.

Donnez-lui des conseils. Commencez par «Tu devrais... », «Je te conseille de... » ou «Il faut absolument que tu... ». Variez les expressions.

14   Activité • Faites le touriste

Vous et votre ami(e), vous êtes touristes à Genève. Votre ami(e) ne veut plus visiter la ville; il/elle se plaint; il/elle est fatigué(e). Vous, vous avez toujours beaucoup d'énergie. Vous voulez continuer la visite. Vous encouragez votre ami(e) à continuer.

15   Activité • A vous maintenant!

Un(e) ami(e) suisse vient vous voir chez vous. Il/Elle a envie de visiter votre ville. Qu'est-ce que vous lui conseillez d'aller voir ou faire? Y a-t-il de vieux monuments? Une jolie église? Un bon restaurant? Un lac?...

16   Activité • Encore à vous

Proposez à un(e) camarade de faire quelque chose pendant les vacances. Il/Elle refuse parce qu'il faut qu'il/elle fasse autre chose.

— Tu ne veux pas... ?
— Désolé(e), il faut que je...

17   Activité • Et vous?

Qu'est-ce que vous allez faire pendant les vacances? Vous avez des projets? Est-ce qu'il y a quelque chose que vous ne pouvez pas faire parce que vous n'avez pas assez d'argent? Faites une conversation avec un(e) camarade. Il/Elle vous pose des questions. Vous lui répondez. Il/Elle vous donne des idées ou des conseils. Changez de rôle.

C'est le dernier jour. Il faut qu'Isabelle rentre chez elle, à Bordeaux. Bruno l'a accompagnée à la gare. Ils sont tous les deux un peu tristes, mais ils vont peut-être bientôt se revoir.

BRUNO	A quelle heure part ton train?
ISABELLE	A trois heures. Tu m'accompagnes sur le quai?
BRUNO	Bien sûr!

BRUNO	Tiens, je t'offre un cadeau.
ISABELLE	Qu'est-ce que c'est?
BRUNO	Ouvre.
ISABELLE	Une boîte de chocolats suisses!
BRUNO	C'est une spécialité.
ISABELLE	C'est très sympa, je te remercie.

BRUNO	Alors, tu es contente de ton séjour? Ça t'a plu, la Suisse?
ISABELLE	Enormément. Malheureusement, je ne suis restée que dix jours. Je n'ai presque rien vu.
BRUNO	Si, tu l'as visitée en photographie.

BRUNO	Tu m'écris une carte postale de France?
ISABELLE	Oui.
BRUNO	Tu penses revenir pour le festival de jazz?
ISABELLE	Peut-être…
BRUNO	Allez! J'ai tellement envie que tu viennes! On va s'amuser, je te garantis.
ISABELLE	Je t'écris.
BRUNO	Non, téléphone-moi!… Je t'attends!
ISABELLE	Salut!
BRUNO	Bon voyage!

19 Activité • Avez-vous compris?

Corrigez ces phrases d'après «Les adieux».

1. Isabelle est contente de partir.
2. Elle part en avion.
3. Bruno l'accompagne à l'aéroport.
4. Elle n'a pas aimé la Suisse.
5. Bruno ne lui a rien offert.
6. Il n'a pas envie qu'elle revienne.

20 Activité • Répondez

Répondez aux questions suivantes en employant les pronoms **le, la, les** ou **lui.**

1. Est-ce que Bruno a accompagné Isabelle à la gare?
2. Est-ce que la Suisse a plu à Isabelle?
3. Est-ce qu'Isabelle a pris le train pour rentrer en France?
4. Est-ce que Bruno a invité Isabelle à venir à Montreux?
5. Est-ce qu'Isabelle et Bruno ont mangé les chocolats?
6. Est-ce qu'Isabelle va écrire à Bruno?

21 Activité • Jeu des renseignements

Maintenant vous connaissez bien Isabelle et Bruno. Trouvez le maximum de renseignements sur eux : où ils habitent, dans quel pays, dans quelle ville, s'ils ont de la famille, ce qu'ils aiment… Travaillez en groupe. Celui/Celle qui trouve le plus de renseignements gagne le jeu.

22 Activité • Jeu de rôle

Isabelle demande à ses parents la permission d'aller au festival de jazz de Montreux. Ils refusent. Elle insiste. Ils lui demandent pourquoi elle veut y aller, comment elle va payer son voyage, combien de temps elle va rester… Finalement… Est-ce qu'ils acceptent ou refusent? Organisez une discussion avec deux autres camarades de classe : le père, la mère et Isabelle.

— Vous voulez bien que… ?
— Non, il faut que tu…
— …

23 Activité • Coup de téléphone

Isabelle téléphone à Bruno pour lui dire qu'elle peut venir avec lui au festival de jazz de Montreux. Préparez la conversation téléphonique avec un(e) camarade.

24 Activité • Ecrivez

Vous voulez devenir écrivain et vous avez envie de continuer l'histoire d'Isabelle et de Bruno. A votre avis, qu'est-ce qu'Isabelle va faire maintenant? Elle va aller à Montreux? Elle va trouver un job pour payer le voyage? Elle va écrire à Bruno? Et Bruno, qu'est-ce qu'il va faire? Il va écrire à Isabelle? Il va lui envoyer un cadeau? Il va parler d'elle à ses copains? Imaginez et écrivez une suite *(continuation)* à leur histoire.

Isabelle et Bruno ont écrit à leurs amis pour leur raconter ce qu'ils ont fait pendant les vacances de Pâques. Voici la lettre d'Isabelle. Pouvez-vous écrire la lettre de Bruno?

Chère Sabine,

Je suis rentrée hier de vacances. Tu sais où je suis allée? A Genève, en Suisse. J'ai fait la connaissance d'un garçon drôlement sympa. Il s'appelle Bruno. Je l'ai rencontré chez mes cousins. Ensuite, il m'a donné rendez-vous au bord du lac Léman. Il m'a raconté sa vie, et il m'a donné quelques renseignements sur la Suisse. Sais-tu qu'on y parle quatre langues? Le lendemain, il m'a montré de très jolies photos de son pays. Il m'a aussi invitée à venir avec lui au festival de jazz de Montreux au mois de juillet. Mais je ne sais pas si je vais y aller. Il faut d'abord que je demande la permission à mes parents et que je trouve de l'argent pour le voyage. Mais je vais essayer... Oh, et il m'a aussi offert une boîte de chocolats suisses! Ne le répète pas: je suis amoureuse!

Bises,   Isabelle

26   Activité • Ecoutez bien

Ecoutez ce message publicitaire radiophonique produit par l'Office du tourisme suisse. Notez le maximum de renseignements.

Sports et Activités	Paysages (Scenery)	Cadeaux/ Souvenirs	Transport	Prix du Voyage

27   Activité • A vous maintenant!

Proposez à un(e) camarade de venir avec vous en Suisse. Il/Elle vous demande comment vous allez y aller, ce que vous allez y faire, combien de temps vous allez y rester, combien coûte le voyage... Vous répondez et vous essayez de le/la persuader de vous accompagner. Employez les renseignements que vous avez appris dans 26.

1. Neither English nor French is written as it is spoken.

   u *mauve, neutral, suit, mouse*   fer *(iron)*   acier *(steel)*
   o *boot, bought, about, boat*
          golf/wolf

2. The vowel **u** and its combinations

   a. tu   étude   revenu   suffit   jupe   refus   discute   salut

   b. In your dictionary you'll find the sound of the word within brackets.

   > **tu** [ty]   **vous** [vu]   **eux** [ø]   **un** [œ̃]   **leur** [lœr]   **faut** [fo]

   c. Now look up these words and list them in six separate columns, according to the sound of the letter **u,** alone or in combination.

/y/ une	/u/ vous	/ø/ eux	/œ̃/ un	/œ/ leur	/o/ faut

   deux, jeu, œuf, jupe, jaune, brun, cou, rouge, beau, nous, chevaux, bœuf, chacun, pourtant, parfum, un, jeune, sœur, poumon, serveuse, nombreuse, prune, souvent, peux, oublie, bouche, bœufs, sucre, lundi, une, cours, chanteur, cousin, gourmand, parfumé, manteau, cheveux, monsieur, chacune, sûr, serveur, où, brune, neuve, autre, auto, cœur, truc, revenu, Etats-Unis, uniforme, neuf, œufs, chanteuse, emprunt

   d. **[œ̃] → [y]**
   un/une   chacun/chacune   lundi   prune
   brun/brune   parfum/parfumé   chacun   lune

   e. **[œ] → [ø]**
   un œuf/des œufs   un chanteur/une chanteuse   neuf/neuve
   un bœuf/des bœufs   un serveur/une serveuse

3. The vowel **o** and its combinations

   The letter **o,** like the letter **u,** is used in combination with other letters to show different sounds: **on, oin, ion.** Look up these words and list them in six separate columns, according to the way the letter **o** is sounded.

/o/ moto, rôle	/ɔ/ note	/ɔ̃/ bon	/wa/ toi	/wɛ̃/ coin	/jɔ̃/ nation

   mode, fois, selon, question, moi, votre, monnaie, salon, orange, lorsque, copain, dos, soigner, opération, mollet, nombre, moins, sport, produit, comment, coquette, côté, poche, addition, coiffure, indigestion, montagne, bonne, postale, prochain, loin, canton, pompiste, mot, école, monde, voilà, option, propose, gestion, doit, objet, offrir, drôle, jolie, alors, accord, moine, adore, compte, quoi, voyage, téléphone, chocolat, offert, invitation, Antoine, rapport, comme, stylo, rocher, patrimoine, choque, profit, avoir, avoine, voiture, boulot, voile, aboie, mois

APERÇU CULTUREL 3 📼

Amitiés de France

Chère Héloïse,

Tu es vraiment une correspondante super sympa! Mille bises pour ta lettre, et surtout pour les photos. Ta famille, elle a l'air très chouette. Et puis, dis donc, le Canada français, qu'est-ce que c'est joli! Il faut que j'économise assez d'argent de poche pour te rendre visite, un jour! Bon, à moi de te montrer ma vie en France...

Nous, on habite à Marly-le-Roi, dans la banlieue parisienne.

Le charmant jeune homme, cartable à la main, devant l'entrée de son immeuble... Tu l'as deviné, c'est moi, en route pour l'école!

Marly-le-Roi, c'est à vingt-quatre kilomètres au sud-ouest de Paris. A peine une demi-heure en train, et on est en plein cœur de la capitale!

A Marly, il y a pas mal de quartiers modernes, mais aussi de vieilles petites rues assez typiques de l'Ile-de-France.

La ville tire son nom du célèbre Louis XIV. Avant, il y avait un château. Maintenant, il ne reste qu'un immense parc, en vert sur la carte du haut.

Faisons vite le tour de la famille. D'abord, papa. Il est photographe pour le magazine Paris-Match, et il voyage partout dans le monde. Qu'est-ce qu'il a de la chance!

Papa adore me battre aux échecs. Je crois que ça l'amuse!

Mal au cœur, mal à la tête? Ça ne fait rien, maman est là. Elle est infirmière à l'hôpital Necker à Paris, et elle sait tout guérir! Les fleurs, c'est sa passion. Il y en a partout dans notre salon, même sur les rideaux et le canapé!

Ça, c'est notre chatte Mimine!

En train de récupérer le courrier, c'est mon frère, Jean-Luc. Il va à l'université à Paris, et son rêve, c'est d'être prof de français. Quelle drôle d'idée! Moi, la littérature, à part les bédés... Tu crois que tous les frères sont bizarres?

N'oublions pas grand-père (on l'appelle tous papi Jeannot)! Il habite à deux minutes de chez nous, dans un pavillon typiquement banlieusard. On s'arrête souvent lui dire un petit bonjour ou lui apporter sa baguette pour le dîner.

Ah, l'école... Tous les matins c'est la panique, et je suis toujours en retard! Mais je ne pars jamais sans avoir pris un bon petit déjeuner. Ce que je préfère, c'est un bol de café au lait et des biscottes avec du beurre ou de la confiture. Moi, les corn-flakes, je trouve ça infect!

D'habitude, je vais à la gare à cinq minutes de chez nous.

En général, les trains sont à l'heure, sauf bien sûr, quand il y a des grèves!

Je fais souvent le trajet avec Céline, une camarade de classe qui habite dans mon immeuble. C'est pratique, on descend juste au prochain arrêt.

Des fois, Jean-Luc est sympa, et il m'accompagne au collège en voiture. Lui, c'est un fana de la mécanique! Il faut vraiment que tu voies sa 4L décapotable. C'est le pied! Moi, mon rêve, c'est d'avoir une mobylette.(J'ai un copain qui a une Peugeot rouge vraiment géniale!) J'ai demandé la permission à mes parents, mais ils trouvent que c'est dangereux...

J'ai vu à la télé qu'en Amérique, les enfants vont souvent à l'école dans de drôles de bus jaunes!

Nous, en France, on n'a presque pas de cars de ramassage scolaire. Mais si on veut, on peut prendre le bus de la RATP, c'est-à-dire le bus public. Comme moyens de transport, j'ai vraiment le choix!

Oh, j'ai oublié de t'expliquer. Je suis en troisième au collège mixte public de Marly-le-Roi. Là, sur les marches, en train d'attendre que la cloche sonne, c'est moi, une copine et Sébastien. Lui, c'est mon meilleur ami depuis l'école maternelle!

« Salut, mon vieux, ça va? » Le matin, c'est tout un rituel: entre copains, on se serre la main...

Mais n'oublions surtout pas de faire la bise aux copines! Tu vois la fille à droite? Elle, c'est un génie en maths. Elle est sympa, elle me dit toujours: «Allons, courage! Tu vas y arriver!» Mais moi, les fractions... je n'y comprends rien!

Les devoirs, j'en ai marre! Je dois étudier tous les soirs, et après, j'ai du mal à dormir. Maman trouve que j'ai mauvaise mine. Pas étonnant!

Quand il faut que je fasse une rédaction, je vais souvent à la bibliothèque municipale.

Quelle collection impressionnante de livres et de magazines!

Après les devoirs, il me reste parfois assez de temps pour me détendre.

J'en profite souvent pour écouter des disques sur ma chaîne compacte (merci, Papa Noël).

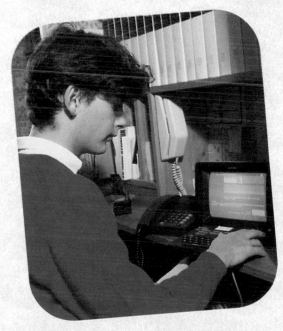

Mon autre jouet préféré est très à la mode en ce moment: c'est le fameux Minitel! Grâce à un terminal branché sur une ligne téléphonique, tu peux faire un tas de choses sans bouger de chez toi: obtenir les programmes de cinéma ou des tickets de concert, par exemple. Fantastique, non?

Corvée quotidienne... Aller chercher le pain. C'est pas juste! Jean-Luc, lui, il ne fait rien!

Corvée numéro deux: mettre la table. Qu'est-ce que ça m'embête! Je n'arrive jamais à mettre les couteaux du bon côté!

Chez nous, on dîne à sept heures précises. J'aime bien, c'est une occasion de discuter en famille. Mais quand on parle de mes notes... Pourtant, la semaine dernière, j'ai eu un 18 en histoire-géo. C'était la meilleure note de la classe! Qu'est-ce que j'étais content... ☺

Et bien sûr, après la vaisselle, il y a la télé. Papa et maman adorent regarder les informations de huit heures sur TF1 ou A2, nos deux plus grandes chaînes. C'est trop sérieux pour moi! Je préfère les séries comme «Deux flics à Miami» avec, euh..., Don Jainssont? (zut, j'ai oublié son nom!)

Moi, je vais à l'école le samedi matin, mais heureusement, j'ai le mercredi après-midi de libre. J'en profite pour me balader avec Sébastien...

< moi   Sébastien >

Ou bien lire les dernières bédés de Gotlib, mon dessinateur favori. Qu'est-ce qu'il est drôle!

Dans notre immeuble, c'est chouette, on peut utiliser le sous-sol pour les loisirs. Alors, souvent, je joue au ping-pong avec Jean-Luc. Après une heure d'exercice, je te garantis que je suis mort! Mais c'est bon pour la santé...

Souvent, on répète ensemble un morceau de guitare, moi, mon frère et deux copines. Tu devrais nous voir! On fait du bruit, mais qu'est-ce qu'on s'amuse! Moi, la musique, c'est mon fort. Et toi, tu joues d'un instrument?

Le samedi, je t'ai déjà dit, il y a les cours, et puis la visite traditionnelle au supermarché. Berk!

Mais après ça, le week-end commence enfin! Je vais de temps en temps voir un film avec les copains. Mon frère a un petit job à la caisse du Fontenelle, le ciné du coin.

Moi, j'adore les comédies et les films de science-fiction. Est-ce que tu as vu E.T.?

Souvent, après le ciné ou juste pour le plaisir, on aime bien discuter au café autour d'une menthe à l'eau ou d'une limonade.

Mais faire une boum le samedi, c'est une façon de finir la semaine en beauté, tu ne trouves pas?

Et voilà! Ça, c'est ma vie en huit pages...Sois sympa, réponds-moi vite!

Oh, est-ce que tu peux m'envoyer un tee-shirt avec écrit « J'♡ Québec »?

Stéphane

Antoine and his family move to Lyon from their home in Burgundy. They leave behind the peaceful countryside for the noise and pollution of the city. Antoine's cousins point out the exciting advantages of life in the big city. By the time his friend Philippe arrives for a visit, Antoine's view of Lyon has changed. He's proud to show Philippe the sights of his new home.

Mme Leroy, a history/geography teacher in Ni⬛ has planned a three-day field trip to Arles for her students. Along the way, the group stops to visit a chemical factory and to have a picnic lunch. In Arles, Mme Leroy shows her students the monuments left by the Romans. An afternoon of horseback riding in the Camargue is a welcome relief from sightseeing before the return to Nice.

What will the future be like? Henri's optimistic belief in the progress of technology doesn't convince his skeptical friend Charlotte that life will be easier. French teenagers call in to a radio talk show to share their personal dreams and ambitions for the future. A visit to the museum at *La Villette* in Paris makes Pierre and Roxane aware of world problems that need to be solved.

Angèle, a Senegalese girl living in France, invites her friend Fabienne to return with her to Dakar during summer vacation. Fabienne wants to know what life was like for Angèle in Sénégal. Angèle delights Fabienne with her plans for their visit.

CHAPITRE **9**

Un dépaysé à Lyon

Moving to a different city or town can be an overwhelming experience. Leaving behind friends, relatives, and favorite places is always difficult. But moving to a new place and making new friends can also be exciting. A city like Lyons offers many attractions to newcomers.

In this unit you will:

PREMIER CONTACT	get acquainted with the topic
SECTION A	compare city life and country life . . . say how much you miss something . . . console someone
SECTION B	renew old acquaintances . . . talk about past experiences
SECTION C	explore Lyons . . . report a series of events . . . make comparisons . . . make suggestions
TRY YOUR SKILLS	use what you've learned
A LIRE	read for practice and pleasure

PREMIER CONTACT getting acquainted with the topic

1 Visite de Lyon

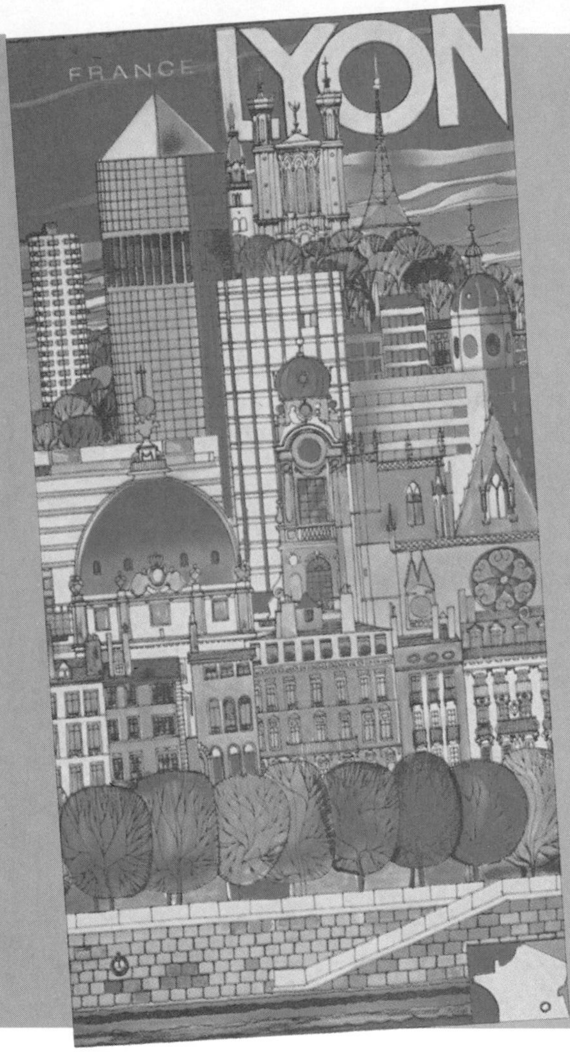

VISITEZ LYON
AVEC LES GUIDES DE L'OFFICE DU TOURISME

Toute l'année, l'Office du Tourisme organise pour les groupes de dix personnes au minimum des visites commentées sur des thèmes nombreux et variés :

LYON ANCIEN
LYON MODERNE
LES MUSEES ET LEURS EXPOSITIONS
LA CROIX ROUSSE
LE LYON TECHNIQUE

Pilotage et commentaires assurés en toutes langues par des guides interprètes professionnels.

BUREAU DES GUIDES :
5, PLACE SAINT-JEAN
Tél. (7) 248.45.76

Pour les individuels : Visite audio-guidée. Location de l'appareil : au Pavillon du Tourisme Place Bellecour, au Centre d'Echanges de Perrache et 5, Place Saint-Jean.

2 Activité • Vrai ou faux?

1. Il y a des visites organisées de Lyon seulement au printemps et en été.
2. Les visites sont toutes pareilles.
3. Si vous ne parlez pas français, vous pouvez demander un guide qui parle anglais.
4. Si vous visitez Lyon tout(e) seul(e), vous pouvez visiter la ville sans guide et simplement écouter une cassette.

3 Activité • A vous maintenant!

Vous organisez des visites de votre ville (ou village) pour des élèves français qui passent quinze jours chez vous. Quels thèmes est-ce que vous choisissez pour les visites?

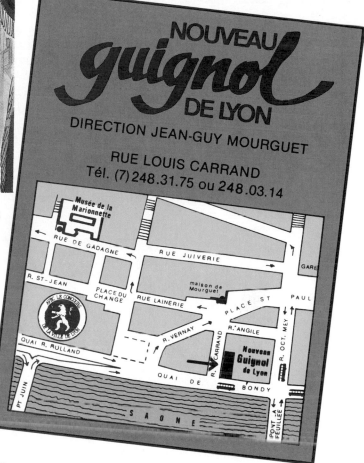

Pendant votre séjour à Lyon, ne manquez pas de venir au théâtre de Guignol. Là, on applaudit aux coups de bâton que Guignol donne à sa femme Madelon ou à l'agent de police. On tremble quand il rentre chez lui et se fait frapper par sa femme. Et on rit aux exploits de son joyeux camarade, Gnafron.

Les amateurs de couleur locale ne doivent pas quitter Lyon sans avoir vu Guignol.

Des représentations sont données les mercredis, dimanches et fêtes à 14 h 15 et 16 h 30. Le théâtre est fermé en été.

---

5 Activité • Avez-vous bien lu?

Répondez aux questions suivantes d'après «Les fameuses marionnettes de Lyon».

1. Comment s'appelle le théâtre?
2. Quels jours est-il ouvert?
3. Quel genre de théâtre est-ce?

4. Comment s'appelle le personnage principal?
5. Qui est Madelon? Gnafron?

---

6 Activité • Avez-vous compris?

Répondez aux questions suivantes d'après «Les fameuses marionnettes de Lyon».

1. Les pièces montées dans ce théâtre sont-elles comiques ou sérieuses?
2. Quelles sont les réactions des spectateurs en regardant ces pièces?

---

7 Activité • Et vous?

1. Est-ce que vous êtes déjà allé(e) au théâtre?
2. Quelle pièce est-ce que vous avez vue?
3. C'était quel genre de pièce? Comique? Tragique?

4. Est-ce que vous avez déjà vu des marionnettes? Où?

comparing city life and country life . . . saying how much you miss something . . . consoling someone

Est-ce que vous avez déjà eu l'occasion de déménager, de changer de maison, de ville ou de région? Avez-vous eu du mal à vous adapter à votre nouvelle vie? Est-ce que vous vous sentiez un peu dépaysé(e)? Antoine Blonet a déménagé à Lyon à cause du travail de ses parents. Il se plaint à ses cousins lyonnais, Nadine et Didier.

A1   Antoine se plaint. 📼

Quand il était plus jeune, Antoine habitait à la campagne, en Bourgogne. Quand il est arrivé à Lyon, il avait le mal du pays.

C'était si bien à la campagne!

C'était tellement mieux là-bas!

(Antoine parle.)
Je regrette drôlement la campagne. Là-bas, nous avions une jolie maison avec un jardin et de l'espace.

J'avais beaucoup d'amis. On prenait le car ensemble pour aller à l'école; on jouait au foot. Tous les week-ends, j'allais voir ma grand-mère à une vingtaine de kilomètres. Elle a une ferme avec quelques vaches, des lapins, des poules... Cette vie me manque beaucoup.

Ici, à Lyon, nous avons un petit appartement au troisième étage d'un immeuble. Il n'y a pas beaucoup de vue. A la campagne, c'était calme, il y avait moins de bruit. On entendait les oiseaux. En ville, je suis réveillé par les voitures. Avant, je marchais beaucoup, je profitais de la nature. Maintenant, il faut que je prenne le métro ou le bus. Et puis, il y a de la pollution : à la campagne, je respirais l'air pur.

Fais-toi une raison.

(Didier le console.)
Regretter, ça ne sert à rien. Fais-toi une raison. A la campagne, tu voyais toujours les mêmes gens, et pour aller au cinéma, il fallait faire des kilomètres!

T'en fais pas! Tu vas te plaire ici.

(C'est Nadine qui parle.)
Tu vas voir. Lyon est une ville merveilleuse, active et très riche culturellement. Ici, il y a beaucoup de films et de concerts, et on rencontre souvent de nouvelles personnes. C'est fascinant!... Moi, je trouve que c'est bien de vivre en ville!

A2 Activité • Décrivez la vie d'Antoine

Complétez le tableau pour décrire la vie d'Antoine à Lyon.

En Bourgogne	A Lyon
Antoine habitait une jolie maison. Il marchait beaucoup. Il respirait l'air pur. Il voyait toujours les mêmes gens. Il entendait les oiseaux.	

A3 Activité • Complétez

Complétez les phrases avec ces mots.

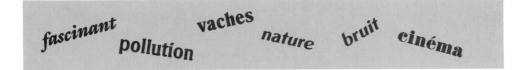

fascinant   vaches   pollution   nature   bruit   cinéma

1. Normalement, dans une ferme il y a des _____ .
2. A la campagne, il y a moins de _____ qu'en ville.
3. En ville, on profite rarement de la _____ .
4. Pour aller au _____ à la campagne, il faut faire des kilomètres.
5. En ville, il y a souvent de la _____ .
6. Vivre en ville, c'est _____ .

A4 Activité • Actes de parole

Pouvez-vous trouver dans A1 trois expressions pour exprimer le regret et trois expressions pour consoler quelqu'un?

A5 Activité • A votre avis

Quels sont les avantages et les inconvénients de la ville et de la campagne d'après Antoine et ses cousins? Faites une liste avec un(e) camarade. Est-ce que vous êtes d'accord avec eux? Est-ce que vous voyez d'autres avantages et d'autres inconvénients? Essayez d'en trouver le maximum.

La ville		La campagne	
avantages	inconvénients	avantages	inconvénients

Activité • Débat

Il est temps de choisir : décidez-vous maintenant pour la ville ou la campagne. Ensuite, trouvez un(e) camarade de classe qui a un avis différent. Employez la liste que vous avez préparée dans A5 et ces expressions. Préparez un débat et faites-le devant la classe.

— A mon avis, il faut habiter à la campagne. Là, on peut voir souvent ses amis.
— Au contraire! Il n'y a pas de bus ou de métro. Alors, c'est difficile d'aller les voir.
— Mais…

> Tu as raison (tort). *Au contraire…*
> Je trouve que…
> Je (ne) suis (pas) d'accord.
> *A mon avis…*

A7 Activité • Et vous?

1. Où habitez-vous? Depuis combien de temps?
2. Etes-vous content(e) d'habiter là où vous êtes? Pourquoi?
3. Avez-vous déjà déménagé? Pour aller où?
4. Avez-vous envie d'habiter ailleurs? Où? Pourquoi?

A8 Savez-vous que… ?

Lyon est la deuxième ville de France après Paris. Elle est située sur la route Paris-Marseille, à une centaine de kilomètres de la Suisse, et elle est traversée par deux fleuves, le Rhône et la Saône : elle est au carrefour des routes commerciales.

C'est aussi une ville culturelle : le Théâtre National Populaire et l'Opéra de Lyon sont célèbres dans le monde entier… et n'oublions pas le personnage de Guignol, introduit à Lyon en 1795 par le marionnettiste Laurent Mourguet. Guignol est un personnage très populaire, optimiste et joyeux, qui a souvent des ennuis avec la police. Le théâtre de Guignol est dans le vieux Lyon.

STRUCTURES DE BASE
Making comparisons with nouns

1. To make comparisons with nouns, you use **plus, autant,** or **moins + de (d') +** a noun + the word **que (qu').**

plus/autant/moins + de (d')	*Noun*	que (qu')	
En ville, il y a **plus de**	concerts	**qu'**	à la campagne.
En ville, on a **autant d'**	amis	**qu'**	à la campagne.
A la campagne, il y a **moins de**	monde	**qu'**	en ville.

2. The independent pronouns **moi, toi, lui/elle, nous, vous,** and **eux/elles** may follow **que (qu').**
   Je vais à autant de concerts que **toi.**
   Il a vu plus de films que **nous.**

3. Sometimes you may make comparisons without the **que.** In this case, what you've said or written before the comparison should make clear what the comparison refers to.
   En ville, on entend partout les voitures, les bus,... Heureusement, il y a **moins de bruit à la campagne.**

A 10 Activité • Faites des comparaisons

Comme Antoine n'habite pas Lyon depuis longtemps, il est allé dans moins d'endroits en ville que Didier et Nadine et dans plus d'endroits à la campagne. Faites des comparaisons en employant **lui/elle** et **eux.**

Antoine est allé dans moins d'endroits en ville que Didier et Nadine. Il est allé dans moins de parcs qu'eux...

1. parcs
2. cinémas
3. boutiques
4. musées
5. cafés
6. discothèques
7. fermes

A 11 Activité • Comparez la ville et la campagne

Comparez les avantages et les inconvénients de la ville et de la campagne.

En ville, il y a plus de cinémas qu'à la campagne.
A la campagne, il y a moins de bruit qu'en ville.

1. cinémas
2. bruit
3. pollution
4. espace
5. appartements
6. terrains de sport
7. voitures
8. arbres *(trees)*
9. maisons
10. jardins
11. air pur
12. lapins

A 12 Activité • Conversation

Demandez à un(e) camarade s'il (si elle) aime mieux vivre en ville ou à la campagne. Il/Elle vous répond et vous pose la même question. Trouvez des arguments et employez les comparatifs.

— Tu préfères vivre en ville ou à la campagne?
— Je préfère vivre en ville parce qu'il y a plus de cinémas. Et toi?
— Moi, je préfère vivre à la campagne. Il y a moins de pollution.

jardins   bruit   concerts
voitures   espace   cinémas

Imaginez que vous venez de *(have just)* vous installer dans cette nouvelle maison. Est-ce que vous l'aimez mieux que votre ancienne maison ou non? Pourquoi? A-t-elle autant de pièces que l'ancienne? De chambres? De salles de bains? D'étages? Comparez la nouvelle et l'ancienne pour expliquer votre préférence.

A 14   Activité • Ecrivez

Ecrivez à votre ami(e) une carte postale pour lui dire où vous passez les vacances. Dites-lui pourquoi vous aimez ou vous n'aimez pas cet endroit. Employez les comparatifs.

Cher (Chère)...
Je passe les vacances
à Savine-le-Lac.
J'aime beaucoup
parce que...

NOUVEAU   Croisie en C 15 JOURS A

l'aveyron
le pays vert du midi
vacances à la campagne
france

arts plastiques
stages d'été à la campagne
atelier du chien vert

cet été... la voile
ECOLE de VOILE SAVINES-le-LAC

CATAMARAN/PLANCHE à VOILE/DERIVEUR
STAGES POUR TOUS
AUBERGE DE JEUNESSE
ET CAMPING LES LAC — CHAP
05190 SAVINES LE LAC • HAUTMETTES
TEL. (92) 44.20.16

LES GRANGES en Périgord
CAMPING+++ CARAVANING

Le Lot et Garonne à vélo...

STRUCTURES DE BASE
The imperfect

1. You've already learned that the **passé composé** expresses past time in French. Another way of expressing past time is by using the imperfect. To form the imperfect, begin with the present-tense **nous** form; drop the **-ons;** then add the imperfect endings. They are the same for all verbs.

	-er Verbs	*-ir Verbs*	*-re Verbs*
Present-tense **nous** *Forms*	habit**óⁿś**	choisiss**óⁿś**	entend**óⁿś**
Imperfect	j' habit**ais** tu habit**ais** il/elle/on habit**ait** nous habit**ions** vous habit**iez** ils/elles habit**aient**	je choisiss**ais** tu choisiss**ais** il/elle/on choisiss**ait** nous choisiss**ions** vous choisiss**iez** ils/elles choisiss**aient**	j' entend**ais** tu entend**ais** il/elle/on entend**ait** nous entend**ions** vous entend**iez** ils/elles entend**aient**

2. The verb **être** is an exception: its imperfect stem is **ét-.** However, it uses the same imperfect endings as other verbs: **j'étais, tu étais,** and so on.
3. The verbs **falloir, pleuvoir,** and **neiger** each have only one imperfect form. They are **il fallait, il pleuvait,** and **il neigeait.**
4. For verbs that end in **-ger,** like **manger** and **ranger,** add an **e** before the imperfect endings for the **je, tu, il/elle,** and **ils/elles** forms of the verb: je mang**eais,** tu mang**eais,** il rang**eait,** elles rang**eaient.**
5. For verbs that end in **-cer,** like **commencer,** place a cedilla below the **c** in the **je, tu, il/elle,** and **ils/elles** forms of the verb: je commen**çais,** tu commen**çais,** elle commen**çait,** ils commen**çaient.**
6. You may be wondering why there's more than one way to express past time in French. You'll learn the reasons a little later on, but for now, you should keep in mind these uses of the imperfect.
   a. Use the imperfect to describe past circumstances or conditions.
       L'an dernier, ils **habitaient** près de chez moi. On **était** très contents.
   b. Use the imperfect to tell what *used to* happen.
       Tous les week-ends j'**allais** voir ma grand-mère.

A16 Activité • Quand nous habitions à la campagne...

Antoine vous parle de l'emploi du temps de sa famille à la campagne l'année passée. Mettez les verbes à l'imparfait.

   Je (se réveiller) tous les matins à 6 h.   Je me réveillais tous les matins à 6 h.

1. Mon père et ma mère (se lever) très tôt, à 5 h 30.
2. Ma sœur (préparer) le petit déjeuner.
3. Moi, je (promener) notre chien dans la forêt.
4. Ma sœur et moi (prendre) le bus de 7 h 45.
5. Nous ne (rentrer) pas à la maison pour déjeuner. Moi, je (jouer) au foot, et ma sœur (se promener) avec ses amis.
6. Le soir, des voisins (venir) nous voir.
7. Nous (être) très contents.

A17 Activité • Que faisait Antoine quand il était plus jeune?

1. Où habitait-il?
2. Comment était sa maison?
3. Comment allait-il à l'école?
4. Quand allait-il voir sa grand-mère?
5. Qu'est-ce qu'il devait faire pour aller au cinéma?
6. Qu'est-ce qu'il faisait à la campagne?

Activité • Comment est-ce que c'était? 📼

Antoine a fait ce dessin pour vous montrer sa vie à la campagne. Mettez-vous à sa place et décrivez ce qu'on y faisait, comment c'était... Employez l'imparfait.

1. avoir des lapins et des poules
2. aider à soigner les animaux
3. s'occuper du jardin
4. arroser les légumes
5. faire le ménage
6. jouer ensemble
7. travailler beaucoup
8. vivre tranquillement
9. être heureux

A 19 Activité • Et vous?

1. Où habitiez-vous quand vous aviez dix ans?
2. Aviez-vous beaucoup d'amis? Comment s'appelaient-ils?
3. Qu'est-ce que vous faisiez pendant la semaine? Le week-end?
4. Etiez-vous heureux/heureuse? Pourquoi?

A 20 Activité • A vous maintenant!

Demandez à un(e) camarade ce qu'il/elle faisait à l'école quand il/elle était plus jeune. Posez une question chacun(e) à tour de rôle.

— Tu faisais des maths?
— Pas souvent.
— Pourquoi?
— J'étais nul(le) en maths!

déjeuner à la cantine (à quelle heure?)
pratiquer un sport (quel sport?)
faire des maths (pourquoi?)
regarder des bédés en classe (pourquoi?)
passer des examens (quand?)
être membre d'un club (quel club?)
recevoir de bonnes notes (dans quels cours?)

COMMENT LE DIRE
Saying how much you miss something
Consoling someone

SAYING HOW MUCH YOU MISS SOMETHING	CONSOLING SOMEONE
Je regrette (drôlement) la campagne.	Ne regrette rien. C'est bien de vivre en ville.
Qu'est-ce que je regrette!	Tu as tort de regretter. Ça ne sert à rien.
C'était si bien!	Tu vas voir. Lyon est une ville merveilleuse.
C'était tellement mieux!	N'y pense plus.
Il y avait moins de (plus de)...	(Ne) t'en fais pas! Tu vas te plaire ici.
La campagne me manque.	Fais-toi une raison.

A 22 Activité • La ville, c'était si bien!

Votre famille a quitté la ville pour aller vivre à la campagne. Un(e) camarade vous demande si vous êtes content(e) d'habiter à la campagne. Qu'est-ce que vous lui répondez?

— Tu es content(e) d'habiter à la campagne?
— ...
— Mais pourquoi est-ce que tu regrettes? C'est bien ici, non?
— ...
— Il y a aussi des avantages à la campagne.
— ...
— Oui, mais ici il y a moins de pollution.
— ...
— A mon avis, tu as tort.
— ...
— Allez, n'y pense plus!

A 23 Activité • Ecrivez

Où avez-vous habité avant? A la campagne? En ville? A la montagne? Près de la plage? Faites une liste des avantages de cet endroit-là. Ensuite, faites une liste des avantages de là où vous habitez maintenant. Quel endroit a le plus d'avantages?

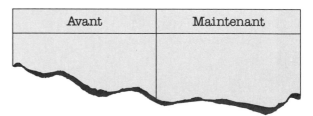

Avant	Maintenant

A 24 Activité • Jeu de rôle

Un(e) de vos camarades vient de déménager. Il/Elle exprime ses regrets d'avoir quitté son ancienne vie. Vous le/la consolez. Indiquez-lui les avantages de sa nouvelle vie. Changez de rôle. Employez la liste que vous avez préparée dans A23.

— Je regrette beaucoup...
— Ne regrette rien. Tu vas voir, ici, c'est pas mal. Il y a...

A25 Activité • Le bon vieux temps

Quand vous étiez petit(e), est-ce que votre vie était plus amusante, plus facile qu'elle est actuellement *(now)*? Dites à un(e) camarade que vous regrettez votre ancienne vie. Il/Elle vous demande pourquoi. Vous comparez votre ancienne vie à votre vie actuelle. Votre camarade essaie de vous consoler. Puis changez de rôle.

— C'était tellement mieux quand j'étais petit(e).
— Pourquoi?
— Maintenant…   Mais quand j'étais petit(e),…

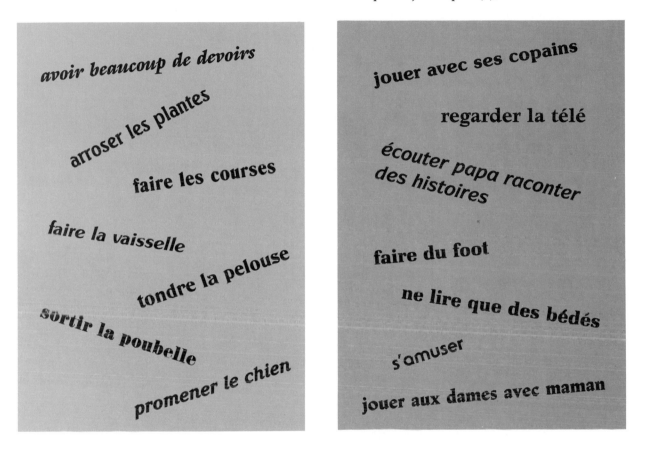

avoir beaucoup de devoirs

arroser les plantes

faire les courses

faire la vaisselle

tondre la pelouse

sortir la poubelle

promener le chien

jouer avec ses copains

regarder la télé

écouter papa raconter des histoires

faire du foot

ne lire que des bédés

s'amuser

jouer aux dames avec maman

A26 Activité • Ecoutez bien

Ecoutez les dialogues et dites où les personnes habitent maintenant.

	1	2	3	4	5	6
Dans un appartement						
Dans une maison						
En ville						
A la campagne						

Un dépaysé à Lyon   307

Quand on déménage, le plus dur, c'est souvent de quitter ses amis. Depuis qu'il habite à Lyon, Antoine n'a pas revu son ami Philippe. Il lui a écrit plusieurs fois, mais Philippe n'aime pas écrire et ne lui a jamais répondu. Enfin, Philippe a décidé de venir passer la journée à Lyon.

B1   Les retrouvailles 📼

Antoine vient chercher son ami à la gare de Lyon-Perrache. Il est ravi de le revoir.

ANTOINE   Philippe!
PHILIPPE   Eh, Antoine! Ça me fait plaisir de te revoir!
ANTOINE   Moi aussi! Tu as fait un bon voyage?
PHILIPPE   Oui, pas de problèmes.
ANTOINE   Dis donc, ça fait longtemps que je ne t'ai pas vu!
PHILIPPE   Eh, oui! Presque un an!...

ANTOINE   Alors, raconte : comment va ta famille?
PHILIPPE   Ça va. Tout le monde t'embrasse.
ANTOINE   Et l'école, quoi de neuf?
PHILIPPE   J'ai redoublé.
ANTOINE   C'est pas vrai!
PHILIPPE   Si!...

ANTOINE   Dis, tu es déjà venu à Lyon?

PHILIPPE   Oui, il y a longtemps, pour voir une exposition… Mais j'en garde un très mauvais souvenir.

ANTOINE   Vraiment? Pourquoi?

PHILIPPE   Ecoute, quand nous sommes descendus du train, il pleuvait et il y avait une grève des transports en commun. Plus de métro, plus de bus, pas de parapluie, impossible de trouver un taxi! Nous avons été obligés de marcher sous la pluie. L'enfer! Ma petite sœur pleurait, moi, j'avais mal aux pieds, mon père râlait, et ma mère était furieuse parce que son nouveau chapeau était trempé!

ANTOINE   Eh bien!

PHILIPPE   Attends, ce n'est pas fini! Quand nous sommes enfin arrivés à l'exposition, c'était fermé, il était trop tard! Tu imagines la scène?

ANTOINE   Parfaitement! Mais ne t'inquiète pas : aujourd'hui, il ne pleut pas, il n'y a pas de grève, et tu vas voir, Lyon est une ville passionnante!

GARE DE LYON PERRACHE

Activité • Avez-vous compris?

Répondez aux questions suivantes d'après la conversation entre Antoine et Philippe.

1. Où est-ce qu'Antoine et Philippe se rencontrent?
2. Depuis combien de temps est-ce qu'Antoine n'a pas vu Philippe?
3. Est-ce que Philippe a eu de bons résultats à l'école cette année?
4. Pour quelle raison est-ce que Philippe est déjà venu à Lyon?
5. Pourquoi est-ce qu'il n'a pas apprécié sa journée à Lyon?
6. Qu'est-ce qui est différent cette fois?

B3 Activité • Comparez les visites

Dans B1, pouvez-vous distinguer les deux visites de Philippe à Lyon? Avec un(e) camarade de classe, choisissez les phrases qui décrivent la première visite, et celles qui décrivent la deuxième. Ensuite, ajoutez d'autres événements et descriptions.

1. Philippe rend visite à Antoine.
2. Il pleuvait.
3. Philippe est arrivé à Lyon avec toute sa famille.
4. Il fait beau.
5. Philippe est venu voir une exposition.
6. Philippe voyage tout seul.
7. Il y avait une grève des transports en commun.

La première visite	La deuxième visite

B4 Activité • Que dit Antoine?

Dans B1, Antoine encourage Philippe, lui montre qu'il écoute attentivement. Que dit Antoine pour… ?

1. exprimer la curiosité
2. exprimer le doute
3. exprimer l'étonnement (surprise)
4. dire qu'il comprend bien

Vraiment?

Quoi de neuf?

C'est pas vrai!

Parfaitement!

B5 Activité • Imaginez

Philippe et sa famille ont passé une excellente journée à Lyon. Pas de grève, beaucoup de soleil, visite d'une exposition. Toute la famille est heureuse… Racontez cette journée à un(e) camarade de classe. Dites où ils voulaient aller, où ils sont allés, à quelle heure, comment, ce qu'ils ont fait, ce qu'ils ont vu, à quelle heure ils sont repartis…

B6 Activité • Chaîne de phrases

Chacun dit une phrase à tour de rôle pour raconter une mauvaise journée.

ELÈVE 1 Nous étions à la plage.
ELÈVE 2 Il pleuvait.

ELÈVE 3 Ma petite sœur était malade.
ELÈVE 4 …

Pour aller à Lyon, c'est très facile. Vous pouvez prendre l'avion et arriver à l'aéroport de Satolas, ou prendre le train et descendre à l'une des deux gares, Perrache ou la Part-Dieu. Si vous êtes très pressé, prenez le TGV (Train à Grande Vitesse). Pour faire les 450 kilomètres entre Paris et Lyon, il ne met que deux heures!

Pour circuler dans Lyon, c'est aussi très facile! Le métro existe depuis 1978. Il a trois lignes et fonctionne de cinq heures du matin à minuit. Il est propre, rapide, moderne… et accueillant, à l'image de la ville.

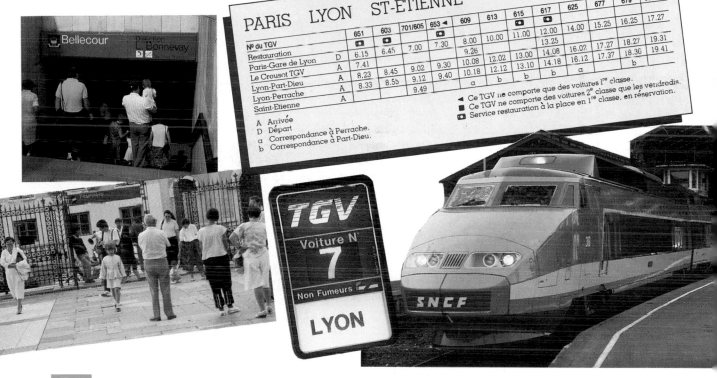

PARIS LYON ST-ETIENNE	651	603	701/605	653 ◄	609	613	615	617	625	677	679	681 ■
N° du TGV												
Restauration									14.00	15.25	16.25	17.27
Paris-Gare de Lyon D	6.15	6.45	7.00	7.30	8.00	10.00	11.00	12.00				
Le Creusot TGV A	7.41				9.26			13.25			18.27	19.31
Lyon-Part-Dieu A	8.23	8.45	9.02	9.30	10.08	12.02	13.00	14.08	16.02	17.27	18.36	19 41
Lyon-Perrache A	8.33	8.55	9.12	9.40	10.18	12.12	13.10	14.18	16.12	17.37	b	
Saint-Etienne A			9.49		a	b	b	b	a			

A Arrivée
D Départ
a Correspondance à Perrache.
b Correspondance à Part-Dieu.

◄ Ce TGV ne comporte que des voitures Ire classe.
■ Ce TGV ne comporte des voitures 2e classe que les vendredis.
▯ Service restauration à la place en 1re classe, en réservation.

TGV
Voiture N°
7
Non Fumeurs
LYON

Ça me fait plaisir
J'avais vraiment envie } de te (re)voir!
Je suis content(e)
Je suis heureux (heureuse) que tu sois (re)venu(e)!
Ça fait longtemps que je ne t'ai pas vu(e)!
Il y a si longtemps!

Activité • Conversation brouillée

A Lyon, Antoine retrouve Laurence, une copine de Bourgogne. Réunissez les deux parties de la conversation.

LAURENCE   Ah, ça me fait vraiment plaisir de te revoir!
ANTOINE   …
LAURENCE   J'ai plein de choses à te dire.
ANTOINE   …
LAURENCE   Alors la ville, c'est comment?
ANTOINE   …
LAURENCE   Oui, mais je déménage l'année prochaine.
ANTOINE   …
LAURENCE   Ma famille vient à Lyon. L'année prochaine, je vais au lycée avec toi!
ANTOINE   …

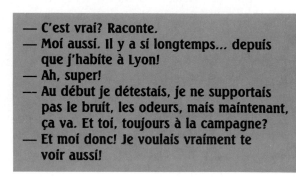

— C'est vrai? Raconte.
— Moi aussi. Il y a si longtemps… depuis que j'habite à Lyon!
— Ah, super!
— Au début je détestais, je ne supportais pas le bruit, les odeurs, mais maintenant, ça va. Et toi, toujours à la campagne?
— Et moi donc! Je voulais vraiment te voir aussi!

B 10 Activité • Situations

Vous êtes dans ces situations. Faites les dialogues avec un(e) camarade.

1. Vous rendez visite à un(e) ami(e) que vous n'avez pas vu(e) depuis longtemps. Il/Elle a l'air en forme. Parlez de votre santé, de ce que vous faites, vous deux, pour vous soigner et bien vous nourrir.
2. Dans un café, vous rencontrez un(e) ami(e) qui a déménagé dans une autre ville il y a trois ans. Vous vous posez mutuellement des questions sur votre vie, votre famille…
3. Après les grandes vacances, vous êtes content(e) de retrouver votre ami(e) à l'école. Parlez de ce que vous avez fait depuis que vous vous êtes vu(e)s — vos petits boulots, vos responsabilités chez vous…

B 11 VOUS EN SOUVENEZ-VOUS?
Expressing past time

1. You recall that the **passé composé** and the imperfect both express past time in French.
2. The **passé composé** is composed of two parts: (a) a present-tense form of the auxiliary verb **avoir** or **être;** (b) a past participle.
   a. You use the auxiliary verb **être** with **aller, arriver, descendre, entrer, partir, rentrer, rester, revenir, sortir, tomber,** and **venir.** The past participle agrees in gender and number with the subject: Ma **sœur** est **arrivée** en retard.
   b. You also use **être** with verbs that have a reflexive pronoun. When the reflexive pronoun is a direct object, the past participle agrees with it: Les enfants **se** sont **couchés.** If the pronoun is an indirect object, there is no agreement: Elle **s'**est **acheté** une jupe.
   c. You also remember that for verbs conjugated with **avoir,** the past participle agrees in gender and number with a direct object that comes before it: J'aime bien ta jupe! Où est-ce que tu **l'as achetée**?
3. To form the imperfect, you begin with the present-tense **nous** form of the verb, drop the **-ons,** and add the appropriate imperfect ending: **-ais, -ais, -ait, -ions, -iez,** or **-aient.**
   a. You also recall that you use the imperfect to describe past circumstances or conditions: Ma mère **était** furieuse parce que son chapeau était trempé.
   b. In addition, you use the imperfect to tell what *used to* happen: Le matin, on **prenait** le car pour aller à l'école.

STRUCTURES DE BASE
The uses of the passé composé *and the imperfect*
The use of être en train de

1. Although the **passé composé** and the imperfect both express past time in French, each has specific uses. You choose between them, depending on how you wish to present what happened.

Circumstances/ Conditions	Completed Actions	Actions in Progress	Habitual Actions
Il **était** huit heures du soir. Il **faisait** très froid.	Ma sœur **est sortie** avec ses amies.	Mon père **râlait** et ma mère **pleurait**.	D'habitude, ma sœur **restait** à la maison le soir et **faisait** ses devoirs.

2. When you want to tell *what happened* in the past, you use the **passé composé**. Completed actions are expressed in the **passé composé**.
3. If you want to *describe* circumstances or conditions that existed in the past, you use the imperfect. Actions that were in progress also describe past circumstances, so you use the imperfect to express them.
4. If you want to say that an action was in progress when another action happened, you use the imperfect to express the action that was going on and the **passé composé** to tell that the other action occurred: Philippe **décrivait** sa première visite à Lyon quand Antoine lui **a posé** une question.
5. The phrase **être en train de** followed by an infinitive is often used to emphasize that an action was going on in the past: Nous **étions en train de lire** des B.D. It's the French equivalent of *to be busy doing* something.

 B 13   Activité • Que faisaient-ils quand... ?

Qu'est-ce que ces gens faisaient? Qu'est-ce qui les a interrompus?

1.

2.

B 14   Activité • Une journée à Lyon

Laurence raconte ce qu'elle a fait hier. Mettez les verbes entre parenthèses à l'imparfait ou au passé composé.

Hier, ma mère et moi, nous (visiter) la ville de Lyon. Quand nous y (arriver), il (faire) très beau. Nous (prendre) un taxi pour aller dans la vieille ville. Mon copain Antoine nous (attendre). Il (être) déjà au restaurant. Nous (déjeuner) là. Le repas (être) très bon. Ensuite, Antoine nous (accompagner) ma mère et moi chez sa tante. Avant, elle (habiter) dans notre village. Quand nous (entrer), elle (préparer) des confitures avec les fruits de son jardin. Elle (être) heureuse de nous revoir.

B15 Activité • Ecrit dirigé

Qu'est-ce qu'Antoine a fait hier soir? Avec un(e) camarade de classe, choisissez entre le passé composé et l'imparfait. Ensuite, racontez l'histoire sous forme de paragraphe.

Hier, Antoine voulait voir un film au cinéma...

avoir 50 F	**acheter un parapluie**
partir de chez lui à six heures	*coûter 45 F*
pleuvoir	**rentrer chez lui**
entrer dans un magasin	**n'avoir plus d'argent pour aller au cinéma**

B16 Activité • Et vous?

1. Etes-vous déjà allé(e) vous promener en ville ou à la campagne?
2. Comment y êtes-vous allé(e)? Avec qui?
3. Qu'est-ce que vous avez fait?
4. Quel temps faisait-il?
5. Est-ce qu'il y avait du monde?
6. Avez-vous retrouvé des amis? De la famille? Que faisaient-ils quand vous êtes arrivé(e)?

B17 Activité • La colonie de vacances

Quand Didier et ses amis avaient 10 ans, ils sont allés en colonie de vacances. Regardez ces dessins, et décrivez à un(e) camarade de classe ce que les garçons y ont fait, comment c'était... Employez le passé composé et l'imparfait.

1.

2.

3.

4.

5.

6.

B18 Activité • Conversation

Avec un(e) camarade de classe, parlez de ce que vous avez fait le week-end dernier. Vous lui posez des questions et il/elle vous répond.

> Qu'est-ce que tu as fait ce week-end?
> Où est-ce que tu es allé(e)?
> Tu y es allé(e) en voiture?
> Il faisait quel temps?
> … ?

B19 Activité • Racontez

Choisissez un événement mémorable de votre enfance. C'était triste? Joyeux? Amusant? Dangereux? Racontez cet événement et ses circonstances à un(e) camarade de classe.

B20 Activité • Ecoutez bien

Une journaliste prépare un reportage sur les gens qui visitent Lyon. Ecoutez cette interview et répondez aux questions.

1. Est-ce que la dame est déjà venue à Lyon?
2. Y vient-elle souvent maintenant?
3. Quand est-ce qu'elle est venue pour la première fois?
4. Qu'est-ce qui est différent maintenant?
5. Quel temps faisait-il avant?
6. Pourquoi est-ce que la dame vient à Lyon?

*Une journée pour visiter Lyon, ce n'est pas beaucoup. Mais on a tout de même le temps de voir
certaines choses et de se faire une idée de la ville.*

C1

Par où commencer? 📼

Philippe et Antoine commencent la visite de la ville.

PHILIPPE   Alors, le Lyonnais,
qu'est-ce que tu
proposes?

ANTOINE   Si on commençait
par monter à
Fourvière?

PHILIPPE   Qu'est-ce que c'est?

ANTOINE   Tu vois la basilique,
là-haut? Eh bien,
c'est là. C'est
l'endroit idéal pour
avoir une vue
générale de Lyon.

PHILIPPE   Comment on y va?
A pied?

ANTOINE   Non, en funiculaire,
ça va plus vite, et
c'est moins fatigant
que la marche! Mais
d'abord, il faut
prendre le bus.

PHILIPPE Et si on prenait le métro?
          Il est drôlement
          moderne, il paraît.
ANTOINE   Oui, mais il ne va pas
          jusqu'au funiculaire.
          C'est plus pratique d'y
          aller en bus.

PHILIPPE Ça ne fait rien. J'ai envie
          d'essayer le métro.
ANTOINE   Comme tu veux.

Un carnet de six tickets, ça fait vingt
francs. C'est pas trop cher!

Activité • Vrai ou faux?

1. Antoine a envie de commencer la visite par
   la basilique.
2. De Fourvière, on a une belle vue.
3. Pour monter à Fourvière, il faut prendre
   le métro.
4. Le métro va jusqu'au funiculaire.
5. Six tickets de métro coûtent vingt francs.
6. Antoine et Philippe prennent le bus pour
   aller au funiculaire.

Activité • Actes de parole

Pouvez-vous trouver dans C1 une façon de proposer quelque chose?

C4 Activité • Trouvez des mots

Pouvez-vous trouver dans C1 les avantages et les inconvénients de ces moyens de transport pour
aller à Fourvière?

1. la marche   2. le funiculaire   3. le métro   4. le bus

STRUCTURES DE BASE
Making comparisons with adjectives and adverbs

1. To make comparisons with adjectives or adverbs, you use **plus, aussi,** or **moins** + an adjective or adverb + **que (qu').**

plus/aussi/moins	*Adjective/Adverb*	que (qu')	
Le bus est **plus**	pratique	**que**	le métro.
Le bus est **aussi**	cher	**que**	le métro.
Le bus est **moins**	rapide	**que**	le métro.
Le métro va **plus**	vite	**que**	le bus.

2. You remember that adjectives agree in gender and number with the nouns that they modify. This is true in comparisons as well.

Le bus est aussi **cher** que le métro.   **Une moto** est plus **chère** qu'un vélo

Les vélos sont moins **chers** que les mobylettes.   **Les voitures** sont moins **chères** que les avions.

3. The adjective **bon(ne)** is an exception. It cannot be used with **plus** and instead becomes **meilleur(e)** *(better):* Le vélo est **meilleur** pour la santé que la marche à pied.

4. Like **bon,** the adverb **bien** cannot be used with **plus.** Its comparative form is **mieux. Mieux** is often used after **être** to describe a noun: La moto, c'est **mieux** que le vélo. Although **mieux** *acts* as an adjective, it does not agree with the noun it modifies.

C6 Activité • Comparez

Voici des moyens de transport. Est-ce que vous pouvez les comparer entre eux? Utilisez les adjectifs donnés.

Le métro est moins cher que l'avion.

le bus   l'avion
le métro   la moto
la marche à pied
le train   la voiture
la bicyclette

cher   pratique
confortable
dangereux   rapide
fatigant
agréable   bon

C7 Activité • Quel moyen de transport?

Vous sortez avec un(e) camarade. Il/Elle propose deux moyens de transport possibles. Choisissez un moyen et donnez la raison de votre choix. Utilisez les moyens de transport dans C6 et les adverbes **lentement** et **vite.** Changez de rôle.

— On prend le métro ou le bus pour aller au ciné?
— Prenons le métro. Il va plus vite.
— Tu as raison. Le métro, c'est mieux.

Regardez ces photos. Pouvez-vous comparer ces sites entre eux? Utilisez les adjectifs donnés.

joli   vieux   moderne   beau   ancien   grand   petit

La basilique de Notre-Dame-de-Fourvière

La cathédrale Saint-Jean

La place Bellecour

La gare de la Part-Dieu

La place des Terreaux

Activité • Ecoutez bien 📼

Plusieurs personnes discutent des moyens de transport à Lyon. Ecoutez leur conversation, et complétez le tableau avec les avantages et les inconvénients de chaque moyen.

le métro	le bus	le taxi	la marche à pied	le funiculaire

C10 **Activité • Jeu de rôle**

Avec un(e) camarade, jouez les rôles d'Antoine et Philippe. Essayez de vous persuader l'un l'autre que votre sport préféré est mieux. Employez les expressions dans A4 du Chapitre 1 et le comparatif des adjectifs donnés.

— La musculation, j'adore! C'est intéressant et...
— Tu plaisantes! Le football, c'est mieux. C'est plus amusant que la musculation et moins dangereux.
— Mais je ne suis pas d'accord...

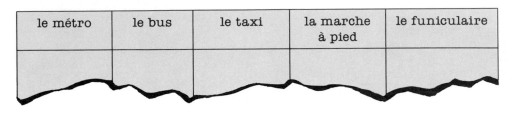

facile difficile dangereux fatigant passionnant bon pour la santé amusant ennuyeux

C11 **Activité • Ecrivez**

Votre correspondant(e) français(e) va passer plusieurs semaines aux Etats-Unis. Il/Elle compte *(is planning)* visiter une ville que vous trouvez ennuyeuse. Dans une lettre, vous lui proposez de visiter une ville plus intéressante. Comparez les deux villes pour persuader votre correspondant(e) de visiter la ville que vous préférez.

Cher (Chère)...

qu'est-ce que tu me racontes? Tu visites... mais tu ne veux pas aller à...? Tu as tort! A... c'est très joli, plus joli qu'à...

A FOURVIERE

Antoine et Philippe sont montés à Fourvière.

ANTOINE Voilà, nous y sommes! D'ici, on voit très bien Lyon!... La grande
tour, là-bas, c'est le quartier de la Part-Dieu où il y a la gare...
Les deux fleuves, c'est la Saône et le Rhône... En bas, tu as le
quartier Saint-Jean, c'est le vieux Lyon... Pas mal, hein?
PHILIPPE Oui!

ANTOINE Si on allait se promener?
PHILIPPE Bonne idée, mais avant de partir, il faut que
j'aille dans une librairie acheter des bandes
dessinées. A la campagne, on ne trouve rien.
ANTOINE Ton train part à quelle heure?
PHILIPPE Vers huit heures.
ANTOINE Oh, on a le temps!... Allons d'abord déjeuner
et après, en route pour la visite!

C13 Activité • Suivez la carte

Vous êtes sur la colline de Fourvière avec un(e) ami(e). Il/Elle demande où se trouvent les endroits ou les monuments intéressants. Regardez le plan du centre de Lyon et répondez. Utilisez les expressions comme **à gauche (de), à droite (de), en face (de), au fond (de), devant.**

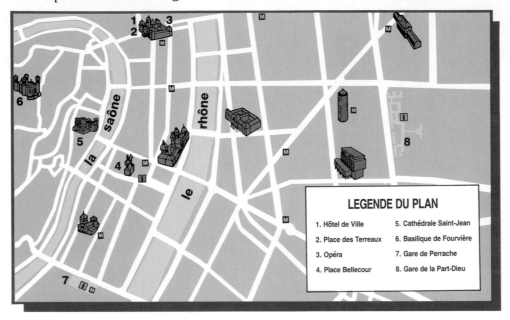

LEGENDE DU PLAN

1. Hôtel de Ville
2. Place des Terreaux
3. Opéra
4. Place Bellecour
5. Cathédrale Saint-Jean
6. Basilique de Fourvière
7. Gare de Perrache
8. Gare de la Part-Dieu

C14 COMMENT LE DIRE
Reporting a series of events

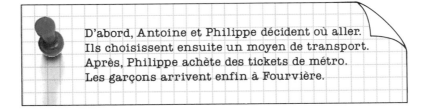

D'abord, Antoine et Philippe décident où aller.
Ils choisissent ensuite un moyen de transport.
Après, Philippe achète des tickets de métro.
Les garçons arrivent enfin à Fourvière.

C15 Activité • A votre avis

D'après leur conversation dans C12, qu'est-ce que vous pensez que Philippe et Antoine vont faire cet après-midi? Mettez les activités suivantes dans l'ordre chronologique.

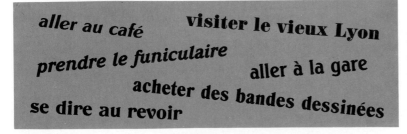

aller au café   visiter le vieux Lyon
prendre le funiculaire   aller à la gare
acheter des bandes dessinées
se dire au revoir

Ils vont d'abord... Ensuite...
Après... Vers la fin de l'après-midi...
A sept heures et demie... Enfin...

Il y a beaucoup de vieux monuments à voir à Lyon, la cathédrale Saint-Jean (XIᵉ siècle), Notre-Dame-de-Fourvière (XIXᵉ siècle), les maisons anciennes du vieux Lyon ou la place Bellecour avec sa statue du roi Louis XIV. Si vous préférez le Lyon moderne, allez au centre commercial de la Part-Dieu ou dans le quartier piétonnier *(pedestrian)*, autour de la place des Cordeliers.

Et si vous en avez assez de la ville, du bruit et de la pollution, allez vous promener au parc de la Tête d'Or, flânez *(stroll)* sur les quais de la Saône, ou allez vous détendre *(relax)* et faire de la planche à voile au parc de loisirs de Miribel-Jonage, à la sortie de Lyon.

A Lyon, il y a...

la cathédrale Saint-Jean

la basilique de Notre-Dame-de-Fourvière

la place Bellecour

le quartier piétonnier

la place des Terreaux

le parc de la Tête d'Or

le parc de loisirs de Miribel-Jonage

C17 Activité • Ecrivez

Avant de prendre le train, Philippe
envoie une carte postale à sa sœur.
Il raconte en quelques mots ce qu'il
a fait et le temps qu'il faisait. Ecrivez
sa carte.

C18 Activité • Jeu de rôle

Philippe est rentré chez lui. Ses parents lui posent des questions sur Lyon et sur ce qu'il
a fait. Faites le dialogue avec deux camarades de classe. Utilisez C1 et C10, mais aussi
votre imagination.

LE PÈRE   Alors, tu as revu Antoine? Comment
va-t-il?
PHILIPPE   …
LA MÈRE   Où est-ce qu'il habite?
PHILIPPE   …
LA MÈRE   Est-ce que ses parents vont bien?

PHILIPPE   …
LA MÈRE   Qu'est-ce que vous avez fait,
Antoine et toi?
PHILIPPE   …
LE PÈRE   … ?

C19 Activité • Et vous?

1. Avez-vous déjà reçu un(e) ami(e) chez vous?
2. Est-ce qu'il y a longtemps que vous ne l'avez
pas vu(e)?

3. Combien de temps a-t-il/elle passé chez vous?
4. Pourquoi est-il/elle venu(e)?
5. Qu'est-ce que vous avez fait?

C20 COMMENT LE DIRE
Making suggestions

Si + the imperfect is used to make suggestions.

Si on allait se promener?	What if we went for a walk?
Si on prenait le métro?	What if we took the subway?
Si on allait au cinéma?	What if we went to the movies?

Do you recall these other ways to make suggestions?

Prenons le funiculaire!
On va acheter des bandes dessinées?
Pourquoi on ne va pas au centre ville?
Tu n'as pas envie d'acheter des vêtements?
Tu veux qu'on aille dans le vieux Lyon?

C21 Activité • Antoine fait des suggestions

Antoine propose que vous fassiez les activités suivantes. Que dit-il?

    visiter le quartier Saint-Jean   — Si on visitait le quartier Saint-Jean?

1. faire le tour de Lyon
2. aller voir la place Bellecour
3. monter à Fourvière
4. prendre le métro

5. visiter le musée des Beaux Arts
6. acheter des bandes dessinées
7. aller au théâtre après le dîner

C22 Activité • Faites des suggestions

Proposez une activité à un(e) camarade. Il/Elle refuse. Puis vous proposez la même activité pour une heure ou un jour différent. Il/Elle accepte. Ensuite, changez de rôle.

    aller à un concert
        — Pourquoi on ne va pas à un concert vendredi?
        — Désolé(e). Je ne peux pas. Je travaille jusqu'à neuf heures.
        — Si on y allait samedi soir?
        — Oui, pourquoi pas?

1. faire les boutiques
2. se promener le long du Rhône
3. s'acheter une glace

4. visiter le vieux Lyon
5. prendre des photos
6. aller au parc d'attractions

Pour refuser   Pour accepter

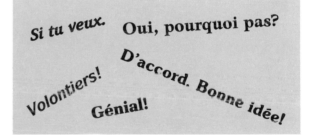

Désolé(e)... Je ne peux pas... Je suis occupé(e)... Je ne suis pas libre Je regrette mais...

Si tu veux. Oui, pourquoi pas? D'accord. Bonne idée! Volontiers! Génial!

C23 Activité • Philippe est difficile!

Avec un(e) camarade de classe, complétez ce dialogue entre Antoine et Philippe.

ANTOINE	…
PHILIPPE	Les marionnettes, c'est pour les enfants!
ANTOINE	…
PHILIPPE	Non, vraiment, je n'ai pas faim.
ANTOINE	…
PHILIPPE	Je n'aime pas les jardins.

ANTOINE	…
PHILIPPE	Je suis fatigué; je n'en peux plus!
ANTOINE	…
PHILIPPE	Le ciné, encore!
ANTOINE	Bon alors, qu'est-ce que tu proposes?
PHILIPPE	…
ANTOINE	Bon, si tu veux. Je t'invite…

C24 Activité • A vous maintenant!

Vous avez envie de faire des tas de choses. Proposez à un(e) camarade de faire quelque chose avec vous. Il/Elle n'a pas l'air intéressé(e). Faites-lui des suggestions jusqu'à ce qu'il/elle accepte de venir. Changez de rôle.

1

Que de déménagements! 📼

Sylvie Brunetière a été obligée de déménager plusieurs fois. Elle a vraiment fait le tour de la France! Elle nous montre des photos des endroits où elle a vécu, et elle nous raconte.

Je viens d'un petit village de Champagne. J'y ai habité jusqu'à l'âge de douze ans. J'aimais énormément vivre à la campagne. Le dimanche, nous allions nous promener avec mes parents. J'avais beaucoup d'amis, et j'en garde un très bon souvenir.

Ensuite, nous avons habité deux ans à Strasbourg, dans l'est. L'hiver, il faisait drôlement froid, il neigeait, et je faisais du ski de fond… Ma mère adore le théâtre, et nous allions souvent au TNS, un théâtre national où il y avait de merveilleux spectacles.

Quand j'ai passé mon bac, nous habitions à Bordeaux. Mon père était ingénieur et ma mère était professeur. Moi, j'étudiais… L'été, j'allais au bord de la mer à Arcachon. C'était super sympa! Nous sommes restés quatre ans dans le sud-ouest.

Maintenant, je suis à l'université à Lyon. Quand je suis arrivée il y a six mois, je ne connaissais pas et je me sentais un peu dépaysée. C'était difficile — Lyon est une grande ville pleine de voitures. Mais aujourd'hui, je suis habituée. C'est une ville tellement excitante!

Activité • Complétez

Complétez les phrases suivantes d'après «Que de déménagements!»

1. Sylvie vient d'un village de…
2. Elle y a vécu jusqu'à l'âge de…
3. Il y a un… à Strasbourg.
4. Strasbourg est dans… de la France.
5. Les parents de Sylvie travaillaient tous les deux à Bordeaux. Sa mère était… et son père était…
6. Quand elle habitait à Bordeaux, Sylvie passait ses vacances…
7. Sylvie a commencé ses études universitaires à…
8. Elle trouve cette ville…

3 Activité • Devinez

Répondez aux questions suivantes.

1. Sylvie est plus ou moins âgée que vous?
2. A quel âge est-elle allée à Bordeaux?
3. Dans quelle région de France se trouve Strasbourg? Bordeaux?
4. Où faisait-il froid l'hiver?
5. Quelle ville était près de la mer?

4 Activité • D'habitude…

D'habitude, que faisait Sylvie dans chaque endroit où elle a vécu? Complétez le tableau avec ses activités habituelles.

Champagne	Strasbourg	Bordeaux	Lyon

5 Activité • Jeu de rôle

Un(e) camarade joue le rôle de Sylvie. Vous lui posez des questions sur sa vie. Votre camarade répond d'après «Que de déménagements!» Si vous posez une question sans réponse dans le texte, votre camarade doit inventer une réponse logique. Ensuite, changez de rôle.

Tu viens d'où?
Pendant combien de temps est-ce que tu y as vécu?
Ça te plaisait ou pas?

6 Activité • Ecrivez

Avec un(e) camarade de classe, choisissez un endroit où Sylvie a vécu. Imaginez son ancienne vie à cet endroit, et sa vie maintenant à Lyon. Comparez ses ami(e)s, ses vêtements, ses sorties, ses goûts et ses projets avec ceux de sa vie actuelle.

7 Activité • Sylvie accueille Florence

Florence, une amie d'enfance de Sylvie, a déménagé de Champagne à Lyon. Sylvie est contente de la revoir. Elles se donnent des nouvelles. Faites le dialogue avec un(e) camarade.

— Salut, Sylvie.
— Florence! Ça me fait plaisir de te voir! Ça fait longtemps que je ne t'ai pas vue.
— Presque neuf ans!...

8 Activité • Sylvie console Florence

La vie en Champagne manque beaucoup à Florence. Elle en parle à Sylvie, et Sylvie essaie de la consoler. Faites le dialogue avec un(e) camarade. Ensuite, changez de rôle.

9 Activité • Ecrivez

Vous avez passé une semaine à Lyon. Au retour, vous écrivez votre journal tous les jours. Inscrivez la date, les endroits où vous êtes allé(e), ce que vous avez fait, si ça vous a plu ou si vous n'avez pas aimé.

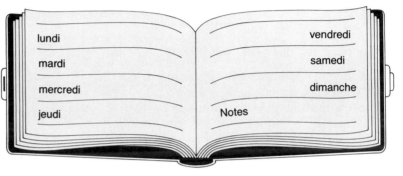

lundi

mardi

mercredi

jeudi

vendredi

samedi

dimanche

Notes

10 Activité • Souvenir, souvenir...

Racontez un souvenir — bon ou mauvais — à un(e) camarade de classe. Dites avec qui vous étiez et décrivez le lieu, la situation, ce que vous avez fait...

11 Activité • Situation

Votre correspondant(e) français(e) passe huit jours chez vous. Vous décidez de ce que vous allez faire ensemble pendant son séjour. Faites-lui des suggestions. Il/Elle refuse quelques suggestions mais en accepte d'autres. Faites le dialogue avec un(e) camarade.

12 Activité • Récréation

1. Quel est cet animal?
Pour connaître le nom de cet animal de la ferme, prenez l'initiale de chacun des objets, et mettez ces lettres l'une après l'autre.

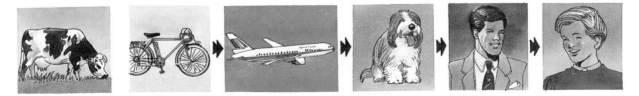

2. Enigme
Antoine demande à Philippe combien pèse sa valise. Philippe répond «sept kilos plus une demi-valise». Combien pèse la valise de Philippe?

Solution : Dix kilos et demi

PRONONCIATION 📼

Glides with /j/, /w/, and / ɥ /

1   Ecoutez bien et répétez.

1. Glides with /j/

diamant	voyage	pierre	papier	cahier	soulier
y a-t-il	payer	pied	panier	collier	

vieux	bien	lion	nous allons→nous allions
monsieur	sien	nous avions	vous allez→vous alliez
les yeux	lien	savions	
adieu	viande		

brouillard	fille	paille	soleil
maillot	travaille	feuille	œil
ailleurs	vieille	Antilles	travail
accueillant			

Le vieux monsieur travaille à Marseille.
Quand il se sent bien et qu'il fait du soleil, il y va à pied.

2. Glides with /w/

Louis	boire	loin	— Moi, j'ai soif. Et toi?
Louise	voir	coin	— Oui, allons voir ce qu'il y a à boire à la cantine.
souhait	droit	point	— Où est-ce que c'est? C'est loin?
jouer	soir	soin	— Non, là-bas. Juste au coin de la rue.

3. Glides with / ɥ /

puis	cuir	juillet	saluer	deux joints→deux juin
nuit	suivi	pluie	nuage	enfoui→enfui
lui	huit	bruit	juin	avec Louis→avec lui

Les nuages sont suivis par la pluie.
Louis a passé un mois avec lui, du huit juin au huit juillet.

2   Ecoutez et lisez.

— Tu as vu ces nuages?
— Oui, le temps est à la pluie.
— On ne peut pas rester sur la plage toute la nuit.
— Puis la gare Saint-Louis, c'est loin d'ici. Vite!
— Dépêche-toi. Prends le panier et allons-y!

3   Copiez les phrases suivantes pour préparer une dictée.

1. Le village où habitait Antoine n'est pas loin de Lyon.
2. Lyon, c'est bruyant et pollué par les voitures. Mais je suis habitué.
3. Ici, on peut voir les voisins deux ou trois fois par mois, on peut sortir après le travail, et les gens sont gentils.
4. Oui, je suis bien ici. Je ne regrette rien.

VERIFIONS!

SECTION A

Do you know how to make comparisons with nouns?
Complete these sentences.
1. A la campagne, il y a _____ de chiens qu'en ville.
2. Il y a _____ de gens en ville qu'à la campagne.
3. En ville, il y a _____ de jardins qu'à la campagne.
4. On a _____ d'amis en ville qu'à la campagne.

Do you know how to form the imperfect of different verbs?
Complete this sentence by putting the following phrases in the imperfect.
   Quand j'habitais à la campagne,...
1. je (voir) mes copains tous les soirs.
2. mes parents (inviter) nos voisins toutes les semaines.
3. ma sœur et moi, nous (se promener) en forêt.
4. toute la famille (manger) dans le jardin en été.

Do you know how to say how much you miss something?
You've just moved to a new city. What are three expressions you might use to say how much you miss your home town?

Do you know how to console someone?
What might you say in these situations?
1. Votre ami(e) d'enfance, que vous n'avez pas vu(e) depuis trois ans, s'est installé(e) dans votre quartier. Il/Elle a le mal du pays.
2. Votre ami(e), qui habite depuis toujours la même ville, va déménager à Paris.

SECTION B

Do you know how to renew old acquaintances?
What are two expressions you might use to greet a friend whom you haven't seen for a long time.

Do you know how to use the imperfect and the *passé composé*?
Complete this paragraph with the imperfect and the **passé composé**.

   C'est fini! Adieu, la ferme, la nature! Hier, nous (être) encore à la campagne. Nous (vouloir) profiter de cette dernière journée. Nous (se lever) à sept heures. Le soleil (briller) pour mieux nous dire au revoir. Nous (préparer) un pique-nique. Tout le monde (venir). Nous (danser) jusqu'au soir. Vers huit heures, le car nous (attendre). Nous (dire) au revoir. Puis nous (monter) dans le car et il (partir).

SECTION C

Do you know how to make comparisons with adjectives and adverbs?
Compare these means of transportation.
le métro   le bus   la marche à pied   l'avion   la bicyclette   le taxi

Do you know how to report a series of events?
Tell four things that you did after school yesterday. Which was first? Next? Afterward? Last?

Do you know how to make suggestions using *si* + the imperfect?
Make these suggestions to a friend.
1. aller au théâtre   2. prendre le métro   3. acheter des livres

Do you know other ways to make suggestions?
Make the three suggestions above in different ways to a friend.

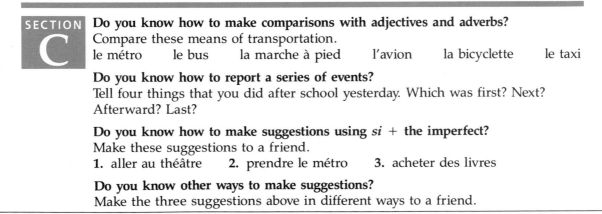

VOCABULAIRE

SECTION A

à cause de *because of*
actif, -ive *active*
adapter (s') *to get used to*
l' air (m.) *air*
la Bourgogne *Burgundy*
calme *calm*
consoler *to console*
culturellement *culturally*
déménager *to move*
dépaysé, -e *uprooted*
l' espace (m.) *room, space*
faire : (Ne) t'en fais pas!
Don't worry!
fascinant, -e *fascinating*
un lapin *rabbit*
lyonnais, -e *from Lyon*
le mal : avoir le mal du pays
to be homesick
manque : ... me manque
I miss . . .
moins de *fewer, less*
la nature *nature*
occasion : avoir l'occasion
de *to have the
opportunity*
un oiseau (pl. -x) *bird*
plaindre (se) *to complain*
plaire (se) : Tu vas te
plaire ici. *You're going to
like it here.*
la pollution *pollution*
une poule *chicken*
profiter (de) *to take
advantage (of)*
pur, -e *pure*
quelques *some*

raison : Fais-toi une raison.
Make the best of it.
respirer *to breathe*
réveillé, -e *awakened*
riche *rich*
sert : Ça ne sert à rien. *It
doesn't do any good.*
une vache *cow*
une vingtaine *about twenty*

SECTION B

un chapeau *hat*
depuis que *since*
dur, -e *hard, difficult*
embrasse : Tout le monde
t'embrasse. *Everyone
sends you their love.*
une exposition *show, exhibit*
une grève *strike;* une grève des
transports en commun
public transportation strike
imaginer *to imagine*
longtemps : Ça fait
longtemps que je ne t'ai
pas vu! *It's been a long
time since I've seen you;* Il
y a si longtemps!
It's been such a long time!
neuf : Quoi de neuf?
What's new?
obligé, -e *obliged*
parfaitement *perfectly*
pleurer *to cry*
la pluie *rain*
quitter *to leave*
râler *to complain, fume*

les retrouvailles (f.) *reunion*
la scène *scene*
un souvenir *memory*
trempé, -e *soaked*

SECTION C

la basilique *basilica*
un carnet *booklet (of tickets,
stamps, etc.)*
certain, -e *certain*
comme : Comme tu
veux. *If you want.*
en bas *down below*
fatigant, -e *tiring*
un funiculaire *cable car*
général, -e *general*
idéal, -e *ideal*
idée : se faire une idée de
to get a feel for
là-haut *up there*
un(e) Lyonnais(e) *person who
lives in Lyon*
la marche *walking*
moderne *modern*
paraît : il paraît (que) *it
seems (that)*
pratique *practical*
proposer *to propose,
suggest*
rapide *fast*
route : En route! *Let's get
going!*
tout de même *anyway*
vite *quickly*

ETUDE DE MOTS

Find two adjectives in the list above that contain the suffix **-ant**. What is the English equivalent of **-ant**? Adjectives with the suffix **-ant** are often formed from verbs. What are the **-ant** adjectives that come from these verbs?

amuser   exciter   fortifier   nourrir   passionner

A LIRE

Vive la grève! 📼

Avant de lire

Pouvez-vous imaginer la ville de Paris sans électricité, sans métro? Comment va-t-on à l'école? Au travail? Avec un(e) camarade de classe, faites une liste des avantages et des inconvénients de cette situation.

Une grève du métro et de l'électricité peut paralyser la ville. Qu'en pensent les Parisiens? Certains prennent les choses du bon côté! D'autres...

(Nadine Tanière, juriste)
Habituellement, je suis calme et réservée; tranquille, comme ma province natale. Mais en réalité, ma nature profonde est agressive et râleuse°. Avec la grève, je me défoulais°! Je rouspétais° pour un oui ou pour un non. Ça m'amusait. Je ne suis pas faite pour la tranquillité de la province.

(Fabienne Dumont, télépromotrice°)
Paris, c'est une ville bruyante, d'accord. Mais je me suis rendue compte qu'à cause de la grève, les Parisiens se parlaient! En province, les gens sont plus râleurs que les Parisiens. Ils se plaignent, ils rouspètent. Les Parisiens, au contraire, essayaient toujours de prendre les choses du bon côté. Ils avaient de l'humour. J'aime bien la province, mais je préfère Paris, même si c'est bruyant!

---

râleuse *complaining;*   **défoulais** *let off steam;*   **rouspétais** *griped;*   **télépromotrice** *property developer who works over the phone*

(Gilles Leroy, agent de voyage)

A Paris, je marchais tout le temps pendant la grève du métro pour faire les courses, pour aller à un rendez-vous, au restaurant. Tout le monde marchait. J'aimais bien la ville un peu désorganisée, le bruit, les embouteillages°, les klaxons°. Les feux étaient en panne°, on se bousculait° partout. A cause des coupures d'électricité°, nous organisions avec des amis des petits dîners tranquilles aux chandelles. Ça me plaisait beaucoup.

(Jean-Pierre Moreau, garçon de café)

Notre patron a perdu 70 000 F en trois semaines de grève. C'est trois ans de vacances en moins pour lui. Notre chiffre d'affaires° était de 30 pour cent inférieur à la normale pendan la grève du métro! Le café était très calme, les clients rares. Le patron perdait de l'argent, et moi, j'en perdais aussi! Je suis payé au pourcentage. J'ai perdu 3 000 F. C'est la vie!

(Dominique Péric, employé à la RATP°)

Pendant la grande grève à Paris, j'étais là, je renseignais les gens. Ils me demandaient pourquoi le métro ne marchait pas. Je leur expliquais qu'il y avait une grève. Ils étaient furieux. Ils disaient, «En province ça n'arrive jamais!» «C'est vrai, je répondais, mais en province il n'y a pas de métro. La vie est trop calme là-bas! Même les oiseaux s'y ennuient! Alors qu'ici…»

Activité • Qui est-ce?

Répondez aux questions suivantes d'après «Vive la grève!»

1. Qui préparait des dîners aux chandelles?
2. Qui renseignait les gens?
3. Qui était râleur et agressif?
4. Qui a perdu de l'argent?
5. Qui a remarqué que les Parisiens étaient gentils?

Activité • Imaginez

Il y avait une panne d'électricité chez vous hier soir. Qu'est-ce que vous avez fait? Qu'est-ce que vous n'avez pas pu faire?

---

les embouteillages *traffic jams;* **les klaxons** *horns;* **les feux étaient en panne** *the traffic lights were out of order;* **se bousculait** *jostled;* **des coupures d'électricité** *power cuts;* **chiffre d'affaires** *sales figures;* **RATP** = **Régie autonome des transports parisiens** *Parisian transportation authority*

L'Embouteillage°

Feu vert Feu vert Feu vert!
Le chemin est ouvert!
Tortues° blanches, tortues grises, tortues noires.
Tortues têtues Tintamarre°!
Les autos crachotent°,
Toussotent°, cahotent°
Quatre centimètres
Puis toutes s'arrêtent.

Feu rouge Feu rouge Feu rouge!
Pas une ne bouge!
Tortues jaunes, tortues beiges, tortues noires,
Tortues têtues Tintamarre!
Hoquettent° s'entêtent°,
Quatre millimètres,
Pare-chocs à pare-chocs
Les voitures stoppent.

Blanches, grises, vertes, bleues,
Tortues à la queue leu leu°,
Jaunes, rouges, beiges, noires,
Tortues têtues Tintamarre!
Bloquées dans vos carapaces
Regardez-moi bien : je passe!

Activité • Vrai ou faux?

1. Les voitures s'avancent quand il y a le feu rouge.
2. Les voitures roulent lentement dans un embouteillage.
3. Il y a peu de bruit pendant un embouteillage.

Activité • Avez-vous compris?

Répondez aux questions suivantes d'après le poème.

1. A quoi est-ce que l'auteur compare les voitures?
2. A votre avis, est-ce que cette comparaison est juste? Pourquoi?
3. D'après vous, quel moyen de transport est-ce que l'auteur emploie?

Activité • Ecrivez

Pouvez-vous résumer (summarize) en quelques phrases ce qui se passe dans le poème?

---

l'embouteillage *traffic jam;* **tortues** *turtles;* **tintamarre** *racket, noise;* **crachotent** *sputter;* **toussotent** *cough slightly;* **cahotent** *bump along;* **hoquettent** *hiccup;* **s'entêtent** *persist;* **à la queue leu leu** *single file;* **carapaces** *shells*

Les Charpentier déménagent

Dans cette histoire, une famille de cinq enfants, père, mère et grand-mère, a quitté la province pour déménager à Paris. Ils expriment des sentiments mixtes devant ce déménagement.

Avant de lire

Dans une famille de trois générations, qui s'adapte facilement à un changement de domicile *(home)*? Qui a du mal à s'y adapter?

Un véritable spectacle : le père, la mère, la grand-mère et les cinq enfants. Ils ont débarqué hier. Ils venaient de Yerres, près de Paris, où ils vivaient depuis des générations. Le père est représentant en tissus. Sa firme l'a muté° à Paris. La mère est institutrice. Au début, elle n'était pas contente. Elle disait :

— Paris, c'est l'enfer, le bruit, les lycées surpeuplés. C'est les mauvaises fréquentations pour les enfants. On se fait attaquer dans la rue, dans le métro. J'aime bien mieux Yerres. C'est plus propre°, plus humain.

Les enfants, eux, étaient contents de déménager à Paris. Ils en avaient assez de l'ennui de la province, du manque de distractions. Rémy, l'aîné, disait :

— On peut rien faire quand il pleut à Yerres. Et quand on a regardé la télé pendant une demi-journée, on a vraiment envie d'autre chose. A Paris, au moins, il y a la ville, les gens, le rythme d'une grande cité! Le spectacle est dans la rue, quoi! Moi, j'aime.

---

muté *transferred;* **propre** *clean*

Sa sœur, Yvette, treize ans, aime aussi.

— Je m'ennuyais à mourir à Yerres! Où j'étais, il n'y avait pas moyen de rencontrer des jeunes intéressants. Tous banlieusards°, ennuyeux comme la pluie. Mes meilleures copines sont à Paris. Elles vont et viennent, elles rencontrent des copines, elles vont au ciné, au café. Demain, avec Chantal, nous allons écouter un groupe de rock. C'est ça, Paris!

Le père, lui, est très heureux aussi. Ce déménagement est une véritable promotion. Il a toujours aimé la ville, l'action, la compétition.

— Ah, oui. Je suis très heureux. Je ne regrette absolument pas Yerres. A mon avis, la vie n'est pas plus dure à Paris qu'en province. C'est vrai, ce n'est pas toujours facile de trouver un bon logement. Mais une fois trouvé, je préfère encore l'excitation et le bruit de la ville à l'ennui profond de la province. Entre ville bruyante et province tranquille, moi, j'ai enfin choisi la ville. Et cette ville, c'est Paris!

Grand-mère, elle, ne dit rien. Elle finit de ranger la cuisine dans le nouvel appartement. Elle écoute, hoche la tête. Maintenant, elle est en train de faire du café. Elle dit à mi-voix°, en regardant les trois plus jeunes enfants commencer une partie de Monopoly :

— Moi, on ne m'a pas demandé mon avis. Alors, je ne dis rien.

Et elle va s'installer près de la fenêtre qui donne sur le parc. Sylvie, la petite dernière, trois ans à peine, voulait savoir à quoi pensait sa grand-mère. Celle-ci pensait au joli pavillon° de Yerres. Elle rêvait aux petites collines couvertes de coquelicots au printemps, à l'Essonne° qui rejoint la Seine, aux bals musette° qu'elle ne verra° plus. Elle pensait aux rives de l'Yerres.

banlieusards *suburbanites;* **à mi-voix** *in a soft voice;* **pavillon** *small house;* **l'Essonne** *river that feeds into the Seine;* **bals musette** *popular dance with accordion music;* **verra** *(future)* = *voit*

Activité • Devinez

Choisissez l'équivalent anglais des mots soulignés dans chaque phrase.

1. Ils ont débarqué hier.
   - **a.** *climbed in*
   - **b.** *arrived*

2. Les lycées sont surpeuplés.
   - **a.** *overcrowded*
   - **b.** *inferior*

3. C'est les mauvaises fréquentations pour les enfants.
   - **a.** *bad company*
   - **b.** *bad frequencies*

4. Elle écoute, hoche la tête.
   - **a.** *lifts her head*
   - **b.** *shakes her head*

5. Les trois plus jeunes enfants commencent une partie de Monopoly.
   - **a.** *a party*
   - **b.** *a game*

Activité • Complétez

1. Les Charpentier ont vécu longtemps...
2. Ils ont déménagé à Paris parce que...
3. D'après..., la vie en ville était dangereuse.
4. Rémy a dit qu'on... en province.
5. Yvette trouvait les jeunes en province...
6. D'après le père, Paris était... et la province était...

Activité • Avez-vous bien lu?

Répondez aux questions suivantes d'après «Les Charpentier déménagent».

1. Pourquoi est-ce que Rémy, Yvette et leur père sont contents d'être à Paris?

2. Pourquoi est-ce que leur mère et leur grand-mère ne sont pas contentes?

Activité • A votre avis

Pourquoi est-ce que la grand-mère est venue à Paris avec la famille? Quels en sont les avantages pour elle? Pour les autres membres de la famille?

Activité • Jeu de rôle

Un soir, après quelques mois à Paris, M. Charpentier rentre chez lui avec une mauvaise nouvelle. Il annonce à Rémy, Yvette, sa femme et la grand-mère que sa firme le mute encore — il faut retourner à Yerres. Que dit chaque membre de la famille? Faites la conversation avec quatre camarades de classe.

CHAPITRE 10

Voyage à Arles

In France, as in the United States, teachers take their students on field trips to extend and enrich their schoolwork. Museums, historical landmarks, and industries are common destinations. On long trips, a group might stay in the dormitory of a nearby *lycée*, since many *lycées* accommodate boarding students. Students look forward to the new experiences that the *voyages scolaires* provide.

In this unit you will:

PREMIER CONTACT	get acquainted with the topic
SECTION A	prepare to take a field trip . . . ask for information . . . express impatience . . . make excuses
SECTION B	explore the city of Arles . . . make comparisons . . . express relief and regret
SECTION C	talk about the trip . . . tell about past events . . . express lack of interest
TRY YOUR SKILLS	use what you've learned
A LIRE	read for practice and pleasure

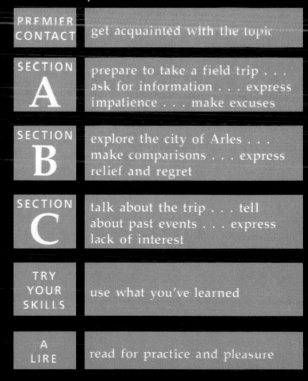

1   Arles–Monuments et Musées 📼

Arles, fondée par les Grecs au VIe siècle avant J.-C. (Jésus-Christ), a connu des siècles de gloire et de prospérité sous les Romains. Elle a été la plus grande ville de Provence et la capitale des Gaules. Au Moyen-Age, Arles était un grand centre religieux. C'est à Arles que Van Gogh a peint 300 de ses plus belles toiles.

Les arènes romaines (fin du 1er siècle)

L'amphithéâtre mesure 136 m sur 107 m. Il peut contenir 12 000 spectateurs.

Le théâtre antique (fin du 1er siècle avant J.-C.)

Le théâtre de style augustéen est consacré au Festival d'Arles (juin-juillet), et aux Rencontres Internationales de la Photographie.

Le Musée Réattu (XVe–XVIe–XVIIe siècles)

Dans ce musée, il y a des peintures et des dessins de l'école provençale des XVIIIe et XIXe siècles. Plusieurs de ses salles sont aussi consacrées à l'art contemporain.

La Cathédrale et le Cloître Saint-Trophime (XIIe–XIVe siècles)

A côté de la cathédrale romane avec son magnifique portail, ce cloître est l'un des plus raffinés de l'occident.

Les Alyscamps

Cette allée romantique de tombeaux est le vestige d'un vaste cimetière qui entourait la cité du IIIe au XIIe siècle. Vincent Van Gogh (novembre 1888) et Paul Gauguin ont peint chacun un tableau de ce site merveilleux.

Le Musée Arlaten

Il a été fondé par le poète Frédéric Mistral. Ce musée présente différents aspects de la vie traditionnelle en Provence.

Les thermes de Constantin (IVe siècle)

Malgré les ravages du temps, la grande salle des bains chauds est bien conservée.

2 Activité • Cherchez des renseignements

Vous, vous connaissez bien Arles. Mais c'est la première visite de votre ami(e). Répondez à ses questions.

1. C'est une vieille ville, Arles?
2. La cathédrale de Saint-Trophime est-elle très vieille?
3. Qu'est-ce qui est le plus vieux, les arènes ou le théâtre antique?
4. J'ai envie de voir des peintures modernes. Où est-ce qu'on va?
5. Où est-ce que les Romains prenaient leur bain?
6. Van Gogh habitait à Arles, non?

3 EN CAMARGUE 🔊

Dès qu'on quitte Arles vers le sud, on pénètre en Camargue — pays de traditions, réserve naturelle de plantes et d'oiseaux, terre à riz, paradis des chevaux et des taureaux — située dans le triangle formé par les deux bras du Rhône.

Au Sud de la France,
Là où le Rhône
Se jette dans la mer,
Est un pays,
Presque désertique
Appelé la Camargue
Où vivent encore
Des troupeaux de chevaux sauvages.
Crin-Blanc était le chef de l'un de ces troupeaux.
C'était un cheval fort et redoutable.

– Extrait de *Crin-Blanc* par Albert Lamorisse

CRIN-BLANC CAMPING-CARAVANING

Au cœur de la Camargue !
Sanitaires grand confort, piscines, tennis, restaurant, équitation, libre-service..., locations de caravanes

4 Activité • La visite continue

Vous et votre ami(e), vous quittez Arles pour aller en Camargue. Avant de partir, vous étudiez la carte de la région et vous lisez le petit extrait d'Albert Lamorisse. Maintenant, pouvez-vous répondre à ces questions?

1. Où se trouve la Camargue?
2. La Camargue est près de quel fleuve?
3. Quels animaux est-ce qu'on y voit?
4. Qu'est-ce qu'on peut y faire?

5 Activité • Faisons du camping

Vous allez faire du camping en Camargue. Vous trouvez de la publicité pour un camping, le Crin-Blanc. Répondez aux questions de votre ami(e).

1. Pourquoi a-t-on choisi le nom «Crin-Blanc» pour le camping?
2. Où est-ce que le camping se trouve?
3. Qu'est-ce qu'on peut y faire comme sports?
4. Où est-ce qu'on peut manger?
5. Est-ce qu'il y a des toilettes?

Souvent, en France, pour illustrer un cours, un professeur décide d'organiser un voyage éducatif.
Avez-vous déjà participé à des voyages organisés par votre école? Où êtes-vous allé(e)?

A1

Projet de voyage

Cette année, Mme Leroy, professeur d'histoire-géographie au collège Alphonse Daudet
de Nice, a choisi d'emmener sa classe de troisième visiter Arles, en Provence.

Voyage scolaire du lundi
13 mai au mercredi 15 mai

Premier jour:
10h00 - Rendez-vous au collège
    Départ (Soyez à l'heure!)

Arrêt à Berre
    - Visite de l'usine
    - Pique-nique au bord
      de l'étang

17h00 - Arrivée à Arles

Deuxième jour:
    - Activités culturelles
    - Visite d'Arles
    - Activités sportives
    - Équitation en
      Camargue

Troisième jour:
    - Journée libre à Arles
16h00 - Départ pour Nice

Mme Leroy parle du voyage avec ses élèves.

Le trajet

Activité • Avez-vous compris?

Avez-vous bien lu le programme? Répondez à ces questions.

1. Combien de temps va durer le voyage?
2. D'où partent-ils?
3. Qu'est-ce que Mme Leroy veut que les élèves fassent?
4. Qu'est-ce qu'ils vont faire après la visite de l'usine?

5. Quel jour arrivent-ils à Arles? A quelle heure?
6. Quels types d'activités sont prévus (planned) pour le deuxième jour?
7. Où vont-ils faire du cheval?
8. Qu'est-ce qui est au programme du mercredi?

A3 Activité • A vous maintenant!

Vous êtes un(e) élève de Mme Leroy. Quelques jours avant le voyage scolaire à Arles, vous en parlez avec vos parents. Vous leur demandez la permission d'y aller. Ils vous demandent des renseignements. Organisez la discussion avec deux camarades de classe : le père, la mère et vous.

A4 Savez-vous que... ?

Vous en avez assez de tout apprendre dans les livres? Vous voulez sortir de l'école? Vous avez envie de connaître la réalité sociale et culturelle? Une solution : préparez avec votre professeur un P.A.E. (Projet d'Action Educative). En France, c'est une activité scolaire financée par le gouvernement : le but est d'ouvrir l'école au monde extérieur. Vous pouvez organiser un voyage en France ou à l'étranger, créer un club de sport ou d'informatique, réaliser (create) un spectacle... Proposez vos idées!

Mme Leroy et ses élèves ont choisi d'étudier une région, la Provence. Les livres d'histoire et de géographie c'est bien, mais c'est mieux si on peut visiter la région et voir de près les paysages (landscape) et l'architecture... Mais attention, ce ne sont pas des vacances! Au retour, Mme Leroy va demander à ses élèves un compte-rendu (report) de leur voyage... C'est une autre façon d'apprendre, en dehors de l'école.

Alexandra Gastaldi se dépêche. Comme d'habitude, elle est en retard.

Alexandra fait ses bagages.

Elle met ses boucles d'oreilles.

MME GASTALDI	Dépêche-toi, Alexandra! Il est déjà dix heures et quart! Tu vas rater le car!
ALEXANDRA	Je sais!
MME GASTALDI	Qu'est-ce que tu fais?
ALEXANDRA	Je cherche mon pull rouge. Qui est-ce qui l'a pris? Il était là hier!
MME GASTALDI	C'est peut-être ta sœur.
ALEXANDRA	Bon, ça ne fait rien, j'en ai d'autres. A ton avis, qu'est-ce qui va avec mon tee-shirt rose?
MME GASTALDI	Le bleu.
ALEXANDRA	D'accord... Voilà, je suis prête!
MME GASTALDI	Tu n'as rien oublié?
ALEXANDRA	Ah, si, mon appareil-photo!... OK, j'y vais! Salut, maman!
MME GASTALDI	Tu ne manges rien?
ALEXANDRA	Je n'ai pas le temps; il faut que je me dépêche. Je suis en retard.
MME GASTALDI	Emporte au moins une pomme!... Amuse-toi bien!
ALEXANDRA	Merci!... A mercredi!

Elle embrasse sa mère.

Enfin, elle part.

A 6   Activité • Vrai ou faux?

Est-ce que les phrases suivantes sont vraies ou fausses d'après A5?

1. Alexandra est toujours en retard.
2. Alexandra ne pouvait pas trouver son pull rouge hier.
3. Elle ne trouve pas son pull bleu.
4. Elle ne prend pas son appareil-photo.
5. Elle prend un bon petit déjeuner avant de partir.
6. Sa mère lui donne un fruit.

Complétez les phrases suivantes d'après A5.

1. Si Alexandra ne ____ pas, elle va rater le car.
2. Il est déjà dix heures et quart! Elle est ____ !
3. Son pull bleu ____ très bien avec son tee-shirt rose.

4. Alexandra ____ son appareil-photo.
5. Sa mère veut qu'Alexandra ____ son petit déjeuner.
6. Elle veut aussi qu'Alexandra ____ .

 Activité • Et vous?

Vous partez avec votre classe en voyage scolaire. Vous emportez cinq objets utiles. Dites quels sont ces objets et pourquoi vous les emportez.

A9 Activité • Quelques recommandations 📼

Michel ne se sent pas bien. Il a mal au ventre et mal à la tête, mais il veut tout de même partir en voyage avec la classe de Mme Leroy. Qu'est-ce que ses parents lui conseillent avant son départ? Employez **Il faut que...** ou **Il ne faut pas que...**

1. ne pas trop manger
2. bien se soigner
3. ne pas faire de sport
4. mettre son pull

5. emporter son blouson
6. dormir dans le car
7. prendre ses médicaments
8. se coucher tôt

A10 Activité • A vous maintenant!

Alexandra arrive en retard au rendez-vous. Tout le monde l'attend depuis plus d'une demi-heure. Mme Leroy, le professeur, est furieuse. Imaginez le dialogue entre Mme Leroy et Alexandra. Faites le dialogue avec un(e) camarade. Voici quelques expressions pour vous aider.

Mme Leroy...

Tu ne pourrais pas... ?
Mais qu'est-ce que tu fais?
Qu'est-ce qui t'est arrivé?
Il faut que tu...
Tu devrais...

Alexandra...

Désolée...
Je regrette, mais...
Je ne pouvais pas...
Je me suis levée...
J'ai oublié...

VOUS EN SOUVENEZ-VOUS?
Interrogative pronouns

You've been using several interrogative pronouns to ask for information. Look at these examples. You recall that **qui** refers to people; **que** or **qu'est-ce que** and **quoi** refer to things.

Qui a téléphoné?	*Who phoned?*
Avec qui est-ce que vous sortez?	*Who are you going out with?*
Que font-ils?	*What are they doing?*
Qu'est-ce que tu fais?	*What are you doing?*
De quoi parlent-ils?	*What are they talking about?*

A12 **STRUCTURES DE BASE**
Interrogative pronouns

1. You use interrogative pronouns to ask for information. There are several pronouns, and some of them have different forms. The pronoun and the form you use depend on (1) whether you refer to people or things, (2) whether you use the pronoun as the subject or the object of the verb in your question, and (3) whether you use the pronoun as the object of a preposition in your question.

2. As the subject of a verb, **qui** has two forms and **que** has one.

People	**Qui** a téléphoné? **Qui est-ce qui** a téléphoné?	*Who phoned?*
Things	**Qu'est-ce qui** t'intéresse?	*What interests you?*

As the subject of a verb, **que** must be followed by **est-ce qui: qu'est-ce qui**. **Qui** may be used alone or with **est-ce qui**.

3. As the object of a verb, both **qui** and **que** have two forms.

People	**Qui** cherches-tu? **Qui est-ce que** tu cherches?	*Who are you looking for?*
Things	**Que** cherches-tu? **Qu'est-ce que** tu cherches?	*What are you looking for?*

When **qui** or **que** is used alone as the object of a verb in a question, the subject and the verb must be inverted, or reversed. To avoid inversion, **est-ce que** may be used after **qui** or **que**.

4. As the object of a preposition (such as **de, à, pour, avec**), **qui** may be used, but **que** becomes **quoi**.

People	**De qui** parlez-vous? **De qui** est-ce que vous parlez?	*Who are you talking about?*
Things	**De quoi** parlez-vous? **De quoi** est-ce que vous parlez?	*What are you talking about?*

Here again, inverting the subject and verb of the question can be avoided by using **est-ce que**.

Activité • Trouvez les réponses 📼

Vous allez faire un voyage. Votre ami(e) vous pose des questions. Trouvez des réponses convenables. Travaillez avec un(e) camarade.

1. Chez qui est-ce que tu vas passer les vacances?
2. Qu'est-ce que tu vas leur offrir?
3. Qu'est-ce que tu emportes?
4. Qui est-ce qui va t'accompagner?
5. Qui est-ce qui va vous retrouver à la gare?
6. Qu'est-ce que vous allez faire là-bas?

Mon appareil-photo.
On va visiter la ville.
Rien.
Chez mon oncle et ma tante.
Mon oncle.
Mon copain Michel.

A 14 Activité • Trouvez les questions 📼

Voici des réponses. Est-ce que vous pouvez trouver les questions?

Mes amis viennent avec nous. Qui est-ce qui vient avec vous?
(Qui vient avec vous?)

1. C'est Mme Leroy qui accompagne les élèves.
2. Ce sont les élèves du collège Alphonse Daudet qui vont visiter Arles.
3. Elle a oublié son appareil-photo.
4. C'est sa sœur qui a pris son pull rouge.
5. Alexandra emporte une pomme.
6. Ils vont faire un pique-nique.

A 15 Activité • Encore des questions 📼

Enfin, Mme Leroy et ses élèves sont en route. Dans le car, il y a beaucoup de bruit. Vous posez des questions aux autres. Trouvez une question pour chacune des situations suivantes.

Luc mange quelque chose. Qu'est-ce que tu manges?
(Que manges-tu?)

Quelqu'un a crié. Qui est-ce qui a crié?
(Qui a crié?)

1. Pierre lit quelque chose.
2. Claire parle de quelqu'un.
3. Mme Leroy a dit quelque chose.
4. Le chauffeur a parlé à quelqu'un.
5. Votre ami(e) a trouvé quelque chose.
6. Un(e) camarade veut que vous fassiez quelque chose.
7. Quelque chose a fait un grand bruit.
8. Quelqu'un a pris votre sac.
9. Quelque chose est tombé.
10. Eric a demandé quelque chose.
11. Chloé et Isabelle cherchent quelque chose.

Activité • Et vous?

1. A quoi est-ce que vous vous intéressez?
2. Avec qui est-ce que vous aimez parler?
3. De quoi est-ce que vous aimez parler?
4. De quoi est-ce que vous avez envie?

A 17 COMMENT LE DIRE
Expressing impatience

> Vite! On est en retard!
> Dépêche-toi! On va rater le train!
> Tu vas être en retard!
>
> Tu peux te dépêcher?
> Mais qu'est-ce que tu fais?

Making excuses

> Je suis pressé(e).
> Je suis déjà en retard.
>
> Je n'ai pas le temps.
> Il faut que je sois à l'école dans cinq minutes.

A 18 Activité • Alexandra est toujours en retard

Vous êtes venu(e) chercher Alexandra pour prendre le car. Elle n'a pas fini de se préparer. Qu'est-ce que vous lui dites? Faites les dialogues avec un(e) camarade. Employez les expressions dans A17.

Alexandra veut téléphoner à un copain. — Attends. Je veux téléphoner à un copain.
— Tu n'as pas le temps. On va être en retard!

1. Alexandra veut mettre ses boucles d'oreille.
2. Elle ne trouve pas son pull rouge.
3. Elle veut prendre son petit déjeuner.
4. Elle cherche son appareil-photo.
5. Elle n'a pas préparé son sac.

A 19 Activité • Alexandra n'a pas le temps

Alexandra est prête à partir. Elle est pressée. Le téléphone sonne. C'est son copain Bernard. Il est gentil, mais qu'est-ce qu'il aime parler! Trouvez les réponses d'Alexandra. Employez les expressions dans A17.

— Allô, Alexandra, c'est Bernard. Ça va?
— …
— Je ne vais pas te déranger longtemps. C'est au sujet des maths. Tu peux m'aider?
— …
— Tu vas à Arles? Je ne savais pas. Qu'est-ce que vous allez faire?
— …
— Bon, d'accord. Mais tu rentres quand?
— …
— Attends, attends… Tu peux me rapporter un souvenir?
— …
— Bon, bon, si tu ne veux pas me parler… Bon voyage!

Vous partez en pique-nique avec des copains. Il faut que vous vous dépêchiez pour ne pas rater le train. Un(e) ami(e) arrive au moment où vous partez et vous propose de faire quelque chose. Vous ne pouvez pas parce que vous êtes pressé(e). Il/Elle insiste et vous perdez du temps.

— Tiens, tu ne veux pas... ?
— Désolé(e), mais je suis pressé(e)...

A 21   ARRET A BERRE

Sur la route d'Arles, le groupe s'arrête pour visiter le complexe chimique de Berre.

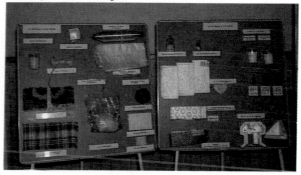

Le complexe chimique de Berre est une usine où on fait de la recherche...

... et où on produit des solvants, des pesticides et des matières plastiques.

ERIC   De quoi est-ce qu'il parle, le guide? J'y comprends rien!
CHLOÉ   De l'usine.
ERIC   Ça t'intéresse, toi? Moi, ça me barbe. J'ai faim!... Elle doit drôlement polluer, cette usine!

Après la visite de l'usine, Mme Leroy et ses élèves pique-niquent au bord de l'étang de Berre.

JULIE   Ah, c'est bien, le pique-nique!...
          A quoi est-ce que tu penses?
FLORENCE A l'école. C'est sympathique d'être ici, non?
JULIE   Oui, ça change.
FLORENCE Moi, ça me donne envie de faire de longs voyages.

A 22 Activité • Répondez

Répondez aux questions suivantes d'après A21. Choisissez des mots dans la boîte de droite pour répondre.

1. Avec quoi est-ce qu'on produit des pesticides?
2. Avec qui est-ce qu'Eric parle?
3. De qui est-ce qu'Eric parle?
4. De quoi est-ce que le guide parle?
5. Avec qui est-ce que les jeunes pique-niquent?
6. A quoi est-ce que Florence pense?

Chloé   produits chimiques   usine
voyages
guide   Mme Leroy

A 23 POUR LE PIQUE-NIQUE

Voici ce qu'il vous faut pour pique-niquer.

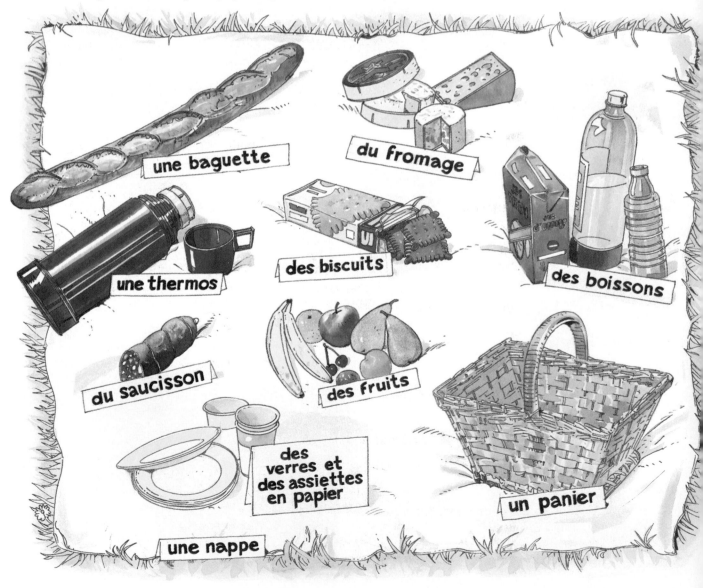

une baguette

du fromage

une thermos

des biscuits

des boissons

du saucisson

des fruits

des verres et des assiettes en papier

un panier

une nappe

Activité • A vous maintenant!

Vous avez envie d'organiser un pique-nique. Vous avez choisi un joli endroit, et maintenant vous voulez savoir qui veut venir et qui apporte quoi. Vous interrogez vos camarades, et vous répondez à leurs questions. Travaillez en groupes de quatre ou cinq.

Vous :
Qui est-ce qui veut faire un pique-nique?
Qui est-ce qui apporte… ?

Vos camarades :
Où est-ce que c'est?
Quand? Avec qui?…

A25 Activité • Et vous?

1. Faites-vous des pique-niques? Avec qui? Quand?
2. Où pique-niquez-vous d'habitude? Dans un parc? Dans votre jardin?
3. Qu'est-ce que vous mangez?
4. Qu'est-ce que vous buvez?
5. Qui apporte quoi?
6. Qu'est-ce que vous faites comme activités?

A26 Activité • Ecrivez

Vous allez partir en voyage avec Mme Leroy et ses élèves. Vos parents ne sont pas chez vous, et ils ne vont pas rentrer avant votre départ. Vous leur écrivez un petit mot. Vous leur dites où vous allez, avec qui, ce que vous allez faire et quand vous allez rentrer.

A27 Activité • Ecoutez bien

Avant un départ en voyage, il y a souvent des problèmes. Ecoutez Mme Leroy, et ensuite, choisissez la bonne réponse.

1. Alexandra est…
   a. malade.　　　　　　**b.** en retard.　　　　　　**c.** là.

2. Florence téléphone…
   a. à sa mère.　　　　　**b.** au chauffeur.　　　　　**c.** à Alexandra.

3. Mme Leroy n'a pas pensé…
   a. au pique-nique.　　　**b.** aux bagages.　　　　　**c.** à son appareil-photo.

4. François va chercher…
   a. ses bagages.　　　　**b.** son appareil-photo.　　**c.** le pique-nique.

5. Mme Leroy demande à Chloé et Eric d'…
   a. acheter un parapluie.　**b.** aller chercher Alexandra.　**c.** acheter du pain et du fromage.

6. Le chauffeur est arrivé…
   a. à dix heures.　　　　**b.** en retard.　　　　　　**c.** en avance.

7. Le car…
   a. ne veut pas partir.　　**b.** est prêt à partir.　　　**c.** est trop petit.

8. Il commence à…
   a. pleuvoir.　　　　　　**b.** neiger.　　　　　　　**c.** faire froid.

Il y a aujourd'hui des villes provençales plus importantes qu'Arles, comme Avignon ou Aix-en-Provence, mais à une époque lointaine, Arles était la plus grande ville de Provence. Maintenant encore, quand on se promène, on peut voir des vestiges de ce merveilleux passé.

B1

Visite d'Arles 📼

Le groupe est arrivé à Arles. Les élèves ont dormi dans le dortoir d'un lycée, et après le petit déjeuner, Mme Leroy les a emmenés faire le tour de la ville.

MME LEROY   Arles est une ancienne cité romaine. Il reste encore de très nombreux vestiges. Ici, nous sommes dans les arènes. Au temps des Romains, il y avait des combats de gladiateurs. Parfois, on lâchait les lions. Les gladiateurs devaient se défendre. Le plus souvent, malheureusement, ils étaient dévorés. Tout Arles assistait à ces jeux!

MME LEROY	Maintenant, on organise des courses de taureaux. Heureusement que les taureaux ne sont pas mis à mort!... C'est interdit... C'est plus civilisé.
ERIC	Dommage!
CHLOÉ	Quoi?
ERIC	Qu'il n'y ait pas de mise à mort! J'étais en Espagne l'année dernière. On tuait les taureaux! C'était super!
CHLOÉ	Barbare!

MME LEROY	Voici le théâtre... probablement le mieux conservé de la région. Dommage qu'on ne soit pas en été! Au moment du festival, on y donne d'excellentes pièces de théâtre et de très bons opéras.
ALEXANDRA	Eh bien, heureusement qu'on n'est pas en été! Je déteste l'opéra!
FRANÇOISE	Chut! Elle va t'entendre!
MME LEROY	En juillet, on y organise aussi les Rencontres Internationales de la Photographie, la plus importante manifestation consacrée à la photographie en France.

ALEXANDRA	Madame, qu'est-ce qu'on fait cet après-midi?
MME LEROY	Pourquoi? Vous vous ennuyez?
ALEXANDRA	Pas du tout!
MME LEROY	On va faire de l'équitation en Camargue. Là-bas, on trouve les plus beaux chevaux de la région.
FRANÇOISE	Et à quelle heure on revient?
MME LEROY	Le plus tard possible!

B2   Activité • Avez-vous compris?

Répondez aux questions suivantes d'après B1.

1. Dans quelle région de France se trouve Arles?
2. Comment sait-on que les Romains habitaient Arles?
3. Qu'est-ce qu'on organisait dans les arènes au temps des Romains?
4. Quelle est la différence entre les courses de taureaux à Arles et celles en Espagne?
5. Qu'est-ce qu'on donne maintenant dans le théâtre antique?
6. Quelle est la saison la plus touristique à Arles?

Choisissez un site ou un monument historique de votre ville, de votre état ou de votre pays. Travaillez avec un(e) camarade et préparez un commentaire. Ensuite, faites le guide pour votre classe.

B4 Savez-vous que… ?

La Provence est une des régions les plus jolies et les plus touristiques de France. Elle a inspiré de nombreux peintres, attirés *(attracted)* par sa belle lumière *(light)*. Les plus connus sont l'impressionniste français Paul Cézanne (1839–1906) et le Néerlandais Vincent Van Gogh (1853–1890).

Cézanne est né à Aix-en-Provence. Il est célèbre pour ses recherches en peinture et pour sa série de tableaux sur la montagne Sainte-Victoire, près d'Aix.

Voici le vrai pont de Langlois, un pont-levis *(drawbridge)*. Mais ce n'est pas celui que Van Gogh a peint : c'est une reproduction de l'ancien pont qui n'existe plus. Van Gogh aimait ce vieux pont parce qu'il ressemblait à ceux de Hollande, son pays natal.

Van Gogh a vécu à Arles en 1888. Pauvre, malade et en proie à une crise de folie *(prey to madness)*, il s'est coupé l'oreille et a été hospitalisé à Saint-Rémy-de-Provence en 1889. Une de ses œuvres, *Le Pont de Langlois,* est un des tableaux les plus connus du monde.

VOUS EN SOUVENEZ-VOUS?
Making comparisons

You recall that you make comparisons with nouns by using **plus, autant,** or **moins** + **de (d')** + a noun + **que (qu').**

En ville, il y a	**plus de concerts qu'**	à la campagne.
En ville, il a	**autant d'amis qu'**	à la campagne.
A la campagne, il y a	**moins de monde qu'**	en ville.

You also remember that you make comparisons with adjectives or adverbs by using **plus, aussi,** or **moins** + an adjective or an adverb + **que (qu').**

Le bus est	**plus pratique que**	le métro.
Le bus est	**aussi cher que**	le métro.
Le bus va	**moins vite que**	le métro.

Remember that adjectives always agree in gender and number with nouns, even in comparisons.

B6 STRUCTURES DE BASE
Making comparisons: superlatives of adjectives and adverbs

1. When you compare one person or thing to others, you may use the superlative: the most, the least. To form the superlative in French, you use the appropriate article, **le, la,** or **les,** followed by **plus,** *most,* or **moins,** *least.*

2. Superlatives of adjectives are formed with the appropriate article, **le, la,** or **les.** The adjectives agree with the nouns they refer to. To express *in* or *of* after the superlative, you use **de.**

Person/Thing	**le/la/les**	**plus/moins**	*Adjective*	**de**	*Group/Place*
C'est la ville	**la**	**plus**	**ancienne**	**de**	Provence.
Les chevaux de Camargue sont	**les**	**plus**	**beaux**	**de**	la région.
Eric est	**le**	**moins**	**sérieux**	**du**	groupe.

3. The adjective **bon(ne)** cannot be used with **le plus.** Instead, you must use **le (la) (les) meilleur(e)(s),** *the best.*

   Le pique-nique était **le meilleur** moment du voyage.

4. Superlatives of adverbs are always formed with **le.**

Person/Thing	**le**	**plus/moins**	*Adverb*
Alexandra arrive	**le**	**plus**	**tard.**
Elle court	**le**	**moins**	**vite.**

5. The adverb **bien** cannot be used with **le.** Instead, you must use **le mieux:** C'est le monument **le mieux** conservé.

6. **Ce,** rather than **il, elle, ils,** or **elles,** is normally used before **être** when followed by a superlative. **Eric? C'est le moins sérieux.**

B7 Activité • Pouvez-vous les comparer? 📼

Vous avez fait la connaissance de certains membres du groupe, et vous pouvez imaginer leur caractère. Comparez-les deux à deux.

> Chloé est plus sérieuse qu'Eric.   Chloé est la plus sérieuse (des deux).
> Eric est le moins sérieux (des deux).

1. Florence est plus sensible qu'Alexandra.
2. Alexandra est plus petite qu'Eric.
3. Eric est moins âgé que François.
4. Chloé est plus organisée qu'Eric.
5. Julie est moins économe que Florence.
6. Mme Leroy est plus intéressée que ses élèves.

B8 Activité • Exagérez un peu 📼

Mme Leroy et ses élèves aiment beaucoup Arles, sa région et son passé. Complétez leurs conversations avec le superlatif des adjectifs.

> — Arles est une jolie ville!   — Arles est une jolie ville!
> — Oui, c'est... Provence.   — Oui, c'est la plus jolie ville de Provence.

1. — Saint-Trophime, c'est une ancienne église?
   — Oui, c'est... Arles.
2. — Qu'est-ce qu'il est bien conservé, ce théâtre!
   — Oui, c'est... tous les vestiges romains.
3. — Il y a une importante manifestation de photos à Arles?
   — Oui, c'est... France.
4. — Van Gogh est un très bon peintre. Tu trouves pas?
   — Si, c'est... tous les peintres flamands.
5. — La Camargue a une vaste réserve d'oiseaux.
   — Oui, c'est... région.
6. — Il y a de beaux chevaux en Camargue.
   — C'est vrai. Ce sont... région.

B9 Activité • Qui fait quoi, et comment? 📼

Comparez les membres du groupe avec le superlatif des adverbes.

> Françoise écoute bien.   C'est Françoise qui écoute le mieux.
> Julie ne parle pas beaucoup.   C'est Julie qui parle le moins.

1. Alexandra arrive tard.
2. Françoise arrive tôt.
3. Eric mange vite.
4. Mme Leroy parle fort.
5. Eric n'écoute pas attentivement.
6. Julie a bien dormi.

B10 Activité • Ecrit dirigé

De retour au lycée, Alexandra a écrit une rédaction (*composition*) sur Arles. Recopiez sa rédaction et complétez-la avec les superlatifs des adjectifs et des adverbes entre parenthèses.

Au temps des Romains, Arles était (grand) ville de Provence et (beau). On y donnait les jeux (célèbre) dans le grand amphithéâtre. Les gladiateurs (fort) tuaient quelquefois les lions, mais (souvent) l'homme était dévoré. Aujourd'hui, l'amphithéâtre s'appelle les arènes, parce qu'on y donne les jeux (populaire) sans mise à mort. Le théâtre antique est le monument (bien) conservé de la région. C'est aussi le monument ancien (joli) d'Arles. Il est utilisé pour les Rencontres Internationales de la Photographie, (important) manifestation consacrée à la photographie. Si vous allez en France, ne manquez pas de visiter Arles, une des villes (intéressant) de Provence!

B11 COMMENT LE DIRE
Expressing relief and regret

RELIEF	REGRET
Heureusement qu'il fait beau!	Malheureusement, elle est arrivée en retard!
Nous avons de la chance qu'il fasse beau!	C'est dommage qu'elle soit arrivée en retard!
Ouf! Il n'a pas plu!	Quel dommage! Elle est arrivée en retard!
C'est une bonne chose qu'il n'ait pas plu!	

Note that the past subjunctive is composed of the present subjunctive of the auxiliary verb **avoir** or **être** and the past participle of the main verb. C'est une bonne chose qu'il n'**ait** pas **plu**! C'est dommage qu'elle **soit arrivée** en retard!

B12 Activité • Actes de parole

Pouvez-vous trouver dans les dialogues de B1 deux expressions de regret et deux expressions de soulagement *(relief)*?

B13 Activité • Remettez le dialogue dans le bon ordre

Eric et Chloé parlent des courses de taureaux et de l'exposition de photo à Arles. Travaillez avec un(e) camarade et remettez leur conversation dans le bon ordre.

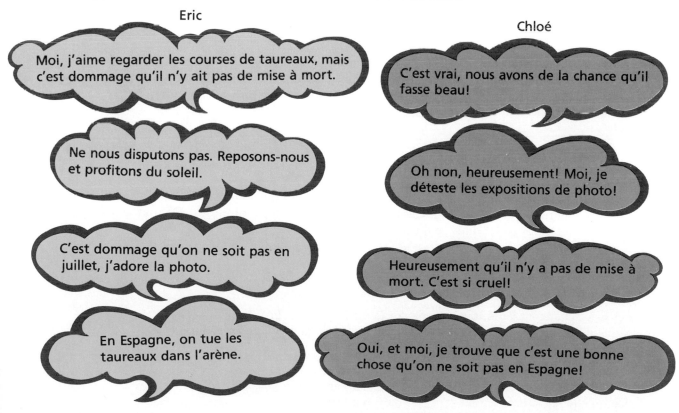

Eric

Moi, j'aime regarder les courses de taureaux, mais c'est dommage qu'il n'y ait pas de mise à mort.

Ne nous disputons pas. Reposons-nous et profitons du soleil.

C'est dommage qu'on ne soit pas en juillet, j'adore la photo.

En Espagne, on tue les taureaux dans l'arène.

Chloé

C'est vrai, nous avons de la chance qu'il fasse beau!

Oh non, heureusement! Moi, je déteste les expositions de photo!

Heureusement qu'il n'y a pas de mise à mort. C'est si cruel!

Oui, et moi, je trouve que c'est une bonne chose qu'on ne soit pas en Espagne!

B14 Activité • Regret ou soulagement? 🎧

Vous visitez Arles avec des amis. Pendant votre visite, on répond à vos questions à l'Office de tourisme, au restaurant, à la gare, dans la rue... Pour chaque réponse, exprimez votre regret ou votre soulagement à vos amis. Variez les expressions.

Les taxis sont juste en face. — Nous avons de la chance que les taxis soient juste en face!

1. Je n'ai plus de plans de la ville.
2. Tous les hôtels sont complets.
3. Le festival? Il a fini hier.
4. J'ai une seule table libre.
5. Nous n'avons plus de gâteau.

6. Il n'y a pas de courses de taureaux.
7. Le musée n'est pas ouvert aujourd'hui.
8. Les étudiants ont droit à un tarif réduit.
9. Le bus passe devant le théâtre.
10. Le train est déjà parti.

B15 Activité • A vous maintenant!

Travaillez avec un(e) camarade. D'abord, trouvez une expression de regret ou de soulagement pour chacune des situations suivantes. Variez les expressions. Ensuite, préparez un dialogue pour chaque situation.

1. Vous détestez la campagne. Des copains vous ont invité(e). Vous n'êtes pas parti(e) parce qu'il pleuvait.
2. Votre classe organise un voyage. Vous avez envie d'y participer, mais vous êtes malade.
3. Vous avez invité votre amie à sortir avec vous ce week-end, mais elle a du travail et elle ne peut malheureusement pas venir.

B16 Activité • Organisez un voyage scolaire

Votre classe d'histoire ou de français va faire un voyage. Le professeur vous a demandé de faire des projets pour le voyage. Travaillez avec un(e) camarade. Décidez où vous allez, pourquoi, quand, comment, ce que vous allez faire là-bas, quand vous allez rentrer... Présentez vos projets à la classe.

B17 Activité • Ecrivez

Décrivez un voyage scolaire que vous avez fait. Dites où, avec qui, pourquoi, quand, comment vous y êtes allé(e)s, ce que vous avez fait là-bas, quand vous êtes rentré(e)s... Donnez aussi vos impressions sur le voyage et dites ce que vous avez appris.

B18 Activité • Ecoutez bien 🎧

Julie et Eric échangent leurs impressions sur la visite d'Arles. Ecoutez leur conversation et dites ensuite ce qu'ils ont aimé, ce qu'ils n'ont pas aimé et ce qu'ils regrettent.

Julie :
Ce qu'elle a aimé :
Ce qu'elle n'a pas aimé :
Ce qu'elle regrette :

Eric :
Ce qu'il a aimé :
Ce qu'il n'a pas aimé :
Ce qu'il regrette :

Tout a une fin, même les bonnes choses! Le temps a passé très vite et il faut déjà songer à partir. Mais avant de quitter Arles, tout le monde profite des derniers instants.

C1

Dernières heures 📼

Le rendez-vous est fixé à 16h00 au car. C'est le moment de prendre des photos et d'écrire des cartes postales, car après, ce n'est plus possible.

Avant de partir, Françoise prend le plus de photos possible. C'est la meilleure façon de garder des souvenirs.

— Allez, souriez un peu!... Qu'est-ce que vous avez l'air bêtes!... Mais arrêtez de faire des grimaces! Soyez naturels! Cette photo va être exposée aux Rencontres Internationales d'Arles!... Attention, le petit oiseau va sortir!

Florence et Julie vont acheter des cartes postales.

JULIE	Je n'ai pas le courage d'écrire à mes parents.
FLORENCE	Fais un effort. Ça fait toujours plaisir, une petite carte!
JULIE	«Chers parents... Euh... Quand nous sommes arrivés, il faisait beau...» Je n'ai plus d'idées. Qu'est-ce que je peux mettre?
FLORENCE	Je ne sais pas, invente!

Enfin, après avoir pris des photos, écrit des cartes postales et pris un dernier verre dans un café, les élèves sont montés dans le car.

En route! Adieu, Arles!

Activité • Avez-vous compris?

Répondez aux questions suivantes d'après C1.

1. Qu'est-ce que Françoise fait avant de partir? Pourquoi?
2. Qu'est-ce qu'elle veut que le groupe fasse?
3. Qu'est-ce que Julie est allée acheter?
4. Avec qui y est-elle allée?

5. Pourquoi faut-il envoyer une carte postale?
6. A qui Julie écrit-elle?
7. De quoi est-ce qu'elle parle?
8. Qu'est-ce qu'on fait avant de monter dans le car?

C3 Activité • Actes de parole

Relisez les dialogues dans C1. Qui est-ce qui dit quoi? Et pourquoi?

1. Qui est-ce qui encourage quelqu'un? Qu'est-ce qu'elle dit?
2. Qui est-ce qui demande des conseils? Qu'est-ce qu'elle dit?
3. Qui est-ce qui donne une raison de faire quelque chose? Qu'est-ce qu'elle dit?
4. Qui est-ce qui s'exclame? Qu'est-ce qu'elle dit?

C4 Activité • Ecrivez

Julie n'a plus d'idées. Aidez-la à écrire sa carte postale. Dites ce que vous avez vu à Arles, ce que vous avez visité, ce que vous avez fait…

C5 Activité • A vous maintenant!

Florence, Alexandra, Françoise et Eric sont au café devant un dernier verre. Vous les connaissez mieux maintenant. Vous savez ce qu'ils ont fait et ce qu'ils aiment ou n'aiment pas. Imaginez leurs commentaires et jouez la conversation. Travaillez en groupe.

C6 Savez-vous que… ?

Arles est la capitale de la photographie. Depuis 1982, il y a une école nationale de photographie. Les études durent trois ans. On y apprend la technique… et aussi à regarder.

En juillet, pendant un mois, il y a les Rencontres Internationales. C'est l'occasion pour les photographes de se rencontrer, d'échanger des idées et de montrer leur travail. Dans toute la ville, il y a des expositions de photographie. On peut aussi voir des projections de diapositives *(slides)* ou des reportages dans le théâtre antique… Quel curieux mélange *(mixture)*! Si les Romains voyaient leur théâtre!…

Alors, si vous êtes photographe amateur, venez à Arles! C'est fantastique!

Si vous êtes photographe amateur, qu'est-ce qu'il vous faut?

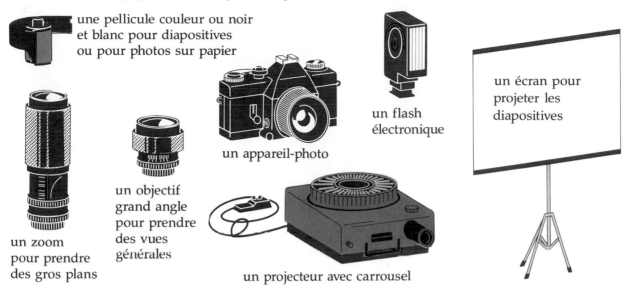

une pellicule couleur ou noir et blanc pour diapositives ou pour photos sur papier

un flash électronique

un écran pour projeter les diapositives

un appareil-photo

un objectif grand angle pour prendre des vues générales

un zoom pour prendre des gros plans

un projecteur avec carrousel

C8 Activité • Qu'est-ce qu'il vous faut?

De quel matériel photographique avez-vous besoin dans les situations suivantes?

1. Vous voulez prendre des photos.
2. Vous voulez photographier un petit objet.
3. Vous avez envie de prendre une vue très large.
4. Vous allez organiser vos diapositives avant de les projeter.
5. Vous allez montrer vos diapositives à vos amis.

C9 Activité • Le photographe débutant

Vous voulez acheter du matériel photo. Vous allez dans une boutique spécialisée, et vous posez des questions au vendeur(à la vendeuse). Complétez la conversation. Travaillez avec un(e) camarade.

VENDEUR/VENDEUSE Vous désirez?
VOUS Bonjour, monsieur/madame. Je veux acheter un...
VENDEUR/VENDEUSE Quelle marque voulez-vous?
VOUS La meilleure et la... chère!
VENDEUR/VENDEUSE Ça, c'est difficile! Et si vous voulez faire des photos à l'intérieur, il faut que vous achetiez...
VOUS Et pour prendre un grand bâtiment de près?
VENDEUR/VENDEUSE Vous avez besoin d'un... Pour photographier une fleur ou un animal de loin, vous avez besoin d'un... Ça rapproche les objets.
VOUS Bon, je vais voir. Je n'ai pas assez d'argent pour tous les accessoires. Je crois que je ne vais acheter que cet... et des...
VENDEUR/VENDEUSE Couleur ou noir et blanc?
VOUS ...
VENDEUR/VENDEUSE Pour... ou pour photos?
VOUS Pour...

The preposition **après** may be followed by the past infinitive. The past infinitive of a verb is composed of two parts:

- **être** or **avoir,** depending on which auxiliary verb the main verb takes in the **passé composé;**
- the past participle of the main verb.

Infinitive	Passé Composé	Past Infinitive
arriver	Ils **sont arrivés.**	**Après être arrivés,** ils ont visité l'usine.
se reposer	Nous **nous sommes reposés.**	**Après nous être reposés,** nous avons continué la visite.
déjeuner	J'ai **déjeuné.**	**Après avoir déjeuné,** j'ai acheté des cartes postales.

Notice that the agreement of the past participle in the past infinitive follows the same rules as those you've learned for the **passé composé.**

 Activité • Qu'est-ce qu'ils ont fait? Et après?

Dites ce que Mme Leroy et ses élèves ont fait. Faites des phrases avec le passé de l'infinitif.

arriver au rendez-vous / monter dans le car   Après être arrivés au rendez-vous, ils sont montés dans le car.

1. déjeuner / se reposer
2. se promener dans Arles / aller en Camargue
3. arriver en Camargue / monter à cheval

4. faire du cheval / rentrer au lycée
5. prendre des photos / écrire des cartes postales
6. boire un dernier verre / monter dans le car

C12 Activité • A vous maintenant!

Voici quelques activités que les élèves ont faites pendant le trajet. Dites ce qu'ils ont fait d'abord et ce qu'ils ont fait ensuite. Faites le maximum de phrases avec le passé de l'infinitif.

Ils sont arrivés à Berre.   Après être arrivés à Berre, ils ont visité l'usine.
Ils ont visité l'usine.

Ils ont vu les arènes.

Ils ont visité le théâtre antique.   *Ils sont montés dans le car.*

Ils ont fait le tour d'Arles.   *Ils ont passé la nuit dans le dortoir d'un lycée.*

Ils ont pique-niqué.   *Ils se sont arrêtés à Berre.*

Ils ont fait de l'équitation en Camargue.

Ils ont écrit des cartes postales.   *Ils sont allés à l'étang.*

COMMENT LE DIRE
Expressing lack of interest

> Ecrire des cartes postales, ça ne me dit rien.
> Je n'ai pas le courage d'écrire des cartes postales.
> Ça m'embête d'écrire des cartes postales.
> Ça m'ennuie d'écrire des cartes postales.
> Je n'ai pas (souvent) envie d'écrire des cartes postales.
> Ecrire des cartes postales? Tu parles!

C14 Activité • Et vous?

Qu'est-ce qui ne vous intéresse pas? Ecrire des cartes postales? Visiter des musées? Faire un voyage scolaire? Faites une liste d'au moins six choses qui ne vous intéressent pas, et exprimez votre manque d'enthousiasme *(lack of interest)*. Variez les expressions.

C15 Activité • A vous maintenant!

Votre camarade vous propose de faire plusieurs choses. Exprimez votre manque d'enthousiasme. Variez les expressions et changez de rôle.

> Ça te dit de... ?   Tu veux... ?   Ça te plairait de... ?
> Tu ne veux pas... ?   Ça t'intéresse de... ?

1. Il fait chaud, et on vous demande d'aller faire des courses.
2. Vous êtes fatigué(e), et on vous invite à faire 10 km de jogging.
3. Vous revenez de voyage, et on vous invite à sortir.
4. Vous avez très bien déjeuné, et on vous propose de manger.
5. Vous faites un voyage agréable, et on vous demande de rentrer à la maison.
6. On vous demande d'aller rendre visite à des gens. Vous ne les aimez pas.

C16 Activité • Ecoutez bien

Alexandra a écrit une lettre à votre classe de français. Dans sa lettre, elle décrit son voyage à Arles. Avant de vous lire la lettre, votre professeur vous donne une liste des principales activités d'Alexandra, et vous demande d'indiquer quel jour elle les a faites. Après avoir écouté la lettre, écrivez 1 (premier jour), 2 (deuxième jour) ou 3 (troisième jour) en face de chaque activité.

_____ Elle arrive à Arles.   _____ Elle écrit la lettre.
_____ Elle monte à cheval.   _____ Elle prend le petit déjeuner au lycée.
_____ Elle achète un timbre.   _____ Elle visite le théâtre antique.
_____ Elle revient chez elle.   _____ Elle visite l'usine.
_____ Elle pique-nique.

1

La séance diapo 📼

Rentrée à Nice, la classe a repris les cours... Mais le voyage n'est pas complètement terminé. La semaine suivante, Mme Leroy rassemble toutes les photos prises par ses élèves et organise une séance diapo.

| MME LEROY | Je vais vous projeter ces photos, mais attention! Après les avoir regardées, je veux que vous fassiez un compte-rendu° écrit sur le voyage. D'accord? Pas de questions? Bon, allons-y! |

MME LEROY	Vous reconnaissez?
TOUS	Bien sûr!
MME LEROY	Qu'est-ce que c'est?
ERIC	Les arènes.
CHLOÉ	Mais non, idiot, c'est le théâtre!

MME LEROY	Et ça?
ERIC	C'est Paris!
MME LEROY	Eric, si tu continues, tu vas sortir!

FRANÇOISE	Superbe, cette photo! Qui est-ce qui l'a prise?
ERIC	C'est moi!
FRANÇOISE	Bravo, c'est la plus jolie!
JULIE	C'est pas vrai, c'est pas lui, c'est moi!

MARC	Eh bien, Alexandra, tu fais une drôle de tête sur cette photo! A quoi pensais-tu? Tu as l'air un peu idiote!
ALEXANDRA	Et toi? Tu t'es pas regardé? Quelle grimace!
MARC	Euh, si on passait à une autre photo?
MME LEROY	Voilà, c'est la fin. Maintenant, nous allons voter pour savoir quelle est la meilleure!

compte-rendu *report*

Comparez ces photos prises par le groupe pendant le voyage scolaire. Donnez votre avis et dites pourquoi.

Quelle est la plus (moins)... ?

    belle   originale   intéressante
    triste   amusante   sentimentale

1.
2.
3.
4.
5.
6.
7.
8.

3   Activité • Que faire?

Vous êtes à Arles avec votre ami(e). Vous ne savez pas quoi faire. Vous voyez ces deux publicités. Allez-vous prendre le train? Allez-vous visiter le théâtre antique? Décidez-vous. Préparez le dialogue avec un(e) camarade.

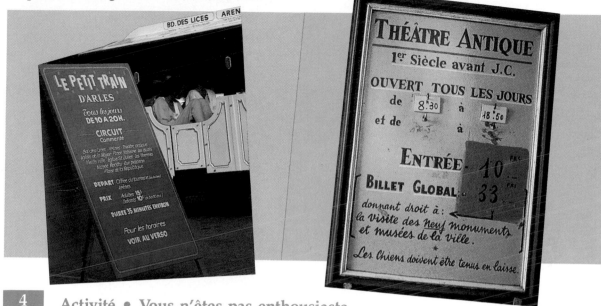

4   Activité • Vous n'êtes pas enthousiaste

Le professeur vous a demandé d'écrire un compte-rendu du voyage scolaire. Vous n'avez pas envie de l'écrire. Qu'est-ce que vous dites à votre ami(e)? Trouvez trois moyens d'exprimer votre manque d'enthousiasme et trouvez chaque fois une raison différente.

5   Activité • Ecrivez

Vous n'en avez pas envie, mais vous écrivez un compte-rendu de votre voyage à Arles avec Mme Leroy et ses élèves. Qu'est-ce que vous y avez fait? Qu'est-ce qui vous a plu le mieux? Qu'est-ce que vous n'avez pas aimé? Avez-vous envie d'y retourner? Pourquoi? Dans votre compte-rendu, exprimez le soulagement et le regret.

6   Activité • A vous maintenant!

Avec un(e) camarade, parlez d'un voyage que vous avez fait avec une classe, avec votre famille ou avec des amis. Posez des questions à votre ami(e) sur son voyage, et répondez à ses questions sur votre voyage.

7   Activité • Ecrivez

Vous avez organisé un voyage, et vous devez maintenant faire un programme pour le donner à tous les participants. Ecrivez-le, avec les dates, les horaires, les types d'activités.

> Programme du voyage scolaire
> du ... au ... à ...
> Premier jour :

Activité • Ecrivez

Pendant votre visite d'Arles, vous envoyez une carte postale à votre classe de français. Ecrivez le message; dites ce que vous avez fait et ce que vous avez vu à Arles.

9   Activité • Si on allait... ?

C'est l'été. Vous êtes à Arles pour les Rencontres Internationales de la Photographie. Le programme offre des spectacles et des expositions en grand nombre. Qu'est-ce que vous décidez d'aller voir? Préparez le dialogue avec un(e) camarade.

SPECTACLES

SPECTACLE MULTI-MÉDIA sur écran de 130 m^2 au Théâtre Antique.

5 JUILLET
"Un jour dans la vie aux USA"
200 photographes pendant un jour.

6 JUILLET
"Rock et Photo"
Les grands photographes de la scène Rock mondiale.

10 JUILLET
"Le Liban"
"Voyage au cœur de la merveilleuse catastrophe" Un sujet sur New York.

EXPOS

L'ATELIER DES FORGES, un espace spectaculaire pour la photographie. Dans une usine de 1850, une vingtaine d'expositions est proposée aux visiteurs.

"La mode des années 50"
"Célèbres portraits de la scène rock"
"Photos hollandaises de la scène punk"
"L'Asie d'un photographe australien"

"Portraits de rues à Haïti"

"Paris-Zürich"
17 photographies en plein vol.

"Portraits Officiels Chinois"
"Demain le tramway"
7 photographes, 72 affiches.

Pendant votre voyage en Camargue, vous visitez le village des Saintes-Maries-de-la-Mer. Il y a beaucoup à faire ici. Avec un(e) camarade, faites le projet de votre visite. A tour de rôle, proposez les activités suggérées par les photos; acceptez ou refusez les suggestions. Finalement, préparez votre programme d'activités.

1.

2.

3.

4.

5.

6.

Activité • Jeu de rôle

Avec un(e) camarade de classe, trouvez des situations qui vous amènent *(which cause you)* à exprimer un soulagement ou un regret. Par exemple :

> — C'est l'anniversaire de votre mère. Vous avez oublié
> d'acheter un cadeau mais votre sœur en a acheté un
> pour vous.
> — Heureusement que ma sœur a acheté un cadeau!

12 Activité • Quelles sont ces photos?

Travaillez avec un(e) camarade. Votre camarade choisit une photo dans ce chapitre. Il/Elle vous la décrit. Vous devez identifier la photo. Vous avez droit à deux réponses. Si vous identifiez la photo, c'est à votre tour de choisir une photo, et ainsi de suite *(and so on)*.

13 Activité • Créez votre projet

Votre professeur veut réaliser un projet avec votre classe, mais il/elle a besoin de l'avis de tout le monde. Ecrivez quelques lignes pour proposer une idée. Justifiez-la. Cela peut être un voyage ou autre chose : la création d'un club, la réalisation d'un film vidéo ou d'un reportage… C'est à vous de trouver la meilleure idée.

14 Activité • Récréation

Au temps des Romains. Ce dessin contient cinq erreurs. Pouvez-vous les trouver?

PRONONCIATION 📼

The ghost **h; l** and **gn**

1 Ecoutez bien et répétez.

1. The ghost h

    a. heure hôtel dehors   le hall   dans le hall de l'hôtel

    b.
hall ['ol] **héros** ['eʀo] **dehors** [dəɔr]

    les zéros les héros

les haricots	*green beans*	en haut	*upstairs*
les hors-d'œuvre	*appetizers*	le hasard	*chance, fate, luck*
des harengs	*herring*	Ils ont hâte.	*They're in a hurry.*

    c. Consultez le dictionnaire : **le, la,** ou **l'**? Lisez la liste et puis relisez-la avec **un** ou **une**.
    horizon, handicap, hamburger, hypocrite, hélicoptère, halo, herbicide, héritage, hamster, héros, humour, hydrogène, hippy, harpe

    d. la Hollande   un hangar   le hasard   deux harengs

2. The th combination

    thermomètre théâtre thé thème thermos mathématiques mythe

3. The ch combination

    a. /**sh**/ as in English

        la Chine *chat* chatte *chant* chante *change* change *chocolate* chocolat

    b. /**k**/ as in English

        choral choral *choir* chœur *chaos* chaos *Christine* Christine

    c. Unlike English

        architect architecte *chemistry* chimie *archives* archives

4. The sound /l/

    elle quelle celle ville ciel bel glace place classe clé

5. The sound /ɲ/

    oignon compagnon mignon magnifique signer ligne

2 Ecoutez et lisez.

— On joue de la musique de chambre tous les soirs de six à dix heures dans le hall de l'hôtel.
— Moi, je préfère le chant solo ou bien les chœurs sans accompagnement.
— Pour moi, c'est l'orchestre symphonique, le théâtre et l'opéra.
— J'ai même des billets pour *Le Lac des Cygnes*. C'est la nouvelle compagnie. J'ai hâte de les voir. Il paraît que le spectacle est magnifique.

3 Copiez les phrases suivantes pour préparer une dictée.

1. Le restaurant dans cet hôtel est célèbre pour ses haricots.
2. Moi, je n'aime pas les oignons dans mon hamburger.
3. Hier, Christine et Charles ont pris du thé avec leurs compagnons.
4. Signez sur la ligne, s'il vous plaît.
5. Le théâtre est près de la cathédrale.

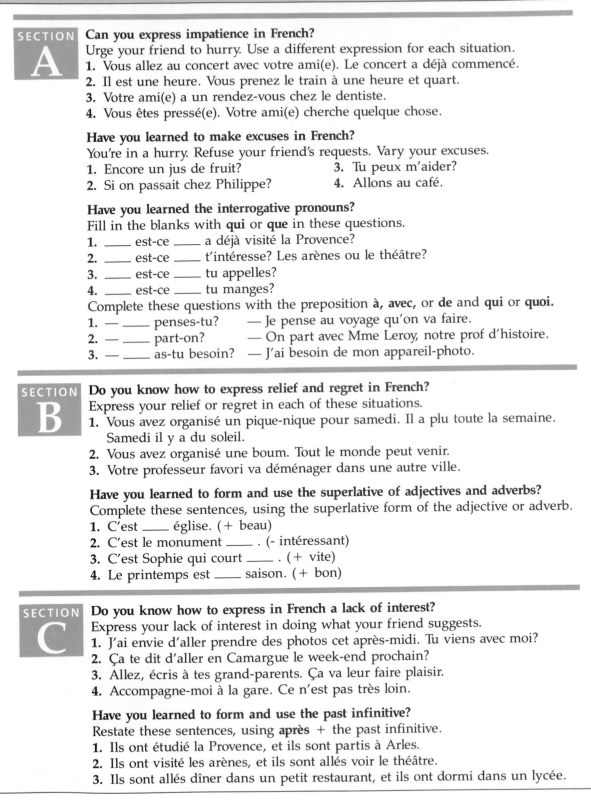

SECTION A

Can you express impatience in French?
Urge your friend to hurry. Use a different expression for each situation.
1. Vous allez au concert avec votre ami(e). Le concert a déjà commencé.
2. Il est une heure. Vous prenez le train à une heure et quart.
3. Votre ami(e) a un rendez-vous chez le dentiste.
4. Vous êtes pressé(e). Votre ami(e) cherche quelque chose.

Have you learned to make excuses in French?
You're in a hurry. Refuse your friend's requests. Vary your excuses.
1. Encore un jus de fruit?
2. Si on passait chez Philippe?
3. Tu peux m'aider?
4. Allons au café.

Have you learned the interrogative pronouns?
Fill in the blanks with **qui** or **que** in these questions.
1. _____ est-ce _____ a déjà visité la Provence?
2. _____ est-ce _____ t'intéresse? Les arènes ou le théâtre?
3. _____ est-ce _____ tu appelles?
4. _____ est-ce _____ tu manges?
Complete these questions with the preposition **à, avec,** or **de** and **qui** or **quoi.**
1. — _____ penses-tu?   — Je pense au voyage qu'on va faire.
2. — _____ part-on?   — On part avec Mme Leroy, notre prof d'histoire.
3. — _____ as-tu besoin?   — J'ai besoin de mon appareil-photo.

SECTION B

Do you know how to express relief and regret in French?
Express your relief or regret in each of these situations.
1. Vous avez organisé un pique-nique pour samedi. Il a plu toute la semaine. Samedi il y a du soleil.
2. Vous avez organisé une boum. Tout le monde peut venir.
3. Votre professeur favori va déménager dans une autre ville.

Have you learned to form and use the superlative of adjectives and adverbs?
Complete these sentences, using the superlative form of the adjective or adverb.
1. C'est _____ église. (+ beau)
2. C'est le monument _____ . (- intéressant)
3. C'est Sophie qui court _____ . (+ vite)
4. Le printemps est _____ saison. (+ bon)

SECTION C

Do you know how to express in French a lack of interest?
Express your lack of interest in doing what your friend suggests.
1. J'ai envie d'aller prendre des photos cet après-midi. Tu viens avec moi?
2. Ça te dit d'aller en Camargue le week-end prochain?
3. Allez, écris à tes grand-parents. Ça va leur faire plaisir.
4. Accompagne-moi à la gare. Ce n'est pas très loin.

Have you learned to form and use the past infinitive?
Restate these sentences, using **après** + the past infinitive.
1. Ils ont étudié la Provence, et ils sont partis à Arles.
2. Ils ont visité les arènes, et ils sont allés voir le théâtre.
3. Ils sont allés dîner dans un petit restaurant, et ils ont dormi dans un lycée.

VOCABULAIRE

SECTION A

(See A23: picnic supplies.)

amuser (s') *to have fun*
un **arrêt** *stop, stopover*
barber (fam.) *to bore*
chimique *chemical*
le **complexe** *complex*
le **départ** *departure*
dépêcher (se) *to hurry*
éducatif, -ive *educational*
un **étang** *pond*
heure : à l'heure *on time*
illustrer *to illustrate*
manquer *to miss*
la **matière plastique** *plastic*
un **pesticide** *pesticide*
un **pique-nique** *picnic*
pique-niquer *to picnic*
polluer *to pollute*
pressé, -e *in a hurry*
produire *to produce*
qu'est-ce qui *what*
qui est-ce que *whom*
qui est-ce qui *who*
rater *to miss*
la **recherche** *research*
un **solvant** *solvent*
le **trajet** *route, journey*
une **usine** *factory*

SECTION B

ancien, -ienne *ancient, old*
les **arènes** (f.) *arena*
barbare *barbarian, barbaric*
la **Camargue** *the Rhône delta*
Chut! *Shhh!*

civilisé, -e *civilized*
un **combat** *fight, battle*
consacré, -e (à) *devoted (to)*
conservé, -e *preserved*
une **course de taureaux** *bullfight*
défendre (se) *to defend (oneself)*
dévoré, -e *devoured, eaten*
le **dortoir** *dormitory*
une **époque** *epoch, age, era*
un **gladiateur** *gladiator*
interdit *forbidden*
lâcher *to release*
lointain, -e *faraway, distant*
une **manifestation** *show, demonstration*
la **mise à mort** *killing*
mis(e) à mort *put to death*
un **opéra** *opera*
parfois *sometimes*
le **passé** *past*
la **photographie** *photography*
probablement *probably*
provençal, -e *from Provence*
rester : il reste *there remain(s)*
romain, -e *Roman*
les **Romains** *Romans*
le **taureau** (pl. **-x**) *bull*
temps : au temps de *at the time of*
tuer *to kill*
un **vestige** *trace, relic*

SECTION C

adieu *farewell, goodbye*

amateur *amateur*
angle : grand angle *wide angle*
bête *dumb, stupid*
car *because*
un **carrousel** *slide carrousel*
courage : Je n'ai pas le courage de... *I don't feel up to . . .*
une **diapo(sitive)** *slide*
dit : Ça ne me dit rien. *That doesn't appeal to me.*
un **écran** *projection screen*
exposer *to exhibit*
fixer *to set*
un **flash** *flash*
une **grimace : faire des grimaces** *to make a (funny) face*
un **instant** *instant, moment*
inventer *to invent*
naturel, -elle *natural*
un **objectif** *lens*
un **oiseau** (pl. **-x**) *bird*
pareil, pareille *such*
parler : Tu parles! (fam.) *You've got to be kidding!*
une **pellicule** *film (for camera)*
profiter (de) *to take advantage (of)*
un **projecteur** *projector*
projeter *to project*
songer (à) *to think (about)*
souriez *smile*
un **zoom** *zoom lens*

ETUDE DE MOTS

The past participle of some verbs may be used as adjectives. For example, **inventé**, *invented*, the past participle of **inventer,** *to invent*, may also be an adjective: **C'est une machine inventée par mon oncle.** Of course, a past participle used as an adjective follows the rules you have learned concerning adjectives and how they must agree with the nouns they modify.

In the list above, find four adjectives that are also past participles of verbs. Write them down and then write their infinitives next to them.

Now complete the following sentences with the adjective forms of two verbs from the list above.

1. Le fleuve est _____ ; on n'y nage plus.
2. J'ai acheté un beau livre _____ pour ma petite nièce.

A LIRE

Alerte au château de Rambouillet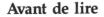

Un voyage scolaire pas comme les autres

Avant de lire

Les personnages et les endroits suivants sont mentionnés dans cette histoire. Les connaissez-vous? Sinon, faites des recherches pour mieux apprécier l'histoire suivante.

Rambouillet   Le Général de Gaulle
François 1ᵉʳ   Le Maréchal Leclerc
Chartres
Versailles
Napoléon 1ᵉʳ

Vous souvenez-vous du système de notation (*grading*) dans les écoles françaises? Lisez le premier paragraphe. Quel est le rôle des notes dans cette histoire?

Préparatifs

Qui choisit la destination? Pourquoi?

Un jour, en classe d'histoire, Mᵐᵉ Lefrac a annoncé qu'elle nous emmènerait visiter le château de notre choix, quand la moyenne° de la classe aura dépassé dix sur vingt. Nous avons obtenu quatorze aux examens de fin d'année!

Un matin de juin, je suis parti avec ma classe pour Rambouillet, au sud-ouest de Paris. Nous étions vingt élèves, filles et garçons. Mᵐᵉ Lefrac, notre professeur d'histoire, nous accompagnait; il y avait aussi M. Laroche, qui organise régulièrement des visites guidées pour lycéens. Pour ceux que l'histoire intéresse, le château de Rambouillet a été construit au XIVᵉ siècle. François 1ᵉʳ, le Roi-Chevalier, y est mort en 1547.

---

moyenne *average*

Avant le départ, nos accompagnateurs nous ont demandé de rester ensemble pendant la visite pour ne pas nous perdre. Il ne fallait pas traîner° derrière les autres. Si nous avions besoin de quitter notre groupe, nous devions avertir° M. Laroche ou Mme Lefrac. Nous savions qu'il fallait obéir aux consignes°. Mais si on s'écartait° du groupe sans faire attention, et qu'on n'arrivait plus à retrouver ses camarades, il fallait aller attendre au point de rendez-vous, Place de la Libération, devant l'hôtel de ville°, qui se trouve à l'est du château. Et si on était vraiment tout à fait perdu, il fallait aller au poste de gendarmerie le plus proche.

Ah! J'ai oublié de vous dire mon nom. Je m'appelle Didier. Philippe, c'est mon copain. Comme moi, il adore l'histoire. On ne se quitte jamais. C'est nous qui avons proposé la visite de Rambouillet à la classe. Pourquoi Rambouillet? Tout simplement parce que c'est à cinquante kilomètres de Paris, qu'on peut continuer à Chartres°, vers le sud-ouest, et que la forêt de Rambouillet est l'une des plus belles de France. On y chasse le chevreuil° et le sanglier°!

Visite du château et du parc

Qu'est-ce qui est arrivé dans la salle de bains de Napoléon 1er?

Mme Lefrac voulait que Philippe et moi commentions° la visite à tour de rôle. Le château de Rambouillet n'est pas grand comme Versailles; ses jardins à la française° sont plus petits. Je venais de distribuer à tout le monde le plan de Rambouillet, copié du guide de tourisme. Notez bien, à l'ouest du château, l'emplacement de la Chaumière des Coquillages° et, au nord de la Chaumière, la Laiterie de la Reine°.

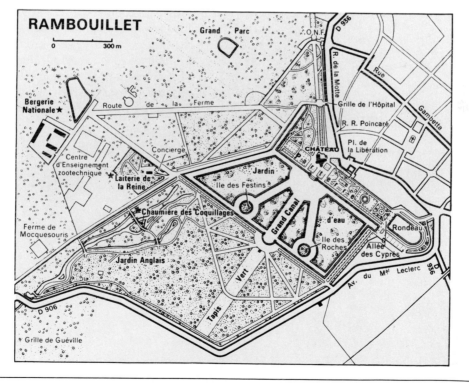

---

traîner *to lag behind;*   **avertir** *to alert;*   **obéir aux consignes** *to obey orders;*   **s'écartait** *became separated;*   **hôtel de ville** *town (city) hall;*   **Chartres** *town southwest of Paris;*   **chevreuil** *roebuck;*   **sanglier** *boar;*   **commentions** *give a commentary on;*   **à la française** *in the French style;*   **Chaumière des Coquillages** *Shellfish Cottage;*   **Laiterie de la Reine** *the queen's dairy farm*

La classe a posé quelques questions sur la grosse tour, seul vestige du château fort° qu'était Rambouillet au temps du Roi-Chevalier. C'est par cette tour que nous sommes entrés dans la salle de bains que s'est fait construire Napoléon 1er. Je vous disais que Philippe et moi, on ne se quittait jamais. Jusqu'à la salle de bains de Napoléon, on était ensemble.

A ce moment, M. Laroche s'est écrié :
— Mais, il manque quelqu'un! Nous ne sommes plus que dix-neuf!

Ça a été la panique. On s'est mis à courir de tous côtés. On se bousculait. Tout le monde voulait redescendre au rez-de-chaussée. Peine perdue°. On ne trouvait pas l'escalier! On était désorientés. M. Laroche et Mme Lefrac criaient : «Restons groupés! Ne nous séparons pas!» Mais chacun n'en faisait qu'à sa tête°.

Finalement, on s'est retrouvé par miracle dans la salle de marbre du rez-de-chaussée.

château fort *fortified castle;*   peine perdue *waste of time;*   n'en faisait qu'à sa tête *went his own sweet way;*

Les recherches commencent.

D'après les filles, pourquoi est-ce que Philippe a disparu? Et d'après la police?

Pas de Philippe à l'horizon.

Une fille dit méchamment :

— C'est bien fait! Philippe s'est perdu parce qu'il n'a pas trouvé nécessaire de suivre les consignes comme tout le monde. Il n'a pas le sens de l'orientation°, le pauvre!

Un garçon rétorque :

— Comme si tu avais, toi, le sens de l'orientation! Tu t'es bien égarée°, l'année dernière au musée du Louvre! On t'a retrouvée dans les cabinets°!

Brouhaha, discussions, disputes. Je me demandais ce qu'il fallait faire. Et si on allait du côté de la Chaumière des Coquillages? Philippe nous avait peut-être devancés° là-bas... Mme Lefrac et M. Laroche sont d'accord.

La Chaumière des Coquillages est située dans la partie nord du parc arrangée en jardin anglais. On venait d'y tondre le gazon. La Chaumière est entièrement décorée de coquillages, d'éclats de marbre° et de nacre°. Superbe. Mais pas de Philippe!

— Il a été mangé par un sanglier dans la forêt de Rambouillet! s'exclame une fille.

— Les sangliers ne mangent pas les vrais hommes, répond Rémy, le cancre° de la classe. Les hommes ont la peau° dure, parce qu'ils réfléchissent. Les sangliers préfèrent les filles...

---

sens de l'orientation *sense of direction;*   **Tu t'es bien égarée** *You got lost;*   **cabinets** *toilets;*   **devancé** *arrived ahead of;*
éclats de marbre *marble chips;*   **nacre** *mother-of-pearl;*   **cancre** *dunce;*   **peau** *skin*

Re-disputes. Les filles crient : «Hou... le vilain! Hou... l'horrible!» M. Laroche essaie de calmer tout le monde, mais tous parlent à la fois.

— Un peu de silence, s'il vous plaît, dit M. Laroche. Nous perdons notre temps. Ce n'est pas comme ça que nous allons retrouver Philippe. Allons au rendez-vous devant l'hôtel de ville.

Pas de Philippe devant l'hôtel de ville. Il y avait un café sur la place; Philippe y était peut-être entré pour acheter des cartes postales. Personne dans le café, à part quelques vieux touristes allemands en train de dévorer des croissants au chocolat...

Je me demandais vraiment où pouvait bien être Philippe. Il n'avait pas l'habitude de disparaître comme ça, en cours de sortie. Lui était-il arrivé quelque chose? Philippe était-il en danger? Il s'était peut-être égaré dans la forêt de Rambouillet! Il fallait appeler les pompiers, la police! M. Laroche se précipite au téléphone. A son retour, il nous annonce qu'il vient d'avertir le poste de gendarmerie. Le préfet de police lui a suggéré d'aller voir dans l'entresol° du château, là où se trouvent les Appartements d'Assemblée. Il y avait, paraît-il, une équipe de télévision qui filmait quelque chose. Philippe était peut-être là-bas, mêlé° à la foule.

Le disparu retrouvé
Où est-ce qu'on a retrouvé Philippe?

Nous courons dans la direction du château, au milieu d'une foule de touristes. Tout le monde se dépêchait d'aller voir ce qui se passait dans les Appartements d'Assemblée.

---

entresol *mezzanine, between ground floor and first floor;*   **mêlé** *mingled*

Eh bien, vous n'allez pas me croire. Arrivés à la porte des fameux Appartements, qu'est-ce qu'on voit? Notre Philippe, debout sous les projecteurs° d'une caméra de télévision! Il tenait à la main une feuille de papier, et s'apprêtait à° lire quelque chose. Il ne nous voyait pas. Silencieuse, la foule des touristes attendait. Voilà que le réalisateur° de l'émission de télévision fait un signe de la main. Et mon copain Philippe commence à lire, d'une voix haute et claire, l'ordre qu'avait donné le Général de Gaulle à la Division Leclerc de marcher sur Paris.

Plus tard, Philippe nous a expliqué que l'équipe de télévision faisait un film sur Rambouillet à l'intention des classes du cycle secondaire. L'élève qui devait lire l'ordre du Général de Gaulle s'était évanoui° sous la chaleur° des projecteurs. Philippe, qui se trouvait là par hasard, qui nous avait quittés sans faire attention, avait offert de remplacer l'élève. On l'avait pris tout de suite!

Après la prise de vue°, tout le monde a applaudi. Mme Lefrac a présenté notre groupe au réalisateur du film. Il a félicité Mme Lefrac pour le talent et l'intelligence de Philippe. Il a promis de nous inviter à voir le film en séance de projection privée! Nous étions contents d'avoir retrouvé Philippe. Il était devenu une grande vedette!

---

projecteurs *spotlights;* **s'apprêtait à** *was getting ready to;* **réalisateur** *director;* **s'était évanoui** *had fainted;* **chaleur** *heat;* **prise de vue** *filming, shooting*

Activité • Avez-vous compris?

Complétez les phrases suivantes d'après «Alerte au château de Rambouillet».

1. Après… , Philippe et Didier ont commenté la visite.
2. Après… , le groupe est allé à l'hôtel de ville.
3. Après… , Philippe se trouvait dans les Appartements d'Assemblée.

Activité • Commentez

Commentez «Alerte au château de Rambouillet» en complétant ces phrases.

1. Heureusement que…
2. Malheureusement,…
3. C'est une bonne chose que M. Laroche…

Activité • Téléphonez

Imaginez la conversation téléphonique entre M. Laroche et le préfet de police. Préparez la conversation avec un(e) camarade.

Activité • Faites le guide

Vous avez trouvé un job d'été comme guide au château de Rambouillet. Montrez le château à un groupe de touristes. Donnez-leur des renseignements sur le château.

CHAPITRE 11

Bientôt l'avenir

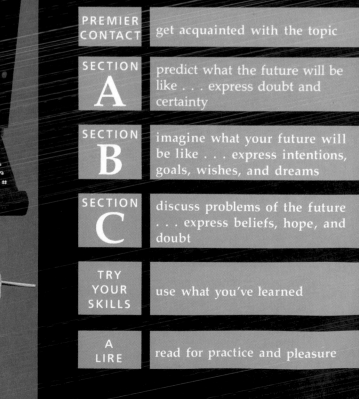

French young people are excited about progress and by dreams of the future. Technological innovations, like the *minitel*, have made their way into everyday life. Places like the *Cité des Sciences et de l'Industrie* show what the future might hold. But young people are concerned about the future. They wonder what their lives will be like and how the world will solve its problems.

In this unit you will:

PREMIER CONTACT	get acquainted with the topic
SECTION A	predict what the future will be like . . . express doubt and certainty
SECTION B	imagine what your future will be like . . . express intentions, goals, wishes, and dreams
SECTION C	discuss problems of the future . . . express beliefs, hope, and doubt
TRY YOUR SKILLS	use what you've learned
A LIRE	read for practice and pleasure

1

Le minitel rend la vie plus facile.

Un nouveau système de communication a fait ses débuts dans de nombreux domiciles français.

Le minitel vous offre un monde de services pour vous informer et communiquer. Il est vraiment très facile à utiliser : il faut un petit terminal — le minitel — qui se branche sur une ligne téléphonique. Vous appelez les services que vous désirez, et l'écran montre les informations demandées, sous forme de textes et de graphiques.

Vous pourrez ainsi utiliser des services différents : suivre un cours, passer des commandes, consulter votre compte bancaire, obtenir les programmes des spectacles... Tout cela sans sortir de chez vous! La vie sera plus facile, le monde plus proche!

Avec le minitel, on ne s'ennuie pas. On a tous les programmes de cinéma, la liste des matches, les activités du club photo...

Je peux même commander un nouveau chéquier à ma banque et me renseigner sur les conditions d'ouverture d'un compte épargne...

J'avais oublié le numéro de téléphone d'un ami. Je l'ai retrouvé tout de suite avec l'Annuaire Electronique. En quelques secondes, on obtient le renseignement qu'on veut.

On gagne beaucoup de temps avec le minitel. Je pars demain en province. Immédiatement, j'ai sur mon écran les horaires de tous les trains. Je peux même réserver ma place.

2 Activité • Avez-vous compris?

Répondez aux questions suivantes d'après «Le minitel rend la vie plus facile».

1. Qu'est-ce qu'on peut faire avec le minitel?
2. Pourquoi utiliser le minitel? Quels sont les avantages de son emploi?
3. Est-ce qu'il y a un service identique aux Etats-Unis?

3 VISITE DE LA CITE DES SCIENCES

A la Cité des Sciences et de l'Industrie, il y a beaucoup de choses à voir et à faire. Comme on ne peut pas tout visiter, le mieux, c'est de commencer par Explora, son exposition permanente.

la Villette
Cité des Sciences et de l'Industrie

30, avenue Corentin-Cariou
75019 Paris. Tél. : 40.22.15.71
Métro : porte de la Villette
Autobus : 150, 152, 250A, PC

HORAIRES D'OUVERTURE

samedi, dimanche et jours fériés	12h à 20h
mardi, jeudi, vendredi	10h à 18h
mercredi (nocturne)	12h à 21h
fermeture le lundi	

Explora

A Explora, vous entrerez dans la passionnante aventure de l'univers et de la vie, de la technologie et de la communication. Aussi bien pour les enfants que pour les adultes, Explora vous fera jouer à l'astronaute dans le fauteuil de l'espace, piloter un avion en simulation, assister au spectacle de la forêt et de ses habitants, et des centaines d'autres choses encore.

Explora occupe les trols étages supérieurs du bâtiment. Pour tout renseignement, une équipe d'agents d'accueil, parlant 18 langues étrangères, est à votre disposition aux banques d'accueil.

4 Activité • Avez-vous bien lu?

Répondez aux questions suivantes d'après «Visite de la Cité des Sciences».

1. Qui s'intéresse à visiter Explora?
2. Que peut-on faire à Explora?
3. Si vous ne pouvez pas trouver le spectacle de la forêt, où vous renseignez-vous?

5 Activité • A vous maintenant!

La Cité des Sciences et de l'Industrie a des expositions temporaires liées (related) aux thèmes d'Explora. On vient dans votre lycée vous demander ce que vous aimeriez y voir. Qu'est-ce que vous suggérez comme exposition temporaire?

L'an 2010, c'est bientôt... Les nouvelles technologies sont déjà là : les robots, les ordinateurs, le laser. Qu'est-ce qui changera dans notre vie quotidienne? Est-ce que vous y pensez quelquefois?

A1 Comment vivrons-nous en l'an 2010? 📼

Henri raconte à Charlotte comment il voit l'avenir.

Bonjour! Il est sept heures et il fait beau. Bon appétit!

HENRI Bientôt, nous vivrons
mieux. Nous aurons
des robots. Ils feront la
cuisine et toutes les
tâches domestiques. Ils
passeront l'aspirateur
et rangeront la maison.

CHARLOTTE Ça m'étonnerait!

HENRI Je t'assure que c'est
vrai! Et... très
important... ils nous
apporteront le petit
déjeuner au lit.

C'est moi!

Désolé, je ne reconnais pas votre voix. Désolé,...

HENRI Les voitures auront un
pilotage automatique.
On dira «C'est moi!»,
les portières
s'ouvriront et le
moteur démarrera.
Ensuite, on program-
mera son itinéraire,
comme sur les avions.

HENRI   On mangera aussi différemment. On achètera des pilules nutritives avec toutes les calories nécessaires.

CHARLOTTE   J'en doute! A mon avis, il y aura toujours des fruits et des légumes. C'est meilleur.

HENRI   Tu as peut-être raison. Qui sait?

Un kilo de tomates, s'il vous plaît.

Pourquoi est-ce que tu es en panne? J'ai faim, moi!

HENRI   Les ordinateurs seront indispensables. Grâce à eux, on n'aura plus besoin d'aller tous les jours au lycée. On communiquera directement avec nos professeurs.

CHARLOTTE   Tu crois vraiment? Moi, je ne pense pas, je…

HENRI   Mais si! J'en suis convaincu! On fera aussi nos courses sans sortir. Les petites boutiques n'existeront plus. On fera son marché sur l'ordinateur.

MME NOGUIER   Henri?

HENRI   Oui, maman?

MME NOGUIER   Tu peux aller m'acheter du jambon?

HENRI   Mais maman, je suis avec Charlotte!

MME NOGUIER   Ne discute pas!

HENRI   Tu vois, Charlotte. Plus tard, nous vivrons mieux!

A2   Activité • Faux, mais pourquoi?

D'après Henri, les phrases suivantes sont fausses. Pouvez-vous les corriger?

1. En l'an 2010, nous vivrons moins bien.
2. Il n'y aura plus de voitures.
3. Nous mangerons les mêmes choses qu'aujourd'hui.
4. On n'aura plus besoin d'ordinateurs.
5. Il y aura toujours de petites boutiques.
6. On fera son marché comme maintenant.

D'après Henri, comment est-ce que ces choses changeront en l'an 2010? Travaillez avec un(e) camarade pour faire une liste.

les voitures   les courses   les études
les repas   les tâches domestiques

A4 Activité • Faites des phrases

Dites à un(e) camarade quelques phrases sur le rôle de ces choses dans le futur. Utilisez le texte et votre imagination.

A5 Activité • Actes de parole

Pouvez-vous trouver dans A1 trois façons d'exprimer le scepticisme *(doubt)*? Deux façons d'exprimer la certitude?

A6 Activité • A votre avis

D'après vous, qu'est-ce qu'il y aura toujours et qu'est-ce qu'il n'y aura plus en l'an 2010? Un(e) camarade de classe vous demande votre opinion et vous répondez. Ensuite, changez de rôle.

— Tu penses qu'il y aura des voitures en l'an 2010?
— A mon avis, il y aura toujours des voitures.
   (… il n'y aura plus de voitures)

1. des vacances
2. des avions
3. de petites boutiques
4. de l'argent
5. des fruits
6. du travail
7. des villages
8. des cours à l'école

A7 Activité • Et vous?

1. Est-ce que vous avez un ordinateur chez vous?
2. Si oui, qu'est-ce qu'on peut faire avec? Vous l'utilisez pour quoi faire? Est-ce que vos parents l'utilisent? Pour quoi faire?
3. Est-ce qu'il y a un ordinateur dans votre école?
4. Si oui, pour quelles matières est-ce que vous l'utilisez? Combien de fois par semaine?

1. In French, there is a special tense that is used to express future actions. Take a look at the chart below to see how this tense, the future, is formed.

	-er Verbs	-ir Verbs	-re Verbs
Stem	**changer-**	**sortir-**	**vivr-**
Future	je changer**ai** tu changer**as** il/elle/on changer**a** nous changer**ons** vous changer**ez** ils/elles changer**ont**	je sortir**ai** tu sortir**as** il/elle/on sortir**a** nous sortir**ons** vous sortir**ez** ils/elles sortir**ont**	je vivr**ai** tu vivr**as** il/elle/on vivr**a** nous vivr**ons** vous vivr**ez** ils/elles vivr**ont**

2. The future endings are **-ai, -as, -a, -ons, -ez,** and **-ont.** They are the same for all verbs.

3. For most verbs that end in **-er** or **-ir,** the future stem is the same as the infinitive: **parler** → **je parlerai, finir** → **tu finiras.**

4. For verbs ending in **-re,** the future stem is formed by dropping the final **e** from the infinitive: **attendre** → **il attendra.**

5. Some **-er** verbs have future stems that are slightly different from their infinitive forms. They follow the patterns shown in the chart below.

Add **accent grave**		*Change* **y** *to* **i**		*Double the consonant*	
acheter	**achèter-**	(s') ennuyer	**(s')ennuier-**	(s') appeler	**(s')appeller-**
amener	**amèner-**	essayer	**essaier-**		
emmener	**emmèner-**	payer	**paier-**		
(se) lever	**lèver-**				
peser	**pèser-**				

6. There are several irregular verbs that have special future stems. You'll learn many of them soon, but for the time being, you should know these three: **avoir** → **aur-**, **être** → **ser-**, and **faire** → **fer-**.

A9 Activité • Henri donne des précisions

Charlotte demande à Henri des précisions (*details*) sur sa façon de voir l'avenir. Mettez les verbes entre parenthèses au futur.

CHARLOTTE   Tu crois que l'école (exister) encore dans 30 ans?
HENRI   Non, les enfants (apprendre) tout chez eux, avec un ordinateur.
CHARLOTTE   Et les adultes, ils (travailler) aussi à la maison?
HENRI   Bien sûr! Ils (rester) à la maison et ne (travailler) que cinq heures par jour.
CHARLOTTE   Alors, tu ne (sortir) plus de chez toi?
HENRI   Mais si, je (sortir)! On (avoir) beaucoup de temps libre. Moi, je le (passer) chez des copains.
CHARLOTTE   On (être) plus heureux que maintenant?
HENRI   Bien sûr! On (travailler) moins et on (s'amuser) plus!

Dans 30 ans, vous achèterez un robot. Regardez ces dessins et dites à un(e) camarade ce que le robot fera chez vous.

1.

2.

3.

4.

5.

6.

7.

8.

9.

A 11 Activité • Ecrit dirigé

Henri imagine maintenant comment on vivra dans 100 ans. Aidez-le en ajoutant à ce paragraphe les verbes au futur.

travailler   faire   être   exister   acheter   avoir   apporter

Plus tard, les voitures ____ des moteurs électriques et la pollution n'____ plus. Le métro ____ remplacé par des trottoirs roulants (moving sidewalks). Les gens ____ chez eux et il y ____ moins de monde dans les rues. Nous n'____ plus rien dans les magasins, nous ____ notre marché sur l'ordinateur, et des robots nous ____ nos achats à domicile (home). Tout ____ très bien!

A 12 Activité • Un message du XXIᵉ siècle

Vous êtes en communication avec une personne du XXIᵉ siècle. Elle vous a envoyé un message par ordinateur où elle vous décrit sa vie. Lisez-le et ensuite, racontez à un(e) camarade de classe comment on vivra plus tard.

Ici, c'est drôlement bien! J'habite dans une maison sous l'eau. J'ai plusieurs robots. L'un d'eux m'apporte le petit déjeuner et fait la vaisselle. Un autre s'occupe de ma voiture aquatique. Un troisième chante des chansons. Et moi, qu'est-ce que je fais? Eh bien, je profite de la vie : je me lève tard le matin, je lis, j'étudie pour mon plaisir, je nage, je regarde les poissons par ma fenêtre, j'écoute de la musique du matin au soir. C'est une vie très agréable!

Pg1 Col   {}   XEC-2.DOC
Microsoft Word

A 13 Activité • Ecrivez

A votre avis, comment vivrons-nous dans 50 ans? Est-ce qu'il y aura encore des voitures? Aurons-nous des robots? Qu'est-ce qu'ils feront? A quoi serviront les ordinateurs? Qu'est-ce qu'on mangera? Est-ce que la vie sera plus ou moins facile qu'aujourd'hui? Pourquoi?

A 14. Savez-vous que... ?

Dans le domaine des techniques nouvelles, la France est souvent bien placée pour répondre aux besoins de la société de l'an 2000. Elle a été, par exemple, le premier pays à introduire le système de communication minitel dans les foyers *(homes)* français. Grâce au minitel, on peut maintenant obtenir des informations sur tous les sujets (météo, horaires de trains...) ou communiquer avec sa banque ou son supermarché sans sortir de chez soi.

Le constructeur automobile français Peugeot-Citroën travaille actuellement *(presently)* sur la voiture du futur. Peugeot, par exemple, a été le premier constructeur du monde à présenter en 1982 une voiture qui parle, la 505 turbo à injection.

A 15 Activité • Ecoutez bien

Ecoutez ce texte publicitaire pour le minitel. Faites une liste de six utilisations *(uses)* possibles du minitel.

A 16 Activité • Donnez des conseils

Parlez des avantages du minitel avec un(e) camarade. Utilisez la liste que vous avez préparée dans A15. Ensuite, changez de rôle.

— Il faut que tu aies un minitel.
— Pourquoi?
— Parce qu'avec un minitel, tu...

COMMENT LE DIRE
Expressing doubt and certainty

DOUBT	CERTAINTY
Je ne (le) crois pas.	Je t'assure que c'est vrai.
Je ne (le) pense pas.	Mais oui (si)! C'est évident!
Ça m'étonnerait!	Evidemment.
Ça m'étonnerait que nous ayons des robots!	Je (J'en) suis convaincu(e).
J'en doute.	Je (J'en) suis persuadé(e).
	J'en suis sûr(e).

A18 Activité • **Vous êtes sceptique**

Un(e) camarade vous donne son avis sur comment il/elle voit l'avenir. Vous n'êtes pas convaincu(e). Il/Elle vous assure qu'il/elle a raison. Faites un dialogue. Variez les expressions.

 — Plus tard, on vivra sur Mars.
 — Je ne crois pas!
 — Mais si! C'est évident!

1. On volera.

2. On vivra sous l'eau.

3. On remontera dans le temps.

4. On parlera une langue universelle.

A19 Activité • **A vous maintenant!**

Y a-t-il des choses qui existent maintenant qui n'existeront plus dans 50 ans? Des choses que vous faites que vous ne ferez plus? Dites-les à un(e) camarade. Il/Elle exprime son scepticisme. Vous confirmez ce que vous avez dit, et vous donnez une explication.

 — Plus tard, on ne travaillera plus.
 — Ça m'étonnerait!
 — Moi, j'en suis convaincu!
 — Qu'est-ce qu'on fera alors?
 — On se reposera.

imagining what your future will be like . . . expressing
intentions, goals, wishes, and dreams

*Comment imaginez-vous votre avenir? Où habiterez-vous? Que ferez-vous? Travaillerez-vous?
Dans quoi? Serez-vous marié(e)? A votre avis, est-ce que vous serez très différent(e) de
maintenant?*

B1 — Votre avenir

Un journaliste de l'émission de radio *A vous la parole!* a posé
cette question à ses auditeurs : «Comment est-ce que vous
voyez votre avenir?» Ecoutez les réponses qui ont été
diffusées. Est-ce que vous avez les mêmes idées ou les
mêmes souhaits que ces jeunes pour votre avenir?

Allô, c'est bien *A vous la parole*? Je m'appelle
Arnaud. Quand j'aurai 30 ans, je serai un musicien
célèbre. Je jouerai partout dans le monde. Des
millions de jeunes viendront m'écouter et chanteront
mes chansons. Mes parents seront fiers de moi, mes
copains m'envieront, et toutes les filles voudront se
marier avec moi!

Allô, bonjour, je m'appelle Stéphanie. Plus tard,
j'espère avoir quatre enfants. Nous habiterons à la
campagne, loin des villes et de la pollution. Mais je ne
me marierai pas avant 25 ans : je ne suis pas pressée!
Je m'entendrai bien avec mon mari, et on ne se disputera
jamais. Nous pourrons élever nos enfants dans le calme.
Ce sera pour moi la meilleure des vies.

Bonjour, je m'appelle Philippe. Mon rêve, c'est de faire le tour du monde. Après mes études, je partirai visiter des pays lointains : la Chine, l'Inde, les îles du Pacifique… J'ai l'intention de rester célibataire et de voyager continuellement!

Allô? Je suis en direct? Je m'appelle Vincent. Moi, je veux être dans les affaires! Je travaillerai dur et je jouerai à la Bourse. Je gagnerai beaucoup d'argent! Je ferai le tour du monde dans mon yacht, et j'irai vivre sur une île. Quand je serai vieux, j'écrirai mes mémoires. Ce sera un best-seller!

Allô, bonjour, je m'appelle Nadja. Mon idéal, c'est de faire tout ce que je peux pour me rendre utile. Je serai professeur ou médecin. Je soignerai les gens malades, les personnes âgées, les handicapés… Je ne sais pas si j'aurai des enfants : je n'aurai peut-être pas le temps de m'en occuper!

Allô? C'est *A vous la parole*? Je m'appelle Danielle. Mon but, c'est d'être pilote chez Dassault. Je pourrai piloter les avions les plus rapides. Ou bien, je travaillerai pour le CNES et, qui sait, je serai peut-être la première femme à marcher sur Mars! J'aurai une vie merveilleuse!

Activité • Répondez

Répondez aux questions suivantes d'après B1.

1. Pourquoi les parents d'Arnaud seront-ils fiers de lui?
2. Pourquoi est-ce que Stéphanie habitera à la campagne?
3. Est-ce que ses enfants seront heureux? Pourquoi?
4. Comment est-ce que Vincent gagnera de l'argent?
5. Qu'est-ce qu'il fera de cet argent?
6. Pourquoi est-ce que Philippe restera célibataire?
7. Où ira-t-il?
8. Comment est-ce que Nadja aidera les autres?
9. Pourquoi est-ce qu'elle n'aura peut-être pas d'enfants?
10. Qu'est-ce que Danielle fera?

B3 Activité • Complétez

Complétez les phrases suivantes avec des verbes appropriés au futur.

1. Quand Stéphanie ____ 30 ans, elle ____ à la campagne.
2. Quand Vincent ____ un yacht, il ____ le tour du monde.
3. Après ses études, Philippe ____ des pays étrangers.
4. Nadja n'____ peut-être pas d'enfants, parce qu'elle ____ les gens malades.
5. Quand Danielle ____ dans un centre d'études spatiales, elle ____ des avions.

B4 Activité • Et vous?

Pensez maintenant à vos projets pour l'avenir. Quelles activités dans B1 est-ce que vous ferez? Lesquelles (which ones) ne ferez-vous pas? Parlez-en avec un(e) camarade.

B5 Activité • Actes de parole

Pouvez-vous trouver dans B1 trois expressions pour exprimer ce qu'on compte faire à l'avenir?

B6 Activité • Jeu de rôle

Avec un(e) camarade de classe, utilisez le texte dans B1 et votre imagination pour faire des dialogues entre...

Arnaud et Danielle
Philippe et Stéphanie
Stéphanie et Nadja
Arnaud et Vincent
Philippe et Nadja
Stéphanie et Danielle

— Arnaud, qu'est-ce que tu feras plus tard?
— Je serai musicien.
— Tu seras très célèbre?
— Bien sûr!
— Moi, je serai célèbre aussi...

Activité • Et vous?

1. Continuerez-vous vos études? Où?
2. Est-ce que vous vous marierez? A quel âge?
3. Aurez-vous des enfants? Combien?
4. Où est-ce que vous habiterez?
5. Quel genre de travail est-ce que vous ferez?
6. Est-ce que vous voyagerez? Où?

B8 Savez-vous que... ?

En France, la recherche spatiale est dirigée par le CNES (Centre national d'études spatiales), souvent en collaboration avec les pays membres de l'Agence spatiale européenne (France, République Fédérale d'Allemagne, Grande-Bretagne, Belgique, Italie, Pays-Bas, Espagne, Danemark, Suède et Suisse). La première fusée *(rocket)* européenne, Ariane, a été lancée *(launched)* à Kourou, en Guyane française, le 24 décembre 1979. L'ASE a maintenant l'intention de faire construire un avion spatial. Il s'appellera Hermès.

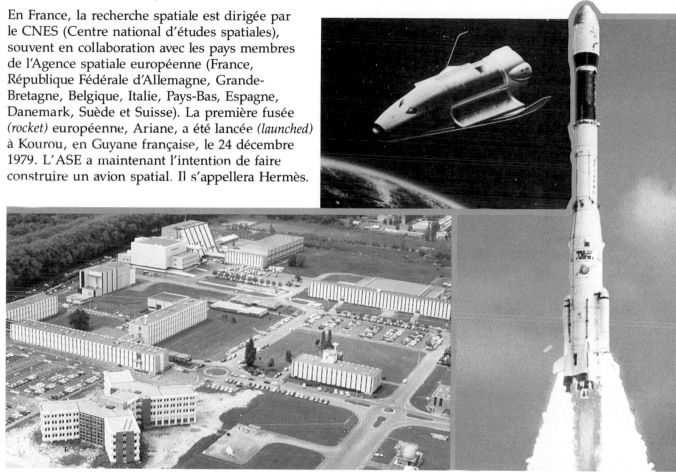

B9 COMMENT LE DIRE
Expressing intentions, goals, wishes, and dreams

J'ai l'intention de J'ai envie de Je souhaite J'espère Je veux (bien) Je désire J'aimerais (bien)	me marier.	Mon idéal, c'est de Mon but, c'est de Mon rêve, c'est de J'ai pour projet de	vivre en ville.

Activité • Qui a envie de faire quoi?

Un journaliste interroge un groupe de jeunes. Avec un(e) camarade de classe, réunissez ses questions et leurs réponses.

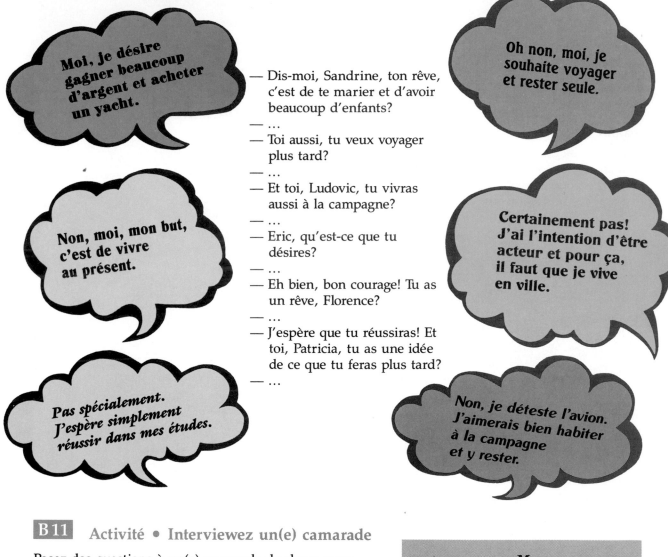

Moi, je désire gagner beaucoup d'argent et acheter un yacht.

Oh non, moi, je souhaite voyager et rester seule.

Non, moi, mon but, c'est de vivre au présent.

Certainement pas! J'ai l'intention d'être acteur et pour ça, il faut que je vive en ville.

Pas spécialement. J'espère simplement réussir dans mes études.

Non, je déteste l'avion. J'aimerais bien habiter à la campagne et y rester.

— Dis-moi, Sandrine, ton rêve, c'est de te marier et d'avoir beaucoup d'enfants?
— …
— Toi aussi, tu veux voyager plus tard?
— …
— Et toi, Ludovic, tu vivras aussi à la campagne?
— …
— Eric, qu'est-ce que tu désires?
— …
— Eh bien, bon courage! Tu as un rêve, Florence?
— …
— J'espère que tu réussiras! Et toi, Patricia, tu as une idée de ce que tu feras plus tard?
— …

B 11 Activité • Interviewez un(e) camarade

Posez des questions à un(e) camarade de classe pour savoir ce qu'il/elle fera plus tard. Il/Elle vous interroge à son tour.

— Tu as un rêve dans la vie?
— Oui, mon rêve, c'est de…
— Comment tu feras pour y arriver?
— Eh bien, je…

se promener sur Mars
devenir une star du rock
faire le tour du monde
se marier
avoir une maison à la campagne
gagner beaucoup d'argent
être célèbre
être champion(ne) cycliste

B 12 Activité • Et vous?

Qu'est-ce que vous voulez faire ce soir? Et l'année prochaine? Et dans l'avenir?

B 13 Activité • Ecrivez

Est-ce que vous avez des projets pour l'été prochain? Ecrivez à un(e) ami(e) pour lui dire ce que vous avez l'intention de faire. Ensuite, invitez-le(la) à venir avec vous, et dites-lui ce que vous ferez. Donnez-lui envie de vous accompagner!

Cher (Chère)...
L'été prochain, j'ai l'intention de... Ça te dit de m'accompagner? Nous...

B 14 STRUCTURES DE BASE
The future of irregular verbs
The future with quand

1. In addition to **avoir, être,** and **faire,** there are several irregular verbs that have special future stems.

Infinitive	Future Stem	
aller	**ir-**	J'**irai** à la boum chez Luc samedi prochain.
devoir	**devr-**	Je **devrai** préparer un dessert.
envoyer	**enverr-**	Il t'**enverra** une invitation, je crois.
falloir	**faudr-**	Il **faudra** que nous y allions ensemble.
pleuvoir	**pleuvr-**	Il ne **pleuvra** pas ce soir.
pouvoir	**pourr-**	Tu **pourras** y amener ton frère.
recevoir	**recevr-**	Je sais qu'il **recevra** une invitation.
savoir	**saur-**	Vous **saurez** comment aller chez Luc?
venir	**viendr-**	Sinon, je **viendrai** vous chercher.
voir	**verr-**	Nous **verrons** tous nos copains chez lui.
vouloir	**voudr-**	Lui, il **voudra** bien danser avec moi!

2. When you use **quand** in a sentence that predicts the future, the verbs in the sentence should be in the future.

> Quand je **serai** vieux (vieille), j'**écrirai** mes mémoires.
>
> Je **serai** un(e) musicien(ne) célèbre quand j'**aurai** 30 ans.

B 15 Activité • Quel sera l'avenir de Philippe?

Stéphanie prétend *(claims)* connaître Philippe mieux qu'il ne se connaît. Complétez leur conversation en mettant les verbes entre parenthèses au futur.

PHILIPPE Quand je (être) adulte, qu'est-ce que je (faire)?
STÉPHANIE Tu (aller) loin, très loin… Tu (faire) le tour du monde.
PHILIPPE Comme je (voyager) beaucoup, je ne me (marier) pas.
STÉPHANIE Mais si! Tu te (marier) à 25 ans. Ta femme (être) riche, et elle (adorer) voyager. Vous (voir) toutes les merveilles du monde ensemble. Tous les gens (vouloir) être à votre place.
PHILIPPE Et nous n'(avoir) pas d'obligations?
STÉPHANIE Si, une seule. Il (falloir) que vous veniez me voir une fois par an, et nous (rester) toujours amis.

Activité • Demain…

Dites exactement à un(e) camarade ce que Nicolas fera demain. Décrivez sa journée d'après ces dessins.

1.

2.

3.

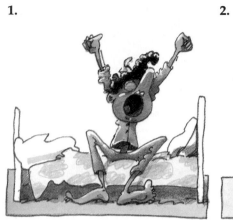

4.

5.

6.

7.

8.

9.

B17 Activité • **A vous maintenant!**

Pensez maintenant à ce que vous ferez demain. Décrivez à un(e) camarade la journée que vous imaginez. Soyez précis(e).

B18 Activité • **Et vous?**

Qu'est-ce que vous ferez... ?

1. quand vous sortirez du lycée
2. quand vous aurez 25 ans

3. quand vous gagnerez de l'argent
4. quand vous serez vieux (vieille)

B19 Activité • **Dis-moi ce que tu aimes; je te dirai ce que tu feras**

Demandez à un(e) camarade de classe ce qu'il/elle aime ou n'aime pas. Prédisez *(predict)* son avenir d'après ses goûts. Puis changez de rôle.

— J'aime la ville. Je suis très indépendant(e), mais j'aime le contact avec les gens. J'aime le sport; je suis très actif(active), très organisé(e).
— Tu habiteras en ville. Tu seras probablement médecin, ou peut-être professeur. Tu sauras très bien t'occuper de tes affaires. Tu ne te marieras pas, ou alors quand tu auras 40 ans. Tu feras beaucoup de sports. Tu gagneras de l'argent, et tu pourras faire ce que tu voudras.

B20 Activité • **Ecrivez**

D'après ce que vous savez de Fabrice, Matthieu et Sandrine dans le Chapitre 7, imaginez leur vie dans 20 ans. Ecrivez quelques phrases sur chacun d'entre eux. Dites où ils habiteront, avec qui, ce qu'ils feront comme travail...

B21 Activité • **Ecoutez bien**

Ecoutez ce dialogue entre Anne et Patrice. Ensuite, décrivez la situation d'Anne et celle de Patrice quand ils auront 30 ans.

	Anne	Patrice
Profession ?		
Mariage ?		
Enfants ?		
Résidence ?		

L'avenir, c'est l'inconnu… Nous vivrons autrement, mais il y aura certainement de nombreux problèmes. Est-ce qu'on réussira à les résoudre? Qu'est-ce que vous en pensez?

C1 Est-ce que vous croyez que l'avenir sera meilleur?

Pierre et Roxane sont allés visiter la Cité des Sciences et de l'Industrie à Paris. A la sortie, ils discutent du futur… Etes-vous de l'avis de Roxane? Est-ce que Pierre est un rêveur?

ROXANE Comment tu vois l'avenir? En rose ou en noir?

PIERRE En rose, bien sûr! On vivra plus vieux. On travaillera moins. Des robots feront le travail que nous faisons actuellement. On aura beaucoup plus de loisirs. Plus tard, ce sera mille fois mieux!

ROXANE Je ne crois pas que tu aies raison. Et le chômage? Comment est-ce qu'on gagnera de l'argent quand les robots prendront nos emplois?

PIERRE Il y aura d'autres emplois : il faudra bien programmer les robots et les réparer.

ROXANE Et le problème de la pollution qui est déjà si grave? On pourra le résoudre?

PIERRE T'en fais pas, je suis certain qu'on trouvera une solution.

ROXANE Et la surpopulation?

PIERRE On vivra dans des stations qui seront construites dans l'espace et on colonisera d'autres planètes.

ROXANE Tu as réponse à tout, mais je ne suis pas sûre que ce soit si facile! Et le problème de la faim?

PIERRE On fabriquera des pilules nutritives qui contiendront toutes les vitamines nécessaires.

ROXANE Et la course aux armements?

PIERRE Les pays finiront par bien s'entendre. Il n'y aura plus de guerres.

ROXANE J'espère que tu as raison!... Mais les maladies qu'on ne sait pas encore guérir, comme le cancer?

PIERRE Dans le futur, on soignera toutes les maladies!

ROXANE Est-ce qu'on sera immortel?

PIERRE Peut-être!

ROXANE Tu es vraiment optimiste! Une dernière question : est-ce qu'il y aura encore des rêveurs?

C2 Activité • Vrai ou faux?

D'après Pierre, dites si les phrases suivantes sont vraies ou fausses.

1. Pierre voit l'avenir en rose.
2. Dans l'avenir, on travaillera moins.
3. Il y aura beaucoup de chômage.
4. Il n'y aura plus de pollution.
5. On ne vivra plus sur la Terre (Earth).
6. Il n'y aura plus de guerres.
7. On ne sera plus jamais malade.

C3 Activité • Pierre a réponse à tout

Quelles sont les solutions que trouve Pierre pour résoudre les problèmes... ?

> **du travail**   **de la faim**
> **du chômage**   *de la guerre*
> *de la surpopulation*   **des maladies**

C4 Activité • Actes de parole

1. Que dit Roxane pour exprimer le scepticisme? L'espoir *(hope)*?
2. Que dit Pierre pour exprimer la certitude?
3. Roxane s'inquiète de la pollution. Que dit Pierre pour la rassurer?

C5 Activité • Ecrit dirigé

Roxane a écrit ce paragraphe sur l'avenir. Pouvez-vous le réécrire d'après Pierre?
Utilisez le dialogue dans C1, et aussi votre imagination.

> Moi, je vois l'avenir en noir. Je crois que le travail sera plus difficile que maintenant. Il faudra que tout le monde sache utiliser les ordinateurs. Mais beaucoup de gens ne savent ni lire ni écrire. Alors, comment pourront-ils apprendre à utiliser les ordinateurs? Ou à lire et à écrire? Il n'y a pas assez de bons professeurs pour leur apprendre les choses qu'il faut savoir. Ces gens n'auront pas de choix, et le chômage sera pour eux un grand problème.

C6 Activité • Qu'est-ce qui existera ou n'existera plus?

Travaillez avec un(e) camarade à tour de rôle.
Dites si ces choses existeront encore ou
n'existeront plus dans 100 ans. Continuez,
en ajoutant vos propres idées.

— Le cinéma existera encore.
— Il n'y aura plus de
restaurants.
— ...

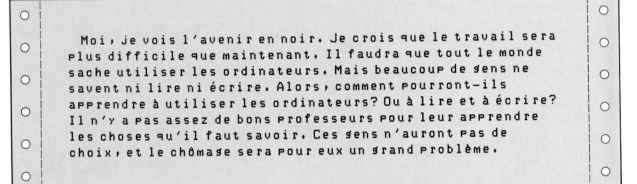

cinéma
centre de vacances
fast-food   feu d'artifice
bal
parc d'attractions
restaurant

C7 Activité • Et vous?

1. Est-ce que vous êtes optimiste ou pessimiste pour l'avenir?
2. A votre avis, quels seront les problèmes les plus importants à résoudre? Avez-vous des idées pour les résoudre?

La Cité des Sciences et de l'Industrie, ouverte en 1986 à Paris, est un musée consacré à la science et aux technologies nouvelles.

Il y a un planétarium pour voyager dans l'espace; une médiathèque *(multimedia library)*, l'un des plus grands centres de documentation scientifique du monde; des expositions temporaires et permanentes sur le futur; une salle de cinéma géante, la Géode. Vous pouvez voir la maquette *(model)* de la fusée Ariane, apprendre comment les astronautes vivent dans l'espace, connaître votre poids *(weight)* quand vous serez sur la planète Mars, visiter le «zoo des robots» ou essayer des centaines *(hundreds)* d'ordinateurs différents…

On peut passer des heures à la Cité des Sciences, pour s'amuser ou pour apprendre… On a alors l'impression de vivre dans le futur!

Imaginez que vous visitez la Cité des Sciences et de l'Industrie avec un(e) camarade. Avant de commencer la visite, vous discutez des choses que vous voulez voir. Faites des suggestions à un(e) camarade de classe. Il/Elle accepte, exprime son indifférence ou refuse.

— Si on allait voir le spectacle de la forêt?
— Non, ça ne me dit rien. Tu n'as pas envie de visiter le zoo des robots?
— Si tu veux. Et après,…

Pour faire des suggestions

Allons voir… !
Si on allait… ?
Pourquoi on ne va pas… ?
Tu n'as pas envie de… ?

Pour accepter

Si tu veux.
Je veux bien.
Oui, pourquoi pas?
D'accord. Bonne idée.

Pour exprimer l'indifférence

Je n'ai pas de préférence.
Ça m'est égal.
Comme tu veux.
Ce que tu préfères.

Pour refuser

Je n'ai pas envie.
Non, je ne veux pas.
Non, c'est ennuyeux.
Non, ça ne me dit rien.

Le fauteuil de l'espace

Le spectacle de la forêt

Le zoo des robots

La médiathèque

La maquette d'Ariane

COMMENT LE DIRE

Expressing beliefs, hope, and doubt

	...about existing situations			...about future possibilities	
BELIEFS **HOPE**	Je crois Je pense Je suis sûr(e) Je suis certain(e) J'espère	que tu **as** raison.		Je crois Je pense Je suis sûr(e) Je suis certain(e) J'espère	que la vie **sera** meilleure.
DOUBT	Je ne crois pas Je ne pense pas Je ne suis pas sûr(e) Je ne suis pas certain(e) Je doute	que tu **aies** raison.		Je ne crois pas Je ne pense pas Je ne suis pas sûr(e) Je ne suis pas certain(e)	que la vie **sera** meilleure.

Note that the subjunctive is used after expressions of doubt about existing situations.

C11 Activité • Etes-vous d'accord?

Etes-vous d'accord avec ces opinions sur le présent et le futur? Mettez une expression de C10 devant chaque phrase pour exprimer ce que vous pensez.

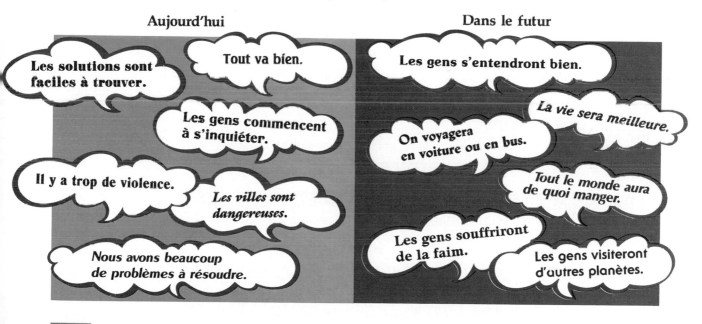

Aujourd'hui — Dans le futur

Les solutions sont faciles à trouver.
Tout va bien.
Les gens s'entendront bien.
Les gens commencent à s'inquiéter.
La vie sera meilleure.
On voyagera en voiture ou en bus.
Il y a trop de violence.
Les villes sont dangereuses.
Tout le monde aura de quoi manger.
Les gens souffriront de la faim.
Nous avons beaucoup de problèmes à résoudre.
Les gens visiteront d'autres planètes.

C12 Activité • A votre avis

Pensez-vous qu'il sera possible de vivre éternellement? De guérir toutes les maladies? De nourrir tout le monde? De faire disparaître la pollution? De résoudre le problème de la surpopulation? Faites un dialogue avec un(e) camarade. Utilisez les expressions dans C10.

— Moi, je crois qu'on vivra éternellement. Et toi, qu'est-ce que tu en penses?
— Je crois que tu as raison.
(Je ne crois pas que tu aies raison.)

Activité • Ecrivez

Le journal d'un lycée français va publier une enquête sur les écoles du futur vues par les Américains. Décrivez en quelques lignes comment vous voyez les écoles. Est-ce qu'on suivra autant de cours que maintenant? Quels cours? Croyez-vous que les écoles seront meilleures? Pourquoi? Exprimez vos doutes et vos espoirs.

C14 STRUCTURES DE BASE
The relative pronouns qui *and* que

1. You know that to modify a noun in French, you use an adjective. But sometimes you may have more to say about a person, place, or thing than an adjective can express. When this happens, you need to use a relative clause, a kind of sub-sentence that has its own subject and verb.

Noun + Adjective	*Noun + Relative Clause*
On fabriquera des pilules **nutritives**.	On fabriquera des pilules **qui contiendront des vitamines**.
La pollution est un problème **grave**.	La pollution est un problème **que nous voulons résoudre**.

2. A relative clause comes after the noun it modifies, and it begins with a relative pronoun. Two common relative pronouns in French are **qui** and **que**. Both of these relative pronouns can represent people, places, and things.

People	Pierre discute avec une fille **qui** s'appelle Roxane.	Roxane sort avec un garçon **que** je ne connais pas.
Places	J'ai visité une ville **qui** est près de Strasbourg.	La ville **que** j'ai visitée était intéressante.
Things	On vivra dans des stations **qui** seront construites dans l'espace.	Des robots feront le travail **que** nous faisons actuellement.

Notice that **qui** and **que** directly follow the nouns that they represent.

3. The pronoun **qui** acts as the subject of a relative clause and is followed by a verb. The form of the verb will vary, depending on the word that **qui** represents.

C'est moi qui **ai** ⎫	C'est nous qui **avons** ⎫
C'est toi qui **as** ⎬ raison.	C'est vous qui **avez** ⎬ raison.
C'est Roxane qui **a** ⎭	C'est les copains qui **ont** ⎭

For verbs conjugated with **être** in the **passé composé,** remember to make the past participle of the verb agree with whatever **qui** represents.

C'est **Laure** qui est **arrivée** en retard.
Je ne connais pas **les garçons** qui sont **entrés** après nous.

4. The pronoun **que** acts as the direct object of the verb in a relative clause. For verbs conjugated with **avoir** in the **passé composé,** make the past participle agree with whatever **que** represents.

La mobylette que tu as **achetée** est chouette!
J'aime bien **les disques** que tu m'a **offerts**.

C15 Activité • **Roxane est réaliste**

Complétez les idées de Roxane avec les pronoms **qui** et **que (qu')**.

1. La pollution est un problème _____ m'inquiète beaucoup.
2. C'est un problème _____ a changé notre monde pour toujours.
3. Les solutions _____ on a proposées ne sont pas suffisantes.
4. Il faut trouver des solutions _____ les gens prennent au sérieux.
5. Autrement, le monde _____ nous connaissons aujourd'hui n'existera plus dans 100 ans.
6. Ce sera les générations futures _____ souffriront à cause de notre égoïsme.

C16 Activité • **Toujours optimiste**

Pierre continue de réfléchir sur le futur. Réunissez les deux parties de chaque phrase pour mieux connaître ses idées.

  Les maisons qu'on habitera seront souterraines.

Les maisons
Il y aura des voitures
Les gens ne connaîtront plus les livres
On fera des maisons
Il existera des téléphones
Les générations futures vivront dans un monde

que nous avons du mal à imaginer
qui permettront de voir l'interlocuteur
qui seront transformables
qui rouleront à 500 kilomètres à l'heure
qu'on habitera seront souterraines
que nous lisons aujourd'hui

C17 Activité • **Pierre continue de rêver**

Faites une seule phrase à partir des deux phrases de Pierre. Utilisez le pronom **qui.**

  Il y aura des voitures qui fonctionneront à l'électricité.

On construira des avions.
On utilisera des voitures.
Il y aura des ordinateurs.
On fabriquera des vêtements.
Il y aura des télévisions.
Bientôt, on aura tous des robots.
Il y aura des voitures.

Ils obéiront à notre voix.
Elles pourront changer de dimension.
Les robots feront les courses à notre place.
Elles fonctionneront à l'électricité.
Ils ne se déchireront (tear) pas.
Ces avions voleront (will fly) sans pilote.
Ces voitures fonctionneront automatiquement.

D'après les intérêts de vos camarades, pouvez-vous prédire *(predict)* la profession qu'ils choisiront? Parlez-en avec un(e) camarade de classe. Employez le pronom **qui** quand il convient.

— C'est Danielle qui voyage le plus possible en avion. Je pense qu'elle sera astronaute.
— Tu as raison.
  (Tu crois?…)

> **Pierre aime jouer avec les ordinateurs.**
> **Nadja adore soigner les animaux.**
> *Fabrice fait des maquettes de fusées.*
> **Danielle voyage le plus possible en avion.**
> *Sandrine préfère les aliments nutritifs.*

astronaute

ingénieur

diététicienne

programmeur

vétérinaire

C19 Activité • L'avenir en rose

Avec un(e) camarade, faites des phrases sur l'avenir. Employez ces expressions et le pronom **que.**

Le monde que nous verrons en l'an 2100 sera meilleur.

Le monde **Les moyens de transport** **Les voitures** *La nourriture* **Le travail** **Toutes les maladies**	***nous ne savons pas guérir*** **nous mangerons** *nous ferons en l'an 2100* **nous utiliserons** **nous verrons en l'an 2100** *nous conduirons*	**iront plus vite** **sera plus nourrissante** *sera plus intéressant* **seront guérissables** **sera meilleur** *seront extrêmement rapides*

C20 Activité • Ecrivez

Imaginez que vous vivez en l'an 2200 et qu'il est possible de remonter dans le temps. Vous décidez de visiter le XXe siècle. Après la visite, vous écrivez une lettre à un(e) camarade pour lui dire ce que vous avez vu. Employez le passé composé et l'imparfait dans votre lettre. Utilisez les pronoms **qui** et **que** quand ils conviennent. N'oubliez pas de faire les accords nécessaires.

Cher (Chère)...
Me voilà, revenu(e) d'un petit séjour au XXe siècle! Les gens qui vivaient à cette époque étaient vraiment primitifs! Savez-vous que...

C21 Activité • Ecoutez bien

Ecoutez ce garçon parler des problèmes du futur. A son avis, quels problèmes est-ce qu'on devra résoudre? Faites une liste de ces problèmes.

1 Un sondage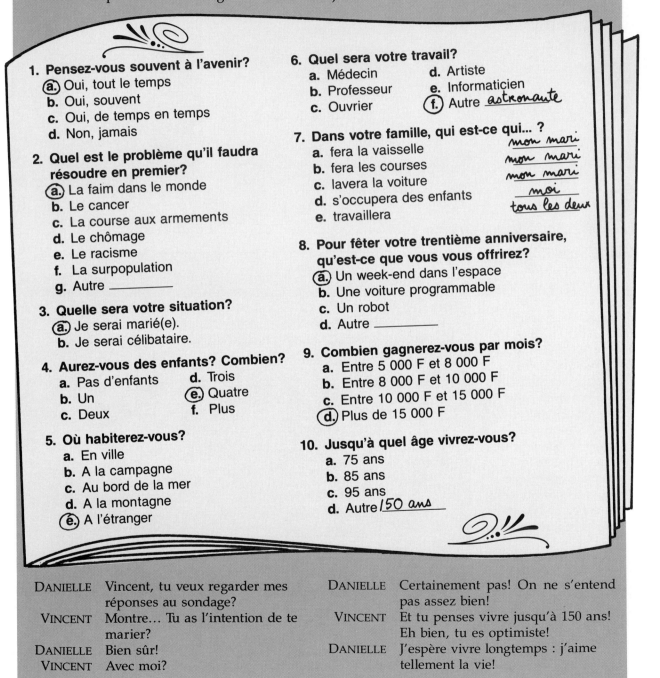

Danielle a répondu à un sondage sur l'avenir des jeunes.

1. **Pensez-vous souvent à l'avenir?**
   - (a.) Oui, tout le temps
   - b. Oui, souvent
   - c. Oui, de temps en temps
   - d. Non, jamais

2. **Quel est le problème qu'il faudra résoudre en premier?**
   - (a.) La faim dans le monde
   - b. Le cancer
   - c. La course aux armements
   - d. Le chômage
   - e. Le racisme
   - f. La surpopulation
   - g. Autre _____

3. **Quelle sera votre situation?**
   - (a.) Je serai marié(e).
   - b. Je serai célibataire.

4. **Aurez-vous des enfants? Combien?**
   - a. Pas d'enfants
   - b. Un
   - c. Deux
   - d. Trois
   - (e.) Quatre
   - f. Plus

5. **Où habiterez-vous?**
   - a. En ville
   - b. A la campagne
   - c. Au bord de la mer
   - d. A la montagne
   - (e.) A l'étranger

6. **Quel sera votre travail?**
   - a. Médecin
   - b. Professeur
   - c. Ouvrier
   - d. Artiste
   - e. Informaticien
   - (f.) Autre _astronaute_

7. **Dans votre famille, qui est-ce qui... ?**
   - a. fera la vaisselle _mon mari_
   - b. fera les courses _mon mari_
   - c. lavera la voiture _mon mari_
   - d. s'occupera des enfants _moi_
   - e. travaillera _tous les deux_

8. **Pour fêter votre trentième anniversaire, qu'est-ce que vous vous offrirez?**
   - (a.) Un week-end dans l'espace
   - b. Une voiture programmable
   - c. Un robot
   - d. Autre _____

9. **Combien gagnerez-vous par mois?**
   - a. Entre 5 000 F et 8 000 F
   - b. Entre 8 000 F et 10 000 F
   - c. Entre 10 000 F et 15 000 F
   - (d.) Plus de 15 000 F

10. **Jusqu'à quel âge vivrez-vous?**
    - a. 75 ans
    - b. 85 ans
    - c. 95 ans
    - d. Autre _150 ans_

DANIELLE	Vincent, tu veux regarder mes réponses au sondage?
VINCENT	Montre… Tu as l'intention de te marier?
DANIELLE	Bien sûr!
VINCENT	Avec moi?
DANIELLE	Certainement pas! On ne s'entend pas assez bien!
VINCENT	Et tu penses vivre jusqu'à 150 ans! Eh bien, tu es optimiste!
DANIELLE	J'espère vivre longtemps : j'aime tellement la vie!

2   Activité • Répondez

Répondez aux questions d'après les réponses de Danielle dans «Un sondage».

1. Est-ce que Danielle veut rester célibataire?
2. Où est-ce qu'elle a l'intention d'habiter?
3. Combien espère-t-elle gagner?
4. Combien d'enfants souhaite-t-elle avoir?
5. Quelle profession a-t-elle choisie?
6. Jusqu'à quel âge espère-t-elle vivre?

3   Activité • Contradictions

Dites à un(e) camarade une phrase fausse sur ce que Danielle veut faire plus tard. Votre camarade doit donner la vraie réponse de Danielle.

— Danielle ne pense jamais à l'avenir.
— Mais si, elle y pense tout le temps!

4   Activité • Donnez des raisons

Vincent dit que Danielle est optimiste. Avec un(e) camarade, discutez pourquoi, d'après ce que vous savez de Danielle.

— Danielle veut devenir astronaute, mais il y a très peu de femmes dans cette profession. Il faut travailler dûr pour réussir.
— Oui, elle est très optimiste. Elle veut aussi...

5   Activité • Et vous?

1. Jusqu'à quel âge continuerez-vous vos études?
2. Dans quel genre de maison habiterez-vous?
3. Gagnerez-vous plus d'argent que votre mari (votre femme)?
4. Que ferez-vous de votre argent?
5. Vous restera-t-il assez de temps pour les autres?
6. Voyagerez-vous dans l'espace?

6   Activité • Ecrivez

Ecrivez un paragraphe pour dire comment vous voyez votre avenir. Reportez-vous aux questions posées dans «Un sondage» et ajoutez d'autres éléments qui vous semblent importants.

7   Activité • Ecrivez et parlez

Avec un(e) camarade, faites votre propre sondage sur l'avenir. Ecrivez de nouvelles questions qui concernent plus particulièrement les jeunes américains. Ensuite, posez vos questions à deux autres camarades de classe et répondez à leurs questions.

> Que feras-tu après avoir fini tes études au lycée ?
> a. Je chercherai un emploi.
> b. J'irai dans une école technique.
> c. J'irai à l'université.
> d. Je ferai le tour du monde.
> e. Autre.

8 Activité • Dites votre opinion

Un(e) camarade vous dit ce qu'il/elle veut faire plus tard. Vous lui donnez votre opinion.
Puis changez de rôle.

— Plus tard, je souhaite avoir quatre enfants.
— Pour avoir quatre enfants, il faut que tu te maries jeune et que ton mari ait un
bon emploi. Je doute que tu puisses travailler avec quatre enfants ou que...

9 Activité • D'accord, pas d'accord...

Faites une liste des avantages et des inconvénients du minitel. Montrez votre liste à un(e)
camarade. Il/Elle dit s'il (si elle) est d'accord ou pas d'accord, et pourquoi. Ensuite, changez
de rôle.

Avantages	Inconvénients
Avec un minitel, on gagnera du temps. ...	On aura moins de contacts avec les gens. ...

> Je suis d'accord avec toi :
> on gagnera du temps.
> Mais je pense qu'on aura
> autant de contacts avec
> les gens parce qu'on aura
> plus de temps libre...

10 Activité • Faites une étude de marché

Une agence de marketing vous a demandé de faire une
enquête pour savoir ce que les jeunes achèteront en
premier quand ils gagneront un peu d'argent. Posez
cette question à vos camarades : «Qu'est-ce que tu
achèteras quand tu auras un peu d'argent?» Ils ont
droit à cinq réponses. Ensuite, faites une synthèse
des résultats.

Synthèse des résultats

Les articles les plus fréquemment
mentionnés étaient...
1.
2.
3.

11 Activité • Récréation

Jeu d'association

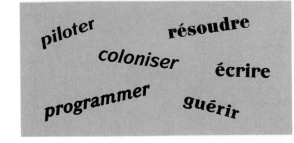

piloter   résoudre   coloniser   écrire   programmer   guérir

des ordinateurs   des planètes   des mémoires   des avions   des maladies   des problèmes

PRONONCIATION 📼

Pure vowel and consonant sounds

1   Ecoutez bien et répétez.

1. Pure vowel sounds

quai   gaie   si   oui   tout   doux   dos   mot   faux   sous

pipe   bol   foule   loupe   file   pique   donne   ligue

cas/case	douce/douze	creux/creuse	grand/grande
fait/fer	libre/livre	œuf/œuvre	craint/craindre
bouche/bouge	russe/ruse	lent/lente	rond/ronde

2. Look up these words in your dictionary. Arrange them into long and short vowel groups.
membre, juge, fiche, fige, rive, peu, pas, rose, nom, zone, autre, faut, faute, sable

3. Pure consonant sounds

patte	qui	type	tout→tout à fait	ton→ton thé
père	quatre	tour	tôt→tôt ou tard	tête→tête à tête
pipe	côte	tonne	ta→ta table	tu→tu tires
pour		tort		

ton dos	ton nez	c'est dans son auto
tes dents	ta nationalité	deux cent soixante-dix
tout deux	ton nom	son sac à main est tout neuf
très doux	ton numéro	zone dangereuse
dis donc		
je t'ai dit		

4. Look up these words in your dictionary to find when the **c** is not an /**s**/ and why.
cire, car, celle, cygne, côte, curé, scandale, esclave

5. Look up these words in your dictionary and put them into rhyming pairs.
galop, gros, malin, noix, bref, parfum, banc, clerc, gentil, estomac, avril, mars, un, corps, Alain, farce, allô, sort, sot, doigt, chef, blanc, fusil, nerf, péril, Thomas

2   Ecoutez et lisez.

— On ne peut pas sortir les livres.
— Si, pour deux semaines seulement. J'en ai sorti la semaine dernière.
— On peut en sortir deux à la fois?
— Mais oui, on peut en sortir autant qu'on veut.
— Où est-ce qu'on s'adresse?
— Dans la grande salle, à gauche. Il faut donner ton nom et ton numéro de téléphone.

3   Copiez les phrases suivantes pour préparer une dictée.

1. Vous pouvez déjà savoir combien vous pèserez quand vous serez sur la planète Mars.
2. Ce sont les robots qui feront notre boulot. On aura une vie merveilleuse.
3. Si je réussis dans mes études, j'aurai un boulot intéressant.
4. Est-ce qu'il y aura encore des rêveurs?

VERIFIONS!

SECTION A

Do you know how to form the future of verbs?
Complete these sentences with the future of the verbs in parentheses.

1. Dans 100 ans, nous (vivre) sur d'autres planètes.
2. En l'an 2100, nous n'(acheter) que par correspondance.
3. Je (travailler) chez moi et je ne (sortir) plus.
4. Tu (apprendre) à vivre avec des robots.
5. Les robots (faire) beaucoup de travail.

Do you know how to express doubt and certainty?
First say that you doubt that these things will happen. Then say that you're sure they will take place.

1. En l'an 2100, nous vivrons sur Mars.
2. Nous ne travaillerons plus que 20 heures par semaine.
3. Les voitures n'existeront plus.
4. Nous prendrons des pilules nourrissantes.

SECTION B

Do you know how to express intentions, goals, wishes, and dreams?
Answer the following questions.

1. Qu'est-ce que vous voulez faire plus tard?
2. Quel est votre but dans la vie?
3. Qu'est-ce que vous avez l'intention de faire demain?
4. Quel est votre rêve pour l'an 2000?

Do you know how to form the future of irregular verbs?
Complete this paragraph with the future of the verbs in parentheses.

Quand nous (être) adultes, ma sœur et moi, nous (aller) à l'étranger. Ma sœur (être) sûrement médecin. Elle (faire) tout pour aider les autres. Moi, j'adore les langues étrangères, alors je (pouvoir) travailler comme interprète. Nos parents (venir) nous voir. Ils (être) contents de notre succès.

SECTION C

Do you know how to express beliefs, hope, and doubt?
Say what you think about . . .

les loisirs   la pollution   la guerre   la surpopulation

Do you know how to use the relative pronouns *qui* and *que*?
Complete these sentences with **qui** and **que (qu')**.

1. Les robots _____ nous utiliserons seront très intelligents.
2. Les avions _____ on construira ressembleront à des fusées.
3. On fera des ordinateurs _____ traduiront toutes les langues.
4. Les villes _____ nous habiterons seront souterraines.
5. On fabriquera des voitures _____ pourront voler.

VOCABULAIRE

bientôt *soon*
les **calories** (f.) *calories*
communiquer *to communicate*
convaincu : J'en suis convaincu. *I'm convinced of it.*
démarrer *to start (a car)*
différemment *differently*
directement *directly*
étonnerait : Ça m'étonnerait! *That would surprise me!*
être en panne *to be out of order*
évident : C'est évident! *That's obvious!*
exister *to exist*
faire son marché *to do one's grocery shopping*
grâce à eux *thanks to them*
indispensable *indispensable*
un **itinéraire** *itinerary, route*
le **laser** *laser*
le **moteur** *motor*
nécessaire *necessary*
nutritif, -ive *nutritive*
le **pilotage automatique** *automatic piloting*
des **pilules** (f.) *pills*
les **portières** (f.) *(car) doors*
programmer *to program*
quotidien, -ne *daily*
les **robots** (m.) *robots*
sans *without*
les **technologies** (f.) *technologies*
la **voix** *voice*

les **affaires** (f.) : **être dans les affaires** *to be in business*
âgé, -e *elderly*
les **auditeurs** (m.) *listeners*
un **best-seller** *bestseller*
la **Bourse : jouer à la Bourse** *to play the stock market*
un **but** *goal*
le **calme** *stillness*
célibataire *unmarried*
la **Chine** *China*
le **CNES (Centre national d'études spatiales)** *French center for space research*
Dassault *French aeronautics company*
diffusé, -e *broadcast*
disputer (se) *to argue, fight*
élever *to raise*
en direct *on the air*
entendre : s'entendre bien (avec) *to get along well (with)*
envier *to envy*
fier, fière *proud*
handicapé, -e *handicapped*
un **idéal** *ideal*
une **île** *island*
imaginer *to imagine*
l' **Inde** (f.) *India*
loin (de) *far (from)*
marié, -e *married*
marier (se) (avec) *to get married (to)*
les **mémoires** (m.) *memoirs*
des **millions** (m.) *millions*
le **monde** *world*
le **l'acifique** *Pacific*
la **parole** *word*

partout *everywhere*
un **pilote** *pilot*
piloter *to pilot*
poser *to ask*
un **projet** *plan*
un **rêve** *dream*
un **souhait** *wish*
utile : se rendre utile *to make oneself useful*
un **yacht** *yacht*

actuellement *currently*
autrement *differently*
le **cancer** *cancer*
le **chômage** *unemployment*
coloniser *to colonize*
construit, -e *built*
contenir *to contain*
la **course aux armements** *arms race*
croire *to believe*
un **emploi** *job*
l' **espace** (m.) *space*
fabriquer *to make*
la **faim** *hunger*
grave *serious, important*
guérir *to cure*
la **guerre** *war*
immortel, -elle *immortal*
l' **inconnu(e)** *unknown*
les **loisirs** (m.) *free time*
les **maladies** (f.) *diseases*
nombreux, -euse *numerous*
optimiste *optimistic*
une **planète** *planet*
réparer *to repair*
résoudre *to solve*
un(e) **rêveur(-euse)** *dreamer*
si *so*
la **surpopulation** *overpopulation*

ETUDE DE MOTS

In French, many words belong to word families. These words are related in spelling and meaning. In the list above, find words related to the following words: **connaître, différent(e), malade, un mari, une porte, un rêve.** Tell how their meanings are tied together.

In the following sentences, what do the underlined words mean? To help figure them out, find the words they are related to in the list above.

1. Les <u>actualités</u> passent à la télé à 20 h.
2. La <u>gravité</u> de la situation nous préoccupe.
3. Cette autoroute a besoin de <u>réparations</u>.
4. La pollution est un problème <u>mondial</u>.

A LIRE

Un Cours sur les lasers

Avant de lire

1. Lisez rapidement l'histoire pour trouver la définition du laser.

2. Regardez les dessins pour trouver comment on utilise le laser.

M. Scientis donne un cours sur les lasers. Comme tous les professeurs, il a dans sa classe des élèves intelligents et d'autres qui sont un peu moins doués.

M. SCIENTIS	Quelqu'un sait ce que c'est, le laser?
GÉRARD	Oui, moi, m'sieur!
M. SCIENTIS	Bien, Gérard. On vous écoute.
GÉRARD	Eh bien… C'est une des réalisations scientifiques les plus intéressantes du XXe siècle, m'sieur.
M. SCIENTIS	D'accord, mais qu'est-ce que c'est?
GÉRARD	Aucune idée°, m'sieur.

M. SCIENTIS	Bon, je vais vous expliquer… Les lasers sont des rayons de lumière° très puissants°. Vous connaissez la différence entre la lumière laser et la lumière ordinaire?
GÉRARD	Oui, m'sieur!
M. SCIENTIS	Allez-y.
GÉRARD	La lumière laser est beaucoup plus puissante que la lumière ordinaire et… euh… la lumière ordinaire est beaucoup moins puissante que la lumière laser.

M. SCIENTIS	Vous ne vous fatiguez pas trop, Gérard. Mais vous avez raison. La lumière laser est plus puissante parce que ses rayons sont concentrés… Le premier laser a été fabriqué par des savants californiens en…

---

aucune idée *no idea;* **des rayons de lumière** *light rays;* **puissants** *powerful*

GÉRARD	Je sais, m'sieur!
M. SCIENTIS	Oui?
GÉRARD	En... J'ai oublié.
M. SCIENTIS	1960!
GÉRARD	J'pouvais pas le savoir, m'sieur. J'suis né en 1975.

M. SCIENTIS	Ne faites pas l'idiot! Je continue... A quoi servent les lasers? Qui a une idée?
GÉRARD	Moi, m'sieur!
M. SCIENTIS	Vous n'allez pas dire une bêtise°?
GÉRARD	Bien sûr que non, m'sieur.
M. SCIENTIS	Ça m'étonnerait.
GÉRARD	Mais...
M. SCIENTIS	Laissez un peu parler les autres°. Yvette?
YVETTE	Les lasers servent dans l'industrie. Pour couper les métaux, par exemple.
M. SCIENTIS	Bien.
YVETTE	Et aussi en médecine. Pour la chirurgie° de l'œil ou pour détruire° les tumeurs.
M. SCIENTIS	Bien. Et encore?

YVETTE	Pour mesurer la distance de la Terre à la Lune.
M. SCIENTIS	Oui.
YVETTE	Et pour mesurer les secousses sismiques, par exemple pour la faille de San Andreas en Californie.

---

dire une bêtise *to talk nonsense;* **Laissez un peu parler les autres.** *Give the others a chance to talk.* **la chirurgie** *surgery;* **détruire** *to destroy*

M. SCIENTIS Parfait. Il y a également les disques laser et les vidéodisques qui marchent avec des rayons laser... A votre avis, qu'est-ce qu'on fera avec les lasers plus tard?

Allô? Il marche ton téléphone à fibres optiques?

Bien sûr, puisque je t'entends!

YVETTE Je pense qu'ils seront de plus en plus importants. On les utilisera dans les réseaux téléphoniques. D'ailleurs, ça existe déjà. On appelle ça les réseaux à fibres optiques. Grâce à eux, on communiquera beaucoup plus que maintenant.

M. SCIENTIS Merci, Yvette. Gérard?
GÉRARD Oui, m'sieur?
M. SCIENTIS Vous n'avez rien écouté?
GÉRARD Si, m'sieur.
M. SCIENTIS Vous en êtes sûr?
GÉRARD Oui, m'sieur.

M. SCIENTIS Alors venez ici et faites-nous un cours sur les lasers.
GÉRARD Euh... Vous ne pouvez pas répéter, m'sieur? Je n'ai pas tout compris.

Activité • Choisissez l'équivalent anglais

un savant	une secousse sismique	*network*	*earth tremor*
un réseau	une réalisation	*creation*	*scientist*

Activité • Vrai ou faux?

1. La lumière ordinaire est plus puissante que la lumière laser.
2. On a inventé le premier laser aux Etats-Unis.
3. Aujourd'hui, on emploie les lasers dans l'industrie, en médecine et dans les télécommunications.
4. On n'emploie pas les lasers dans les sciences.

Le Jour où la Terre s'est arrêtée de tourner

Cela a commencé par un énorme grincement°. En un dixième de seconde, sans savoir comment, je me retrouve par terre°. Tous mes meubles° sont renversés, ma vaisselle est en mille morceaux. Je me relève et je me tâte° : je n'ai rien de cassé. Je regarde autour de moi : ma chambre est sens dessus-dessous°. Je pense tout d'abord à un tremblement de terre, vous savez, quand le sol° bouge et les murs s'effondrent°... Je me précipite dehors pour ne pas me faire écraser° par mon immeuble.

Dans la rue, il y a quantité de gens qui courent dans tous les sens, se bousculent°, crient...

— Que se passe-t-il?

— C'est un tremblement de terre!

— Une éruption volcanique! dit un homme au chapeau vert.

— Un raz-de-marée°!

Il fait nuit. Soudain, je me rends compte qu'il est huit heures du matin et qu'il fait encore nuit! Ce n'est pas normal! Nous sommes en été : à huit heures du matin, en été, il fait jour! Je vois des gens qui se posent la même question. On se regarde sans parler.

— C'est une éruption volcanique, répète l'homme au chapeau vert. Elle a provoqué un gigantesque nuage de poussière° qui couvre le ciel et cache° le soleil.

C'est à ce moment qu'un homme accourt, terrifié.

— La Terre s'est arrêtée de tourner!

— Quoi!

— Ils ont dit ça à la télévision!

— Ce n'est pas possible! La Terre ne s'arrête pas de tourner comme ça, du jour au lendemain°! Il y a des lois° physiques!

— C'est ce qu'ils ont dit.

---

un grincement *grinding;* **par terre** *on the floor;* **les meubles** *furniture;* **je me tâte** *I feel myself (for injuries);* **sens dessus-dessous** *topsy turvy;* **le sol** *the ground;* **s'effondrent** *collapse;* **écraser** *to crush;* **se bousculent** *bump into one another;* **un raz-de-marée** *tidal wave;* **un nuage de poussière** *dust cloud;* **cache** *hides;* **du jour au lendemain** *from one day to the next;* **des lois** *laws*

— Et vous les croyez? demande un petit homme tout chauve°. Moi, je vous dis que c'est de la pub°. Vous allez voir : maintenant, ils vont nous conseiller d'acheter les lampes de poche° ECLAIRE MIEUX!

— Vous dites n'importe quoi! Personne ne peut apporter la nuit, comme ça, sur toute la ville.

— Mais, si c'est vrai. Si la Terre s'est arrêtée de tourner, savez-vous ce que cela veut dire? Cela veut dire : plus de jour, plus de soleil. Toujours la nuit!

— Toujours la nuit? dit un autre. Moi, je suis veilleur de nuit°. Je dors le jour et je travaille la nuit. Ça va complètement changer ma vie. Plus de repos! Travail, travail, toujours travail!

A ce moment, arrive un vendeur de journaux : «Achetez les *Dernières Nouvelles d'Alsace!* Tout sur l'événement du jour!»

Tout le monde se précipite et s'arrache° les journaux... En effet, sur la première page, en gros caractères, on peut lire :

LA TERRE S'EST ARRETEE DE TOURNER

et en dessous°, en plus petits caractères :

Les savants s'interrogent.

Je me pince pour m'assurer que je ne rêve pas. Puis, comme rien ne se passe, je remonte dans ma chambre pour me faire un café. En route, je croise° mes voisins avec leurs cinq enfants. Tous portent de gros sacs et des valises.

— Vous partez en vacances?

— Pas exactement. Mais nous quittons ce pays de ténèbres°! Vous ne pensez pas que nous allons rester ici, dans la nuit et le froid!

— Mais où irez-vous?

— De l'autre côté de la Terre. S'il fait toujours nuit ici, là-bas il fait toujours jour. Quand je pense à tous ces gens qui s'amusent sur les plages de Californie pendant que nous, en Alsace, nous grelottons° dans le noir, je n'ai plus envie de rester ici!... Excusez-nous, on se dépêche... on veut avoir une place dans un avion!

— Bon voyage!

---

chauve *bald;* **la pub** = la publicité *advertising;* **les lampes de poche** *flashlights;* **veilleur de nuit** *night watchman;* **s'arrache** *snatch;* **en dessous** *below;* **croise** *pass;* **ténèbres** *shadows;* **grelottons** *shiver*

Partout, il y a des gens avec des valises et des enfants sur les épaules. Il y a des embouteillages° monstres; il n'y a plus de policiers pour faire la circulation°. Des gens se disputent, se battent. Tout le monde s'en va°! Ils sont fous! Il y aura un problème de la surpopulation là-bas! Et si la Terre se remet en marche? Ils auront l'air malins°!... Je cours me réfugier dans ma chambre. J'allume la télévision : il n'y a plus de programme.

— Vous ne partez pas?
C'est mon concierge° qui est entré.

— Qui? Moi? Oh non, j'aime beaucoup trop cette ville pour partir! Je préfère rester ici, même dans le noir. D'ailleurs, la Californie sera bientôt surpeuplée. Et vous? Vous ne partez pas?

— Non. Ma femme a envie, mais nous n'avons pas l'argent pour le billet d'avion. Moi, ça ne me dérange° pas : je suis comme vous, j'aime bien notre ville... Vous êtes occupé pour l'instant?

— Non, pourquoi?

— Ça vous dit de faire une partie d'échecs?

— Volontiers! Vous prenez les blancs ou les noirs?

Activité • Complétez

Complétez les phrases suivantes d'après l'histoire.

1. Le jour où la Terre s'arrête de tourner, il fait... à huit heures du matin.
2. Si la Terre ne tourne plus,... en Alsace et... en Californie.
3. Les voisins du jeune homme se dépêchent pour...
4. Le jeune homme décide de rester en Alsace parce que...
5. Son concierge a l'intention d'y rester aussi parce que...

Activité • Avez-vous compris?

Répondez aux questions suivantes.

1. Au début, comment est-ce que les gens essaient d'expliquer ce qui se passe?
2. Comment est-ce qu'ils apprennent que la Terre s'est arrêtée de tourner?
3. En général, comment est-ce que les gens réagissent (react)? Que font-ils? Pourquoi?

Activité • Ecrivez

Imaginez une fin à cette histoire. Est-ce que la vie changera en Alsace? Qu'est-ce qu'on fera pour survivre?

---

des embouteillages *traffic jams;* **faire la circulation** *to direct traffic;* **s'en va** *is leaving;* **Ils auront l'air malins!** *They'll make complete fools of themselves!* **concierge** *superintendent;* **dérange** *bother*

CHAPITRE 12

Vacances au Sénégal

Chapitre de révision

Le mois de juillet approche. Il faut penser aux grandes vacances. Qu'est-ce que Fabienne va faire? Elle a plusieurs possibilités, mais elle n'a pas encore pris de décision. Son amie Angèle a une merveilleuse idée. Elle est née au Sénégal et elle a de la famille là-bas. Elle propose à Fabienne de venir avec elle dans son pays natal.

FABIENNE   Je ne sais pas quoi faire pendant mes vacances... Je souhaitais aller voir mes cousins en Nouvelle-Calédonie; malheureusement, le voyage est trop cher. Ma grand-mère veut que je vienne la voir en Normandie, mais ça ne me dit pas trop. Ma sœur m'invite en Corse, mais je connais déjà. J'ai envie de changer...

ANGÈLE   Si tu venais avec moi?
FABIENNE   Où?
ANGÈLE   Au Sénégal.
FABIENNE   En Afrique?
ANGÈLE   Oui, je vais voir ma famille qui habite Dakar. Il y a longtemps que je ne l'ai pas vue. Tu peux venir avec moi si tu veux.

FABIENNE   Tu crois que c'est possible? Ta famille... Tu es sûre que ça ne l'embêtera pas?
ANGÈLE   Au contraire! Elle est très accueillante, et elle sera ravie de te voir!
FABIENNE   Ça me tente!... Le voyage est cher?

ANGÈLE   Ça va. Il y a des charters qui ne sont pas trop chers. Mais il faut réserver très vite.
FABIENNE   Tu pars quand?
ANGÈLE   Au mois d'août.
FABIENNE   Parfait! Ça me donne le temps de trouver un job pour payer mon voyage!
ANGÈLE   Et pour là-bas, ne t'inquiète pas! Tu n'auras pas besoin d'argent : tu seras notre invitée.

2   Activité • Avez-vous compris?

Répondez aux questions suivantes d'après «Invitation au voyage».

1. Quel est le problème de Fabienne?
2. Pourquoi ne peut-elle pas aller en Nouvelle-Calédonie?
3. Pourquoi ne veut-elle pas aller en Normandie? En Corse?
4. Pourquoi est-ce que Fabienne hésite quand Angèle l'invite?
5. Quels sont les avions les moins chers?
6. Comment est-ce que Fabienne a l'intention de payer son voyage?
7. Pourquoi est-ce que Fabienne n'aura pas besoin d'argent au Sénégal?

3   Activité • Actes de parole

Qui est-ce qui parle? C'est Fabienne ou Angèle? Qu'est-ce qu'elle dit? Trouvez leurs paroles dans «Invitation au voyage».

1. Elle exprime un désir.
2. Elle propose de faire quelque chose.
3. Elle regrette quelqu'un.
4. Elle est indifférente.
5. Elle exprime un regret.
6. Elle invite son amie.
7. Elle n'est pas sûre.

4   Savez-vous que... ? 📼

La République du Sénégal est située sur la côte occidentale *(west)* de l'Afrique. C'est un petit pays, mais il présente une grande variété de paysages : savane *(grassy plain)*, forêt tropicale, désert, plaine fertile. Le climat est doux et les gens sont très accueillants *(welcoming)*. La population se compose de différents groupes ethniques qui ont chacun leur langue. Le français est la langue officielle; le wolof est la langue nationale.

Le Sénégal est un pays en pleine expansion agricole et industrielle. L'économie repose essentiellement sur l'arachide *(peanut)*. De nouvelles industries sont nées, notamment celles de l'huile *(oil)* et des phosphates.

Au début du XVIIᵉ siècle, quelques marchands de Dieppe et de Rouen ont fondé la Compagnie du Sénégal et de la Gambie. Ils ont obtenu le monopole du commerce et ont établi les postes de Saint-Louis et de l'île de Gorée. Le Sénégal est devenu une république autonome en 1958. La Constitution de 1963 a institué une république présidentielle. Le premier président était Léopold Senghor, homme politique et poète célèbre qui a démissionné *(resigned)* en 1981. Son successeur, Abdou Diouf, a été réélu en 1988.

5 Activité • **Faites des comparaisons**

Fabienne demande à Angèle de parler de son pays. Elle lui demande de le comparer à la France. Préparez un dialogue avec un(e) camarade.

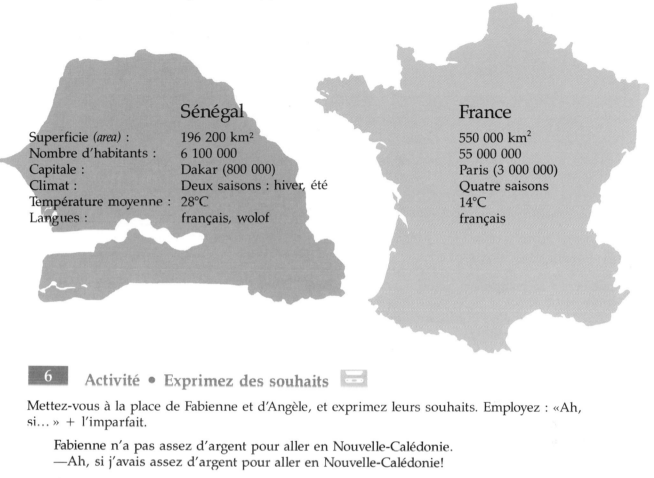

Sénégal

Superficie (*area*) :	196 200 km²
Nombre d'habitants :	6 100 000
Capitale :	Dakar (800 000)
Climat :	Deux saisons : hiver, été
Température moyenne :	28°C
Langues :	français, wolof

France

550 000 km²
55 000 000
Paris (3 000 000)
Quatre saisons
14°C
français

6 Activité • **Exprimez des souhaits**

Mettez-vous à la place de Fabienne et d'Angèle, et exprimez leurs souhaits. Employez : «Ah, si...» + l'imparfait.

Fabienne n'a pas assez d'argent pour aller en Nouvelle-Calédonie.
—Ah, si j'avais assez d'argent pour aller en Nouvelle-Calédonie!

1. Fabienne ne peut pas trouver un job.
2. Elle ne sait pas quoi faire pendant les vacances.
3. Elle ne parle pas wolof.
4. Angèle n'est pas au Sénégal.
5. Sa famille n'est pas en France.
6. Ses parents ne veulent pas revenir au Sénégal.

7 Activité • **Préparatifs de voyage**

Avant de partir pour le Sénégal, Fabienne avait beaucoup à faire. Racontez ce qu'elle a fait pour préparer son voyage. Employez **d'abord, ensuite, après** et **enfin.**

réserver les places   trouver un job   choisir des cadeaux
chercher un passeport
se faire vacciner   acheter des vêtements   changer de l'argent

Activité • Qu'en pensez-vous? 📼

Dites ce que vous pensez de ces affirmations *(statements)*. Variez les expressions et justifiez votre opinion.

1. Fabienne ira passer ses vacances en Normandie.
2. Elle acceptera l'invitation de sa sœur.
3. Elle se plaira au Sénégal.
4. Elle apprendra le wolof.
5. Angèle a assez d'argent pour payer son voyage.
6. Elle ne reviendra pas en France.

Je pense que... Je suis sûr(e)/certain(e) que... Je doute que...

Je crois que...

Je ne crois pas que... Je ne pense pas que...

9 Activité • Ecrivez

Fabienne écrit à sa grand-mère pour lui dire pourquoi elle ne va pas passer ses vacances en Normandie cette année. Elle lui parle de son amie Angèle, lui dit comment elle l'a invitée au Sénégal, comment elles iront, quand elles partiront... Elle lui dit qu'elle pense aller la voir plus tard en Normandie.

Chère grand-mère,
Je regrette, mais ...

10 Activité • Ecrivez

Angèle écrit à son oncle et à sa tante pour leur dire qu'elle a invité une copine. Elle parle de Fabienne, de son intention de travailler au mois de juillet...

Cher oncle, Chère tante,
Je vous ai déjà parlé de mon amie Fabienne.

11 C'ETAIT COMMENT AU SENEGAL? 📼

Angèle a quitté le Sénégal il y a trois ans. Fabienne lui demande comment était sa vie là-bas.

FABIENNE Qu'est-ce que tu faisais quand tu étais là-bas?
ANGÈLE J'allais à l'école.
FABIENNE Qu'est-ce que tu apprenais?
ANGÈLE Eh bien, comme ici, le français, les maths, la géo… J'avais des copains… On allait à la plage le week-end ou à un match de foot. Là-bas, c'est le sport le plus populaire, comme en France.

FABIENNE Tu habitais Dakar?
ANGÈLE Oui, mais j'allais souvent à Thiès. Ma grand-mère y vivait. J'y passais presque toutes mes vacances. Je serai heureuse de la revoir.
FABIENNE Tu parlais français?
ANGÈLE Oui, mais dans ma famille, on parle wolof.
FABIENNE Tu sais le parler?
ANGÈLE Bien sûr!
FABIENNE Tu as de la chance. Mais pourquoi es-tu venue habiter ici?
ANGÈLE J'ai suivi mes parents qui venaient travailler en France.
FABIENNE Ça te plaisait là-bas?
ANGÈLE Enormément! J'étais drôlement heureuse!
FABIENNE Pas en France?
ANGÈLE Si, mais c'est différent… Je regrette un peu le Sénégal. C'est mon pays!

12 Activité • Vrai ou faux?

Ces phrases sont-elles vraies ou fausses d'après la conversation entre Fabienne et Angèle?

1. Angèle a quitté le Sénégal il y a plus de deux ans.
2. A l'école, elle n'apprenait pas la même chose qu'en France.
3. Le week-end, elle allait à la campagne.
4. Elle habitait Thiès.
5. Sa grand-mère n'habitait pas Dakar.
6. Angèle passait toutes ses vacances chez des cousins.
7. Elle était heureuse au Sénégal.
8. Au Sénégal, on ne parle que le français.

Activité • Fabienne est curieuse 📼

Fabienne pose des questions à Angèle. Voilà les réponses d'Angèle. Trouvez les questions de Fabienne.

     J'habitais Dakar.   — Où est-ce que tu habitais?

1. J'allais à l'école en bus.
2. Je jouais au volley-ball.
3. Je passais mes week-ends à la plage.
4. Je parlais wolof.
5. Mes parents sont venus en France pour travailler.
6. Je me sentais bien là-bas.

14 Activité • Angèle manquait d'enthousiasme

Fabienne interroge Angèle sur ce qu'elle faisait à l'école, et Angèle exprime son manque d'enthousiasme à cette époque. Avec un(e) camarade, jouez les rôles de Fabienne et Angèle. Changez chaque fois d'expression.

    — Tu allais à l'école?   — Oui, mais ça ne me plaisait pas beaucoup.

1. apprendre la géo
2. faire de la gym
3. prendre le bus
4. parler français
5. beaucoup travailler
6. avoir beaucoup de devoirs

Ça ne me disait rien de...   Je n'avais pas le courage de...

Ça m'embêtait de...

Tu parles!

Ça m'ennuyait de...   Je n'avais pas envie de...

15 Activité • Jeu de rôle

Il y a cinq ans, Fabienne habitait à la campagne en Normandie. Angèle lui demande ce qu'elle faisait, si elle aimait y vivre, si elle s'est habituée à la ville, ce qu'elle préfère maintenant... Imaginez la vie de Fabienne, et faites un dialogue avec un(e) camarade. Commencez par : «Et toi, où est-ce que tu habitais avant?»

16 Activité • Ecrivez

Qu'est-ce que vous faisiez il y a cinq ans? Dites en quelques lignes où vous viviez, où vous alliez à l'école, ce que vous faisiez, où vous alliez en vacances...

17 Activité • A vous maintenant!

Demandez à un(e) camarade ce qu'il/elle faisait l'année dernière. Puis, changez de rôle.

Fabienne veut aussi savoir comment ce sera quand elles iront là-bas.

FABIENNE Alors, raconte! Qu'est-ce qu'on fera?

ANGÈLE On ira d'abord à Dakar. On dormira chez mon oncle et ma tante. Je te présenterai à mes cousins.

FABIENNE Ils sont mignons?

ANGÈLE Très!

FABIENNE Super!

ANGÈLE Ma petite cousine a deux ans et mon cousin a neuf ans.

FABIENNE Quel dommage!

FABIENNE On peut se baigner à Dakar?

ANGÈLE Oui, on ira sur l'île de Gorée. On partira le matin, on bronzera...

ANGÈLE A midi, on mangera une tieboudienne.

FABIENNE Qu'est-ce que c'est?

ANGÈLE Le plat national. C'est du riz avec du poisson.

ANGÈLE L'après-midi, on visitera la ville. Tu verras la Médina, c'est le quartier le plus commerçant... et le Village des Arts où tu pourras acheter des souvenirs typiquement africains...

FABIENNE Ça me fait rêver! Il faudra aussi que j'apprenne un peu de wolof!... Au fait, est-ce qu'il y a des discothèques à Dakar?

ANGÈLE Bien sûr! Tu veux aller danser?

FABIENNE Oui, et j'espère qu'on dansera sur de la musique africaine!

ANGÈLE T'en fais pas, on ne s'ennuiera pas! Je suis sûre qu'on passera d'excellentes vacances!

19 Activité • **Avez-vous compris?**

Répondez aux questions suivantes d'après «Qu'est-ce qu'on fera au Sénégal?»

1. Qui recevra Angèle et Fabienne à Dakar?
2. Quel âge ont les cousins d'Angèle?
3. Pourquoi Fabienne dit-elle «Quel dommage»?
4. Qu'est-ce que c'est, une «tieboudienne»?
5. Qu'est-ce que les filles feront pendant la journée?
6. Qu'est-ce que c'est, la Médina?
7. Qu'est-ce qui fait rêver Fabienne?

20 Activité • **Actes de parole**

Trouvez dans le dialogue ce que les filles disent dans les situations suivantes.

1. Fabienne exprime un regret.
2. Angèle fait des comparaisons.
3. Fabienne exprime un besoin.
4. Fabienne exprime un souhait.
5. Angèle rassure Fabienne.

21 Activité • **C'est une bonne chose**

Angèle vous donne des informations sur le voyage au Sénégal. Vous exprimez votre soulagement et votre satisfaction. Préparez les dialogues avec un(e) camarade. Changez de rôle et variez les expressions.

— Nous irons d'abord à Dakar dans ma famille.
— C'est une bonne chose que ta famille puisse nous recevoir!

Nous avons de la chance (que)...

Heureusement (que)...

C'est une bonne chose (que)...

Ouf!...

1. Au Sénégal, il fait drôlement chaud.
2. On ira se baigner au bord de la mer.
3. Tu pourras acheter des souvenirs à la Médina.
4. On ira sur la Corniche pour avoir une vue générale de la ville.
5. Tu apprendras un peu de wolof; c'est facile.
6. On ira danser; il y a beaucoup de discothèques.

22 Activité • **La réunion familiale**

Il y a longtemps qu'Angèle n'a pas vu sa famille. Imaginez les conversations quand elle retrouvera sa famille à Dakar. Préparez les conversations avec un(e) camarade. Employez les expressions suivantes.

Ça me fait plaisir de te revoir!

Il y a si longtemps!

Je suis heureux (heureuse) que tu sois revenu(e)!

Je suis content(e) de te revoir!

Ça fait longtemps que je ne t'ai pas vu(e)!

23 Activité • **Et vous?**

Vous avez l'opportunité d'aller à Dakar. Nommez six choses que vous y ferez.

24 Activité • **A vous maintenant!**

Qu'est-ce que vous avez l'intention de faire pendant vos vacances? Un(e) camarade écoute vos projets, puis fait des objections ou vous donne des conseils. A la fin, il/elle finit par vous inviter. Employez ces expressions :

J'aimerais…   Je souhaite…   Je désire…   J'ai l'intention de…

25 Activité • **Projets de voyage**

Vous avez l'intention de faire un voyage au Sénégal. Vous allez à une agence de voyages pour vous renseigner. Vous posez des questions à l'agent. Vous voulez savoir quels documents il vous faudra, quel temps il fait là-bas et de quels vêtements vous aurez besoin, quelle est la monnaie du Sénégal, combien coûte le voyage, ce qu'il y a à faire et à voir… Préparez le dialogue avec un(e) camarade.

- **FORMALITÉS**
Passeport en cours de validité. Certificat de vaccination antiamarile.
- **HEURE LOCALE**
En hiver : 1 heure de moins qu'en France.
En été : 2 heures de moins.
- **CLIMAT**
Doux sur la côte, chaud et sec au nord, pluies au centre, tropical humide au sud.
- **MONNAIE**
Le franc CFA°. 5 000 F CFA = 100 FF.
- **QUELQUES CONSEILS**
Emporter des vêtements légers et confortables, mais aussi une veste pour les soirées, car la brise rafraîchit l'atmosphère après le coucher du soleil. Ne pas oublier des chaussures confortables pour les excursions, lunettes de soleil, chapeau de toile et une paire de jumelles pour observer les oiseaux sur les rives du fleuve Casamance.
- **VOLTAGE**
220 volts.
- **POUR EN SAVOIR PLUS**
Office du tourisme du Sénégal, 24, bd de l'Hôpital - 75005 Paris.

26 Activité • **Ecoutez bien**

Vous écoutez une émission radiophonique venant du Sénégal. Ce sont les informations. On parle des dernières élections dans le pays. Ecoutez les informations, et dites si les phrases suivantes sont vraies ou fausses.

1. Abdoulaye Wade est le nouveau président du Sénégal.
2. Abdou Diouf a eu vingt et un pour cent des votes.
3. Abdoulaye Wade est le candidat du parti socialiste.
4. Abdoulaye Wade est médecin.
5. Abdou Diouf est président du Sénégal depuis cinq ans.
6. M. Diouf a abandonné les relations avec la France.

CFA = Communauté Financière Africaine

PRONONCIATION 📼

Review

1 Ecoutez, répétez et lisez.

1. Vowels

Vowel	Spelling	Self-check
/i/ as in **si**	**il, île, gym**	**Si, il y a des livres ici.**
/e/ as in **thé**	**été, j'ai, aller, chez**	**J'ai étudié au cours d'été.**
/ɛ/ as in **sept**	**sel, père, fête, frais, haie, avaient, peine**	**Qu'est-ce qu'elle fait avec mes lettres?**
/a/ as in **la**	**patte, là, femme**	**Ça va, les bagages?**
/ɔ/ as in **fort**	**robe**	**Sonne encore, peut-être qu'il dort.**
/o/ as in **mot**	**zone, rôle, jaune, chevaux, beau**	**L'auto est dans la mauvaise zone.**
/u/ as in **tout**	**vous**	**C'est pour nous? Merci beaucoup.**
/y/ as in **tu**	**dur, sûr**	**Tu es venu du sud? Ça t'a plu?**
/ø/ as in **ceux**	**peu, vœux**	**Veux-tu deux œufs?**
/œ/ as in **œuf**	**seul, sœur**	**Sa sœur a peur de rester seule.**
/ə/ as in **le**	**je**	**C'est ce que demande le monsieur.**
/ɛ̃/ as in **pain**	**train, plein, fin, timbre, faim**	**Le train est plein. Voilà le prochain.**
/ã/ as in **dans**	**plan, vent, temps, lampe**	**Les enfants de cinq ans rentrent.**
/ɔ̃/ as in **mon**	**bon, nombre**	**Ils sont donc bons, vos bonbons.**
/œ̃/ as in **un**	**brun, parfum**	**Aucun emprunt le lundi.**

2. Glides

Glide	Spelling	Self-check
/j/ as in **bien**	**viande, il y a, travail, oreille**	**Il y a bien sûr du travail à la pièce.**
/w/ as in **oui**	**Louis, soir**	**Où est Louis? Il est parti loin.**
/ɥ/ as in **huit**	**nuage, nuit, saluer**	**J'ai vu les nuages et j'ai entendu la pluie.**

3. Consonants

Consonant	Spelling	Self-check
/ɲ/ as in **ligne**	**campagne**	**C'est magnifique! Mon compagnon a gagné!**
/ʀ/ as in **rose**	**rire, beurre**	**J'ai appris à prononcer le français. Merci!**

2 Copiez les *Self-checks* pour préparer une dictée.

FOR REFERENCE

LA FRANCE

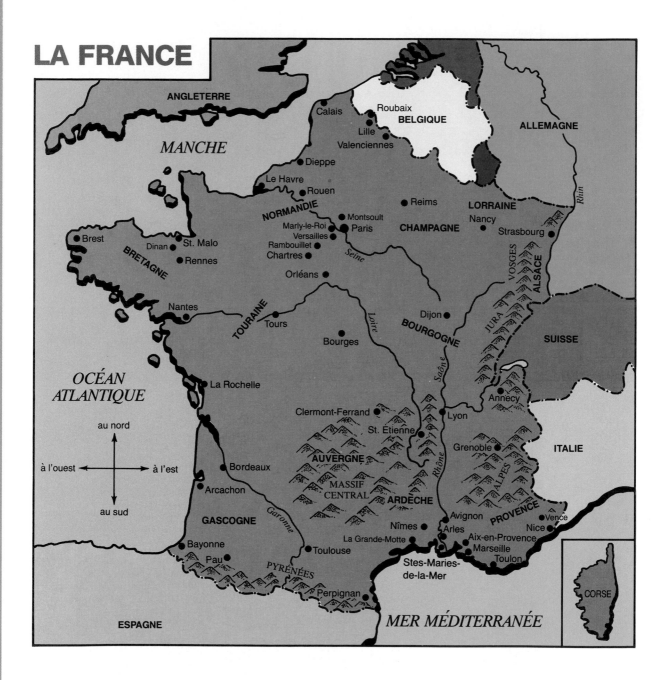

ANGLETERRE

MANCHE

BELGIQUE

ALLEMAGNE

Calais
Roubaix
Lille
Valenciennes

Dieppe

Le Havre
Rouen

Reims

LORRAINE

NORMANDIE

Montsoult
Marly-le-Roi
Versailles
Rambouillet
Chartres

Paris

CHAMPAGNE

Nancy

Strasbourg

Seine

Brest

BRETAGNE

Dinan St. Malo

Rennes

Orléans

VOSGES

ALSACE

Rhin

Nantes

TOURAINE

Tours

Loire

Bourges

Dijon

BOURGOGNE

JURA

SUISSE

OCÉAN
ATLANTIQUE

au nord

à l'ouest   à l'est

au sud

La Rochelle

Saône

Annecy

Clermont-Ferrand

Lyon

St. Etienne

Grenoble

ITALIE

Bordeaux

AUVERGNE

Rhône

ALPES

Arcachon

MASSIF
CENTRAL

ARDÈCHE

GASCOGNE

Garonne

Avignon

Nîmes

PROVENCE

Vence

Bayonne

Pau

Toulouse

La Grande-Motte

Arles

Nice

Aix-en-Provence
Marseille
Toulon

PYRÉNÉES

Perpignan

Stes-Maries-
de-la-Mer

CORSE

ESPAGNE

MER MÉDITERRANÉE

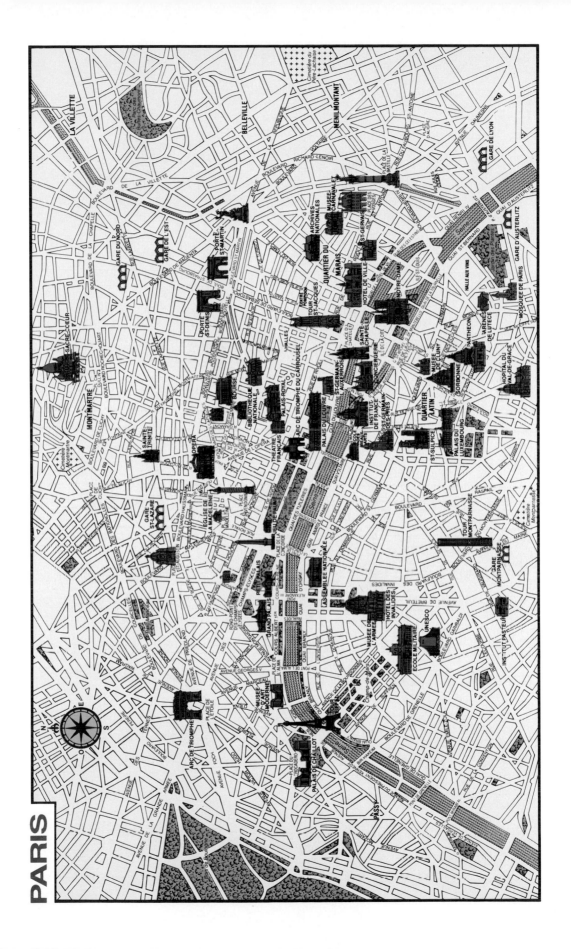

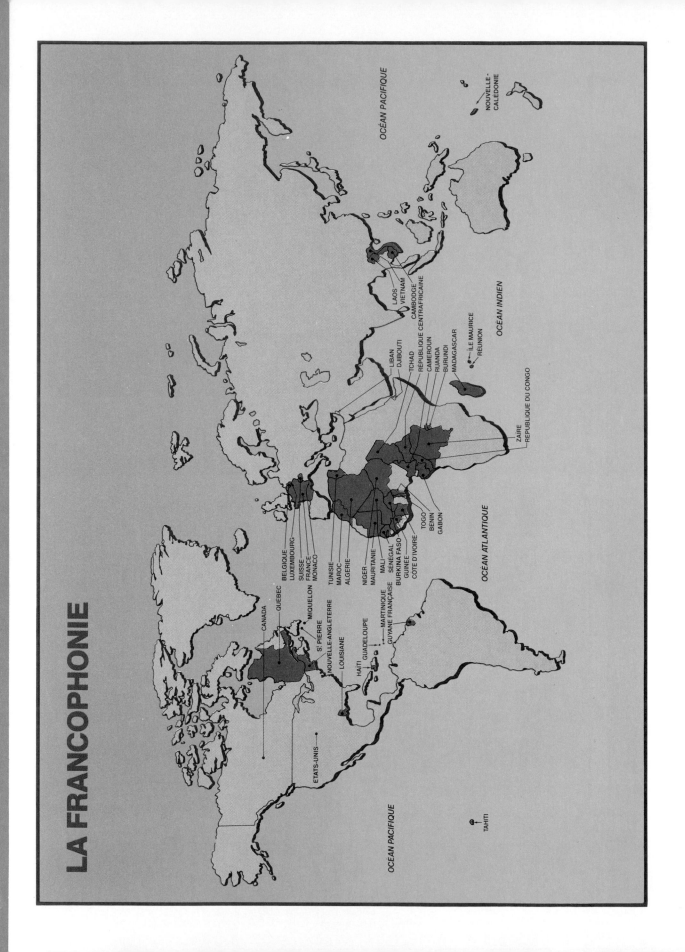

LA FRANCOPHONIE

OCÉAN PACIFIQUE

OCÉAN PACIFIQUE

OCÉAN ATLANTIQUE

OCÉAN INDIEN

NOUVELLE-CALEDONIE

TAHITI

LIBAN
DJIBOUTI
LAOS
VIETNAM
CAMBODGE
TCHAD
REPUBLIQUE CENTRAFRICAINE
CAMEROUN
RUANDA
BURUNDI
MADAGASCAR
ILE MAURICE
REUNION
ZAIRE
REPUBLIQUE DU CONGO

BELGIQUE
LUXEMBOURG
SUISSE
MONACO
FRANCE
TUNISIE
MAROC
ALGERIE
NIGER
MAURITANIE
MALI
SENEGAL
BURKINA FASO
GUINEE
COTE D'IVOIRE
TOGO
BENIN
GABON

QUEBEC
CANADA
MIQUELON
St PIERRE
NOUVELLE-ANGLETERRE
LOUISIANE
HAITI
GUADELOUPE
MARTINIQUE
GUYANE FRANÇAISE
ETATS-UNIS

SUMMARY OF FUNCTIONS

A *function* is what you do with language—what your purpose is when you speak. Here is a list of functions and some expressions you can use to accomplish them. The roman numeral **I** tells you that the expressions were introduced in **Nouveaux copains.** Roman numeral **II** lets you know that the expressions are found in **Nous, les jeunes.** Following the roman numerals, you'll see the number of the unit and the letter of the section where you learned the expression.

SOCIALIZING

Saying hello
I   1 (A4)   Bonjour!
                  Bonsoir!
                  Salut!

Saying goodbye
I   1 (A4)   Au revoir!
                  Salut!
                  A tout à l'heure!

Addressing people
I   1 (A5)   madame
                  mademoiselle
                  monsieur

Getting someone's attention
I   11 (B6)   Excusez-moi,...
                  Pardon,...

Welcoming people
I   6 (A4)   Entrez. / Entre.
                  Soyez le bienvenu. / Bienvenue.
                  Faites comme chez vous.
                  Fais comme chez toi.

Expressing good wishes
I   11 (C5)   Bonne fête!
                  Joyeux Noël!
                  Bonne année!
                  Joyeuses Pâques! (Joyeuse Pâque!)
                  Joyeux (Bon) anniversaire!
                  Bonnes vacances!
                  Bon voyage!
                  Bonne route!
                  Bonne santé!
                  Meilleurs vœux (souhaits)!

Paying compliments
I   6 (C15)   Tu es un chef!

I   10 (C4)   Il / Elle te va bien.
                  Ils / Elles te vont bien.
                  C'est tout à fait ton style!
                  Mes compliments pour la
                     mousse.

Les sandwiches sont excellents!
Tu as bon goût!
Tu joues (danses) drôlement
   bien!

Acknowledging compliments
I   10 (C4)   Tu trouves?
                  Oh, ce n'est rien.
                  C'est gentil.

Expressing thanks
I   2 (C13)   Merci.

Responding to thanks
I   6 (A21)   De rien.

Making a phone call
I   5 (C4)   Allô.
                  Je suis bien chez... ?
                  C'est une erreur.
                  C'est occupé.
                  Ça ne répond pas.
                  Qui est à l'appareil?
                  Ne quittez pas.
                  Vous demandez quel numéro?

Offering food / drink
I   6 (C18)   Encore du / de la... ?
                  Vous prenez du / de la... ?

Accepting food / drink
I   6 (C18)   Oui, volontiers!
                  Oui, avec plaisir!
                  Oui, s'il vous plaît!

I   10 (C1)   J'ai soif!

Refusing food / drink
I   6 (C18)   Non, merci. Je n'ai plus faim.
                  Merci. C'est bon, mais...

Inquiring about others' activities
II   1 (B4)   C'était comment,... ?
                  C'était bien,... ?
                  Ça t'a plu?
                  Tu t'es amusé(e)?

II 6 (B21) Ça va, ton / ta… ?
             Ça marche, ton / ta… ?
             Ça boume, ton / ta… ?
             Ça t'intéresse, ton / ta… ?
             Ça te plaît, ton / ta… ?
             Ça t'amuse, ton / ta… ?

Sharing confidences
II 5 (C9)   J'ai un petit problème.
             Je peux te parler?
             J'ai besoin de te parler.

Asking how someone is feeling
I   1 (A4)   Ça va?

II 1 (A11) Comment allez-vous?
             Comment vas-tu?
             Tu es en forme?

Telling how someone is feeling
I   1 (A4)   Ça va.
             (Très) bien.

II 1 (A11) Très bien, merci. Et vous?
             Pas mal (terrible). Et toi?
             Drôlement bien!
             En pleine forme!

Asking for agreement
II 3 (B6)   D'accord?
             Ça va?
             Ça te va?

Inviting friends
I   9 (B1)   Tu peux… ?
             Tu veux… ?

I   9 (B6)   Je t'invite à…

II 2 (A12) Tu ne veux pas… ?
             Ça te dit de… ?
             Ça t'intéresse de… ?
             Ça te plairait de… ?

Accepting an invitation
I   9 (B10) Si tu veux.
             D'accord!
             Bonne idée!
             Volontiers!
             Avec plaisir!

II 2 (A12) Oui, je veux bien.
             Si, je veux bien.

Refusing an invitation
I   9 (B10) Je n'ai pas envie.
             Je ne peux pas.
             Encore!
             Je regrette, mais…
             Impossible,…

II 2 (A12) Oui, mais je ne peux pas.

II 5 (A6)   Désolé(e).
             Je suis pris(e).
             Je suis occupé(e).
             Je ne suis pas libre.
             Je n'ai pas le droit de…

Making excuses
I   10 (A16) Non, pas encore.
             J'ai oublié.
             Je n'ai pas eu le temps.
             Je n'ai pas pu.

II 1 (C7)   Je suis nul (nulle) en maths.
             Je n'y comprends rien.
             Ce n'est pas mon fort.
             Le prof ne m'aime pas.
             Je suis mauvais(e) en
               informatique.
             Le prof explique mal.

II 10 (A17) Je suis pressé(e).
             Je suis déjà en retard.
             Je n'ai pas le temps.
             Il faut que je sois à… dans…
               minutes.

Asking for permission
II 2 (C8)   Je peux…, s'il vous (te) plaît?
             Je voudrais… Vous êtes (Tu es)
               d'accord?

II 5 (A22) Est-ce que je peux… ?
             Vous voulez bien que je… ?

Giving permission
II 2 (C8)   Oui, si vous voulez (tu veux).
             Je veux bien.
             Oui, pourquoi pas?
             D'accord. Bonne idée.
             Oui, bien sûr.

Refusing permission or a favor
II 2 (C8)   Quelle idée!
             Non, c'est mon dernier mot.
             C'est impossible.
             Non, je ne veux pas.
             Non, je refuse.
             (Il n'en est) pas question.

II 6 (A13) Ah non! Cette fois, c'est fini!
             Pas question!
             Demande à ta mère!
             Désolé(e), c'est impossible.

Asking a favor

II   6 (A13)   Te peux me prêter… ?
Tu ne peux pas me prêter… ?
Tu as… à me prêter?
Tu n'as pas… à me prêter?
Prête-moi…, s'il te plaît.

Granting a favor

II   6 (A13)   Bon, ça va pour cette fois.
D'accord.
Bon, voilà.
Tiens, le / la / les voilà.

Expressing concern for someone's health

II   7 (A15)   Qu'est-ce que tu as?
Qu'est-ce qui t'arrive?
Tu n'as pas l'air en forme.
Ça n'a pas l'air d'aller.
Tu as mauvaise mine.

Renewing old acquaintances

II   9 (B8)   Ça me fait plaisir.
J'avais vraiment envie de te revoir!
Je suis content(e) de te revoir!
Je suis heureux (heureuse) que tu sois (re)venu(e)!
Ça fait longtemps que je ne t'ai pas vu(e)!
Il y a si longtemps!

EXCHANGING INFORMATION

Asking for information

I   5 (B16)   Comment?   Qui?
Combien?   Avec qui?
Quoi?   A qui?
Où?   Pourquoi?
Quand?   A quelle heure?

I   6 (C7)   Qu'est-ce que… ?

I   11 (B9)   Quel(s) / Quelle(s)… ?
Quel / Quelle est… ?
Quels / Quelles sont… ?

Asking and giving names

I   1 (B4)   Tu t'appelles comment?
Je m'appelle…
Il / Elle s'appelle comment?
Il / Elle s'appelle…

Asking and saying where someone is from

I   1 (C1)   Tu es d'où?
Je suis de…
Il / Elle est de…

I   1 (C4)   Vous êtes d'où?
Nous sommes de…
Ils / Elles sont de…

Asking someone's age and telling yours

I   6 (B5)   Tu as quel âge?
J'ai… ans.

Saying how often you do something

I   2 (A8)   d'habitude
toujours
souvent
quelquefois

Saying what you're going to do

I   5 (C10)   Je vais (+ infinitive)

Asking for directions

I   5 (B9)   Les téléphones (la douane), s'il vous plaît?
Où sont les téléphones, s'il vous plaît?
Où est la douane, s'il vous plaît?

Giving locations

I   5 (B9)   juste là   devant
ici   en face (de)
là-bas   entre
à droite (de)   à côté (de)
à gauche (de)   près (de)
tout droit

Asking prices

I   2 (C17)   C'est combien?

I   11 (B6)   Il / Elle coûte combien?
Ils / Elles coûtent combien?
Combien coûte / coûtent… ?

Answering a negative question affirmatively

II   2 (A5)   Tu ne veux pas venir avec moi?
Si, je veux bien.

Expressing obligation to yourself and others

II   5 (A12)   Je dois…
Il faut que je…

Assigning responsibility
II   5 (B8)   C'est à… de…

Expressing a need
I   2 (C7)   Il me faut (absolument)…
              Il faut que je…
              J'ai (vraiment) besoin de…

Giving reasons for doing something
II   6 (C5)   Avoir un job,…
                c'est un moyen de…
                c'est une façon de…
                c'est une occasion de…

Asking and telling how long
something has been going on
II   2 (C19)   Tu… depuis combien de
                temps?
                Ça fait combien de temps que
                tu… ?
                Depuis…
                Je… depuis…
                Ça fait…
                Ça fait… que je…

Reporting a series of events
II   9 (C14)   D'abord,…
                Ensuite,…
                Après,…
                Enfin,…

Expressing intentions, goals, wishes, and dreams
II   11 (B9)   J'ai l'intention de…
                J'ai envie de…
                Je souhaite…
                J'espère…
                Je veux (bien)…
                Je désire…
                J'aimerais (bien)…
                Mon idéal, c'est de…
                Mon but, c'est de…
                Mon rêve, c'est de…
                J'ai pour projet de…

EXPRESSING FEELINGS AND EMOTIONS

Expressing annoyance
I   6 (C1)   Quelle vie!

I   10 (A1)   Zut!

Exclaiming to express admiration,
astonishment, and surprise
I   6 (C1)   Quelle question!

I   11 (C12)   Quelle surprise!

II   3 (A14)   Ce qu'elles sont belles, les
                Duchesses!
                Qu'il est drôle, Bonhomme
                Carnaval!
                Qu'est-ce qu'elle doit avoir
                froid!
                Quelle foule!

Complaining about one's health
II   7 (A15)   Je me sens mal.
                Je ne me sens pas bien.
                J'ai du mal à dormir.
                J'ai mal à la tête, au cœur…

Expressing satisfaction
II   1 (B4)   C'était…
                merveilleux!   super!
                chouette!   drôlement bien!
                génial!   bien!
                Je me suis beaucoup amusé(e)!
                J'ai adoré!
                Ça m'a beaucoup plu.
                Ça m'a plu énormément.

Expressing dissatisfaction
II   1 (B4)   C'était triste.
                C'était mortel.
                Je me suis ennuyé(e).
                J'ai détesté!
                J'ai pas aimé.

Expressing feelings
II   3 (B18)   J'ai peur.
                J'ai le vertige.
                J'ai faim.
                J'ai soif.
                J'ai chaud.
                J'ai froid.
                J'ai mal au cœur.

Expressing regret
I   9 (B10)   Je regrette!

I   10 (TYS 1)   Dommage!

II   3 (C13)   Quel dommage!
C'est bien dommage.
Malheureusement,…
Je suis désolé(e) mais…
C'est regrettable. (FORMAL)

II   10 (B11)   Malheureusement, elle est
arrivée en retard!
C'est dommage qu'elle soit
arrivée en retard!
Quel dommage! Elle est arrivée
en retard!

Expressing pleasure
II   6 (B21)   Super, c'est très bien payé!
Je trouve ça super!
(Je trouve que) c'est
passionnant (intéressant).
J'adore!
Ça me plaît beaucoup.
Je suis ravi(e).

Expressing disappointment
II   6 (B21)   Non, c'est mal payé.
Non, j'en ai assez.
Non, j'en ai marre. (FAM.)
Non, c'est l'enfer.
Non, je déteste.
Non, ça m'ennuie.
Non, ça m'embête (m'énerve).

Expressing fatigue
II   7 (C16)   Je n'en peux plus!
Je suis fatigué(e).
Je suis épuisé(e).
J'abandonne.
Je suis mort(e)! (FAM.)
Je suis crevé(e)! (FAM.)
Je craque! (FAM.)

Expressing pity
II   7 (C16)   (Mon) pauvre vieux!
(Ma) pauvre vieille!
Pauvre Fabrice!
Pauvre petit(e)!

Saying how much you miss something
II   9 (A21)   Je regrette (drôlement)…
Qu'est-ce que je regrette!
C'était si bien!
C'était tellement mieux!

Il y avait moins (plus) de…
… me manque.

Expressing impatience
II   10 (A17)   Vite! On est en retard!
Dépêche-toi! On va rater…
Tu vas être en retard!
Tu peux te dépêcher?
Mais qu'est-ce que tu fais?

Expressing relief
II   10 (B11)   Heureusement que…
Nous avons de la chance que…
Ouf! …
C'est une bonne chose que…

PERSUADING

Making requests or giving commands
I   6 (A6)   Entrez, s'il vous plaît.
Entre, s'il te plaît.
Venez / Viens avec moi.

Making suggestions
I   7 (B7)   Allons visiter Dinan!
On va visiter Dinan?

II   9 (C20)   Si on allait… ?
Si on prenait… ?
Pourquoi on ne va pas… ?
Tu n'as pas envie de… ?
Tu veux qu'on aille… ?

Asking for advice
I   11 (A13)   A ton avis, qu'est-ce que je
peux acheter (offrir) à… ? Tu
as une idée?
J' offre… à… Qu'est-ce que tu
en penses?

II   5 (C9)   A ton avis,…
qu'est-ce que je fais?
qu'est-ce que je dois faire?
qu'est-ce qu'il faut faire?
qu'est-ce qu'il faut que je
fasse?
Qu'est-ce que tu me conseilles?
Tu crois que je peux l'inviter?
Tu as une idée?

Giving advice
I   11 (A13)   Achète-lui / leur…
Tu peux lui / leur offrir…
Bonne idée!
Non, offre-lui / leur plutôt…
Il / Elle a déjà plein de…

II	5 (C9)	Invite-la. Il faut que tu l'invites. Téléphone-lui. Il faut que tu lui téléphones. Oublie-le. Il faut que tu l'oublies.
II	6 (B10)	Pourquoi (est-ce que) tu ne cherches pas… ? Pourquoi (est-ce que) tu ne mets pas… ?
II	7 (B16)	Tu devrais… Je te conseille de… Il vaut mieux que tu…

Justifying advice

II	7 (B16)	C'est excellent pour la santé. C'est bon pour toi. C'est ce qu'il te faut. C'est nourrissant. C'est meilleur.

Insisting

II	6 (A13)	S'il te (vous) plaît! Sois (Soyez) sympa! Sois (Soyez) gentil(le)! Allez!

Offering encouragement

II	2 (B15)	Vas-y! C'est bien! Mais si, ça vient! Tu y es presque! Mais oui, tu y arrives! Continue! Encore un petit effort!
II	5 (C9)	Bien sûr! Sûrement. Pourquoi pas? Il faut oser. Un peu de courage! N'hésite pas.
II	7 (C16)	Allez! Encore un effort! Courage! Force-toi!

Assuring someone

II	7 (C18)	Je t' (vous) assure que ça va. Je te (vous) promets que je me sens mieux. Je te (vous) garantis que je me nourris bien.

Reassuring someone

II	7 (C18)	Ça va, je t' (vous) assure. Je me sens mieux, je te (vous) promets. Je me nourris bien, je te (vous) garantis.

Consoling someone

II	9 (A21)	Ne regrette rien. C'est bien de… Tu as tort de regretter. Ça ne sert à rien. Tu vas voir. … N'y pense plus. (Ne) t'en fais pas! Tu vas te plaire… Fais-toi une raison.

EXPRESSING ATTITUDES AND OPINIONS

Expressing likes and preferences

I	3 (C12)	J'aime… J'aime mieux…

. . . about school subjects

I	2 (B19)	C'est facile / chouette / génial / extra / super!

. . . about films, plays, TV shows, books

I	9 (C11)	C'est drôle / amusant / émouvant / original / génial / un bon film! J'adore… !

. . . about food

I	6 (C15)	C'est bon. C'est délicieux / excellent / super / extra! J'adore!

. . . about gifts

I	11 (C18)	Qu'il / Qu'elle est… ! Quel(le) joli(e)… ! Quelle surprise! C'est très gentil! C'est une excellente idée! Tu as bien choisi!

Expressing dislikes

I	3 (C12)	Je n'aime pas…

. . . about school subjects

I	2 (B19)	C'est difficile / la barbe / pas terrible / pas le pied!

. . . about films, plays, TV shows, books
I   9 (C11)   C'est (trop) violent!
             C'est bidon / un navet /
                pas original / un mauvais
                film / toujours la même
                chose!
             Je déteste… !

. . . about food
II   7 (B20)   Je n'aime pas ça.
             C'est pas bon.
             C'est mauvais.
             Ça n'a pas de goût.
             C'est infect.

Complaining
II   5 (B16)   C'est injuste!
             C'est pas juste!
             C'est pas normal!
             C'est moi qui fais tout ici!
             C'est toujours moi qui…
             Tu ne fais rien, toi!

Expressing indecision, indifference, or lack of interest
I   7 (B1)   Bof!
             Mouais!

II   1 (B4)   C'était…
                assez bien.
                comme ci, comme ça.
                pas mal.
                pas terrible.
             Assez bien.

II   3 (B6)   Je ne sais pas trop.
             Ça m'est égal.
             Comme tu veux.
             Ce que tu préfères.
             Je n'ai pas de préférence.

II   10 (C13)   …, ça ne me dit rien.
             Je n'ai pas le courage de…
             Ça m'embête de…
             Ça m'ennuie de…
             Je n'ai pas (souvent) envie de…
             … Tu parles!

Expressing an opinion
II   1 (A4)   A mon avis,…
             Je trouve que…
             Je n'ai pas envie de…

Expressing agreement
I   3 (C1)   Bon.

I   5 (B1)   OK.

I   9 (B10)   D'accord.

II   1 (A4)   Je suis d'accord avec toi.
             Moi aussi.
             Tu as (Vous avez) raison.
             Moi non plus.

Expressing disagreement
II   1 (A4)   Je ne suis pas d'accord avec toi.
             Pas moi.
             Au contraire,…
             Tu as (Vous avez) tort.
             Moi, je…

Expressing doubt and uncertainty
II   7 (B16)   Tu crois?
             Tu es sûr(e)?
             Vraiment?
             C'est vrai?

II   11 (A17)   Je ne (le) crois pas.
             Je ne (le) pense pas.
             Ça m'étonnerait!
             Ça m'étonnerait que nous
                ayons des robots!
             J'en doute.

II   11 (C10)   Je ne crois pas que…
             Je ne pense pas que…
             Je ne suis pas sûr(e) que…
             Je ne suis pas certain(e) que…
             Je doute que…

Expressing certainty
II   11 (A17)   Je t'assure que c'est vrai.
             Mais oui (si)! C'est évident!
             Evidemment.
             Je (J'en) suis convaincu(e).
             Je (J'en) suis persuadé(e).
             J'en suis sûr(e).

Expressing beliefs and hope
II   11 (C10)   Je crois que…
             Je pense que…
             Je suis sûr(e) que…
             Je suis certain(e) que…
             J'espère que…

GRAMMAR SUMMARY

ARTICLES

| Singular | | Plural |
Masculine	Feminine	
un frère **un** ami	**une** sœur	**des** frères / sœurs **des** amis / amies
le frère **l'**ami	**la** sœur **l'**amie	**les** frères / sœurs **les** amis / amies
ce frère **cet** ami	**cette** sœur	**ces** frères / sœurs **ces** amis / amies

POSSESSIVE ADJECTIVES

| Singular | | Plural | Singular | | Plural |
Masculine	Feminine		Masculine	Feminine	
mon frère **mon** ami	**ma** sœur **mon** amie	**mes** frères / sœurs **mes** amis / amies	**notre** frère	**notre** sœur	**nos** frères / sœurs **nos** amis / amies
ton frère **ton** ami	**ta** sœur **ton** amie	**tes** frères / sœurs **tes** amis / amies	**votre** frère	**votre** sœur	**vos** frères / sœurs **vos** amis / amies
son frère **son** ami	**sa** sœur **son** amie	**ses** frères / sœurs **ses** amis / amies	**leur** frère	**leur** sœur	**leurs** frères / sœurs **leurs** amis / amies

INTERROGATIVE ADJECTIVES: QUEL

	Singular	Plural
Masculine	**quel**	**quels**
Feminine	**quelle**	**quelles**

ADJECTIVES: FORMATION OF FEMININE

	Masculine	Feminine
Most adjectives (*add* **-e**)	**Il est brun.**	**Elle est brune.**
Most adjectives ending in **-é** (*add* **-e**)	**Il est fatigué.**	**Elle est fatiguée.**
All adjectives ending in an unaccented **-e** (*no change*)	**Il est jeune.**	**Elle est jeune.**
Most adjectives ending in **-eux** (**-eux** → **-euse**)	**Il est généreux.**	**Elle est généreuse.**
All adjectives ending in **-ien** (**-ien** → **-ienne**)	**Il est italien.**	**Elle est italienne.**
All adjectives ending in **-if** (**-if** → **-ive**)	**Il est sportif.**	**Elle est sportive.**

ADJECTIVES AND NOUNS: FORMATION OF PLURAL

		Masculine	Feminine
Most noun and adjective forms (*add* **-s**)	Sing. Pl.	**un pantalon vert** **des pantalons verts**	**une jupe verte** **des jupes vertes**
Most noun and <u>masculine</u> adjective forms ending in **-al** (**-al** → **-aux**)	Sing. Pl.	**le sport principal** **les sports princip<u>aux</u>**	**la rue principale** **les rues principales**
All noun and <u>masculine</u> adjective forms ending in **-eau** (*add* **-x**)	Sing. Pl.	**le nouveau bat<u>eau</u>** **les nouv<u>eaux</u> bat<u>eaux</u>**	**la nouvelle voiture** **les nouvelles voitures**
All noun and <u>masculine</u> adjective forms ending in **-s** (*no change*)	Sing. Pl.	**un autobu<u>s</u> gri<u>s</u>** **des autobu<u>s</u> gri<u>s</u>**	**une mobylette grise** **des mobylettes grises**
All <u>masculine</u> adjective forms ending in **-x** (*no change*)	Sing. Pl.	**un garçon paresseux** **des garçons paresseux**	**une fille paresseuse** **des filles paresseuses**

ADVERBS: FORMATION

Adjective		Adverb
Masculine	Feminine	
continuel intense **vrai**	**continuelle** **intense** vraie	**continuellement** **intensément** **vraiment**

ADVERBS: NEGATIVE EXPRESSIONS

Elle **ne** garde **pas** les enfants.
Elle **ne** les garde **plus**.
Elle **ne** les garde **jamais**.
Elle **n'a rien** sur son compte.

NOUNS: COMPARATIVE

moins de **autant de** **plus de**	+	noun	+	**que**

ADJECTIVES AND ADVERBS: COMPARATIVE AND SUPERLATIVE

Comparative				
moins **aussi** **plus**	+	adjective or adverb	+	**que**

Superlative						
le/la/les	+	**moins** **plus**	+	adjective or adverb	+	**de**

IRREGULAR COMPARATIVE AND SUPERLATIVE FORMS

	Comparative	Superlative
bon(s), bonne(s) **mauvais, -e, -es**	**meilleur (e)(s)** **plus mauvais, -e, -es**	**le/la/les meilleur(e)(s)** **le/la/les plus mauvais, -e, -es** **le/la/les pire(s)**
bien	**mieux**	**le mieux**

REGULAR VERBS: SIMPLE TENSES

	Stem	Ending	Stem	Ending	Stem	Ending
Infinitive	aim	-er	chois	-ir	attend	-re
PRESENT	aim	-e -es -e -ons -ez -ent	chois	-is -is -it -issons -issez -issent	attend	-s -s — -ons -ez -ent
REQUESTS, COMMANDS, SUGGESTIONS	écout	-e -ons -ez	chois	-is -issons -issez	attend	-s -ons -ez

IMPERFECT		
	Stem	Ending
Present tense **nous** form: habitoɲ$ finissoɲ$ entendoɲ$		-ais -ais -ait -ions -iez -aient

FUTURE		
	Stem	Ending
Infinitive: habiter finir entendɾ		-ai -as -a -ons -ez -ont

PRESENT SUBJUNCTIVE		
	Stem	Ending
Present tense **ils** form: habitéɲ finisséɲ entendéɲ		-e -es -e -ions -iez -ent

REGULAR VERBS: COMPOUND TENSES

		Auxiliary		Past Participle	
PASSE COMPOSE	with **avoir**	ai as a	avons avez ont	aim chois attend	-é -i -u
	with **être**	suis es est	sommes êtes sont	arriv sort descend	-é(e)(s) -i(e)(s) -u(e)(s)

		Auxiliary		Past Participle	
PAST SUBJUNCTIVE	with **avoir**	aie aies ait	ayons ayez aient	jou fin entend	-é -i -u
	with **être**	sois sois soit	soyons soyez soient	retourn part descend	-é(e)(s) -i(e)(s) -u(e)(s)

PAST INFINITIVE: FORMATION

Infinitive		Auxiliary Verb	Past Participle
déjeuner		**avoir**	**déjeuné**
arriver	après	**être**	**arrivé(e)(s)**
se reposer		**s'être**	**reposé(e)(s)**

PRONOUNS

Independent Pronouns	Subject Pronouns	Direct-Object Pronouns	Indirect-Object Pronouns	Reflexive Pronouns
moi	**je (j')**	**me**	**me**	**me**
toi	**tu**	**te**	**te**	**te**
lui	**il**	**le**	**lui**	**se**
elle	**elle**	**la**	**lui**	**se**
nous	**nous**	**nous**	**nous**	**nous**
vous	**vous**	**vous**	**vous**	**vous**
eux	**ils**	**les**	**leur**	**se**
elles	**elles**	**les**	**leur**	**se**

PRONOUNS

Pronoun replacing **de** + noun phrase	**en**
Pronoun replacing **à, dans, sur...** + noun phrase	**y**

INTERROGATIVE PRONOUNS

	People	Things
Subject of verb	**qui** **qui est-ce qui**	**qu'est-ce qui**
Object of verb	**qui** **qui est-ce que**	**que** **qu'est-ce que**
Object of preposition	**de qui** **à qui**	**de quoi** **à quoi**

RELATIVE PRONOUNS

	Qui Subject of verb in clause	**Que** Object of verb in clause
People	Pierre discute avec une fille **qui** s'appelle Roxane.	Roxane sort avec un garçon **que** je ne connais pas.
Places	J'ai visité une ville **qui** est près de Strasbourg.	La ville **que** j'ai visitée était intéressante.
Things	On vivra dans des stations **qui** seront construites dans l'espace.	Des robots feront le travail **que** nous faisons actuellement.

VERBS FOLLOWED BY AN INFINITIVE

aimer oser penser pouvoir préférer savoir vouloir		+ infinitive

aider s'amuser apprendre arriver commencer donner se forcer inviter réussir	à	+ infinitive

s'arrêter conseiller continuer décider demander se dépêcher dire essayer finir s'occuper oublier parler persuader proposer refuser	de	+ infinitive

EXPRESSIONS FOLLOWED BY AN INFINITIVE

avoir l'air avoir le courage avoir le droit avoir envie avoir l'occasion avoir raison avoir tort être obligé(e)	de	+ infinitive
avoir intérêt avoir du mal être habitué(e)	à	+ infinitive

Following is an alphabetical list of verbs with stem changes, spelling changes, or irregular forms. An infinitive appearing after the verb means that the verb follows one of the patterns shown on pages 449–57. Verbs like **sortir** have been included in the list. All verbs ending in **-ir** that have not been included are like **choisir**.

aboyer, like **essayer,** 450
acheter, 449
aller, 451
appeler, 450
apprendre, like **prendre,** 455
avancer, like **commencer,** 450
avoir, 451

boire, 451
bouger, like **manger,** 450

changer, like **manger,** 450
commencer, 450
comprendre, like **prendre,** 455
connaître, 452
contenir, like **venir,** 457
convaincre, 452
courir, 452
croire, 452

déménager, like **manger,** 450
devoir, 452
dire, 453
dormir, like **sortir,** 456

écrire, 453
élever, like **lever,** 450
ennuyer, like **essayer,** 450
envoyer, 453
espérer, like **préférer,** 451
essayer, 450
être, 453

faire, 453
forcer, like **commencer,** 450

inquiéter, like **préférer,** 451

lever, 450
lire, 454

manger, 450
mettre, 454

nager, like **manger,** 450
neiger, like **manger,** 450

offrir, 454
ouvrir, like **offrir,** 454

paraître, like **connaître,** 452
partir, like **sortir,** 456
payer, like **essayer,** 450
peser, like **lever,** 450
plaindre, 454
plaire, 454
pleuvoir, 455
plonger, like **manger,** 450
pouvoir, 455
préférer, 451
prendre, 455
produire, 455
projeter, 451
promener, like **lever,** 450
promettre, like **mettre,** 454

ranger, like **manger,** 450
rappeler, like **appeler,** 450
recevoir, 455
recommencer, like **commencer,** 450
repartir, like **sortir,** 456
répéter, like **préférer,** 451
reprendre, like **prendre,** 455
résoudre, 456
rire, 456

savoir, 456
sentir, like **sortir,** 456
servir, like **sortir,** 456
songer, like **manger,** 450
sortir, 456
soulever, like **lever,** 450
sourire, like **rire,** 456
suivre, 456

valoir, 457
venir, 457
vivre, 457
voir, 457
vouloir, 457

Verbs with Stem and Spelling Changes

Verbs listed in this section are not irregular, but they do show some stem and spelling changes. The forms in which the changes occur are printed in **boldface** type.

ACHETER

Present	**achète, achètes, achète,** achetons, achetez, **achètent**
Commands	**achète,** achetons, achetez
Passé Composé	*Auxiliary:* avoir *Past Participle:* acheté
Imperfect	achetais, achetais, achetait, achetions, achetiez, achetaient
Future	**achèterai, achèteras, achètera, achèterons, achèterez, achèteront**
Subjunctive	**achète, achètes, achète,** achetions, achetiez, **achètent**
Past Subjunctive	*Auxiliary: present subjunctive of* avoir *Past Participle:* acheté

APPELER

Present	**appelle, appelles, appelle,** appelons, appelez, **appellent**
Commands	**appelle,** appelons, appelez
Passé Composé	*Auxiliary:* avoir *Past Participle:* appelé
Imperfect	appelais, appelais, appelait, appelions, appeliez, appelaient
Future	**appellerai, appelleras, appellera, appellerons, appellerez, appelleront**
Subjunctive	**appelle, appelles, appelle,** appelions, appeliez, **appellent**
Past Subjunctive	*Auxiliary: present subjunctive of* avoir *Past Participle:* appelé

COMMENCER

Present	commence, commences, commence, **commençons,** commencez, commencent
Commands	commence, **commençons,** commencez
Passé Composé	*Auxiliary:* avoir *Past Participle:* commencé
Imperfect	**commençais, commençais, commençait,** commencions, commenciez, **commençaient**
Future	commencerai, commenceras, commencera, commencerons, commencerez, commenceront
Subjunctive	commence, commences, commence, commencions, commenciez, commencent
Past Subjunctive	*Auxiliary: present subjunctive of* avoir *Past Participle:* commencé

ESSAYER

Present	**essaie, essaies, essaie,** essayons, essayez, **essaient**
Commands	**essaie,** essayons, essayez
Passé Composé	*Auxiliary:* avoir *Past Participle:* essayé
Imperfect	essayais, essayais, essayait, essayions, essayiez, essayaient
Future	**essaierai, essaieras, essaiera, essaierons, essaierez, essaieront**
Subjunctive	**essaie, essaies, essaie,** essayions, essayiez, **essaient**
Past Subjunctive	*Auxiliary: present subjunctive of* avoir *Past Participle:* essayé

LEVER

Present	**lève, lèves, lève,** levons, levez, **lèvent**
Commands	**lève,** levons, levez
Passé Composé	*Auxiliary:* avoir *Past Participle:* levé
Imperfect	levais, levais, levait, levions, leviez, levaient
Future	**lèverai, lèveras, lèvera, lèverons, lèverez, lèveront**
Subjunctive	**lève, lèves, lève,** levions, leviez, **lèvent**
Past Subjunctive	*Auxiliary: present subjunctive of* avoir *Past Participle:* levé

MANGER

Present	mange, manges, mange, **mangeons,** mangez, mangent
Commands	mange, **mangeons,** mangez
Passé Composé	*Auxiliary:* avoir *Past Participle:* mangé
Imperfect	**mangeais, mangeais, mangeait,** mangions, mangiez, **mangeaient**
Future	mangerai, mangeras, mangera, mangerons, mangerez, mangeront
Subjunctive	mange, manges, mange, mangions, mangiez, mangent
Past Subjunctive	*Auxiliary: present subjunctive of* avoir *Past Participle:* mangé

PREFERER

Present	**préfère, préfères, préfère,** préférons, préférez, **préfèrent**
Passé Composé	*Auxiliary:* avoir *Past Participle:* préféré
Imperfect	préférais, préférais, préférait, préférions, préfériez, préféraient
Future	préférerai, préféreras, préférera, préférerons, préférerez, préféreront
Subjunctive	**préfère, préfères, préfère,** préférions, préfériez, **préfèrent**
Past Subjunctive	*Auxiliary: present subjunctive of* avoir *Past Participle:* préféré

PROJETER

Present	**projette, projettes, projette,** projetons, projetez, **projettent**
Commands	**projette,** projetons, projetez
Passé Composé	*Auxiliary:* avoir *Past Participle:* projeté
Imperfect	projetais, projetais, projetait, projetions, projetiez, projetaient
Future	**projetterai, projetteras, projettera, projetterons, projetterez, projetteront**
Subjunctive	**projette, projettes, projette,** nous projetions, vous projetiez, **projettent**
Past Subjunctive	*Auxiliary: present subjunctive of* avoir *Past Participle:* projeté

Verbs with Irregular Forms

Verbs listed in this section are those that do not follow the pattern of verbs like **aimer,** verbs like **choisir,** or verbs like **attendre.**

ALLER

Present	vais, vas, va, allons, allez, vont
Commands	va, allons, allez
Passé Composé	*Auxiliary:* être *Past Participle:* allé
Imperfect	allais, allais, allait, allions, alliez, allaient
Future	irai, iras, ira, irons, irez, iront
Subjunctive	aille, ailles, aille, allions, alliez, aillent
Past Subjunctive	*Auxiliary: present subjunctive of* être *Past Participle:* allé

AVOIR

Present	ai, as, a, avons, avez, ont
Commands	aie, ayons, ayez
Passé Composé	*Auxiliary:* avoir *Past Participle:* eu
Imperfect	avais, avais, avait, avions, aviez, avaient
Future	aurai, auras, aura, aurons, aurez, auront
Subjunctive	aie, aies, ait, ayons, ayez, aient
Past Subjunctive	*Auxiliary: present subjunctive of* avoir *Past Participle:* eu

BOIRE

Present	bois, bois, boit, buvons, buvez, boivent
Commands	bois, buvons, buvez
Passé Composé	*Auxiliary:* avoir *Past Participle:* bu
Imperfect	buvais, buvais, buvait, buvions, buviez, buvaient
Future	boirai, boiras, boira, boirons, boirez, boiront
Subjunctive	boive, boives, boive, buvions, buviez, boivent
Past Subjunctive	*Auxiliary: present subjunctive of* avoir *Past Participle:* bu

CONNAITRE

Present	connais, connais, connaît, connaissons, connaissez, connaissent
Passé Composé	*Auxiliary:* avoir *Past Participle:* connu
Imperfect	connaissais, connaissais, connaissait, connaissions, connaissiez, connaissaient
Future	connaîtrai, connaîtras, connaîtra, connaîtrons, connaîtrez, connaîtront
Subjunctive	connaisse, connaisses, connaisse, connaissions, connaissiez, connaissent
Past Subjunctive	*Auxiliary: present subjunctive of* avoir *Past Participle:* connu

CONVAINCRE

Present	convaincs, convaincs, convainc, convainquons, convainquez, convainquent
Commands	convaincs, convainquons, convainquez
Passé Composé	*Auxiliary:* avoir *Past Participle:* convaincu
Imperfect	convainquais, convainquais, convainquait, convainquions, convainquiez, convainquaient
Future	convaincrai, convaincras, convaincra, convaincrons, convaincrez, convaincront
Subjunctive	convainque, convainques, convainque, convainquions, convainquiez, convainquent
Past Subjunctive	*Auxiliary: present subjunctive of* avoir *Past Participle:* convaincu

COURIR

Present	cours, cours, court, courons, courez, courent
Commands	cours, courons, courez
Passé Composé	*Auxiliary:* avoir *Past Participle:* couru
Imperfect	courais, courais, courait, courions, couriez, couraient
Future	courrai, courras, courra, courrons, courrez, courront
Subjunctive	coure, coures, coure, courions, couriez, courent
Past Subjunctive	*Auxiliary: present subjunctive of* avoir *Past Participle:* couru

CROIRE

Present	crois, crois, croit, croyons, croyez, croient
Commands	crois, croyons, croyez
Passé Composé	*Auxiliary:* avoir *Past Participle:* cru
Imperfect	croyais, croyais, croyait, croyions, croyiez, croyaient
Future	croirai, croiras, croira, croirons, croirez, croiront
Subjunctive	croie, croies, croie, croyions, croyiez, croient
Past Subjunctive	*Auxiliary: present subjunctive of* avoir *Past Participle:* cru

DEVOIR

Present	dois, dois, doit, devons, devez, doivent
Passé Composé	*Auxiliary:* avoir *Past Participle:* dû
Imperfect	devais, devais, devait, devions, deviez, devaient
Future	devrai, devras, devra, devrons, devrez, devront
Subjunctive	doive, doives, doive, devions, deviez, doivent
Past Subjunctive	*Auxiliary: present subjunctive of* avoir *Past Participle:* dû

DIRE

Present	dis, dis, dit, disons, dites, disent
Commands	dis, disons, dites
Passé Composé	*Auxiliary:* avoir *Past Participle:* dit
Imperfect	disais, disais, disait, disions, disiez, disaient
Future	dirai, diras, dira, dirons, direz, diront
Subjunctive	dise, dises, dise, disions, disiez, disent
Past Subjunctive	*Auxiliary: present subjunctive of* avoir *Past Participle:* dit

ECRIRE

Present	écris, écris, écrit, écrivons, écrivez, écrivent
Commands	écris, écrivons, écrivez
Passé Composé	*Auxiliary:* avoir *Past Participle:* écrit
Imperfect	écrivais, écrivais, écrivait, écrivions, écriviez, écrivaient
Future	écrirai, écriras, écrira, écrirons, écrirez, écriront
Subjunctive	écrive, écrives, écrive, écrivions, écriviez, écrivent
Past Subjunctive	*Auxiliary: present subjunctive of* avoir *Past Participle:* écrit

ENVOYER

Present	envoie, envoies, envoie, envoyons, envoyez, envoient
Commands	envoie, envoyons, envoyez
Passé Composé	*Auxiliary:* avoir *Past Participle:* envoyé
Imperfect	envoyais, envoyais, envoyait, envoyions, envoyiez, envoyaient
Future	enverrai, enverras, enverra, enverrons, enverrez, enverront
Subjunctive	envoie, envoies, envoie, envoyions, envoyiez, envoient
Past Subjunctive	*Auxiliary: present subjunctive of* avoir *Past Participle:* envoyé

ETRE

Present	suis, es, est, sommes, êtes, sont
Commands	sois, soyons, soyez
Passé Composé	*Auxiliary:* avoir *Past Participle:* été
Imperfect	étais, étais, était, étions, étiez, étaient
Future	serai, seras, sera, serons, serez, seront
Subjunctive	sois, sois, soit, soyons, soyez, soient
Past Subjunctive	*Auxiliary: present subjunctive of* avoir *Past Participle:* été

FAIRE

Present	fais, fais, fait, faisons, faites, font
Commands	fais, faisons, faites
Passé Composé	*Auxiliary:* avoir *Past Participle:* fait
Imperfect	faisais, faisais, faisait, faisions, faisiez, faisaient
Future	ferai, feras, fera, ferons, ferez, feront
Subjunctive	fasse, fasses, fasse, fassions, fassiez, fassent
Past Subjunctive	*Auxiliary: present subjunctive of* avoir *Past Participle:* fait

LIRE

Present	lis, lis, lit, lisons, lisez, lisent
Commands	lis, lisons, lisez
Passé Composé	*Auxiliary:* avoir *Past Participle:* lu
Imperfect	lisais, lisais, lisait, lisions, lisiez, lisaient
Future	lirai, liras, lira, lirons, lirez, liront
Subjunctive	lise, lises, lise, lisions, lisiez, lisent
Past Subjunctive	*Auxiliary: present subjunctive of* avoir *Past Participle:* lu

METTRE

Present	mets, mets, met, mettons, mettez, mettent
Commands	mets, mettons, mettez
Passé Composé	*Auxiliary:* avoir *Past Participle:* mis
Imperfect	mettais, mettais, mettait, mettions, mettiez, mettaient
Future	mettrai, mettras, mettra, mettrons, mettrez, mettront
Subjunctive	mette, mettes, mette, mettions, mettiez, mettent
Past Subjunctive	*Auxiliary: present subjunctive of* avoir *Past Participle:* mis

OFFRIR

Present	offre, offres, offre, offrons, offrez, offrent
Commands	offre, offrons, offrez
Passé Composé	*Auxiliary:* avoir *Past Participle:* offert
Imperfect	offrais, offrais, offrait, offrions, offriez, offraient
Future	offrirai, offriras, offrira, offrirons, offrirez, offriront
Subjunctive	offre, offres, offre, offrions, offriez, offrent
Past Subjunctive	*Auxiliary: present subjunctive of* avoir *Past Participle:* offert

PLAINDRE

Present	plains, plains, plaint, plaignons, plaignez, plaignent
Commands	plains, plaignons, plaignez
Passé Composé	*Auxiliary:* avoir *Past Participle:* plaint
Imperfect	plaignais, plaignais, plaignait, plaignions, plaigniez, plaignaient
Future	plaindrai, plaindras, plaindra, plaindrons, plaindrez, plaindront
Subjunctive	plaigne, plaignes, plaigne, plaignions, plaigniez, plaignent
Past Subjunctive	*Auxiliary: present subjunctive of* avoir *Past Participle:* plaint

PLAIRE

Present	plais, plais, plaît, plaisons, plaisez, plaisent
Commands	plais, plaisons, plaisez
Passé Composé	*Auxiliary:* avoir *Past Participle:* plu
Imperfect	plaisais, plaisais, plaisait, plaisions, plaisiez, plaisaient
Future	plairai, plairas, plaira, plairons, plairez, plairont
Subjunctive	plaise, plaises, plaise, plaisions, plaisiez, plaisent
Past Subjunctive	*Auxiliary: present subjunctive of* avoir *Past Participle:* plu

PLEUVOIR

Present	il pleut
Passé Composé	*Auxiliary:* avoir *Past Participle:* plu
Imperfect	il pleuvait
Future	il pleuvra
Subjunctive	il pleuve
Past Subjunctive	*Auxiliary: present subjunctive of* avoir *Past Participle:* plu

POUVOIR

Present	peux, peux, peut, pouvons, pouvez, peuvent
Passé Composé	*Auxiliary:* avoir *Past Participle:* pu
Imperfect	pouvais, pouvais, pouvait, pouvions, pouviez, pouvaient
Future	pourrai, pourras, pourra, pourrons, pourrez, pourront
Subjunctive	puisse, puisses, puisse, puissions, puissiez, puissent
Past Subjunctive	*Auxiliary: present subjunctive of* avoir *Past Participle:* pu

PRENDRE

Present	prends, prends, prend, prenons, prenez, prennent
Commands	prends, prenons, prenez
Passé Composé	*Auxiliary:* avoir *Past Participle:* pris
Imperfect	prenais, prenais, prenait, prenions, preniez, prenaient
Future	prendrai, prendras, prendra, prendrons, prendrez, prendront
Subjunctive	prenne, prennes, prenne, prenions, preniez, prennent
Past Subjunctive	*Auxiliary: present subjunctive of* avoir *Past Participle:* pris

PRODUIRE

Present	produis, produis, produit, produisons, produisez, produisent
Commands	produis, produisons, produisez
Passé Composé	*Auxiliary:* avoir *Past Participle:* produit
Imperfect	produisais, produisais, produisait, produisions, produisiez, produisaient
Future	produirai, produiras, produira, produirons, produirez, produiront
Subjunctive	produise, produises, produise, produisions, produisiez, produisent
Past Subjunctive	*Auxiliary: present subjunctive of* avoir *Past Participle:* produit

RECEVOIR

Present	reçois, reçois, reçoit, recevons, recevez, reçoivent
Commands	reçois, recevons, recevez
Passé Composé	*Auxiliary:* avoir *Past Participle:* reçu
Imperfect	recevais, recevais, recevait, recevions, receviez, recevaient
Future	recevrai, recevras, recevra, recevrons, recevrez, recevront
Subjunctive	reçoive, reçoives, reçoive, recevions, receviez, reçoivent
Past Subjunctive	*Auxiliary: present subjunctive of* avoir *Past Participle:* reçu

RESOUDRE

Present	résous, résous, résout, résolvons, résolvez, résolvent
Commands	résous, résolvons, résolvez
Passé Composé	*Auxiliary:* avoir *Past Participle:* résolu
Imperfect	résolvais, résolvais, résolvait, résolvions, résolviez, résolvaient
Future	résoudrai, résoudras, résoudra, résoudrons, résoudrez, résoudront
Subjunctive	résolve, résolves, résolve, résolvions, résolviez, résolvent
Past Subjunctive	*Auxiliary: present subjunctive of* avoir *Past Participle:* résolu

RIRE

Present	ris, ris, rit, rions, riez, rient
Commands	ris, rions, riez
Passé Composé	*Auxiliary:* avoir *Past Participle:* ri
Imperfect	riais, riais, riait, riions, riiez, riaient
Future	rirai, riras, rira, rirons, rirez, riront
Subjunctive	rie, ries, rie, riions, riiez, rient
Past Subjunctive	*Auxiliary: present subjunctive of* avoir *Past Participle:* ri

SAVOIR

Present	sais, sais, sait, savons, savez, savent
Commands	sache, sachons, sachez
Passé Composé	*Auxiliary:* avoir *Past Participle:* su
Imperfect	savais, savais, savait, savions, saviez, savaient
Future	saurai, sauras, saura, saurons, saurez, sauront
Subjunctive	sache, saches, sache, sachions, sachiez, sachent
Past Subjunctive	*Auxiliary: present subjunctive of* avoir *Past Participle:* su

SORTIR

Present	sors, sors, sort, sortons, sortez, sortent
Commands	sors, sortons, sortez
Passé Composé	*Auxiliary:* être *Past Participle:* sorti
Imperfect	sortais, sortais, sortait, sortions, sortiez, sortaient
Future	sortirai, sortiras, sortira, sortirons, sortirez, sortiront
Subjunctive	sorte, sortes, sorte, sortions, sortiez, sortent
Past Subjunctive	*Auxiliary: present subjunctive of* être *Past Participle:* sorti

SUIVRE

Present	suis, suis, suit, suivons, suivez, suivent
Commands	suis, suivons, suivez
Passé Composé	*Auxiliary:* avoir *Past Participle:* suivi
Imperfect	suivais, suivais, suivait, suivions, suiviez, suivaient
Future	suivrai, suivras, suivra, suivrons, suivrez, suivront
Subjunctive	suive, suives, suive, suivions, suiviez, suivent
Past Subjunctive	*Auxiliary: present subjunctive of* avoir *Past Participle:* suivi

VALOIR

Present	il vaut
Passé Composé	*Auxiliary:* avoir *Past Participle:* valu
Imperfect	il valait
Future	il vaudra

VENIR

Present	viens, viens, vient, venons, venez, viennent
Commands	viens, venons, venez
Passé Composé	*Auxiliary:* être *Past Participle:* venu
Imperfect	venais, venais, venait, venions, veniez, venaient
Future	viendrai, viendras, viendra, viendrons, viendrez, viendront
Subjunctive	vienne, viennes, vienne, venions, veniez, viennent
Past Subjunctive	*Auxiliary: present subjunctive of* être *Past Participle:* venu

VIVRE

Present	vis, vis, vit, vivons, vivez, vivent
Commands	vis, vivons, vivez
Passé Composé	*Auxiliary:* avoir *Past Participle:* vécu
Imperfect	vivais, vivais, vivait, vivions, viviez, vivaient
Future	vivrai, vivras, vivra, vivrons, vivrez, vivront
Subjunctive	vive, vives, vive, vivions, viviez, vivent
Past Subjunctive	*Auxiliary: present subjunctive of* avoir *Past Participle:* vécu

VOIR

Present	vois, vois, voit, voyons, voyez, voient
Commands	vois, voyons, voyez
Passé Composé	*Auxiliary:* avoir *Past Participle:* vu
Imperfect	voyais, voyais, voyait, voyions, voyiez, voyaient
Future	verrai, verras, verra, verrons, verrez, verront
Subjunctive	voie, voies, voie, voyions, voyiez, voient
Past Subjunctive	*Auxiliary: present subjunctive of* avoir *Past Participle:* vu

VOULOIR

Present	veux, veux, veut, voulons, voulez, veulent
Commands	veuille, veuillons, veuillez
Passé Composé	*Auxiliary:* avoir *Past Participle:* voulu
Imperfect	voulais, voulais, voulait, voulions, vouliez, voulaient
Future	voudrai, voudras, voudra, voudrons, voudrez, voudront
Subjunctive	veuille, veuilles, veuille, voulions, vouliez, veuillent
Past Subjunctive	*Auxiliary: present subjunctive of* avoir *Past Participle:* voulu

PRONUNCIATION

Pronunciation exercises are found in the following units.

NUMBERS

CARDINAL

0	zéro	14	quatorze	71	soixante et onze
1	un/une	15	quinze	72	soixante-douze
2	deux	16	seize	80	quatre-vingts
3	trois	17	dix-sept	81	quatre-vingt-un/une
4	quatre	18	dix-huit	90	quatre-vingt-dix
5	cinq	19	dix-neuf	91	quatre-vingt-onze
6	six	20	vingt	100	cent
7	sept	21	vingt et un/une	101	cent un/une
8	huit	22	vingt-deux	200	deux cents
9	neuf	30	trente	201	deux cent un/une
10	dix	40	quarante	1 000	mille
11	onze	50	cinquante	1 001	mille un/une
12	douze	60	soixante	1 920	mille neuf cent vingt
13	treize	70	soixante-dix	2 000	deux mille

ORDINAL

1st	premier, première	1er, 1ère		*5th*	cinquième	5^e		*8th*	huitième	8^e
2nd	deuxième	2^e		*6th*	sixième	6^e		*9th*	neuvième	9^e
3rd	troisième	3^e		*7th*	septième	7^e		*10th*	dixième	10^e
4th	quatrième	4^e								

FRENCH-ENGLISH VOCABULARY

This vocabulary list includes all the active words (new words appearing in basic material, listed in the **Vocabulaire** section of each unit) presented in **Nous, les jeunes.** Also included are words for recognition only (new words, which may be understood from context, appearing in exercises, in optional material, in the Try Your Skills and **A Lire** sections, or in review units.) Omitted are the words in **Premier Contact,** a few close cognates, glossed words, and words explained in the **Savez-vous que... ?** sections.

Active vocabulary that was introduced in **Nouveaux copains** also appears in this list, followed by the roman numeral **I.** The vocabulary presented in **Nous, les jeunes** is followed by the roman numeral **II** and an arabic numeral that refers to the unit in which the word or phrase is introduced. When the arabic numeral is in light type, it indicates vocabulary for recognition only.

Verbs are given in the infinitive. Nouns are always given with a gender marker. If gender is not apparent, however, it is indicated by *m.* (masculine) or *f.* (feminine) following the noun. Irregular plurals are also given, abbreviated *pl.* An asterisk (*) before a word beginning with *h* indicates an aspirate *h*.

A

à *at, to, in, on,* **I**
abandonner *to give up,* **I**
aboyer *to bark,* **II, 6**
absolument *absolutely,* **II, 3**
à cause de *because of,* **II, 9**
accompagner *to accompany,* **II, 3**
un **accord** *agreement,* **II, 11**
accourir *to run up,* **II, 11**
l' **accueil** (m.) *reception, registration desk,* **II, 2**
accueillant, -e *welcoming,* **II, 1**
les **achats** (m.) *purchases,* **II, 2;** **faire des achats** *to go shopping,* **II, 2**
acheter *to buy,* **I**
actif, -ive *active,* **II, 9**
actuellement *currently,* **II, 11**
s' **adapter** *to get used to,* **II, 9**
adieu *farewell, goodbye,* **II, 10**
admirer *to admire,* **I**
adorer *to love,* **I**
une **adresse** *address,* **I**
un **adversaire** *opponent,* **II, 2**
un **aéroport** *airport,* **I**
les **affaires : être dans les affaires** (f.) *to be in business,* **II, 11**
une **affaire de cœur** *love affair,* **II, 5**
une **affiche** *poster,* **I**
âge : Tu as quel âge? *How old are you?* **I**
âgé, -e *elderly,* **II, 11**

agréable *pleasant,* **I**
aider *to help,* **II, 5**
aimer *to love,* **I; aimer mieux** *to prefer, like better,* **I**
l' **air** (m.) *air,* **II, 9; avoir l' air de** *to look like,* **I**
un **album** *album,* **I**
l' **alimentation** (f.) *food,* **II, 7**
aller *to go,* **I; Allez!** *Come on!* **II, 5; Allons-y!** *Let's go!* **I; Comment allez-vous?** *How are you?* **II, 1**
allô *hello (on phone),* **I**
alors *so, well, then,* **I**
alsacien, -ienne *Alsatian,* **I**
amateur *amateur,* **II, 10**
une **ambiance** *atmosphere,* **I**
ambitieux, -euse *ambitious,* **II, 2**
américain, -e *American,* **I**
un(e) **Américain(e)** *American,* **I**
un(e) **ami(e)** *friend,* **I**
amour : une histoire d'amour *love story,* **I**
amoureux, -euse (de) *in love (with),* **II, 5**
un(e) **amoureux, -euse** *lover,* **II, 3**
amusant, -e *fun, amusing,* **II, 3**
s' **amuser** *to have fun,* **II, 10; Je me suis amusé(e).** *I had a good time.* **II, 1; Tu t'es amusé(e)?** *Did you have a good time?* **II, 1**
un **an** *year,* **I**

ancien, -ienne *ancient, old,* **II, 10**
les **anciens** (m.) *old friends,* **II, 1**
l' **anglais** (m.) *English (language),* **I**
l' **angle** (m.) *angle, corner,* **II, 3; grand angle** *wide angle,* **II, 10**
l' **Angleterre** (f.) *England,* **II, 1**
un **animal** (pl. -aux) *animal,* **I**
l' **animateur, -trice** *activity leader,* **II, 2**
année : Bonne année! *Happy New Year!* **I**
un **anniversaire** *anniversary, birthday,* **I**
une **annonce** *announcement, ad,* **II, 2**
antiamaril, -e *anti-yellow fever,* **II, 12**
août (m.) *August,* **I**
un **appartement** *apartment,* **I**
appeler *to call, phone,* **II, 3; (s') appeler** *to call, be named,* **I**
appétit : Bon appétit! *Enjoy your meal!* **I**
applaudir *to applaud,* **II, 4**
apporter *to bring,* **I**
apprécier *to appreciate,* **II, 3**
apprendre *to learn,* **II, 2**
un **apprentissage** *apprenticeship,* **II, 6**
l' **aprèm = l'après-midi,** **I**
après *after,* **I**
l' **après-midi** (m.) *afternoon, in the afternoon,* **I**
un **arbre généalogique** *family tree,* **I**

459

Arcachon *town south of Bordeaux,* **II, 1**

un **architecte** *architect,* **II, 1**

l' **Ardèche** (f.) *department in southeast France,* **II, 1**

les **arènes** (f.) *arena,* **II, 10**

l' **argent** (m.) *money,* **I**; l' **argent de poche** (m.) *spending money, allowance,* **II, 6**

une **armoire** *wardrobe,* **I**

un **arrêt** *stop, stopover,* **II, 10**

(s') arrêter *to stop,* **II, 3**

l' **arrivée** (f.) *arrival,* **I**

arriver *to arrive,* **I**; **arriver à** *to manage,* **II, 2**; **Je n'y arrive pas!** *I can't manage to do it!* **II, 2**; **Ça n'arrive jamais!** *It never happens!* **II, 9**; **Qu'est-ce qui t'arrive?** *What's wrong with you?* **II, 7**

arroser *to water,* **II, 5**

l' **art** (m.) *art,* **I**; **les arts plastiques** *art (class),* **I**

l' **aspirateur** (m.) *vacuum cleaner,* **I**; **passer l' aspirateur** *to vacuum,* **I**

un **assassin** *murderer,* **I**

assez *rather,* **I**; **assez (de)** *enough,* **I**; **J'en ai assez!** *I'm fed up!* **II, 3**

assister à *to attend,* **II, 3**

assurer *to assure,* **II, 7**

l' **athlétisme** (m.) *track and field,* **I**

attendre *to wait (for),* **I**

attention : faire attention *to be careful,* **II, 1**; **Fais attention.** *Pay attention.* **II, 2**

une **attraction** *attraction,* **II, 3**

attraper *to catch,* **II, 1**

au contraire *on the contrary,* **II, 1**

les **auditeurs** (m.) *listeners,* **II, 11**

aujourd'hui *today,* **I**

au revoir *goodbye,* **I**

aussi *also, too,* **I**

l' **automne** (m.) *autumn, fall,* **I**; **en automne** *in the fall,* **I**

autre *other,* **I**

autrement *differently,* **II, 11**

l' **Auvergne** (f.) *region in the center of the Massif Central,* **II, 1**

avancer *to advance,* **II, 3**

avant (de) *before,* **I**

avec *with,* **I**

l' **avenir** (m.) *future,* **II, 1**

une **avenue** *avenue,* **I**

avertir *to inform,* **II, 10**

un **avion** *airplane,* **l**

avis : à mon avis *in my opinion,* **I**

un(e) **avocat(e)** *lawyer,* **I**

avoir *to have,* **I**; **avoir l'air (de)** *to look like,* **I**; **avoir... ans** *to be... years old,* **I**; **avoir besoin de** *to need,* **I**; **avoir de la chance** *to be lucky,* **II, 1**; **avoir droit à** *to have the right to,* **II, 1**; **avoir envie de** *to feel like,* **I**; **avoir faim** *to be hungry,* **I**; **avoir lieu** *to take place,* **II, 3**; **avoir peur de** *to*

be afraid of,* **I; **Qu'est-ce que tu as?** *What's wrong with you?* **II, 7**; **avoir soif** *to be thirsty,* **I**

avril (m.) *April,* **I**

B

bac(calauréat) *exam taken upon completion of secondary school,* **II, 2**

un **badge** *(slogan) button,* **I**

les **bagages** (m.) *luggage, baggage,* **I**; **aux bagages** *at the baggage claim area,* **I**

une **bague** *ring,* **I**

une **baguette** *long loaf of bread,* **II, 10**

un **bal** *dance,* **II, 3**

une **balade** *walk, stroll,* **I**

se balader *to go for a walk,* **II, AC1**

une **balle** *baseball, tennis ball,* **I**

un **ballon** *inflated ball, balloon,* **I**

banal, -e *banal, ordinary,* **I**

une **banane** *banana,* **II, 7**

une **bande** *group,* **II, 3**

des **bandes dessinées** (f.) *comic strips, comics,* **I**

la **banlieue** *suburbs,* **II, AC3**

une **banque** *bank,* **I**

barbare *barbarian, barbaric,* **II, 10**

la **barbe : C'est la barbe!** *It's boring!* **I**

barber (fam.) *to bore,* **II, 10**

le **base-ball** *baseball,* **I**

la **basilique** *basilica,* **II, 9**

le **basket(-ball)** *basketball,* **I**

des **baskets** (f.) *(high) sneakers,* **I**

la **basse** *bass guitar,* **II, 2**

un(e) **bassiste** *bass player,* **II, 2**

un **bateau** (pl. **-x**) *boat,* **I**

des **bâtons** (m.) *ski poles,* **I**

une **batte** *bat,* **I**

la **batterie** *set of drums,* **II, 2**

un **batteur** *drummer,* **II, 2**

se battre *to fight with one another,* **II, 11**; **La boum bat son plein.** *The party's in full swing.* **I**

beau, bel, belle, beaux, belles *beautiful,* **I**

beaucoup (de) *many, much, a lot (of),* **I**

une **bédé** *comic book,* **II, 1**

la **Belgique** *Belgium,* **I**

besoin : avoir besoin de *to need,* **I**

un **best-seller** *best seller,* **II, 11**

bête *dumb, stupid,* **II, 10**

les **bêtises** (f.) *nonsense,* **II, 5**

le **beurre** *butter,* **I**; **le beurre de cacahouètes** *peanut butter,* **I**

une **bibliothèque** *library,* **II, 1**

le **bicross** *dirtbiking,* **I**

la **bicyclette** *bicycle, bicycling,* **II, 1**

bidon : C'est bidon! *It's trash!* **I**

bien *fine, well, nice,* **I**; **bien**

sûr *of course,* **I**; **eh bien** *well,* **I**; **ou bien** *or else,* **I**

bientôt *soon,* **II, 11**

bienvenu, -e : Bienvenue! *Welcome!* **I**; **Soyez le/la bienvenue!** *Welcome!* **I**

un **bijou** *jewel,* **I**; **des bijoux** *jewelry,* **I**

une **bijouterie** *jewelry store,* **I**

le **bilan : faire le bilan** *to assess, take stock of,* **II, 1**

un **billet** *ticket, bill (money),* **I**

la **biolo(gie)** *biology,* **I**

un **biscuit** *cookie,* **II, 10**

Bises *Love and kisses,* **I**

une **blague** *joke,* **II, 1**

le **blanc** *white,* **I**; **blanc, blanche** *white,* **I**

le **bleu** *blue,* **I**; **bleu, -e** *blue,* **I**

un **blouson** *waist-length jacket,* **I**

le **blues** *blues (music),* **I**

bof *aw (expression of indifference),* **I**

boire *to drink,* **II, 7**

le **bois** *wood,* **I**; **en bois** *wooden,* **I**

une **boisson** *drink, beverage,* **I**

une **boîte** *box,* **I**

un **bol** *bowl,* **I**

bon, bonne *good, OK,* **I**; **Il fait bon.** *It's nice weather.* **I**

un **bonbon** *piece of candy,* **I**

une **bonbonne** *bottle of propane gas,* **II, 1**

le **bonheur** *happiness,* **II, 1**

un **bonhomme (de neige)** *snowman,* **II, 3**

bonjour *hello,* **I**

bonsoir *good evening,* **I**

bord : au bord de la mer *at the seashore,* **II, 1**

une **botte** *boot,* **I**

des **boucles d'oreilles** (f.) *earrings,* **II, 10**

bouger *to move, budge,* **II, 3**

une **bougie** *candle,* **I**

une **boulangerie** *bakery,* **I**

un **boulot** (fam.) *job,* **II, 6**

une **boum** *party,* **I**; **La boum bat son plein.** *The party's in full swing.* **I**

boume : Ça boume? *How's it going?* **II, 6**

la **Bourgogne** *Burgundy,* **I**

la **Bourse : jouer à la Bourse** *to play the stock market,* **II, 11**

une **bousculade** *crush,* **II, 1**

une **bouteille** *bottle,* **I**

une **boutique** *boutique, shop,* **I**

un **bowling** *bowling alley,* **I**

un **bracelet** *bracelet,* **I**

branché, -e *in the know, with it,* **II, 2**; **la mode branchée** *the latest style,* **I**

Bravo! *Well done!* **II, 6**

la **Bretagne** *Brittany,* **I**

bricoler *to tinker,* **II, AC2**

brillant, -e *brilliant,* **II, 2**

une **brioche** *brioche,* **I**

le **brocoli** *broccoli,* **II, 7**

bronzé, -e *tanned,* **II, 1**

bronzer *to get a tan,* **II, 1**

le **bruit** *noise,* **II, 3**

brun, -e *brown, brunet, brunette,* I

Bruxelles *Brussels,* I

un **budget** *budget,* II, 6

un **bureau** (pl. -x) *desk,* I; le **bureau de change** *currency (money) exchange,* I

un **bus** *bus (public),* I; **en bus** *by bus,* I

un **but** *goal,* II, 11

C

ça *it, that,* I; **Ça ne fait rien.** *That's all right.* I; **Ça va?** *Are things going OK?* I; **Ça va. Fine.** I

cacahouètes : le beurre de cacahouètes *peanut butter,* I

un **cadeau** (pl. -x) *gift,* I

le **café** *coffee,* I; **le café au lait** *coffee with milk,* I; **un café** *cafe,* I

une **cafeteria** *cafeteria,* I

un **cahier** *notebook,* I

un(e) **caissier, -ière** *cashier,* II, 6

une **calculette** *pocket calculator,* I

le **calme** *stillness,* II, 11

calme *calm,* II, 9

les **calories** (f.) *calories,* II, 11

la **Camargue** *the Rhône delta,* II, 10

la **campagne** *countryside,* I

camper *to camp,* II, 1

le **camping** *camping,* II, 1

le **Canada** *Canada,* I

un **canapé** *couch, sofa,* II, AC3

le **cancer** *cancer,* II, 11

le **canoë** *canoeing,* II, 1

le **canoë-kayak** *kayaking,* II, 1

la **cantine** *cafeteria,* II, 7

la **capitale** *capital,* I

car *because,* II, 10

le **carnaval** *carnival,* II, 3

un **carnet** *booklet (of tickets, stamps, etc.),* II, 9

une **carotte** *carrot,* II, 7

le **carrefour** *crossroads,* II, 9

un **carrousel** *slide carrousel,* II, 10

une **carte** *map, card,* I; **une carte postale** *postcard,* I; **une carte (de vœux)** *greeting card,* I

un **casque** *helmet,* I

casser *to break,* II, 6

une **cassette** *cassette,* I

une **catastrophe** *catastrophe,* I

la **catégorie** *category,* II, 6

une **cathédrale** *cathedral,* I

ce *this, that,* I

célèbre *famous,* I

célibataire *unmarried,* II, 11

celle(-là) (f.) *this/that one, the one,* I

celles(-là) (f.) *these, those, the ones,* I

celui(-là) (m.) *this/that one, the one,* I

une **centaine** *hundred,* II, 6

un **centimètre (cm)** *centimeter,* I

centre : un centre commercial *shopping center, mall,* I; **un centre de loisirs** *vacation camp, resort,* II, 6; **un centre de vacances** *vacation resort, camp,* II, 1

ce que *how,* II, 3; *what,* II, 5

des **céréales** (f.) *cereal,* II, 7

les **cérébraux** (m.) *intellectuals,* II, AC1

certain, -e *certain,* II, 9

certainement *undoubtedly,* II, 7

certains *certain ones,* II, 1

ces *these, those,* I

c'est *he's, she's, it's, this is, that's, these/those are,* I

cet *this, that,* I

cette *this, that,* I

ceux(-là) (m.) *these, those, the ones,* I

chacun : Chacun va de son côté. *Each one goes his separate way.* I

les **chagrins** (m.) *sorrows,* II, AC1

une **chaîne stéréo** *stereo,* I

une **chaise** *chair,* I

une **chambre** *bedroom,* I; **une chambre d'amis** *guest room,* I

les **champignons** (m.) *mushrooms,* II, AC2

le **championnat** *championship,* I

la **chance** *luck,* II, 3

changer *to exchange,* I; *to change,* II, 6

une **chanson** *song,* II, 2

un **chant** *song,* II, 3

chanter *to sing,* I

un **chapeau** *hat,* II, 9; **un chapeau de toile** *canvas hat,* II, 12

chaque *each,* II, 1

un **char** *float,* II, 3

un(e) **chat(te)** *cat,* I

chaud, -e *warm,* I; **Il fait chaud.** *It's warm.* I

une **chaussette** *sock,* I

une **chaussure** *shoe,* I; **des chaussures de ski** *ski boots,* I

un **chef** *chef,* I

le **chemin** *way,* II, 7

une **chemise** *man's shirt,* I

un **chemisier** *woman's tailored shirt,* I

un **chèque** *check,* I; **un chèque de voyage** *traveler's check,* I

cher, chère *expensive,* I

chercher *to look for,* I

le **cheval** *horseback riding,* I; *horse* (pl. -aux), II, 10

les **cheveux** (m.) *hair,* I

chez *to/at someone's house,* I; **chez le disquaire** *record shop,* I; **chez le/la fleuriste** *the florist's,* I

un(e) **chien(ne)** *dog,* I

chimique *chemical,* II, 10

la **Chine** *China,* II, 11

le **chocolat** *chocolate, hot chocolate,* I; **un gâteau au chocolat** *chocolate cake,* I; **une mousse au chocolat** *chocolate mousse,* I

choisir *to choose,* I

le **choix** *choice,* II, 1

le **chômage** *unemployment,* II, 11

une **chose** *thing,* I; **quelque chose** *something,* I

chouette *great,* I

Chut! *Shhh!* II, 10

le **ciel** *sky,* I

le **cinéma** *movie theater, movies,* I

circuler *to circulate,* II, 3

civilisé, -e *civilized,* II, 10

la **clarinette** *clarinet,* II, 2

une **classe** *grade,* I

un **classeur** *loose-leaf notebook,* I

le **classique** *classical music,* I

classique *classical,* I

un **club** *club,* I

le **CNES (Centre national d'études spatiales)** *French center for space research,* II, 11

le **cœur : mal au cœur** *stomach ache, nausea,* II, 3

une **coiffure** *hairdo,* I

col : un col roulé *turtleneck shirt,* I

collectionner *to collect,* I

un **collège** *middle or junior high school,* I

un **collier** *necklace,* I

coloniser *to colonize,* II, 11

un **combat** *fight, battle,* II, 10

combien (de) *how much, how many,* I

comique : un film comique *comedy,* I

comme *like, as,* I; *in the way of,* II, 2; **Comme tu veux.** *If you want.* II, 9

commencer *to start,* I; **commencer par** *to begin with (by),* II, 3

comment *how,* I

un(e) **commerçant(e)** *merchant,* I

communiquer *to communicate,* II, 11

une **compétition** *contest,* II, 3

le **complexe** *complex,* II, 10

un **compliment : Mes compliments pour...** *My compliments on...,* I

comprendre *to understand,* II, 1

un **compte** *bank account,* II, 6; **sur mon compte** *in my account,* II, 6

compter *to count,* II, 6; *to intend,* II, 11

un **concert** *concert,* I

la **concurrence** *competition,* II, 2

un(e) **confident(e)** *confidant,* II, 5

la **confiture** *jam,* I

la **connaissance : faire (la) connaissance** *to get acquainted,* II, 1

connaître *to know, be acquainted with,* I

consacré, -e (à) *devoted (to),* **II, 10**
un **conseil** *advice,* **II, 5**
 conseiller *to advise,* **II, 5**
 conservé, -e *preserved,* **II, 10**
 conserver *to keep, preserve,* **II, 7**
les **consignes** (f.) *orders,* **II, 10**
 consoler *to console,* **II, 9**
 construit, -e *built,* **II, 11**
 contenir *to contain,* **II, 11**
 content, -e *happy, glad,* **II, 1**
 continuellement *continually,* **II, 3**
 continuer *to continue,* **I**
le **contraire** *opposite,* **II, 5**
le **contrôle des passeports**
 passport check, **I**
 convaincu : J'en suis convaincu.
 I'm convinced of it. **II, 11**
 convenir *to be appropriate, fit,*
 II, 11
un **copain,** une **copine** *pal, friend,* **I**
le **coquelicot** *poppy (flower),* **II, 9**
le **corps** *body,* **II, 7**
un(e) **correspondant(e)** *pen pal,* **I**
une **corvée** *chore,* **II, AC1**
 côté : à côté (de) *next to, next*
 door to, **I; Chacun va de son**
 côté. *Each one goes his*
 separate way. **I**
 se **coucher** *to go to bed,* **II, 7**
 coucou *hi,* **II, 3**
une **couleur** *color,* **I**
le **couloir** *hall,* **I**
un **coup de soleil** *sunburn,* **II, 1**
la **cour** *courtyard,* **II, 1**
le **courage** *courage,* **II, 5; Je n'ai**
 pas le courage de… *I don't*
 feel up to…, **II, 10**
 courir *to run,* **II, 7; Je cours** *I*
 run, **II, 3**
le **courrier** *mail,* **II, AC3**
un **cours** *course, class,* **I**
une **course de voitures** *auto race,*
 II, 4; la course aux
 armements *arms race,* **II, 11;**
 une course de taureaux
 bullfight, **II, 10**
les **courses** (f.) *shopping,* **II, 5**
 court : à court de *short of,* **II, 6**
 court, -e *short,* **I**
un(e) **cousin(e)** *cousin,* **I**
 coûter *to cost,* **I**
le **couvert** *place setting,* **II, 1**
 craquer (fam.) *to be about to*
 collapse, **II, 7**
un **crayon** *pencil,* **I**
 créer *to create,* **II, 5**
 crevé, -e *exhausted,* **II, 7**
un **cri** *shout,* **II, 3**
 criard, -e *loud, garish,* **I**
 crier *to shout,* **II, 6**
 croire *to believe,* **II, 11; Je**
 crois *I believe,* **II, 3; Tu**
 crois? *Do you think so?* **I**
un **croissant** *croissant,* **I**
une **crosse** *hockey stick,* **I**
la **cuisine** *kitchen,* **I; cooking,** **II, 5**
 culturellement *culturally,* **II, 9**
 curieux, -euse *curious,* **I**

D

 d'abord *first (of all),* **I**
 d'accord *OK,* **I; être d'accord**
 to agree, **I**
 dames : jouer aux dames *to*
 play checkers, **II, 2**
 dangereux, -euse *dangerous,*
 II, 5
 dans *in,* **I**
la **danse** *dance,* **II, 2**
 danser *to dance,* **I**
 Dassault *French aeronautics*
 company, **II, 11**
la **date** *date,* **I**
 de *from, of,* **I; de la, de l'**
 some, any, **I**
le **débarras** *storeroom,* **I**
le **début** *beginning,* **II, 7**
un(e) **débutant(e)** *beginner,* **II, 2**
 débuter *to begin,* **II, 1**
 décapotable *convertible,* **II, AC3**
 décembre (m.) *December,* **I**
 décider *to decide,* **I**
une **décision** *decision,* **II, 1;**
 prendre une décision *to*
 make a decision, **II, 1**
 déclarer *to declare,* **I**
 décoré, -e *decorated,* **I**
 (se) défendre *to defend*
 (oneself), **II, 10**
un **défilé** *parade,* **II, 3**
 dehors *outside,* **II, 11; en**
 dehors de *outside of, beyond,*
 II, 2
 déjà *already,* **I**
le **déjeuner** *lunch,* **I; le petit**
 déjeuner *breakfast,* **I**
 déjeuner *to have lunch,* **II, 2**
 délicieux, -euse *delicious,* **I**
 demain *tomorrow,* **I**
 demander (à) *to ask,* **I; Vous**
 demandez quel numéro?
 What number are you calling? **I**
 démarrer *to start (a car),* **II, 11**
 déménager *to move,* **II, 9**
 demie : et demie *half past (the*
 hour), **I**
une **demi-heure** *a half-hour,* **I**
 démodé, -e *out of style,* **II, 6**
une **dent** *tooth,* **II, 7**
un(e) **dentiste** *dentist,* **I**
le **départ** *departure,* **II, 10**
 dépaysé, -e *uprooted,* **II, 9**
 se **dépêcher** *to hurry,* **II, 10;**
 Dépêche-toi! *Hurry!* **II, 5**
 dépendre (de) *to depend (on),* **I**
 dépenser *to spend,* **II, 6**
 dépensier, -ière *spendthrift,* **II, 6**
 depuis *for,* **II, 2;** *(ever) since,*
 II, 7; depuis que *since,* **II, 9**
 dernier, -ière *last,* **I**
 des *some, any,* **I**
 descendre *to go down,* **I**
une **descente** *descent,* **II, 3**
 désespéré, -e *discouraged,* **II, 6**
un **désir** *desire,* **II, 6**
 désolé, -e *sorry,* **I**

 dès que *as soon as,* **II, 6**
le **dessert** *dessert,* **I**
un **dessin animé** *cartoon,* **I**
la **détente** *relaxation,* **II, AC2**
 détester *to hate,* **I**
 deuxième *second,* **I; au**
 deuxième étage *on the*
 second floor, **I**
 devant *in front of,* **I**
 devoir *to have to, must,* **II, 2**
les **devoirs** (m.) *homework,* **I**
 dévoré, -e *devoured, eaten,* **II, 10**
 devrais *should,* **II, 7**
une **diapositive** *slide,* **II, 10**
un **dictionnaire** *dictionary,* **I**
 différemment *differently,* **II, 11**
 différent, -e *different,* **I**
 difficile *difficult, hard,* **I**
 diffusé, -e *broadcast,* **II, 11**
 dimanche (m.) *Sunday,* **I; le**
 dimanche *on Sunday(s),* **I**
 diminuer *to decrease,* **II, 5**
le **dîner** *dinner, supper,* **I; l' heure**
 du dîner *dinnertime,* **I**
 dîner *to eat dinner,* **I**
 dire *to say,* **I; Ça ne me dit**
 rien. *That doesn't appeal to*
 me. **II, 10; Ça te dit… ?** *Do*
 you want to… ? **II, 2; Dis!**
 Say! **I; Qu'est-ce qu'elle a**
 dit? *What did she say?* **II, 6**
 directement *directly,* **II, 11**
 diriger *to direct,* **II, 11**
une **discothèque** *disco,* **I**
une **discussion** *discussion,* **II, 5**
 discuter *to talk,* **I**
 disparaître *to disappear,* **II, 11**
 disponible *available,* **II, 2**
 se **disputer** *to argue, fight,*
 II, 11
 disquaire : chez le disquaire
 record shop, **I**
un **disque** *record,* **I**
 distribuer *to distribute,* **II, 6**
le **docteur** *doctor,* **II, 7**
un **dollar** *dollar,* **I**
 domestique *domestic,*
 household, **II, 5**
 dommage *pity, too bad,* **II, 3;**
 C'est dommage! *That's too*
 bad! **II, 3**
 donc *therefore,* **II, 6**
 donner *to give,* **I; Ça donne**
 faim. *It makes you hungry.* **I**
 dormir *to sleep,* **I**
le **dortoir** *dormitory,* **II, 10**
la **douane** *customs,* **I**
un(e) **douanier, -ière** *customs agent,* **I**
une **douzaine (de)** *dozen,* **I**
 douzième *twelfth,* **I**
un **dragueur** *flirt,* **II, 1**
 droit *straight,* **II, 2; tout**
 droit *straight ahead,* **I**
le **droit** *right,* **II, 5**
 droite : à droite (de) *to the*
 right (of), **I**
 drôle *funny,* **I**
 drôlement *pretty, very,* **II, 3;**

drôlement bien *extremely well*, **I**
du = de + le *some, any*, **I**
la **duchesse** *duchess*, **II, 3**
dur, -e *hard, difficult*, **II, 2**
durer *to last*, **II, 3**
dynamique *dynamic*, **II, 6**

E

l' **eau** (f.) *water*, **I**; l' **eau minérale** *mineral water*, **I**
écarter les bras *to spread one's arms*, **II, 1**
échange : en échange *in exchange*, **II, 6**
une **écharpe** *scarf*, **I**
échecs : jouer aux échecs *to play chess*, **II, 2**
un **éclair** *eclair*, **II, 7**
une **école** *school*, **I**; l' **école maternelle** *pre-school*, **II, AC3**
économe *economical, thrifty*, **II, 6**
économiser *to economize*, **II, 6**
écouter *to listen (to)*, **I**
un **écran** *projection screen*, **II, 10**
écrit : elle a écrit *she wrote*, **II, 6**
éducatif, -ive *educational*, **II, 10**
un **effort** *effort*, **II, 2**
égal, -e (m. pl. **-aux**) *equal*, **II, 3**; **Ça m'est égal.** *I don't care.* **II, 3**
égaler *to equal*, **I**
s' **égarer** *to get lost*, **II, 10**
une **église** *church*, **I**
égoïste *selfish*, **I**
électrique *electric*, **II, 2**
élégant, -e *elegant*, **I**
un(e) **élève** *pupil, student*, **I**
élever *to raise*, **II, 11**
elle *she, it*, **I**
elles *they, them*, **I**
embêter *to annoy*, **II, 6**
embrasser *to kiss*, **II, 10**; **Tout le monde t'embrasse.** *Everyone sends you their love.* **II, 9**
une **émission** *television program, show*, **I**
emmener *to take (someone somewhere)*, **II, 3**
une **émotion** *emotion*, **II, 3**
émouvant, -e *touching*, **I**
l' **emplacement** (m.) *location*, **I**
un **emploi** *job*, **II, 11**; **un emploi du temps** *schedule*, **I**
un(e) **employé(e)** *employee*, **I**
emporter *to bring*, **I**
emprunter (à) *to borrow (from)*, **II, 6**
en *in, by, on, to*, **I**; **en bas** *down below*, **II, 9**; **en direct** *on the air*, **II, 11**; **en plus** *in addition*, **II, 3**
encore *more, again*, **I**; **Encore!** *Not again!* **I**; **encore un(e)** *another*, **I**; **encore un peu** *a little more*, **I**; **pas encore** *not yet*, **I**

un **endroit** *place*, **I**
énergique *energetic*, **II, 7**
énerver *to upset*, **II, 6**
un **enfant** *child*, **I**
l' **enfer** (m.) *hell*, **II, 6**
enfin *in short, finally*, **I**; *well*, **II, 3**
enneigé, -e *snow-covered*, **II, 3**
des **ennuis** (m.) *troubles*, **II, 9**
s' **ennuyer : Je m'ennuie.** *I get (am) bored.* **II, 1**; **Je me suis ennuyé(e).** *I got (was) bored.* **II, 1**; **s'ennuyer à mourir** *to be bored to death*, **II, 9**
ennuyeux, -euse *boring*, **II, 1**
énormément *enormously*, **II, 1**
une **enquête** *inquiry*, **II, 2**
une **enseigne** *sign*, **I**
ensemble *together*, **I**
ensuite *then, next*, **I**
entendre *to hear*, **II, 3**; **s'entendre bien (avec)** *to get along well (with)*, **II, 11**
entourer *to surround*, **II, 1**
un **entraînement** *practice, training*, **II, 2**
s'entraîner *to train, work out*, **II, 7**
entre *between*, **I**
l' **entrée** (f.) *entrance*, **I**
entrer *to come in, enter*, **I**
envie : avoir envie (de) *to feel like*, **I**
envier *to envy*, **II, 11**
envoyer *to send*, **I**
l' **épaule** (f.) *shoulder*, **II, 2**
une **épicerie** *grocery store*, **I**
une **époque** *epoch, age, era*, **II, 10**
épuisé, -e *exhausted*, **II, 7**
équilibré, -e *balanced*, **II, 7**
l' **équitation** (f.) *horseback riding*, **II, 1**
un **érable** *maple tree*, **II, AC2**
une **erreur** *error, wrong number*, **I**
un **escalator** *escalator*, **I**
un **escalier** *stairs*, **I**
l' **espace** (m.) *room, space*, **II, 9**
l' **espagnol** (m.) *Spanish (language)*, **I**
espérer *to hope*, **I**
essayer *to try*, **II, 2**
essentiel, -elle *essential*, **II, 7**
et *and*, **I**
un **étage** *floor*, **I**; **au premier/ deuxième/troisième étage** *on the second/third/fourth floor*, **I**
une **étagère** *bookcase*, **I**
était *was*, **II, 1**
un **étang** *pond*, **II, 10**
les **Etats-Unis** (m.) *the United States*, **I**
l' **été** (m.) *summer*, **I**; **en été** *in the summer*, **I**
une **étoile** *star*, **II, 3**
étonnant, -e *surprising*, **II, 7**
étonnerait : Ça m'étonnerait! *That would surprise me!* **II, 11**

étranger, -ère *foreign*, **II, 6**
être *to be*, **I**; **être en panne** *to be out of order*, **II, 11**
étroit, -e *narrow, tight*, **I**
les **études** (f.) *studies*, **II, 2**
un(e) **étudiant(e)** *student*, **I**
étudier *to study*, **II, 2**
l' **Europe** (f.) *Europe*, **I**
eux *them, they*, **I**; **chez eux** *at, to their house*, **I**
évident : C'est évident! *That's obvious!* **II, 11**
éviter *to avoid*, **II, 1**
un **examen** *exam*, **I**
excellent, -e *excellent*, **I**
excusez-moi *excuse me*, **I**
un **exercice** *exercise*, **II, 7**
exister *to exist*, **II, 11**
expliquer *to explain*, **II, 1**
exposer *to exhibit*, **II, 10**
une **exposition** *show, exhibit*, **II, 9**
exprès *purposely*, **II, 3**
exprimer *to express*, **II, 3**
extra(ordinaire) *terrific, great*, **I**
extravagant, -e *extravagant, wild*, **I**

F

fabriquer *to make*, **II, 11**
fabuleux, -euse *fabulous*, **II, 3**
face : en face (de) *across (from)*, **I**
facile *easy*, **I**
une **façon** *way*, **II, 6**
faible *weak*, **II, 7**
la **faim** *hunger*, **II, 11**; **avoir faim** *to be hungry*, **I**; **Ça donne faim.** *It makes you hungry.* **I**
faire *to do, make*, **I**; **Fais (Faites) comme chez toi (vous).** *Make yourself at home.* **I**; **faire (de)** *to take part in sports*, **I**; **faire demi-tour** *to turn around*, **II, 2**; **faire du baby-sitting** *to baby-sit*, **I**; **faire du lèche-vitrines** *to go window-shopping*, **I**; **faire l'idiot** *to act stupid*, **I**; **faire de la photo** *to take pictures*, **I**; **faire des rencontres** *to meet*, **I**; **faire son marché** *to do one's grocery shopping*, **II, 11**; **Ça fait joli.** *That looks pretty.* **I**; **Ça ne fait rien.** *That's all right.* **I**; **Il fait bon.** *It's nice weather.* **I**; **Il fait chaud/frais/ froid.** *It's warm/cool/cold.* **I**; **Il fait dix.** *It's ten (degrees).* **I**; **Il fait moins dix.** *It's ten below (zero).* **I**; **Il fait quel temps?** *What's the weather like?* **I**; **Il fait quelle température?** *What's the temperature?* **I**; **(Ne) t'en fais pas!** *Don't worry!* **II, 9**
une **famille** *family*, **I**; **en famille** *with one's family*, **I**
un(e) **fana(tique)** *fan*, **II, 3**

fantastique *fantastic*, **II, 3**
un **fantôme** *ghost*, **II, 3**
fascinant, -e *fascinating*, **II, 9**
un **fast-food** *fast-food restaurant*, **II, 6**
fatigant, -e *tiring*, **II, 9**
fatigué, -e *tired*, **I**
faut : il faut *it is necessary*, **I; il me/te faut** *I/you need*, **I**
Félicitations! *Congratulations!* **II, 6**
Féministe! *Feminist!* **II, 5**
une **femme** *wife, woman*, **I**
une **fenêtre** *window*, **I**
une **ferme** *farm*, **II, 6**
fermer *to close*, **I**
une **fête** *party, holiday, saint's day*, **I; Bonne fête!** *Happy holiday! (Happy saint's day!)* **I**
fêter *to celebrate*, **II, 11**
un **feu d'artifice** *fireworks*, **II, 3**
une **feuille** *sheet of paper*, **I**
un **feuilleton** *soap opera*, **I**
février (m.) *February*, **I**
fier, fière *proud*, **II, 11**
un **filet** *net*, **I**
une **fille** *girl, daughter*, **I**
un **film** *movie, film*, **I; un film comique** *comedy*, **I; un film d'horreur** *horror movie*, **I; un film policier** *detective film, mystery*, **I; un film de science-fiction** *science-fiction movie*, **I; un film vidéo** *videocassette*, **I**
un **fils** *son*, **I**
la **fin** *end*, **II, 1**
la **finale** *final game, finals*, **I**
finir *to finish, end*, **I**
fixer *to set*, **II, 10**
un **flash** *flash*, **II, 10**
une **fleur** *flower*, **I**
fleuriste : chez le/la fleuriste *the florist's*, **I**
un **fleuve** *river*, **I**
un **flic** (slang) *cop*, **II, AC3**
la **flûte** *flute*, **II, 2**
une **fois** *one time, once*, **I; à la fois** *at the same time*, **I**
le **folk** *folk music*, **I**
un(e) **fonceur, -euse** *bold, courageous person*, **II, 3**
fonctionner *to function, work*, **II, 3**
fond : au fond de *at the end of*, **I**
le **foot(ball)** *soccer*, **I**
se **forcer** *to force oneself*, **II, 7**
la **forme : en (pleine) forme** *in (great) shape*, **II, 1; être en forme** *to be in good shape*, **II, 3**
former *to form*, **II, 2**
formidable *great*, **II, 3**
un **fort** *strong point*, **II, 1**
fort *loudly*, **II, 2; plus fort** *louder*, **II, 2**
fort, -e *strong*, **II, 3**
fortifiant, -e *fortifying*, **II, 7**

une **foule** *crowd*, **II, 3**
une **fourmi** *ant*, **II, 6**
frais, fraîche *cool*, **I; Il fait frais.** *It's cool.* **I**
un **franc (F)** *franc*, **I**
le **français** *French (language)*, **I**
français, -e *French*, **I**
un(e) **Français(e)** *French person*, **I**
la **France** *France*, **I**
un **frère** *brother*, **I**
le **fric** (slang) *money*, **II, 3**
un **frigo** *fridge*, **I**
des **frites** (f.) *French fries*, **I**
le **froid** *cold (weather)*, **II, 3**
froid, -e *cold*, **I; Il fait froid.** *It's cold.* **I**
le **fromage** *cheese*, **I**
le **fruit** *fruit*, **I; le jus de fruit** *fruit juice*, **I**
fumer *to smoke*, **II, 5**
un **funiculaire** *cable car*, **II, 9**
furieux, -euse *furious*, **II, 1**

G

gagner *to earn, win*, **II, 1**
gai, -e *gay, happy*, **II, 3**
une **gamelle** *mess kit*, **II, 1**
un **gant** *(baseball) glove*, **I**
le **garage** *garage*, **II, 2**
garantir *to guarantee*, **II, 7**
un **garçon** *boy*, **I**
garder *to guard*, **I; to take care of*, **II, 5; to keep*, **II, 6; garder la forme** *to keep in shape*, **I**
la **gare** *railroad station*, **I**
un **gâteau** (pl. **-x**) *cake*, **I; un gâteau au chocolat** *chocolate cake*, **I**
gauche : à gauche (de) *to the left (of)*, **I**
géant, -e *giant*, **II, 11**
gelé, -e *frozen*, **II, 3**
la **gendarmerie** *police station*, **I**
général, -e *general*, **II, 9**
généreux, -euse *generous*, **I**
Genève *Geneva*, **I**
génial, -e *fantastic, great*, **I**
un **genre** *kind*, **I**
les **gens** (m.) *people*, **I**
gentil, gentille *nice*, **I**
la **géo(graphie)** *geography*, **I**
un **gilet de sauvetage** *life jacket*, **II, 1**
la **glace** *ice cream*, **I; ice, mirror*, **II, 3**
un **gladiateur** *gladiator*, **II, 10**
une **gomme** *eraser*, **I**
le **goût** *taste*, **I**
le **goûter** *afternoon snack*, **I**
grâce : grâce à eux *thanks to them*, **II, 11**
un **gramme (g)** *gram*, **I**
grand, -e *big, large*, **I**
une **grand-mère** *grandmother*, **I**
un **grand-père** *grandfather*, **I**
les **grands-parents** (m.) *grandparents*, **I**

grave *serious, important*, **II, 11**
une **grève** *strike*, **II, 9; une grève des transports en commun** *public transportation strike*, **II, 9**
griffer *to claw, scratch*, **II, 6**
grimace : faire des grimaces (f.) *to make a (funny) face*, **II, 10**
gris, -e *gray*, **I**
gros, grosse *big, thick*, **I**
guérir *to cure*, **II, 11**
la **guerre** *war*, **II, 11**
un **guide** *guide, guidebook*, **I; un guide touristique** *tour guide*, **I**
une **guitare** *guitar*, **I**
la **gym(nastique)** *gym, P.E.*, **I**

H

habiller *to dress*, **II, 3**
habiter *to live (in), reside*, **I**
une **habitude** *habit*, **II, 7; d'habitude** *usually*, **I**
habitué, -e *used to, accustomed*, **II, 7**
handicapé, -e *handicapped*, **II, 11**
un **haricot vert** *string bean*, **II, 7**
haut, -e *high*, **II, 2; en haut de** *at the top of*, **I**
hein *huh?, is it?, right?* **I**
hélas *alas*, **II, 2**
hésiter *to hesitate*, **II, 5**
une **heure (h)** *hour, time*, **I; à l'heure** *on time*, **II, 10; à quelle heure** *what time*, **I; Il est quelle heure?** *What time is it?* **I; Il est... heure(s).** *It's ...o'clock.* **I; l' heure du dîner** *dinnertime*, **I; tout à l'heure** *in a minute*, **I**
heureusement *luckily, fortunately*, **I**
heureux, -euse *happy*, **I**
hier *yesterday*, **I**
l' **histoire** (f.) *history*, **I; une histoire d'amour** *love story*, **I**
l' **hiver** (m.) *winter*, **I; en hiver** *in the winter*, **I**
le **hockey** *hockey*, **I**
un **homme** *man*, **I**
un **hôpital** (pl. **-aux.**) *hospital*, **I**
un **horaire** *schedule, timetable*, **I**
horreur : un film d'horreur *horror movie*, **I**
horrible *horrible*, **II, 1**
hors de *outside of*, **II, 2**
un **hors-d'œuvre** (pl. **hors-d'œuvre**) *hors d'œuvre*, **I**
un **hôtel** *hotel*, **I**

I

ici *here*, **I**
un **idéal** *ideal*, **II, 11**
idéal, -e *ideal*, **II, 9**
une **idée** *idea*, **I; se faire une idée de** *to get a feel for*, **II, 9**

idiot, -e *stupid,* **I; faire l'idiot** *to act stupid,* **I**
il *he, it,* **I**
une **île** *island,* **II, 11**
illustrer *to illustrate,* **II, 10**
ils *they,* **I**
il y a *there is, there are,* **I; Il y a du soleil/vent.** *It's sunny/windy.* **I; Qu'est-ce qu'il y a à la télé?** *What's on TV?* **I**
imaginer *to imagine,* **II, 9**
immense *immense, huge,* **I**
un **immeuble** *apartment house,* **I**
immortel, -elle *immortal,* **II, 11**
un **imperméable** *raincoat,* **I**
l' **important** (m.) *important thing,* **II, 6**
impossible *impossible,* **I**
impressionnant, -e *impressive,* **I**
incompatible *incompatible,* **II, 6**
incompréhensible *incomprehensible,* **II, 3**
l' **inconnu(e)** *unknown,* **II, 11**
l' **Inde** (f.) *India,* **II, 11**
l' **indépendance** (f.) *independence,* **II, 6**
indépendant, -e *independent,* **II, 6**
indispensable *essential, indispensable,* **II, 11**
inépuisable *inexhaustible,* **II, 1**
infect, -e *disgusting, rotten,* **II, 7**
un(e) **infirmier, -ière** *nurse,* **I**
les **informations** (f.) *news,* **I**
l' **informatique** (f.) *computer science,* **I**
un **ingénieur** *engineer,* **I**
injuste *unfair, unjust,* **II, 5**
inquiet, -ète *worried,* **II, 6**
s'inquiéter *to worry,* **II, 7; Ne t'inquiète pas.** *Don't worry.* **II, 1**
inscrit, -e *enrolled,* **II, 2**
un **instant** *instant, moment,* **II, 10**
un **instrument** *instrument,* **II, 2**
intensément *intensely,* **II, 3**
interdit *forbidden,* **II, 10**
intéresser *to interest,* **II, 6; Ça t'intéresse de... ?** *Are you interested in . . . ?* **II, 2**
intérêt : avoir intérêt à *to be in one's interest to,* **II, 1**
une **interro(gation)** *quiz,* **I**
interroger *to question,* **II, 11**
une **interview** *interview,* **I**
inutile *useless,* **II, 1**
inventer *to invent,* **II, 10**
une **invitation** *invitation,* **I**
inviter *to invite,* **I**
un **itinéraire** *itinerary, route,* **II, 11**

J

jamais *never,* **II, 6**
la **jambe** *leg,* **II, 2**
le **jambon** *ham,* **I**
janvier (m.) *January,* **I**
un **jardin** *garden,* **I; un jardin anglais** *informal garden,* **I**

le **jaune** *yellow,* **I; jaune** *yellow,* **I**
le **jazz** *jazz,* **I**
je *I,* **I**
un **jean** *jeans,* **I**
un **jeu** (pl. **-x**) *game, game show,* **I; les Jeux Olympiques** *Olympic Games, Olympics,* **I**
jeudi (m.) *Thursday,* **I; le jeudi** *on Thursday(s),* **I**
jeune *young,* **I; les jeunes** (m.) *young people, the youth,* **I; la Maison des Jeunes** *Youth Recreation Center,* **I**
des **joggers** (m.) *running shoes,* **I**
le **jogging** *jogging,* **I**
la **joie** *joy,* **II, 3**
joli, -e *pretty, attractive,* **I**
jouer *to play,* **I; jouer à** *to play (a game),* **I; jouer au baby-foot** *to play table soccer,* **I; jouer de** *to play (a musical instrument),* **I**
un **jour** *day,* **I; tous les jours** *every day,* **I**
un **journal** (pl. **-aux**) *diary,* **I; newspaper,* **II, 1**
une **journaliste** *reporter,* **I**
une **journée** *day,* **II, 1; toute la journée** *all day long,* **II, 2**
joyeux, -euse *joyous, happy,* **II, 3; Joyeux anniversaire!** *Happy birthday!* **I; Joyeux Noël!** *Merry Christmas!* **I; Joyeuse Pâque!** *Happy Passover!* **I; Joyeuses Pâques!** *Happy Easter!* **I**
le **judo** *judo,* **II, 2**
juillet (m.) *July,* **I**
juin (m.) *June,* **I**
les **jumelles** (f.) *binoculars,* **II, 12**
une **jupe** *skirt,* **I**
le **jus** *juice,* **I; le jus de fruit** *fruit juice,* **I**
jusqu'à *until,* **II, 1**
juste *right,* **I; juste là** *right there,* **I; just, only,* **II, 6**
justement *exactly,* **II, 1; as a matter of fact,* **II, 2**

K

un **kilo (kg)** *kilo(gram),* **I**
un **kilomètre** *kilometer,* **I**

L

la *the,* **I**
la *it, her,* **II, 5**
là *there, here,* **I; juste là** *right there,* **I**
là-bas *over there,* **I**
lâcher *to let go, release,* **II, 7**
là-haut *up there,* **II, 9**
laisser *to leave,* **I**
le **lait** *milk,* **I**
une **lampe** *lamp,* **I**
un **lapin** *rabbit,* **II, 9**
large *wide, loose,* **I**

le **laser** *laser,* **II, 11**
laver *to wash,* **II, 5**
le *the,* **I**
le *it, him,* **II, 5**
lèche-vitrines : faire du lèche-vitrines *to go window shopping,* **I**
un **légume** *vegetable,* **I**
le **long de** *along,* **II, 3**
le **lendemain** *the next day,* **II, 5**
lentement *slowly,* **II, 3**
les *the,* **I**
les *them,* **II, 5**
leur *(to or for) them,* **I**
leur, leurs *their,* **I**
se lever *to get up,* **II, 7**
un(e) **libraire** *bookseller,* **I**
une **librairie** *bookstore,* **I**
libre *free, unoccupied,* **I**
la **limonade** *lemon soda,* **I**
lire *to read,* **I; Je lis.** *I'm reading.* **II, 5**
une **liste** *list,* **I**
un **lit** *bed,* **I**
un **litre** *liter,* **I**
le **living** *living room,* **I**
un **livre** *book,* **I**
un **local** *place,* **II, 2**
un **logement** *housing,* **II, 9**
loin *far (off),* **II, 1; loin (de)** *far (from),* **II, 11**
lointain, -e *faraway, distant,* **II, 10**
les **loisirs** (m.) *free time,* **II, 11**
long, longue *long,* **II, 1**
longtemps *a long time,* **II, 2; Ça fait longtemps que je ne t'ai pas vu(e)!** *It's been a long time since I've seen you.* **II, 9; Il y a si longtemps!** *It's been such a long time!* **II, 9**
louer *to rent,* **II, 1**
lui *(to or for) him/her,* **I**
lundi (m.) *Monday,* **I; le lundi** *on Monday(s),* **I**
un **lycée** *high school,* **I**
un(e) **lycéen(ne)** *high school student,* **I**
lyonnais, -e *from Lyon,* **II, 9**
un(e) **Lyonnais(e)** *person who lives in Lyon,* **II, 9**

M

ma *my,* **I**
Macho! *Male chauvinist!* **II, 5**
madame (Mme) *Mrs., madam, ma'am,* **I**
mademoiselle (Mlle) *miss,* **I**
un **magasin** *store,* **I; un grand magasin** *department store,* **I**
un **magazine** *magazine,* **I**
un **magnétoscope** *videocassette recorder, VCR,* **I**
magnifique *magnificent,* **I**
mai (m.) *May,* **I**

un **maillot de bain** *bathing suit*, I
la **main** *hand*, **II, 2**
maintenant *now*, I
la **mairie** *town hall*, I
mais *but*, I; **mais non** *of
course not*, I
une **maison** *house, home*, I; la
Maison des Jeunes (MJC)
Youth Recreation Center, I
le **mal : avoir le mal du pays** *to be
homesick*, **II, 9**; **avoir du mal à**
to have difficulty, **II, 7**; **avoir mal
à** *to hurt, ache*, **II, 7**;
mal *poorly, badly*, **II, 1**; **pas
mal** *not bad*, I
malade *sick*, **II, 1**
les **maladies** (f.) *diseases*, **II, 11**
malheureusement *unfortunately*,
II, 3
malin, maligne *clever, smart*, I
maman *Mom*, I
manger *to eat*, I
une **manifestation** *show,
demonstration*, **II, 10**
le **manque de distractions** *lack of
amusement*, **II, 9**
manquer *to miss*, **II, 10**;
manquer (de) *to lack*, **II, 7**; ...
me manque *I miss . . .* , **II, 9**
un **manteau** (pl. **-x**) *coat*, I
la **marche** *walking*, **II, 9**
marcher *to walk*, I; *to get
started, function*, **II, 2**; **Ça
marche?** *Is it going well?* **II, 6**
mardi (m.) *Tuesday*, I; **le
mardi** *on Tuesday(s)*, I
un **mari** *husband*, I
le **mariage : l'anniversaire** (m.) **de
mariage** *wedding anniversary*, I
marié, -e *married*, **II, 11**
se marier (avec) *to get married
(to)*, **II, 11**
une **maroquinerie** *leather-goods
shop*, I
marre : J'en ai marre! *I'm sick
of it!* **II, AC3**
le **marron** *brown*, I; **marron**
brown, I
mars (m.) *March*, I
un **match** (pl. **-es**) *game*, I; **un
match de foot** *soccer game*, I
un **matelas de mousse** *foam
mattress*, **II, 1**
les **maths (mathématiques)** (f.)
math, I
une **matière** *school subject*, **II, 1**; **la
matière plastique** *plastic*,
II, 10
le **matin** *morning, in the morning*, I
**matinée : faire la grasse
matinée** *to sleep late*, **II, 7**
mauvais, -e *bad*, I
méchant, -e *mean*, I
un **médecin** *doctor*, I
un **médicament** *medicine*, I
meilleur, -e *best*, I; *better*, **II, 7**;
Meilleurs vœux (souhaits)!
Best wishes! I

un **membre** *member*, I
même *even, same*, I
une **mémoire** *memory*, I; **un trou
de mémoire** *memory lapse*, I;
les mémoires (m.) *memoirs*,
II, 11
le **ménage** *housework*, **II, 5**
une **menthe à l'eau** *mint-flavored
water*, **II, AC3**
la **mer** *sea*, I
merci *thank you, thanks*, I
mercredi (m.) *Wednesday*, I; **le
mercredi** *on Wednesday(s)*, I
une **mère** *mother*, I
merveilleux, -euse *marvelous*,
II, 1
mes *my*, I
une **mesure** *measure*, **II, 7**
mesurer *to measure*, I
un **métier** *trade, craft*, **II, 6**
un **mètre** (m.) *meter*, I
le **métro** *subway*, I; **en métro** *by
subway*, I
mettre *to put (on), wear*, I
miauler *to meow*, **II, 6**
midi (m.) *noon*, I
mieux *better*, I; **aimer mieux**
to prefer, like better, I
mignon, -onne *cute*, I
le **milieu** *environment*, **II, 5**
un **millier** *about a thousand*, **II, 3**
des **millions** (m.) *millions*, **II, 11**
mine : avoir mauvaise mine *to
look sick*, **II, 7**
un **minimum** *minimum*, **II, 6**
minuit (m.) *midnight*, I
mis(e) à mort *put to death*, **II,
10**
la **mise à mort** *killing*, **II, 10**
une **mob(ylette)** *moped*, I; **en
mobylette** *by moped*, I
la **mode** *style*, I; **à la mode**
stylish, I; **la mode branchée**
the latest style, I; **la mode
rétro** *the style of the Fifties*, I;
la mode sport *the sporty
style/look*, I
moderne *modern*, **II, 9**
moi *me*, I; **moi aussi** *me too*,
II, 1; **moi non plus** *neither
do I*, **II, 1**
moins *minus*, I; **Il fait moins
dix.** *It's ten degrees below
(zero).* I; **au moins** *at least*, **II,
2**; **moins de** *fewer, less*, **II, 9**
un **mois** *month*, I
la **moitié** *half*, **II, 6**
mon *my*, I
le **monde** *world*, **II, 11**; **tout le
monde** *everybody*, I
monsieur (M.) *Mr., sir*, I
la **montagne** *mountain*, I; **à la
montagne** *in the mountains*, I;
les montagnes russes (f.) *roller
coaster*, **II, 3**
monter *to take up*, I; *to
assemble, organize*, **II, 2**
une **montre** *watch*, I

Montréal *Montreal*, I
montrer *to show*, I
un **monument** *monument*, I
un **morceau** (pl. **-x**) *number, piece*, I
mort, -e *dead*, **II, 7**
mot : un petit mot *note*, I; **un
mot de remerciements** *thank-
you note*, I
le **moteur** *motor*, **II, 11**
une **moto** *motorcycle*, I; **en moto**
by motorcycle, I
mouais (expression of
disinterest) *Who cares?* I
un **mouchoir** *handkerchief*, I
une **mousse** *mousse*, I; **une mousse
au chocolat** *chocolate mousse*, I
un **moyen** *means*, **II, 6**
moyen, moyenne *average*,
II, 1
la **musculation** *body building*, **II, 2**
un **musée** *museum*, I
un(e) **musicien, -ienne** *musician*,
II, 2
la **musique** *music*, I
des **myrtilles** (f.) *blueberries*, **II, 6**

N

nager *to swim*, I
une **nappe** *tablecloth*, **II, 10**
natal, -e *native*, **II, 12**
la **natation** *swimming*, I
la **nature** *nature*, **II, 9**
naturel, -elle *natural*, **II, 10**
un **navet : C'est un navet!** *It's a
dud!* I
ne : ne... pas *not*, I
nécessaire *necessary*, **II, 11**
neiger *to snow*, I; **Il neige.** *It's
snowing.* I
neuf : Quoi de neuf? *What's
new?* **II, 9**
un **neveu** (pl. **-x**) *nephew*, **II, 6**
un **niveau** *level*, **II, 2**
Noël : Joyeux Noël! *Merry
Christmas!* I
le **noir** *black*, I; **noir, -e** *black*, I
un **nom** *name*, I
nombreux, -euse *numerous*,
II, 11
non *no*, I; **non?** *isn't it?* I;
mais non *of course
not*, I
normal, -e *normal*, **II, 5**
nos *our*, I
la **note** *grade*, **II, 1**
notre *our*, I
se nourrir *to feed, nourish*, **II, 7**
nourrissant, -e *nourishing*,
II, 7
**nouveau, nouvel, nouvelle,
nouveaux, nouvelles** *new*, I
des **nouvelles** (f.) *news*, **II, 6**
novembre (m.) *November*, I
un **nuage** *cloud*, I
nul, nulle *hopeless, useless*, **II, 1**
un **numéro** *number*, I
nutritif, -ive *nutritive*, **II, 11**

O

un **objectif** *lens,* **II, 10**
les **objets trouvés** *lost and found,* **I**
une **obligation** *obligation,* **II, 5**
 obligé, -e *obliged,* **II, 9**
 observer *to observe,* **II, 2**
une **occasion** *opportunity,* **II, 6;**
 avoir l'occasion de *to have
 the opportunity,* **II, 9**
 occupé, -e *busy,* **I**
 s' occuper de *to take charge of,*
 II, 7
 octobre (m.) *October,* **I**
l' **odeur** (f.) *odor,* **II, 6**
un **œuf** *egg,* **I**
l' **Office de tourisme** (m.)
 Tourist Office, **I**
 offrir *to offer, give,* **I**
un **oiseau** (pl. -x) *bird,* **II, 9**
une **omelette** *omelette,* **I**
 on *one, we, you, they, people in
 general,* **I**
un **oncle** *uncle,* **I**
un **opéra** *opera,* **II, 10**
 optimiste *optimistic,* **II, 11**
un **orage** *thunderstorm,* **I**
l' **orange** (m.) *orange (color),* **I;**
 orange *orange,* **I; une
 orange** *orange,* **II, 7**
un **orchestre** *orchestra,* **II, 3**
un **ordinateur** *computer,* **I**
 organiser *to organize, arrange,* **I**
 original, -e (m. pl. **-aux**)
 original, **I**
 oser *to dare,* **II, 5**
 ou *or,* **I; ou bien** *or else,* **I**
 où *where,* **I**
 oublier *to forget,* **I**
 oui *yes,* **I**
un **ouragan** *hurricane,* **I**
 ouvert, -e *open,* **II, 3**
un(e) **ouvrier, -ière** *factory worker,
 blue collar worker,* **I**
 ouvrir *to open,* **I**

P

le **Pacifique** *Pacific,* **II, 11**
le **pain** *bread,* **I**
 pair : travailler au pair *to work
 as a mother's helper,* **II, 6**
une **paire** *pair,* **I**
un **pamplemousse** *grapefruit,* **II, 7**
un **panier** *basket,* **II, 10**
un **pantalon** *pants, slacks,* **I**
 papa *Dad,* **I**
une **papeterie** *stationery store,* **I**
 Pâque : Joyeuse Pâque! *Happy
 Passover!* **I**
 Pâques : Joyeuses Pâques!
 Happy Easter! **I**
 par *by, per,* **I; une fois par
 semaine** *once a week,* **I**
 paraît : il paraît (que) *it seems
 (that),* **II, 9**
un **parapluie** *umbrella ,* **I**
un **parc d'attractions** *amusement
 park,* **II, 3**

 parce que *because,* **I**
 pardon *excuse me,* **I**
 pareil, pareille *similar,* **II, 1;
 such,* **II, 10**
les **parents** (m.) *parents,* **I**
 paresseux, -euse *lazy,* **I**
 parfait, -e *perfect,* **I**
 parfaitement *perfectly,* **II, 9**
 parfois *sometimes,* **II, 10**
le **parfum** *perfume,* **I**
une **parfumerie** *perfume shop,* **I**
 parler *to speak, talk,* **I; Tu
 parles!** (fam.) *You've got to be
 kidding!* **II, 10**
 parmi *among,* **II, 2**
la **parole** *word,* **II, 11; les
 paroles** *lyrics (of song),* **II, 3**
 participer *to take part,
 participate,* **II, 5**
une **partie** *game,* **II, 11; faire partie
 de** *to belong to,* **II, 6**
 partir *to leave,* **I; à partir de
 from . . . on(ward),* **II, 7**
 partout *everywhere,* **II, 7**
 pas *not,* **I; pas cher
 inexpensive,* **I; pas mal** *not
 bad,* **I; pas le pied, pas
 terrible** *not so great,* **I; pas de
 problèmes** *no problem,* **I; pas
 encore** *not yet,* **I**
le **passé** *past,* **II, 10**
 passé, -e *last,* **II, 1**
un **passeport** *passport,* **I**
 passer *to go by/through, spend
 (time), be playing (a movie),*
 I; to take (a test), **II, 2; passer
 sur** *to go up on,* **I; passer
 l'aspirateur** *to vacuum,* **I**
un **passe-temps** *pastime,* **I**
une **passion** *passion,* **I**
 passionnant, -e *exciting,* **II, 1**
 passionné, -e (de) *enthusiastic
 (about),* **II, 3**
le **pâté** *pâté,* **I**
les **pâtes** (f.) *pasta,* **II, 7**
 patient, -e *patient,* **II, 6**
le **patin à glace** *ice-skating,* **I; des
 patins** *skates* **I**
une **patinoire** *skating rink,* **I**
une **pâtisserie** *pastry shop,* **I**
 pauvre *poor,* **I**
un **pavillon** *house in the suburbs,*
 II, AC3
 payé *paid,* **II, 6**
 payer *to pay,* **II, 6**
un **pays** *country,* **II, 6**
la **pêche** *fishing,* **II, 1**
un **peintre** *painter,* **I**
la **peinture** *painting,* **II, 2; une
 peinture** *painting,* **II, 10**
une **pellicule** *film (for camera),* **II, 10**
la **pelouse** *lawn,* **II, 5**
 pendant *during,* **I**
une **penderie** *closet,* **I**
 penser *to think,* **I; Qu'est-ce
 que tu en penses?** *What do
 you think of that?* **I**
 perdre *to lose,* **I**

un **père** *father,* **I**
la **permission** *permission,* **II, 2**
un **personnage** *character,* **II, 1**
une **personne** *person,* **II, 6**
 persuader *to persuade,* **II, 2**
 peser *to weigh,* **II, 7**
un **pesticide** *pesticide,* **II, 10**
 petit, -e *little, small,* **I**
 peu *little, not much,* **II, 1; un
 peu (de)** *a little,* **I; encore un
 peu** *a little more,* **I**
 peur : avoir peur de *to be afraid
 of,* **I**
 peut-être *maybe,* **I**
une **pharmacie** *drugstore,* **I**
un(e) **pharmacien(ne)** *pharmacist,*
 II, 7
la **philatélie** *stamp collecting,* **II, 2**
la **photo (graphie)** *photography,* **I;
 faire de la photo** *to take
 pictures,* **I; une photo** *photo,
 picture,* **I**
un(e) **photographe** *photographer,* **I**
la **physique** *physics,* **I**
le **piano** *piano,* **II, 2**
une **pièce** *room,* **I; une pièce de
 théâtre** *play,* **II, 2**
un **pied** *foot,* **I; Il joue comme
 un pied!** *He plays like an idiot!*
 I; à pied *on foot,* **I; C'est le
 pied!** *It's fun!* **I; pas le
 pied** *not so great,* **I**
une **pierre** *stone,* **I; en pierre
 (made) of stone,* **I**
le **pilotage automatique**
 automatic piloting, **II, 11**
un **pilote** *pilot,* **II, 11; driver,** **II, 4**
 piloter *to pilot,* **II, 11**
des **pilules** (f.) *pills,* **II, 11**
le **ping-pong** *ping pong,* **II, 1**
un **pique-nique** *picnic,* **II, 10**
 pique-niquer *to picnic,* **II, 10**
une **piscine** *swimming pool,* **I**
une **place** *square,* **I**
une **plage** *beach,* **I**
 se plaindre *to complain,* **II, 9**
 plaire : s'il vous plaît *please,* **I;
 Ça te plaît?** *Do you like it?* **II,
 3; Ça te plairait de… ?**
 Would it please you to . . . ? **II, 2;
 Ça t'a plu?** *Did you like it?* **II,
 1; Ça m'a plu.** *I liked it.* **II, 1;
 Tu vas te plaire ici.** *You're
 going to like it here.* **II, 9**
 plaisanter *to joke,* **I**
 plaisir : avec plaisir *with
 pleasure,* **I; faire plaisir à** *to
 please,* **II, 3**
un **plan** *map (of a city),* **I**
la **planche à voile** *windsurfing,* **I**
une **planète** *planet,* **II, 11**
un **plat** *dish (part of a meal),* **II, 3**
 plein, -e *full,* **I; plein (de)** *a
 lot (of),* **I**
 pleurer *to cry,* **II, 9**
 pleuvoir *to rain,* **I; Il pleut.
 It's raining.* **I; Il a plu.** *It
 rained.* **II, 1**

la **pluie** *rain,* **II, 9**
une **plume** *pen,* **II, 3**
plus *plus, more, most,* **I; au plus** *at most,* **I; en plus** *too,* **I; ne... plus** *not ...anymore,* **I; le plus simple** *the simplest thing,* **I; plus tard** *later (on),* **I**
plusieurs *several,* **I**
plutôt *more (of), rather, instead,* **I**
pointu, -e *pointed,* **I**
la **pointure** *size (shoes),* **I**
une **poire** *pear,* **II, 7**
le **poisson** *fish,* **I**
policier, -ière *detective,* **I**
polluer *to pollute,* **II, 10**
la **pollution** *pollution,* **II, 9**
un **polo** *polo shirt,* **I**
une **pomme** *apple,* **II, 7**
une **pomme de terre** *potato,* **II, 7**
une **pompe** *push-up,* **II, 7**
un **port de plaisance** *marina,* **I**
une **porte** *gate, door,* **I**
un **portefeuille** *wallet,* **I**
porter *to wear,* **I**
les **portières** (f.) *doors (car),* **II, 11**
poser *to ask,* **II, 11**
la **possibilité** *possibility,* **II, 1**
la **poste** *post office,* **I**
un **poster** *poster,* **I**
la **poterie** *pottery,* **II, 2**
la **poubelle** *garbage can,* **II, 5**
un **pouce** *inch,* **I**
une **poule** *chicken,* **II, 9**
le **poulet** *chicken,* **I**
pour *for, in order to,* **I**
pourquoi *why,* **I**
pouvoir *to be able to, can,* **I; Je n'en peux plus!** *I can't continue!* **II, 7**
pratique *practical,* **I**
pratiquer *to take part in,* **II, 2**
se précipiter *to dash, rush,* **II, 11**
une **préférence** *preference,* **II, 3**
préférer *to prefer,* **I**
premier, -ière : au premier étage *on the second floor,* **I**
prendre *to take, have (to eat or drink),* **I**
préparer *to prepare, make,* **I**
près (de) *near,* **I**
presque *almost,* **I**
pressé, -e *in a hurry,* **II, 10**
prêt, -e *ready,* **I**
prêter *to lend,* **II, 6**
principal, -e (m. pl. **-aux**) *main,* **I**
le **printemps** *spring,* **I; au printemps** *in the spring,* **I**
pris, -e *busy, occupied,* **II, 5**
une **prise** *hold,* **II, 2**
probablement *probably,* **II, 10**
un **problème** *problem,* **I; pas de problèmes** *no problems,* **I**
prochain, -e *next,* **II, 1**
produire *to produce,* **II, 10**
un **prof(esseur)** *teacher,* **I**

une **profession** *occupation,* **I**
profiter (de) *to take advantage (of),* **II, 9**
programmer *to program,* **II, 11**
une **programmeur, -euse** *computer programmer,* **I**
des **progrès** (m.) *progress,* **II, 1**
un **projecteur** *projector,* **II, 10**
un **projet** *project, plan,* **II, 1**
projeter *to project,* **II, 10**
promener *to walk (an animal),* **II, 6; se promener** *to walk,* **II, 7**
promettre *to promise,* **II, 7**
proposer *to propose, suggest,* **II, 6**
propre *own,* **II, 2**
un **prospectus** *handbill, flier,* **II, 6**
provençal, -e *from Provence,* **II, 10**
la **Provence** *Provence,* **I**
une **province** *province,* **I; en province** *in the provinces,* **I**
le **public** *audience,* **II, 2**
publicitaire *advertising,* **II, 11**
puis *then,* **I**
un **pull** *pullover,* **I**
pur, -e *pure,* **II, 9**
un **pyjama** *pajamas,* **I**
les **Pyrénées** (f.) *mountains separating France from Spain,* **II, 1**

Q

quand *when,* **I**
quand même *nevertheless,* **II, 2**
un **quart** *quarter,* **I; et quart** *quarter past (the hour),* **I; moins le quart** *quarter of/to (the hour),* **I; un quart d'heure** *a quarter-hour,* **I**
un **quartier** *neighborhood,* **I**
que *what,* **I; Qu'il/elle est** (+ adj.)! *It's so* (+ adj.)! **I**
les **Québécois** *inhabitants of Quebec,* **II, 3**
quel(s), quelle(s) *which, what,* **I; Quel (Quelle)...!** *What a... !* **I; Quelle question/vie!** *What a question/life!* **I**
quelques *some,* **II, 9; quelque chose** *something,* **I; quelque part** *somewhere,* **II, 1**
quelquefois *sometimes,* **I**
qu'est-ce que *what,* **I; Qu'est-ce que c'est?** *What is it/that?* **I**
qu'est-ce qui *what,* **II, 10**
une **question** *question,* **I; Quelle question!** *What a question!* **I**
qui *who, whom,* **I; qui est-ce qui** *who,* **II, 10; qui est-ce que** *whom,* **II, 10**
quitter *to leave,* **II, 9; Ne quittez pas.** *Hold on (telephone).* **I**
quoi *what,* **I**
quotidien, -ne *daily,* **II, 11**

R

raconter *to tell (about),* **II, 1**
une **radio** *radio,* **I**
rafraîchir *to cool, refresh,* **II, 12**
la **raison** *reason,* **II, 6; avoir raison** *to be right,* **II, 1; Fais-toi une raison.** *Make the best of it.* **II, 9**
râler *to complain, fume,* **II, 9**
une **randonnée** *hike,* **II, 1**
ranger *to tidy up,* **I**
rapide *fast,* **II, 2**
rapidement *rapidly,* **II, 3**
rappeler *to call again, call back,* **II, 3**
une **raquette** *(tennis) racket,* **I**
un **rasoir électrique** *electric razor,* **I**
rater *to miss,* **II, 10**
ravi, -e *delighted,* **II, 6**
un **rayon** *department (in a store),* **I**
une **réalisation** *accomplishment,* **II, 11**
une **réceptionniste** *receptionist, desk clerk,* **II, 6**
une **recette** *recipe,* **I**
recevoir *to receive,* **I**
un **réchaud** *camp stove,* **II, 1**
une **recherche** *search,* **I; research,* **II, 10**
recommencer *to start again,* **II, 1**
la **récré(ation)** *recess, break,* **I**
récupérer *to pick up,* **II, AC3**
une **rédaction** *composition,* **II, AC3**
redoubler *to repeat a grade,* **II, 1**
un **réfrigérateur** *refrigerator,* **I**
refuser *to refuse,* **II, 5**
regarder *to look at, watch,* **I**
un **régime : faire un régime** *to go on a diet,* **II, 7**
une **région** *region,* **II, 1**
une **règle** *ruler,* **I; rule,* **II, 5**
regrettable *regrettable,* **II, 3**
regretter *to be sorry,* **I; miss,* **II, 1**
la **reine** *queen,* **II, 3**
remerciements : un mot de remerciements *thank-you note,* **I**
remercier *to thank,* **I**
la **remise en forme** *remaking,* **II, 7**
les **remparts** (m.) *city walls,* **I**
une **rencontre : faire des rencontres** *to meet,* **I**
rencontrer *to meet,* **II, 1**
un **rendez-vous** *rendezvous,* **I**
rendre *to give back, return,* **II, 6**
se rendre compte *to realize,* **II, 11**
les **renseignements** (m.) *information,* **I; aux renseignements** *at the information desk,* **I**
rentrer *to return, come (go) home,* **I**
réparer *to repair,* **II, 11**
repartir *to leave again,* **II, 1**

un **repas** *meal,* **I**
répéter *to rehearse,* **II, 2**
une **répétition** *rehearsal,* **II, 2**
répondre (à) *to answer,* **I;** Ça
ne répond pas. *There's no
answer.* **I**
un **reportage** *news report,
commentary,* **I**
un **repos** *rest,* **II, 11**
se reposer *to rest,* **II, 7**
reprendre *to start again,* **II, 1**
les **réseaux** (m.) *networks,* **II, 11**
réservé, -e *reserved,* **II, 3**
la **résistance** *resistance,
endurance,* **II, 3**
une **résolution** *resolution,* **II, 1;**
prendre une résolution *to
make a resolution,* **II, 1**
résoudre *to solve,* **II, 11**
respirer *to breathe,* **II, 9**
la **responsabilité** *responsibility,*
II, 5
un **restaurant** *restaurant,* **II, 7**
le **reste** *rest, remainder,* **II, 6**
rester *to stay,* **I; il reste** *there
remain(s),* **II, 10**
le **rétablissement** *restoration,* **II, 7**
retard : en retard *late,* **I**
retraite : à la retraite *retired,* **I**
rétro : la mode rétro *the style of
the Fifties,* **I**
les **retrouvailles** (f.) *reunion,*
II, 9
retrouver *to meet (again),* **II, 1;**
retrouver des couleurs *to
get your color back,* **II, 7**
réussir *to succeed,* **II, 1**
un **rêve** *dream,* **II, 11**
réveillé, -e *awakened,* **II, 9**
rêver *to dream,* **I**
un(e) **rêveur, -euse** *dreamer,* **II, 11**
le **rez-de-chaussée** *ground floor,* **I;**
au rez-de-chaussée *on the
ground floor,* **I**
riche *rich,* **II, 9**
un **rideau** *drape,* **II, AC3**
rien *nothing,* **I; Ça ne fait
rien.** *That's all right.* **I;**
Ce n'est rien. *It's
nothing.* **I**
un **rigolo** *joker,* **II, AC2**
une **rive** *river bank,* **II, 12**
le **riz** *rice,* **II, 7**
une **robe** *dress,* **I**
les **robots** (m.) *robots,* **II, 11**
le **rock** *rock music,* **I**
un **roi** *king,* **I**
romain, -e *Roman,* **II, 10**
les **Romains** *Romans,* **II, 10**
une **rondelle** *hockey puck,* **I**
rose *pink,* **I**
le **rouge** *red,* **I; rouge** *red,* **I**
route : Bonne route! *Have a
good trip! (by car)* **I; En
route!** *Let's get going!* **II, 9**
rude *harsh,* **II, 3**
une **rue** *street,* **I**
la **Russie** *Russia,* **II, 2**

S

sa *his, her,* **I**
un **sac** *bookbag, handbag, purse,* **I;**
un sac à dos *backpack,* **I**
le **Saint-Laurent** *Saint Lawrence
River,* **II, 3**
une **saison** *season,* **I**
une **salade** *salad,* **I**
une **salle : la salle de bains**
bathroom, **I; la salle à
manger** *dining room,* **I**
le **salon** *living room,* **I**
salut *hello, hi, bye, see you,* **I**
samedi (m.) *Saturday,* **I; le
samedi** *on Saturday(s),* **I**
une **sandale** *sandale,* **I**
un **sandwich** (pl. **-es**) *sandwich,* **I**
les **sanitaires** (m.) *toilets,* **II, 1**
sans *without,* **II, 11**
la **santé** *health,* **II, 5; Bonne
santé!** *Get well soon!* **I**
satisfait, -e *satisfied,* **II, 1**
une **sauce** *sauce,* **I**
le **saucisson** *salami,* **I**
sauf *except,* **I**
sauter *to skip,* **II, 7**
un **savant** *scientist,* **II, 11**
une **savate** *clumsy idiot,* **I**
la **Savoie** *Savoy,* **I**
savoir *to know (how),* **I**
le **saxophone** *saxophone,* **II, 2**
la **scène** *scene,* **II, 9**
la **science-fiction** *science fiction,* **I**
scolaire *school (adj.),* **II, 1**
secours : Au secours! *Help!* **II, 3**
les **secousses sismiques** (f.) *earth
tremors,* **II, 11**
un **séjour** *stay,* **II, 1; un séjour
linguistique** *stay to learn a
language,* **II, 1**
séjourner *to stay,* **II, 1**
une **semaine** *week,* **I; une fois par
semaine** *once a week,* **I**
se sentir *to feel,* **II, 7**
septembre (m.) *September,* **I**
une **série** *series,* **I**
sérieux, -se *serious,* **II, 6**
sert : Ça ne sert à rien. *It
doesn't do any good.* **II, 9**
un(e) **serveur, -euse** *waiter, waitress,*
II, 6
les **services** (m.) *services,* **II, 6**
se servir de *to use,* **II, 11**
ses *his, her,* **I**
seul, -e *only,* **I**
seulement *only,* **II, 2**
sévère *strict,* **II, 1**
un **short** *shorts,* **I**
si *yes,* **I;** *if,* **I; s'il vous plaît**
please, **I;** *so,* **II, 11**
un **siècle** *century,* **I**
un **site** *site, location,* **I**
situé-e *situated,* **I**
le **ski** *skiing, ski,* **I; le ski
sur gazon** *grass skiing,*
II, AC1
une **sœur** *sister,* **I**

soif : avoir soif *to be thirsty,* **I**
(se) soigner *to take care of,
(oneself),* **II, 7**
un **soir** *evening,* **I; le samedi
soir** *on Saturday nights,* **I;**
tous les soirs *every evening,* **I**
une **soirée** *party, evening,* **II, 5**
le **soleil** *sun,* **I; Il y a du soleil.**
It's sunny. **I**
une **solution** *solution,* **I**
un **solvant** *solvent,* **II, 10**
son *his, her,* **I**
songer (à) *to think (about),* **II, 10**
la **sortie** *exit,* **I**
sortir *to go out,* **I; to take out,** **II, 5**
souffler *to blow (out),* **I**
un **souhait** *wish,* **II, 11; Meilleurs
souhaits!** *Best wishes!* **I**
souple *flexible,* **I**
souriez *smile,* **II, 10**
souterrain, -e *underground,* **II, 11**
un **souvenir** *memory,* **II, 9**
souvent *often,* **I**
spécial, -e (m. pl. **-aux**)
special, **II, 3**
un **spectacle** *performance,* **II, 2**
la **spéléologie** *cave exploring,* **II, 1**
splendide *splendid,* **II, 1**
un **sport** *sport,* **I; le sport** *sports,*
I; la mode sport *the sporty
style/look,* **I**
sportif, -ive *athletic,* **II, 3**
un **squelette** *skeleton,* **II, 3**
un **stade** *stadium,* **I**
un **stage** *training course,* **II, 6**
une **station service** *gas station,* **II, 1**
stéréo : une chaîne stéréo
stereo, **I**
strict, -e *strict,* **II, 5**
un **style** *style,* **I**
un **stylo** *pen,* **I**
le **sud** *south,* **I**
suffit : Ça suffit! *That's enough!* **I**
la **suite** *continuation,* **I**
suivre *to follow, take,* **II, 7**
sujet : au sujet de *regarding,
concerning, about,* **II, 2**
super *super,* **I**
superbe *superb,* **I**
sûr : bien sûr *surely, of course,* **I**
sur *on, in (a photo),* **I**
surchauffer *to overheat,* **II, 7**
sûrement *certainly,* **II, 5**
le **surf** *surfing,* **I**
la **surpopulation** *overpopulation,* **II, 11**
une **surprise** *surprise,* **I**
surtout *especially, mainly, mostly,* **I**
un **survêt** *jogging suit, sweatsuit,* **I**
swinguer : Ça va swinguer!
It's going to swing! **I**
sympa(thique) *nice,* **I**

T

ta *your,* **I**
une **table** *table,* **I; mettre la table**
to set the table, **I; une table de
nuit** *night stand,* **I**

une **tablette** *bar (chocolate),* **I**
la **tâche** *task,* **II, 5; les tâches**
    domestiques *chores,* **II, 11**
la **taille** *size,* **I**
une **tante** *aunt,* **I**
    taper à la machine *to type,* **II, 6**
    tard *late,* **II, 5; plus tard**
        later, **I**
une **tartine** *slice of bread and butter,*
    II, 7
un **tas (de)** *a lot (of),* **I**
une **tasse** *cup,* **I**
le **taureau** (pl. **-x**) *bull,* **II, 10**
un **taxi** *taxi,* **I; les taxis** *taxi*
    stand, **I**
la **technologie** *technology,* **II, 11;**
    shop (class), **I**
un **tee-shirt** *T-shirt,* **I**
un **téléphone** *telephone,* **I**
    téléphoner (à) *to phone, call,* **I**
la **télé(vision)** *television, TV,* **I;**
    Qu'est-ce qu'il y a à la
    télé? *What's on TV?* **I**
    tellement *so much,* **II, 3**
la **température** *temperature,* **I; Il**
    fait quelle température?
    What's the temperature? **I**
le **temps** *time, weather,* **I; au**
    temps de *at the time of,* **II,**
    10; combien de temps *how*
    long, **I; de temps en temps**
    from time to time, **II, 5; Il fait**
    quel temps? *What's the*
    weather like? **I**
le **tennis** *tennis,* **I**
des **tennis** (m.) *sneakers (low),* **I**
    terminé, -e *finished, ended,* **II, 1**
la **terrasse** *terrace,* **I**
    terrible : pas terrible *not so*
    great, **I**
    tes *your,* **I**
la **tête** *head,* **II, 7**
le **thé** *tea,* **I**
    théâtre : faire du théâtre *to*
    take part in a theater group, **II, 2**
une **thermos** *thermos,* **II, 10**
    tiens *hey, say,* **I; here,** **II, 5**
    timide *shy, timid,* **II, 5**
le **tissu** *cloth, fabric,* **II, 9**
    toi *you,* **I**
les **toilettes** (f.) *toilet, restroom,* **I**
un **toit** *roof,* **I**
une **tomate** *tomato,* **II, 7**
    ton *your,* **I**
    tondre *to mow,* **II, 5**
le **tonus** *muscle tone,* **II, 7**
    tort : avoir tort *to be wrong,* **II, 1**
    toujours *always,* **I**
une **tour** *tower,* **I**
un **tour** *spin, tour, ride,* **II, 3; turn,**
    II, 7
un(e) **touriste** *tourist,* **II, 3**
    touristique : un guide
    touristique *tour guide,* **I**
une **tournée prévue** *scheduled tour,*
    II, 2
    tourner *to turn,* **I**
un **tournoi** *tournament,* **II, 3**

tout *everything, all,* **I**
tout : tout à fait *totally,* **I; A**
    tout à l'heure. *See you*
    later. **I; tout de suite** *right*
    away, **I; tout de même**
    anyway, **II, 9**
tout, toute, tous, toutes *all,*
    entirely, **I; tout le monde**
    everybody, **I; tous les**
    ans *every year,* **I; tous les**
    jours *every day,* **I; tous les**
    soirs *every evening,* **I; tout le**
    temps *all the time,* **II, 1**
un **train** *train,* **I**
le **trajet** *route, journey,* **II, 10**
une **tranche** *slice,* **I**
    tranquillement *quietly,*
    peacefully, **II, 3**
le **travail** *work, schoolwork,* **I; Au**
    travail! *Down to work!* **I**
    travailler *to work,* **I**
    travailleur, -euse *hardworking,*
    II, 6
    trempé, -e *soaked,* **II, 9**
    très *very,* **I**
    triste *sad,* **I**
    troisième *third,* **I; au**
    troisième étage *on the fourth*
    floor, **I**
le **trombone** *trombone,* **II, 2**
la **trompette** *trumpet,* **II, 2**
    trop *too,* **I; trop (de)** *too*
    much, too many, **I**
un **trou** *hole,* **I; un trou de**
    mémoire *memory lapse,* **I**
une **trousse** *pencil case,* **I**
    trouver *to find,* **I; Comment tu**
    trouves? *How is it?* **I; Tu**
    trouves? *Do you think so?* **I**
    tu *you,* **I**
un **tube** *hit (song),* **I**
    tuer *to kill,* **II, 10**
un **type** *guy,* **I**

U

un, une *a, an, one,* **I**
une **usine** *factory,* **II, 10**
    utile : se rendre utile *to make*
    oneself useful, **II, 11**

V

les **vacances** (f.) *vacation,* **I;**
    Bonnes vacances! *Have a*
    nice vacation! **I**
une **vache** *cow,* **II, 9**
la **vaisselle** *dishes,* **II, 5**
une **valise** *suitcase,* **I**
    varié, -e *varied,* **I**
les **variétés** (f.) *variety show,* **I**
    vaut : il vaut mieux que... *it's*
    better that..., **II, 7**
    végétarien, -ienne *vegetarian,*
    II, 7
la **veille** *eve,* **II, 3**
un **vélo** *bicycle,* **I; en vélo** *by*

bicycle, **I; le vélo** *cycling,* **I**
un(e) **vendeur, -euse** *salesman,*
    saleswoman, **I**
    vendre *to sell,* **II, 3**
    vendredi (m.) *Friday,* **I; le**
    vendredi *on Friday(s),* **I**
    venir *to come,* **I**
le **vent** *wind,* **I; Il y a du vent.**
    It's windy. **I; dans le vent**
    trendy, **I**
un **verre** *glass,* **II, 7**
    vers *about, toward,* **II, 3**
le **vert** *green,* **I; vert, -e** *green,* **I**
le **vertige** *vertigo, fear of heights,*
    II, 3
une **veste** *jacket, blazer,* **I**
un **vestige** *trace, relic,* **II, 10**
un **vêtement** *article of clothing,* **I;**
    les vêtements *clothes,* **I**
un **viaduc** *viaduct,* **I**
la **viande** *meat,* **I**
une **vie** *life,* **I; Quelle vie!** *What a*
    life! **I**
    vieillir *to grow older,* **II, 5**
    vieux, vieil, vieille, vieux,
    vieilles *old,* **I**
    vif, vive *bright (color),* **I**
une **villa** *country house,* **II, 1**
un **village** *village,* **I**
une **ville** *city, town,* **I**
une **vingtaine** *about twenty,* **II, 9**
    violent, -e *violent,* **I**
un **visage** *face,* **I**
une **visite** *visit,* **I**
    visiter *to visit,* **I**
une **vitamine** *vitamin,* **II, 7**
    vite *quickly, fast,* **I**
    vive *long live..., hurrah for...,*
    II, 3
    vivre *to live,* **II, 3**
un **vœu** (pl. **-x**) *wish,* **I; une carte**
    (de vœux) *greeting card,* **I;**
    Meilleurs vœux! *Best*
    wishes! **I**
    voici *here is/are,* **I**
    voilà *there is/are, here is/are,*
    here/there you are, **I; le voilà**
    there it is, **I**
la **voile** *sailing,* **II, 1**
    voir *to see,* **I**
un(e) **voisin, -ine** *neighbor,* **II, 6**
une **voiture** *car,* **I; en voiture** *by*
    car, **I**
la **voix** *voice,* **II, 11**
un **vol** *flight,* **I**
le **volley(-ball)** *volleyball,* **I**
    volontiers *of course, gladly,* **I**
    vos *your,* **I**
    votre *your,* **I**
    vouloir *to want,* **I; Si tu**
    veux. *If you want to.* **I; je**
    voudrais *I would like,* **II, 2;**
    vouloir dire *to mean,* **II, 5**
    vous *you,* **I; chez vous** *at, to*
    your house, **I**
un **voyage** *trip,* **II, 10; Bon**
    voyage! *Have a good trip! (by*
    plane, ship) **I**

vrai, -e *true,* **I**
vraiment *really,* **I**
une **vue** *view,* **I**

W

un **week-end** *weekend,* **I**
un **western** *western,* **I**

Y

y *there,* **I**
un **yacht** *yacht,* **II, 11**
le **yaourt** *yogurt,* **II, 7**

Z

un **zéro** *zero,* **I; Il fait zéro.** *It's zero (degrees).* **I**
un **zoom** *zoom lens,* **II, 10**
Zut! *Darn it!* **I**

ENGLISH-FRENCH VOCABULARY

In this vocabulary list, the English definitions of all active French words in **Nouveaux copains** and in **Nous, les jeunes** are given, followed by the French. The roman numeral after each entry refers to the book in which it is introduced; the arabic numeral refers to the unit in **Nous, les jeunes** in which it is presented. It is important to use a French word in its correct context. The use of a word can be checked easily by referring to the unit in which it appears.

French words and phrases are presented in the same way as in the French-English Vocabulary

A

a *par,* **II, 2; one weekend a month** *un week-end par mois,* **II, 2**
a, an, one *un, une,* **I**
able: to be able to, can *pouvoir,* **I**
about *vers,* **II, 3;** *au sujet de,* **II, 2**
absolutely *absolument,* **II, 3**
to **accompany** *accompagner,* **II, 3**
account: bank account *un compte,* **II, 6; in my account** *sur mon compte,* **II, 6**
to **ache** *avoir mal à,* **II, 7**
acquainted: to get acquainted *faire (la) connaissance,* **II, 1**
across (from) *en face (de),* **I**
active *actif, -ive,* **II, 9**
activity leader *animateur, -trice,* **II, 2**
to **act stupid** *faire l'idiot,* **I**
to **adapt** *s'adapter,* **II, 9**
addition: in addition *en plus,* **II, 3**
address *une adresse,* **I**
to **admire** *admirer,* **I**
to **advance** *avancer,* **II, 3**
advantage: to take advantage of *profiter de,* **II, 9**
advice *un conseil,* **II, 5**
to **advise** *conseiller,* **II, 5**
affair: love affair *une affaire de cœur,* **II, 5**
afraid: to be afraid of *avoir peur de,* **I**
after *après,* **I**
afternoon, in the afternoon *l' après-midi* (m.), **I**
again *encore,* **II, 6; Not again!** *Encore!* **I**
air *l' air* (m.), **II, 9; on the air** *en direct,* **II, 11**
airplane *un avion,* **I**
airport *un aéroport,* **I**
alas *hélas,* **II, 2**
album *un album,* **I**
all (pron.) *tout,* **I;** (adj.) *tout, toute, tous, toutes,* **I**

all right: That's all right. *Ça ne fait rien.* **I**
almost *presque,* **I**
along *le long de,* **II, 3**
already *déjà,* **I**
Alsatian *alsacien, -ienne,* **I**
also, too *aussi,* **I**
always *toujours,* **I**
amateur *amateur,* **II, 10**
ambitious *ambitieux, -euse,* **II, 2**
American *américain, -e,* **I;** *un(e) Américain(e),* **I**
amusements *les distractions* (f.), **II, 9; amusement park** *un parc d' attractions,* **II, 3**
amusing *amusant, -e,* **II, 3**
ancient, old *ancien, -ienne,* **II, 10**
and *et,* **I**
angle, corner *l' angle* (m.), **II, 3; wide angle** *grand angle,* **II, 10**
animal *un animal* (pl. *-aux.*), **I**
anniversary, birthday *un anniversaire,* **I**
announcement, ad *une annonce,* **II, 2**
to **annoy** *embêter,* **II, 6**
another *encore un(e),* **II, 2**
to **answer** *répondre (à),* **I; There's no answer.** *Ça ne répond pas.* **I**
anyway *tout de même,* **II, 9**
apartment *un appartement,* **I; apartment house** *un immeuble,* **I**
appeal: That doesn't appeal to me. *Ça ne me dit rien.* **II, 10**
apple *une pomme,* **II, 7**
to **appreciate** *apprécier,* **II, 3**
apprenticeship *un apprentissage,* **II, 6**
April *avril* (m.), **I**
architect *un architecte,* **II, 1**
arena *les arènes* (f.), **II, 10**
to **argue, fight** *se disputer,* **II, 11**
arrival *l' arrivée* (f.), **I**
to **arrive** *arriver,* **I**
art *l' art* (m.), **I; art (class)** *les arts plastiques,* **I**

as *comme,* **I**
to **ask** *demander (à),* **I; to ask a question** *poser une question,* **II, 11**
to **assemble, organize** *monter,* **II, 2**
to **assess, take stock of** *faire le bilan,* **II, 1**
to **assure** *assurer,* **II, 7**
at, to, in, on *à,* **I**
athletic *sportif, -ive,* **II, 3**
atmosphere *une ambiance,* **I**
to **attend** *assister à,* **II, 3**
attention: Pay attention. *Fais (Faites) attention.* **II, 2**
attraction *une attraction,* **II, 3**
audience *le public,* **II, 2**
August *août* (m.), **I**
aunt *une tante,* **I**
autumn, fall *l' automne* (m.), **I; in the fall** *en automne,* **I**
avenue *une avenue,* **I**
average *moyen, moyenne,* **II, 1**
aw (expression of disdain) *bof,* **I**
awakened *réveillé, -e,* **II, 9**

B

to **baby-sit** *faire du baby-sitting,* **I**
backpack *un sac à dos,* **I**
bad *mauvais, -e,* **I; (That's) too bad!** *(C'est) dommage!* **II, 3**
badly *mal,* **II, 1**
bakery *une boulangerie,* **I**
balanced *équilibré, -e,* **II, 7**
ball: baseball, tennis ball *une balle,* **I**
ball: inflated ball, balloon *un ballon,* **I**
banal, ordinary *banal, -e,* **I**
banana *une banane,* **II, 7**
bank *une banque,* **I**
bar (chocolate) *une tablette,* **I**
barbarian, barbaric *barbare,* **II, 10**
to **bark** *aboyer,* **II, 6**
baseball *le base-ball,* **I**

basilica   la basilique, **II**,9
basket   un panier, **II**,10
basketball   le basket(-ball), **I**
bass guitar   la basse, **II**,2
bass player   un(e) bassiste, **II**, 2
bat   une batte, **I**
bathing suit   un maillot de bain, **I**
bathroom   la salle de bains, **I**
battle   un combat, **II**, 10
to **be**   être, **I**
beach   une plage, **I**
bean: string bean   un haricot vert,
   II, 7
beautiful   beau, bel, belle, beaux,
   belles, **I**
because   parce que, **I**; car, **II**, 10;
   because of   à cause de, **II**, 9
bed   un lit, **I**
bedroom   une chambre, **I**
before   avant (de), **I**
to **begin**   commencer, **I**; débuter, **II**, 1;
   to begin with (by)   commencer
   par, **II**, 3
beginner   un(e) débutant(e), **II**, 2
beginning   le début, **II**, 7
Belgium   la Belgique, **I**
to **believe**   croire, **II**, 11; I believe   Je
   crois, **II**, 3
to **belong to**   faire partie de, **II**, 6
below: down below   en bas, **II**, 9
best   meilleur, -e, **I**; Best wishes!
   Meilleurs vœux (souhaits)! **I**; Make
   the best of it.   Fais-toi une raison.
   II, 9
best seller   un best-seller, **II**, 11
better   mieux, **I**; to prefer, like
   better   aimer mieux, **I**; It's
   better that...   Il vaut mieux que...,
   II, 7
between   entre, **I**
beverage   une boisson, **I**
bicycle   la bicyclette, **II**, 1; un vélo,
   I; by bicycle   en vélo, **I**
big, large   grand, -e, **I**; gros,
   grosse, **I**
bill (money)   un billet, **I**
biology   la biolo(gie), **I**
bird   un oiseau (pl. -x), **II**, 9
birthday   un anniversaire, **I**;
   Happy birthday!   Joyeux (Bon)
   anniversaire! **I**
black   le noir, **I**; noir, -e, **I**
to **blow (out)**   souffler, **I**
blue   le bleu, **I**; bleu, -e, **I**
blues (music)   le blues, **I**
boat   un bateau (pl. -x), **I**
body building   la musculation, **II**,2
bold, courageous person   un(e)
   fonceur, -euse, **II**, 3
book   un livre, **I**
bookbag   un sac, **I**
bookcase   une étagère, **I**
booklet (of tickets, stamps)   un
   carnet, **II**, 9
bookseller   un(e) libraire, **I**
bookstore   une librairie, **I**
boot   une botte, **I**; ski boots   des
   chaussures de ski, **I**

to **bore**   barber (fam.), **II**, 10; I get
   (am) bored.   Je m'ennuie. **II**, 1; I
   got (was) bored.   Je me suis
   ennuyé(e). **II**, 1
boring   ennuyeux, -euse, **II**, 1; It's
   boring!   C'est la barbe! **I**
to **borrow (from)**   emprunter (à), **II**, 6
bottle   une bouteille, **I**
boutique, shop   une boutique, **I**
bowl   un bol, **I**
bowling alley   un bowling, **I**
box   une boîte, **I**
boy   un garçon, **I**
bracelet   un bracelet, **I**
bread   le pain, **I**; une baguette, **II**, 10
break   la récré(ation), **I**
to **break**   casser, **II**, 6
breakdown: to be broken down
   être en panne, **II**, 11
breakfast   le petit déjeuner, **I**
to **breathe**   respirer, **II**, 9
bright   vif, vive, **I**
brilliant   brillant, -e, **II**, 2
to **bring**   apporter, **I**; emporter, **I**
brioche   une brioche, **I**
Brittany   la Bretagne, **I**
broadcast   diffusé, -e, **II**, 11
broccoli   le brocoli, **II**, 7
brother   un frère, **I**
brown   le marron, **I**; marron, **I**
brunette   brun, -e, **I**
Brussels   Bruxelles, **I**
budget   un budget, **II**, 6
built   construit, -e, **II**, 11
bull   le taureau (pl. -x), **II**, 10;
   bullfight   une course de taureaux,
   II, 10
Burgundy   la Bourgogne, **I**
bus (public)   un bus, **I**; by bus   en
   bus, **I**
business: to be in business   être
   dans les affaires (f.), **II**, 11
busy   occupé, -e, **I**; pris, -e, **II**,5
but   mais, **I**
butter   le beurre, **I**; peanut
   butter   le beurre de cacahouètes, **I**
button (slogan)   un badge, **I**
to **buy**   acheter, **I**
by, per   par, **I**; once a week   une
   fois par semaine, **I**

C

cable car   un funiculaire, **II**, 9
cafe   un café, **I**
cafeteria   une cafeteria, **I**;   la
   cantine, **II**, 7
cake   un gâteau (pl. -x), **I**;
   chocolate cake   un gâteau au
   chocolat, **I**
calculator: pocket calculator   une
   calculette, **I**
to **call: to be called, named**
   s'appeler, **I**; to call, phone
   appeler, **II**, 3; téléphoner (à), **I**; to
   call (phone) again   rappeler,
   II, 3
calm   calme, **II**, 9

calories   les calories (f.), **II**, 11
to **camp**   camper, **II**, 1
camp: vacation camp, resort   un
   centre de loisirs, **II**, 6
camping   le camping, **II**, 1
Canada   le Canada, **I**
cancer   le cancer, **II**, 11
candle   une bougie, **I**
candy: piece of candy   un bonbon, **I**
canoeing   le canoë, **II**, 1
capital   la capitale, **I**
car   une voiture, **I**; by car   en
   voiture, **I**
card   une carte, **I**; postcard   une
   carte postale, **I**; greeting card
   une carte de vœux, **I**
care: I don't care.   Ça m'est égal. **II**,
   3; Who cares?   Mouais. **I**; to take
   care of   garder, **II**, 5; (se) soigner,
   II, 7
careful: to be careful   faire
   attention, **II**, 1
carnival   le carnaval, **II**, 3
carrot   une carotte, **II**, 7
carrousel   un carrousel, **II**, 10
cartoon   un dessin animé, **I**
cashier   un(e) caissier, -ière, **II**, 6
cassette   une cassette, **I**
cat   un(e) chat(te), **I**
catastrophe   une catastrophe, **I**
to **catch**   attraper, **II**, 1
category   la catégorie, **II**, 6
cathedral   une cathédrale, **I**
cave exploring   la spéléologie, **II**, 1
centimeter   un centimètre (cm), **I**
century   un siècle, **I**
cereal   des céréales (f.), **II**, 7
certain   certain, -e, **II**, 9
certainly   sûrement, **II**, 5;
   certainement, **II**, 7
certain ones   certains, **II**, 1
chair   une chaise, **I**
championship   le championnat, **I**
to **change**   changer, **II**, 6
check   un chèque, **I**; traveler's
   check   un chèque de voyage, **I**
checkers: to play checkers   jouer
   aux dames, **II**, 2
cheese   le fromage, **I**
chef   un chef, **I**
chemical   chimique, **II**, 10
chess: to play chess   jouer aux
   échecs, **II**, 2
chicken   le poulet, **I**; une poule, **II**, 9
child   un enfant, **I**
China   la Chine, **II**, 11
chocolate, hot chocolate   le
   chocolat, **I**; chocolate cake   un
   gâteau au chocolat, **I**; chocolate
   mousse   une mousse au chocolat, **I**
choice   le choix, **II**, 1
to **choose**   choisir, **I**
chores   les tâches domestiques (f.),
   II, 11
Christmas: Merry Christmas!
   Joyeux Noël! **I**
church   une église, **I**
to **circulate**   circuler, **II**, 3

city, town   *une ville*, I
civilized   *civilisé, -e*, II, 10
clarinet   *la clarinette*, II, 2
classical   *classique*, I; **classical music**   *le classique*, I
clever, smart   *malin, maligne*, I
to **close**   *fermer*, I
closet   *une penderie*, I
clothing: article of clothing   *un vêtement*, I; **clothes**   *les vêtements*, I
cloud   *un nuage*, I
club   *un club*, I
clumsy idiot   *une savate*, I
coat   *un manteau* (pl. *-x*), I
coffee   *le café*, I; **coffee with milk**   *le café au lait*, I
cold   *froid, -e*, I; *le froid*, II, 3; **It's cold.**   *Il fait froid*, I
collapse: to be about to collapse   *craquer* (fam.), II, 7
to **collect**   *collectionner*, I
to **colonize**   *coloniser*, II, 11
color   *une couleur*, I; **to get your color back**   *retrouver des couleurs*, II, 7
to **come**   *venir*, I; **to come in,**   *entrer*, I; **Come on!**   *Allez!* II, 5
comedy   *un film comique*, I
comic book   *une bédé*, II, 1; **comic strips, comics**   *des bandes dessinées* (f.), I
to **communicate**   *communiquer*, II, 11
to **complain**   *se plaindre*, II, 9
complex   *le complexe*, II, 10
**compliments: My compliments on … **   *Mes compliments pour…*, I
computer   *un ordinateur*, I
computer programmer   *un(e) programmeur, -euse*, I
computer science   *l' informatique* (f.), I
concerning   *au sujet de*, II, 2
concert   *un concert*, I
confidant   *un(e) confident(e)*, II, 5
Congratulations!   *Félicitations!* II, 6
to **console**   *consoler*, II, 9
to **contain**   *contenir*, II, 11
contest   *une compétition*, II, 3
continually   *continuellement*, II, 3
continuation   *la suite*, I
to **continue**   *continuer*, I; **I can't continue!**   *Je n'en peux plus!* II, 7
contrary: on the contrary   *au contraire*, II, 1
convinced: I'm convinced of it.   *J'en suis convaincu(e).* II, 11
cookie   *un biscuit*, II, 10
cooking   *la cuisine*, II, 5
cool   *frais, fraîche*, I; **It's cool.**   *Il fait frais.* I
to **cost**   *coûter*, I
to **count**   *compter*, II, 6
country   *un pays*, II, 6
countryside   *la campagne*, I
courage   *le courage*, II, 5
course: of course   *bien sûr, volontiers*, I; **of course not**   *mais non*, I
courtyard   *la cour*, II, 1
cousin   *un(e) cousin(e)*, I
cow   *une vache*, II, 9
cow   *une vache*, II, 9
to **create**   *créer*, II, 5
croissant   *un croissant*, I
crowd   *une foule*, II, 3
to **cry**   *pleurer*, II, 9
culturally   *culturellement*, II, 9
cup   *une tasse*, I
to **cure**   *guérir*, II, 11
curious   *curieux, -euse*, I
currency (money) exchange   *le bureau de change*, I
currently   *actuellement*, II, 11
customs   *la douane*, I
customs agent   *un(e) douanier, -ière*, I
cute   *mignon, -onne*, I
cycling   *le vélo*, I

D

Dad   *papa*, I
daily   *quotidien, -ne*, II, 11
dance   *un bal*, II, 3; *la danse*,   II, 2
to **dance**   *danser*, I
dangerous   *dangereux, -euse*, II, 5
to **dare**   *oser*, II, 5
Darn it!   *Zut!* I
date   *la date*, I
day   *un jour*, I; **every day**   *tous les jours*, I; *une journée*, II, 1; **all day long**   *toute la journée*, II, 2; **the next day**   *le lendemain*, II, 5
dead   *mort, -e*, II, 7
death: put to death   *mis(e) à mort*, II, 10
December   *décembre* (m.), I
to **decide**   *décider*, I
decision   *une décision*, II, 1; **to make a decision**   *prendre une décision*, II, 1
to **declare**   *déclarer*, I
decorated   *décoré, -e*, I
to **defend (oneself)**   *(se) défendre*, II, 10
degrees: It's ten (degrees).   *Il fait dix.* I; **It's ten below (zero).**   *Il fait moins dix.* I
delicious   *délicieux, -euse*, I
delighted   *ravi, -e*, II, 6
demonstration   *une manifestation*, II, 10
dentist   *un(e) dentiste*, I
department (in a store)   *un rayon*, I
departure   *le départ*, II, 10
to **depend (on)**   *dépendre (de)*, I
descent   *une descente*, II, 3
desire   *un désir*, II, 6
desk   *un bureau* (pl. *-x*), I; **desk clerk**   *un(e) réceptionniste*, II, 6
dessert   *le dessert*, I
detective   *policier, -ière*, I
devoted (to)   *consacré, -e (à)*, II, 10
devoured   *dévoré, -e*, II, 10
diary   *un journal* (pl. *-aux*), I
dictionary   *un dictionnaire*, I

diet: to go on a diet   *faire un régime*, II, 7
different   *différent, -e*, I
differently   *autrement*, II, 11; *différemment*, II, 11
difficult   *difficile*, I
difficulty: to have difficulty   *avoir du mal*, II, 7
dinner   *le dîner*, I; **dinnertime**   *l' heure du dîner*, I
directly   *directement*, II, 11
dirtbiking   *le bicross*, I
disco   *une discothèque*, I
discouraged   *désespéré, -e*, II, 6
to **discuss, argue**   *discuter*, II, 5
discussion   *une discussion*, II, 5
diseases   *les maladies* (f.), II, 11
disgusting, rotten   *infect, -e*, II, 7
dishes   *la vaisselle*, II, 5
distant   *lointain, -e*, II, 10
to **distribute**   *distribuer*, II, 6
to **do**   *faire*, I
doctor   *un médecin*, I; *le docteur*, II, 7
dog   *un(e) chien(ne)*, I
dollar   *un dollar*, I
domestic, household   *domestique*, II, 5
door   *la porte*, I; **(car)**   *les portières* (f.), II, 11
dormitory   *le dortoir*, II, 10
dozen   *une douzaine (de)*, I
dream   *un rêve*, II, 11
to **dream**   *rêver*, I
dreamer   *un(e) rêveur,-euse*, II, 11
dress   *une robe*, I
to **drink**   *boire*, II, 7
drink   *une boisson*, I
drugstore   *une pharmacie*, I
drums   *la batterie*, II, 2
duchess   *la duchesse*, II, 3
dud: It's a dud!   *C'est un navet!* I
dumb, stupid   *bête*, II, 10
during   *pendant*, I
dynamic   *dynamique*, II, 6

E

each   *chaque*, II, 1
each one: Each one goes his separate way.   *Chacun va de son côté.* I
to **earn**   *gagner*, II, 1
earrings   *des boucles d'oreilles* (f.), II, 10
Easter: Happy Easter!   *Joyeuses Pâques!* I
easy   *facile*, I
to **eat**   *manger*, I; **to eat dinner**   *dîner*, I
eaten   *dévoré, -e*, II, 10
eclair   *un éclair*, II, 7
economical   *économe*, II, 6
to **economize**   *économiser*, II, 6
educational   *éducatif, -ive*, II, 10
effort   *un effort*, II, 2
egg   *un œuf*, I
elderly   *âgé, -e*, II, 11
electric   *électrique*, II, 2
elegant   *élégant, -e*, I
else: or else   *ou bien*, I

emotion *une émotion*, **II, 3**
employee *un(e) employé(e)*, **I**
end *la fin*, **II, 1; at the end of** *au fond de*, **I**
endurance *la résistance*, **II, 3**
energetic *énergique*, **II, 7**
engineer *un ingénieur*, **I**
England *l' Angleterre* (f.), **II, 1**
English (language) *l' anglais* (m.), **I**
enjoy: Enjoy your meal! *Bon appétit!* **I**
enormously *énormément*, **II, 1**
enough *assez*, **I; That's enough!** *Ça suffit!* **I**
enrolled *inscrit, -e*, **II, 2**
enthusiastic (about) *passionné, -e (de)*, **II, 3**
entrance *l' entrée* (f.), **I**
to **envy** *envier*, **II, 11**
epoch, age, era *une époque*, **II, 10**
equal *égal, -e* (m. pl. *-aux*), **II, 3**
to **equal** *égaler*, **I**
eraser *une gomme*, **I**
error *une erreur*, **I**
escalator *un escalator*, **I**
especially *surtout*, **I**
essential *essentiel, -elle*, **II, 7;** *indispensable*, **II, 11**
Europe *l' Europe* (f.), **I**
eve *la veille*, **II, 3**
even *même*, **I**
evening *un soir*, **I; on Saturday nights** *le samedi soir*, **I; every evening** *tous les soirs*, **I**
everybody *tout le monde*, **I**
everything, all *tout*, **I**
everywhere *partout*, **II, 7**
exactly *justement*, **II, 1**
exam *un examen*, **I**
excellent *excellent, -e*, **I**
except *sauf*, **I**
to **exchange** *changer*, **I; in exchange** *en échange*, **II 6**
exciting *passionnant, -e*, **II, 1**
excuse me *excusez-moi, pardon*, **I**
exercise *un exercice*, **II, 7**
exhausted *crevé, -e, épuisé, -e*, **II, 7**
exhibit *une exposition*, **II, 9**
to **exhibit** *exposer*, **II, 10**
to **exist** *exister*, **II, 11**
exit *la sortie*, **I**
expensive *cher, chère*, **I**
to **explain** *expliquer*, **II, 1**
to **express** *exprimer*, **II, 3**
extravagant, wild *extravagant, -e*, **I**
extremely: extremely well *drôlement bien*, **I**

famous *célèbre*, **I**
fan *un(e) fan(atique)*, **II, 3**
fantastic *fantastique*, **II, 3; *génial, -e*, I**
far (off) *loin*, **II, 1; far from** *loin de*, **II, 11**
faraway, distant *lointain, -e*, **II, 10**
farewell, goodbye *adieu*, **II, 10**
farm *une ferme*, **II, 6**
fascinating *fascinant, -e*, **II, 9**
fast *rapide*, **II, 2; *vite*, I**
fast-food restaurant *un fast-food*, **II, 6**
father *un père*, **I**
February *février* (m.), **I**
fed: I'm fed up! *J'en ai assez!* **II, 3**
to **feed, nourish** *se nourrir*, **II, 7**
to **feel** *se sentir*, **II, 7; to get a feel for** *se faire une idée de*, **II, 9; to feel like** *avoir envie de*, **I; I don't feel up to...** *Je n'ai pas le courage de...*, **II, 10**
Feminist! *Féministe!* **II, 5**
fewer, less *moins de*, **II, 9**
fight, battle *un combat*, **II, 10**
film *un film*, **I; (for camera)** *une pellicule*, **II, 10**
final game, finals *la finale*, **I**
finally *enfin*, **I**
to **find** *trouver*, **I;**
fine *bien*, **I**
to **finish, end** *finir*, **I**
finished, ended *terminé, -e*, **II, 1**
fireworks *un feu d'artifice*, **II, 3**
first (of all) *d'abord*, **I**
fish *le poisson*, **I**
fishing *la pêche*, **II, 1**
flash *un flash*, **II, 10**
flexible *souple*, **I**
flight *un vol*, **I**
flirt *un dragueur*, **II, 1**
float *un char*, **II, 3**
floor *un étage*, **I; on the second/third/fourth floor** *au premier/deuxième/troisième étage*, **I; on the ground floor** *au rez-de-chaussée*, **I**
florist: the florist's *chez le/la fleuriste*, **I**
flower *une fleur*, **I**
flute *la flûte*, **II, 2**
folk music *le folk*, **I**
to **follow** *suivre*, **II, 7**
food *l' alimentation* (f.), **II, 7**
foot *un pied*, **I; on foot** *à pied*, **I**
for *depuis*, **II, 2**
for, in order to *pour*, **I**
forbidden *interdit*, **II, 10**
to **force oneself (to)** *se forcer(à)*, **II, 7**
foreign *étranger, -ère*, **II, 6**
to **forget** *oublier*, **I**
to **form** *former*, **II, 2**
fortifying *fortifiant, -e*, **II, 7**
fortunately *heureusement*, **I**
franc *un franc* (F), **I**
France *la France*, **I**
free, unoccupied *libre*, **I**

French *français, -e*, **I; (language)** *le français*, **I; (person)** *un(e) Français(e)*, **I**
French center for space research *le CNES (Centre national d'études spatiales)*, **II, 11**
French fries *des frites* (f.), **I**
Friday *vendredi* (m.), **I; on Friday(s)** *le vendredi*, **I**
fridge *un frigo*, **I**
friend *un(e) ami(e)*, **I; old friends** *les anciens* (m.), **II, 1**
from, of *de*, **I; from... on(ward)** *à partir de*, **II, 7**
front: in front of *devant*, **I**
frozen *gelé, -e*, **II, 3**
fruit *le fruit*, **I; fruit juice** *le jus de fruit*, **I**
full *plein, -e*, **I; full of** *plein, -e de*, **I**
to **fume** *râler*, **II, 9**
fun: to have fun *s'amuser*, **II, 10; fun, amusing** *amusant, -e*, **II, 3; It's fun!** *C'est le pied!* **I**
to **function** *fonctionner*, **II, 3; *marcher*, II, 2**
funny *drôle*, **I**
furious *furieux, -euse*, **II, 1**
future *l' avenir* (m.), **II, 1**

G

game *un match* (pl. *-es*), *un jeu* (pl. *-x*), **I; soccer game** *un match de foot*, **I; game show** *un jeu* (pl. *-x*), **I; Olympic Games, Olympics** *les Jeux Olympiques*, **I**
garage *le garage*, **II, 2**
garbage can *la poubelle*, **II, 5**
garden *un jardin*, **I; informal garden** *un jardin anglais*, **I**
gas station *une station-service*, **II, 1**
gate, door *une porte*, **I**
gay, happy *gai, -e*, **II, 3**
general *général, -e*, **II, 9**
generous *généreux, -euse*, **I**
Geneva *Genève*, **I**
geography *la géo(graphie)*, **I**
get: to get along well (with) *s'entendre bien (avec)*, **II, 11; to get up** *se lever*, **II, 7; Get well soon!** *Bonne santé!* **I**
ghost *un fantôme*, **II, 3**
gift *un cadeau* (pl. *-x*), **I**
girl, daughter *une fille*, **I**
to **give** *donner, offrir*, **I; to give back, return** *rendre*, **II, 6; to give up** *abandonner*, **I**
gladiator *un gladiateur*, **II, 10**
gladly *volontiers*, **I**
glass *un verre*, **II, 7**
glove: (baseball) glove *un gant*, **I**
to **go** *aller*, **I; to go by/through, spend (time), be playing (a movie)** *passer*, **I; to go down** *descendre*, **I; to go out** *sortir*, **I; to go to bed** *se coucher*, **II, 7; to go up on** *passer sur*, **I; Is it going**

well? *Ça marche?* **II, 6; Let's get going!** *En route!* **II, 9; Let's go!** *Allons-y!* **I**
goal *un but,* **II, 11**
good, OK *bon, bonne,* **I; It doesn't do any good.** *Ça ne sert à rien.* **II, 9**
goodbye *au revoir, salut,* **I;** *adieu,* **II, 10**
good evening *bonsoir,* **I**
grade *une classe,* **I;** *la note,* **II, 1**
gram *un gramme (g),* **I**
grandfather *un grand-père,* **I**
grandmother *une grand-mère,* **I**
grandparents *les grands-parents* (m.), **I**
grapefruit *un pamplemousse,* **II, 7**
gray *gris, -e,* **I**
great *chouette, extra(ordinaire), génial, -e,* **I;** *formidable,* **II, 3; not so great** *pas terrible,* **I;** *pas le pied,* **I**
green *le vert,* **I;** *vert, -e,* **I**
grocery store *une épicerie,* **I**
ground floor *le rez-de-chaussée,* **I; on the ground floor** *au rez-de-chaussée,* **I**
group *une bande,* **II, 3**
to guarantee *garantir,* **II, 7**
to guard *garder,* **I**
guest: guest room *une chambre d'amis,* **I**
guide *un guide,* **I; tour guide** *un guide touristique,* **I; guidebook** *un guide,* **I**
guitar *une guitare,* **I**
guy *un type,* **I**
gym, gymnastics, P.E. *la gym(nastique),* **I**

H

habit *une habitude,* **II, 7**
hair *les cheveux* (m.), **I**
hairdo *une coiffure,* **I**
half *la moitié,* **II, 6; half past (the hour)** *et demie,* **I; a half-hour** *une demi-heure,* **I**
hall *le couloir,* **I**
ham *le jambon,* **I**
hand *la main,* **II, 2**
handbag *un sac,* **I**
handbill, flier *un prospectus,* **II, 6**
handicapped *handicapé, -e,* **II, 11**
handkerchief *un mouchoir,* **I**
happy *heureux, -euse,* **I;** *content, -e,* **II, 1;** *gai, -e,* **II, 3**
hard *dur, -e,* **II, 2; difficult** *dur, -e,* **II, 9**
hardworking *travailleur, -euse,* **II, 6**
harsh *rude,* **II, 3**
hat *un chapeau,* **II, 9**
to hate *détester,* **I**
to have *avoir,* **I; to have (to eat or drink)** *prendre,* **I; to have to** *il faut,* **I;** *devoir,* **II, 2**
he *il,* **I; he's** *c'est,* **I**
head *la tête,* **II, 7**

health *la santé,* **II, 5**
to hear *entendre,* **II, 3**
hell *l' enfer* (m.), **II, 6**
hello *bonjour, salut,* **I; (on phone)** *allô,* **I**
helmet *un casque,* **I**
to help *aider,* **II, 5; Help!** *Au secours!* **II, 3**
her *la,* **II, 5; (to or for) her** *lui,* **I;** *son, sa, ses,* **I**
here *ici,* **I;** *tiens,* **II, 5; here is/are** *voici,* **I**
to hesitate *hésiter,* **II, 5**
hey, say *tiens,* **I**
hi *coucou,* **II, 3**
high *haut, -e,* **II, 2**
high school *un lycée,* **I; high school student** *un(e) lycéen(ne),* **I**
him *le,* **II, 5; (to or for) him** *lui,* **I**
his *son, sa, ses,* **I**
history *l' histoire* (f.), **I**
hit (song) *un tube,* **I**
hockey *le hockey,* **I; hockey puck** *une rondelle,* **I; hockey stick** *une crosse,* **I**
hold *une prise,* **II, 2; Hold on (telephone).** *Ne quittez pas.* **I**
hole *un trou,* **I**
holiday: Happy Holiday! *Bonne fête!* **I**
homesick: to be homesick *avoir le mal du pays,* **II, 9**
homework *les devoirs* (m.), **I**
to hope *espérer,* **I**
hopeless, useless *nul, nulle,* **II, 1**
horrible *horrible,* **II, 1**
horror movie *un film d'horreur,* **I**
hors d'œuvre *un hors-d'œuvre* (pl. hors-d'œuvre), **I**
horse *le cheval,* **I; horseback riding** *le cheval,* **I;** *l' équitation* (f.), **II, 1**
hospital *un hôpital* (pl. -aux.), **I**
hotel *un hôtel,* **I**
hour *une heure (h),* **I**
house, home *une maison,* **I; to/at someone's house** *chez,* **I; country house** *une villa,* **II, 1**
housework *le ménage,* **II, 5**
how *comment,* **I;** *ce que,* **II, 3; How are you?** *Comment allez-vous?* **II, 1; How is it?** *Comment tu trouves?* **I; How's it going?** *Ça boume?* **II, 6; how much, how many** *combien (de),* **I; How old are you?** *Tu as (Vous avez) quel âge?* **I**
huh? *hein?* **I**
hundred: about a hundred *une centaine,* **II, 6**
hunger *la faim,* **II, 11**
hungry: to be hungry *avoir faim,* **I; It makes you hungry.** *Ça donne faim.* **I**
hurrah: long live . . . , hurrah for . . . *vive,* **II, 3**
hurricane *un ouragan,* **I**

to hurry *se dépêcher,* **II, 10; in a hurry** *pressé, -e,* **II, 10; Hurry!** *Dépêche-toi!* **II, 5**
to hurt *avoir mal à,* **II, 7**
husband *un mari,* **I**

I

I *je,* **I**
ice *la glace,* **I; ice cream** *une glace,* **II, 3; ice-skating** *le patin à glace,* **I; ice skates** *des patins,* **I**
idea *une idée,* **I**
ideal *un idéal,* **II, 11;** *idéal, -e,* **II, 9**
if *si,* **I**
to illustrate *illustrer,* **II, 10**
to imagine *imaginer,* **II, 9**
immense, huge *immense,* **I**
immortal *immortel, -elle,* **II, 11**
important *grave,* **II, 11; important thing** *l' important* (m.), **II, 6**
impossible *impossible,* **I**
impressive *impressionnant, -e,* **I**
in *à, dans, en,* **I; in the know, with it** *branché, -e,* **II, 2**
inch *un pouce,* **I**
incompatible *incompatible,* **II, 6**
incomprehensible *incompréhensible,* **II, 3**
independence *l' indépendance* (f.), **II, 6**
independent *indépendant, -e,* **II, 6**
India *l' Inde* (f.), **II, 11**
information *les renseignements* (m.), **I; at the information desk** *aux renseignements,* **I**
instant *un instant,* **II, 10**
instead *plutôt,* **I**
instrument *un instrument,* **II, 2**
intensely *intensément,* **II, 3**
to interest *intéresser,* **II, 6; to be in one's interest to** *avoir intérêt à,* **II, 1; Are you interested in . . . ?** *Ça t'intéresse de . . . ?* **II, 2**
interview *une interview,* **I**
to invent *inventer,* **II, 10**
invitation *une invitation,* **I**
to invite *inviter,* **I**
island *une île,* **II, 11**
it *ça,* **I;** *il, elle,* **I;** *le, la,* **II, 5; It's so (+ adj.)!** *Qu'il/elle est (+ adj.)!* **I**
itinerary *un itinéraire,* **II, 11**

J

jacket: waist-length jacket *un blouson,* **I; blazer** *une veste,* **I**
jam *la confiture,* **I**
January *janvier* (m.), **I**
jazz *le jazz,* **I**
jeans *un jean,* **I**
jewel *un bijou,* **I; jewelry** *des bijoux,* **I**
jewelry store *une bijouterie,* **I**
job *un boulot* (fam.), **II, 6;** *un emploi,* **II, 11**
jogging *le jogging,* **I; jogging suit** *un survêt,* **I**

to **joke** *plaisanter,* **I**
journey *un voyage,* **II, 10;**
(**distance covered**) *le trajet,*
II, 10
joy *la joie,* **II, 3**
joyous, happy *joyeux, -euse,* **II, 3**
judo *le judo,* **II, 2**
juice *le jus,* **I; fruit juice** *le jus de*
fruit, **I**
July *juillet* (m.), **I**
June *juin* (m.), **I**
just *juste,* **II, 6; to have just**
venir de, **II, 11**

K

kayaking *le canoë-kayak,* **II, 1**
to **keep** *garder,* **II, 6;** *conserver,* **II, 7;**
to **keep in shape** *garder la forme,* **I**
kidding: You've got to be kidding!
Tu parles! (fam.) **II, 10**
to **kill** *tuer,* **II, 10**
killing *la mise à mort,* **II, 10**
kilo(gram) *un kilo (kg),* **I**
kilometer *un kilomètre,* **I**
kind *un genre,* **I**
king *un roi,* **I**
to **kiss** *embrasser,* **II, 10**
kisses: Love and kisses *Bises,* **I**
kitchen *la cuisine,* **I**
to **know (how)** *savoir,* **I**
to **know, be acquainted with**
connaître, **I**

L

to **lack** *manquer (de),* **II, 7**
lamp *une lampe,* **I**
laser *le laser,* **II, 11**
last *dernier, -ière,* **I;** *passé, -e,* **II, 1**
to **last** *durer,* **II, 3**
late *en retard,* **I;** *tard,* **II, 5**
later, *plus tard,* **I; See you later.** *A*
toute à l'heure, **I**
lawn *la pelouse,* **II, 5**
lawyer *un(e) avocat(e),* **I**
lazy *paresseux, -euse,* **I**
to **learn** *apprendre,* **II, 2**
least: at least *au moins,* **II, 2**
leather-goods shop *une*
maroquinerie, **I**
to **leave** *laisser, partir,* **I;** *quitter,* **II, 9**
to **leave again** *repartir,* **II, 1**
left: to the left (of) *à gauche (de),* **I**
leg *la jambe,* **II, 2**
lemon soda *la limonade,* **I**
to **lend** *prêter,* **II, 6**
lens *un objectif,* **II, 10; zoom**
lens *un zoom,* **II, 10**
to **let go** *lâcher,* **II, 7**
life *une vie,* **I; What a life!**
Quelle vie! **I**
to **like** *aimer,* **I; I would like** *je*
voudrais, **II, 2; You're going to**
like it here. *Tu vas te plaire ici.*
II, 9; Do you like it? *Ça te plaît?*
II, 3; Did you like it? *Ça t'a plu?*
II, 1; I liked it. *Ça m'a plu.* **II, 1**
like *comme,* **I**

list *une liste,* **I**
to **listen (to)** *écouter,* **I**
listeners *les auditeurs* (m.), **II, 11**
liter *un litre,* **I**
little *petit, -e,* **I; a little** *un peu*
(de), **I; a little more** *encore un*
peu, **I; little, not much** *peu,* **II, 1**
to **live** *vivre,* **II, 3; to live (in),**
reside *habiter,* **I**
living room *le living,* **I;** *le salon,* **I**
location *l' emplacement* (m.), **I;** *un*
site, **I**
long *long, longue,* **II, 1**
longer: no longer *ne... plus,* **I**
to **look: to look at, watch** *regarder,* **I; to**
look for *chercher,* **I; to look like**
avoir l'air de, **I; to look sick** *avoir*
mauvaise mine, **II, 7**
loose (clothing) *large,* **I**
to **lose** *perdre,* **I**
lost: lost and found *les objets*
trouvés, **I**
lot: a lot (of) *beaucoup (de), un tas*
(de), plein (de), **I**
loud, garish *criard, -e,* **I**
loudly *fort,* **II, 2; louder** *plus*
fort, **II, 2**
to **love** *aimer, adorer,* **I**
love: in love (with) *amoureux, -*
euse (de), **II, 5; love story** *une*
histoire d'amour, **I; Love and**
kisses *Bises,* **I**
luck *la chance,* **II, 3**
luckily *heureusement,* **I**
luggage *les bagages* (m.), **I**
lunch *le déjeuner,* **I; to have**
lunch *déjeuner,* **II, 2**
Lyons: from Lyons *lyonnais, e,* **II, 9**

M

magazine *un magazine,* **I**
magnificent *magnifique,* **I**
main *principal, -e* (m. pl. *-aux*), **I**
to **make** *faire, préparer,* **I;** *fabriquer,* **II,**
11; Make yourself at home.
Fais (Faites) comme chez toi (vous).
I; It makes you hungry. *Ça*
donne faim. **I**
Male chauvinist! *Macho!* **II, 5**
mall *un centre commercial,* **I**
man *un homme,* **I**
to **manage to** *arriver à,* **II, 2; I can't**
manage to do it! *Je n'y arrive*
pas! **II, 2**
many, much, a lot (of) *beaucoup*
(de), un tas (de), plein (de), **I**
map *une carte,* **I; (of a city)** *un*
plan, **I**
March *mars* (m.), **I**
marina *un port de plaisance,* **I**
married *marié, -e,* **II, 11; to get**
married (to) *se marier (avec),* **II, 11**
marvelous *merveilleux, -euse,* **II, 1**
math *les maths (mathématiques)* (f.), **I**
matter: as a matter of fact
justement, **II, 2**
May *mai* (m.), **I**

maybe *peut-être,* **I**
me *moi,* **I; me too** *moi aussi,* **II, 1**
meal *un repas,* **I**
mean *méchant, -e,* **I**
to **mean** *vouloir dire,* **II, 5**
means *un moyen,* **II, 6**
measure *une mesure,* **II, 7**
to **measure** *mesurer,* **I**
meat *la viande,* **I**
medicine *un médicament,* **I**
to **meet** *faire des rencontres,* **I;**
rencontrer, **II, 1; to meet again**
retrouver, **II, 1**
member *un membre,* **I**
memoirs *les mémoires* (m.), **II, 11**
memory *une mémoire,* **I; memory**
lapse *un trou de mémoire,* **I;** *un*
souvenir, **II, 9**
to **meow** *miauler,* **II, 6**
merchant *un(e) commerçant(e),* **I**
meter *un mètre* (m.), **I**
midnight *minuit* (m.), **I**
milk *le lait,* **I**
millions *des millions* (m.), **II, 11**
minimum *un minimum,* **II, 6**
minus *moins,* **I**
mirror *une glace,* **II, 3**
miss *mademoiselle (Mlle),* **I**
to **miss** *manquer,* **II, 10; I miss...**
...me manque, **II, 9;** *regretter,* **II, 1;**
rater, **II, 10**
modern *moderne,* **II, 9**
Mom *maman,* **I**
moment *un instant,* **II, 10**
Monday *lundi* (m.), **I; on**
Monday(s) *le lundi,* **I**
money *l' argent* (m.), **I;** *le fric*
(*slang*), **II, 3; spending money,**
allowance *l' argent de poche*
(m.), **II, 6**
month *un mois,* **I**
Montreal *Montréal,* **I**
monument *un monument,* **I**
moped *une mob(ylette),* **I; by**
moped *en mobylette,* **I**
more (of) *plutôt,* **I**
more *encore,* **I; a little more**
encore un peu, **I;** *plus,* **I;**
morning, in the morning *le*
matin, **I**
mother *une mère,* **I**
motor *le moteur,* **II, 11**
motorcycle *une moto,* **I; by**
motorcycle *en moto,* **I**
mountain *la montagne,* **I; in the**
mountains *à la montagne,* **I**
mousse *une mousse,* **I; chocolate**
mousse *une mousse au chocolat,* **I**
to **move** *déménager,* **II, 9**
to **move, budge** *bouger,* **II, 3**
movie *un film,* **I; movie theater**
le cinéma, **I; comedy** *un film*
comique, **I; horror movie** *un film*
d'horreur, **I; detective film,**
mystery *un film policier,* **I;**
science-fiction movie *un film de*
science fiction, **I**
to **mow** *tondre,* **II, 5**

Mr., sir *monsieur (M.)*, I
Mrs., madam, ma'am *madame (Mme)*, I
murderer *un assassin*, I
muscle tone *le tonus*, II, 7
museum *un musée*, I
music *la musique*, I
musician *un(e) musicien, -ienne*, II, 2
must *devoir*, II, 2
my *mon, ma, mes*, I

N

name *un nom*, I
narrow, tight *étroit, -e*, I
natural *naturel, -elle*, II, 10
nature *la nature*, II, 9
near *près (de)*, I
necessary *nécessaire*, II, 11; It is necessary *Il faut*, I
necklace *un collier*, I
to **need** *avoir besoin de*, I; I/you need *il me/te faut*, I
neighbor *un(e) voisin, -ine*, II, 6
neighborhood *un quartier*, I
neither do I *moi non plus*, II, 1
nephew *un neveu (pl. -x)*, II, 6
net *un filet*, I
never *jamais*, II, 6
new *nouveau, nouvel, nouvelle, nouveaux, nouvelles*, I
new: What's new? *Quoi de neuf?* II, 9
news *les informations (f.)*, I; *des nouvelles (f.)*, II, 6
newspaper *le journal*, II, 1
news report, commentary *un reportage*, I
next *prochain, -e*, II, 1; the next day *le lendemain*, II, 5; next to, next door to *à côté de*, I
nice *bien, gentil, gentille, sympa(thique)*, I; It's nice weather. *Il fait bon.* I
no *non*, I; no problem *pas de problèmes*, I; no longer *ne... plus*, I
noise *le bruit*, II, 3
nonsense *les bêtises (f.)*, II, 5
noon *midi (m.)*, I
normal *normal, -e*, II, 5
not *(ne...) pas*, I; not bad *pas mal*, I; not so great *pas le pied, pas terrible*, I; not yet *pas encore*, I
note *un petit mot*, I; thank-you note *un mot de remerciements*, I
notebook *un cahier*, I; loose-leaf notebook *un classeur*, I
nothing *(ne...) rien*, I; It's nothing. *Ce n'est rien*, I
nourishing *nourrissant, -e*, II, 7
November *novembre (m.)*, I
now *maintenant*, I
number *un numéro*, I; What number are you calling? *Vous demandez quel numéro?* I; Wrong number. *C'est une erreur.* I; number, piece (musique) *un morceau (pl. -x)*, I

numerous *nombreux, -euse*, II, 11
nurse *un(e) infirmier, -ière*, I
nutritive *nutritif, -ive*, II, 11

O

obligation *une obligation*, II, 5
obliged *obligé, -e*, II, 9
to **observe** *observer*, II, 2
obvious: That's obvious! *C'est évident!* II, 11
occupation *une profession*, I
October *octobre (m.)*, I
odor *l' odeur (f.)*, II, 6
of *de*, I
to **offer, give** *offrir*, I
often *souvent*, I
OK *d'accord*, I; to agree *être d'accord*, I
old *vieux, vieil, vieille, vieux, vieilles*, I; How old are you? *Tu as (Vous avez) quel âge?* I; I am... years old. *J'ai... ans.* I
omelette *une omelette*, I
on, in (a photo) *sur*, I
once, one time *une fois*, I
one, people in general *on*, I
only *seul, -e*, I; *seulement*, II, 2
open *ouvert, -e*, II, 3
to **open** *ouvrir*, I
opera *un opéra*, II, 10
opinion: in my opinion *à mon avis*, I
opponent *un(e) adversaire*, II, 2
opportunity *une occasion*, II, 6; to have the opportunity *avoir l'occasion de*, II, 9
opposite *le contraire*, II, 5
optimistic *optimiste*, II, 11
or *ou*, I; or else *ou bien*, I
orange *orange*, I; *une orange*, II, 7; (color) *l' orange (m.)*, I
orchestra *un orchestre*, II, 3
order: to be out of order *être en panne*, II, 11
to **organize, arrange** *organiser*, I
original *original, -e (m. pl. -aux)*, I
other *autre*, I
our *notre, nos*, I
outside of *en dehors de*, II, 2
overpopulation *la surpopulation*, II, 11
over there *là-bas*, I
own *propre*, II, 2

P

Pacific *le Pacifique*, II, 11
paid *payé*, II, 6
painter *un peintre*, I
painting *la peinture*, II, 2
pair *une paire*, I
pajamas *un pyjama*, I
pal, friend *un copain, une copine*, I
pants, slacks *un pantalon*, I
paper: sheet of paper *une feuille*, I
parade *un défilé*, II, 3
parents *les parents (m.)*, I

park: amusement park *un parc d'attractions*, II, 3
party *une boum*, I; The party's in full swing. *La boum bat son plein.* I
passion *une passion*, I
Passover: Happy Passover! *Joyeuse Pâque!* I
passport *un passeport*, I; passport check *le contrôle des passeports*, I
past *le passé*, II, 10
pasta *les pâtes (f.)*, II, 7
pastime *un passe-temps*, I
pastry shop *une pâtisserie*, I
pâté *le pâté*, I
patient *patient, -e*, II, 6
to **pay** *payer*, II, 6
peacefully *tranquillement*, II, 3
peanut butter *le beurre de cacahouètes*, I
pear *une poire*, II, 7
pen *un stylo*, I
pen pal *un(e) correspondant(e)*, I
pencil *un crayon*, I
pencil case *une trousse*, I
people *les gens (m.)*, I
perfect *parfait, -e*, I
perfectly *parfaitement*, II, 9
perfume *le parfum*, I
perfume shop *une parfumerie*, I
perhaps *peut-être*, II, 2
permission *la permission*, II, 2
person *une personne*, II, 6; from Lyon *un(e) Lyonnais(e)*, II, 9
to **persuade** *persuader*, II, 2
pesticide *un pesticide*, II, 10
pharmacist *un(e) pharmacien, -ienne*, II, 7
to **phone, call** *téléphoner (à)*, I
photo *une photo*, I
photographer *un(e) photographe*, I
photography *la photo*, I; *la photographie*, II, 10; to take pictures *faire de la photo*, I
physics *la physique*, I
piano *le piano*, II, 2
picnic *un pique-nique*, II, 10
to **picnic** *pique-niquer*, II, 10
pills *des pilules (f.)*, II, 11
pilot *un pilote*, II, 11
to **pilot** *piloter*, II, 11; automatic piloting *le pilotage automatique*, II, 11
ping pong *le ping-pong*, II, 1
pink *rose*, I
pity *dommage*, II, 3
place *un endroit*, I; *un local*, II, 2
plan *un projet*, II, 1
planet *une planète*, II, 11
plastic *la matière plastique*, II, 10
to **play** *jouer*, I; to play (a game) *jouer à*, I; to play table soccer *jouer au baby-foot*, I; to play (a musical instrument) *jouer de*, I
play *une pièce de théâtre* II, 2
pleasant *agréable*, I
please *s'il vous plaît*, I

to **please** *faire plaisir* , **II, 3; Would it please you to…?** *Ça te plairait de… ?* **II, 2**
pleasure: with pleasure *avec plaisir*, **I**
plus *plus*, **I**
pointed *pointu, -e*, **I**
police station *la gendarmerie*, **I**
to **pollute** *polluer*, **II, 10**
pollution *la pollution*, **II, 9**
polo shirt *un polo*, **I**
pond *un étang*, **II, 10**
poor *pauvre*, **II, 7**
poorly *mal*, **II, 1**
possibility *la possibilité*, **II, 1**
postcard *une carte postale*, **I**
post office *la poste*, **I**
poster *une affiche*, **I;** *un poster*, **I**
potato *une pomme de terre*, **II, 7**
pottery *la poterie*, **II, 2**
practical *pratique*, **I**
practice, training *un entraînement*, **II, 2**
to **prefer** *préférer*, **I**
preference *une préférence*, **II, 3**
to **prepare** *préparer*, **I**
preserved *conservé, -e*, **II, 10**
pretty *joli, -e*, **I; That looks pretty.** *Ça fait joli.* **I**
pretty, very *drôlement*, **II, 3**
probably *probablement*, **II, 10**
problem *un problème*, **I; no problems** *pas de problèmes*, **I**
to **produce** *produire*, **II, 10**
to **program** *programmer*, **II, 11**
progress *des progrès* (m.), **II, 1**
to **project** *projeter*, **II, 10**
project *un projet*, **II, 1**
projector *un projecteur*, **II, 10**
to **promise** *promettre*, **II, 7**
to **propose** *proposer*, **II, 6**
proud *fier, fière*, **II, 11**
Provence *la Provence*, **I; from Provence** *provençal, -e*, **II, 10**
province *une province*, **I; in the provinces** *en province*, **I**
pullover *un pull*, **I**
pupil *un(e) élève*, **I**
purchases *les achats* (m.), **II, 2**
pure *pur, -e*, **II, 9**
purposely *exprès*, **II, 3**
purse *un sac*, **I**
push-up *une pompe*, **II, 7**
to **put (on)** *mettre*, **I**

Q

quarter *un quart*, **I; quarter past (the hour)** *et quart*, **I; quarter of/to (the hour)** *moins le quart*, **I; a quarter-hour** *un quart d'heure*, **I**
Quebec: inhabitants of Quebec *les Québécois*, **II, 3**
queen *la reine*, **II, 3**
question *une question*, **I; What a question!** *Quelle question!* **I**

quickly *vite*, **I**
quietly *tranquillement*, **II, 3**
quiz *une interro(gation)*, **I**

R

rabbit *un lapin*, **II, 9**
race: arms race *la course aux armements*, **II, 11**
racket: (tennis) racket *une raquette*, **I**
radio *une radio*, **I**
railroad station *la gare*, **I**
to **rain** *pleuvoir*, **I; It's raining.** *Il pleut.* **I; It rained.** *Il a plu.* **II,1**
rain *la pluie*, **II, 9**
raincoat *un imperméable*, **I**
to **raise** *élever*, **II, 11**
rapidly *rapidement*, **II, 3**
rather *assez*, **I;** *plutôt*, **I**
razor: electric razor *un rasoir électrique*, **I**
to **read** *lire*, **I; I'm reading..** *Je lis.* **II, 5**
ready *prêt, -e*, **I**
really *vraiment*, **I**
reason *la raison*, **II, 6**
to **receive** *recevoir*, **I**
reception *l' accueil* (m.), **II, 2**
receptionist *un(e) réceptionniste*, **II, 6**
recess *la récré(ation)*, **I**
recipe *une recette*, **I**
record *un disque*, **I**
record shop *chez le disquaire*, **I**
red *le rouge*, **I;** *rouge*, **I**
refrigerator *un réfrigérateur*, **I**
to **refuse** *refuser*, **II, 5**
regarding *au sujet de*, **II, 2**
region *une région*, **II, 2**
registration desk *l' accueil* (m.), **II, 2**
to **regret** *regretter*, **II, 1**
regrettable *regrettable*, **II, 3**
to **rehearse** *répéter*, **II, 2**
to **release** *lâcher* **II, 10**
relic *un vestige*, **II, 10**
remainder *le reste*, **II, 6**
remain(s): there remain(s) *il reste*, **II, 10**
remaking *la remise en forme*, **II, 7**
rendezvous *un rendez-vous*, **I**
to **rent** *louer*, **II, 1**
to **repair** *réparer*, **II, 11**
to **repeat (a grade)** *redoubler*, **II, 1**
reporter *un(e) journaliste*, **I**
research *la recherche*, **II, 10**
reserved *réservé, -e*, **II, 3**
resistance *la résistance*, **II, 3**
resolution *une résolution*, **II, 1; to make a resolution** *prendre une résolution*, **II, 1**
resort: vacation resort, camp *un centre de vacances*, **II, 1**
responsibility *la responsabilité*, **II, 5**
rest: the rest *le reste*, **II, 6**
to **rest** *se reposer*, **II, 7**

restaurant *un restaurant*, **II, 7**
restoration *le rétablissement*, **II, 7**
restroom *les toilettes* (f.), **I**
retired *à la retraite*, **I**
to **return (home)** *rentrer*, **I; (something)** *rendre*, **II, 6**
reunion *les retrouvailles* (f.), **II, 9**
Rhône: the Rhône delta *la Camargue*, **II, 10**
rice *le riz*, **II, 7**
rich *riche*, **II, 9**
ride *un tour*, **II, 3**
right *le droit*, **II, 5; right?** *huh?* **I;** *juste*, **I; right there** *juste là*, **I; to be right** *avoir raison*, **II, 1; to the right (of)** *à droite (de)*, **I; to have the right to** *avoir le droit de*, **II, 5**
ring *une bague*, **I**
river *un fleuve*, **I; Saint Lawrence River** *le Saint-Laurent*, **II, 3**
robots *les robots* (m.), **II, 11**
rock music *le rock*, **I**
roller coaster *les montagnes russes* (f.), **II, 3**
Roman *romain, -e*, **II, 10**
Romans *les Romains*, **II, 10**
roof *un toit*, **I**
room *une pièce*, **I; bathroom** *la salle de bains*, **I; dining room** *la salle à manger*, **I; guest room** *une chambre d'amis*, **I;** *l' espace* (m.), **II, 9**
route *le trajet*, **II, 10**
rule *la règle*, **II, 5**
ruler *une règle*, **I**
to **run** *courir*, **II, 7; I run.** *Je cours.* **II, 3**
Russia *la Russie*, **II, 2**

S

sad *triste*, **I**
sailing *la voile*, **II, 1**
saint: Happy saint's day! *Bonne fête!* **I**
salad *une salade*, **I**
salami *le saucisson*, **I**
salesman, saleswoman *un(e) vendeur, -euse*, **I**
same *même*, **I**
sandale *une sandale*, **I**
sandwich *un sandwich* (pl. *-es*), **I**
satisfied *satisfait, -e*, **II, 1**
Saturday *samedi* (m.), **I; on Saturday(s)** *le samedi*, **I**
sauce *une sauce*, **I**
to **save** *économiser*, **II, AC1**
Savoy *la Savoie*, **I**
saxophone *le saxophone*, **II, 2**
to **say** *dire*, **I; Say!** *Dis!* **I; What did she say?** *Qu'est-ce qu'elle a dit?* **II, 6**
scarf *une écharpe*, **I**
scene *la scène*, **II, 9**
schedule *un emploi du temps*, **I;** *un horaire*, **I**
school *une école*, **I; (adj.)** *scolaire*, **II, 1; middle or junior high school** *un collège*, **I**

science fiction *la science-fiction*, I
to scratch *griffer*, II, 6
screen: projection screen *un écran*, II, 10
sea *la mer*, I
search *une recherche*, I
seashore: at the seashore *au bord de la mer*, II, 1
season *une saison*, I
second *deuxième*, I; on the second floor *au premier étage*, I
to see *voir*, I
seem: it seems (that) *il paraît (que)*, II, 9
selfish *égoïste*, I
to sell *vendre*, II, 3
to send *envoyer*, I; Everyone sends you their love. *Tout le monde t'embrasse.* II, 9
September *septembre* (m.), I
series *une série*, I
serious *sérieux, -euse*, II, 6; *grave*, II, 11
services *les services* (m.), II, 6
to set *fixer*, II, 10
several *plusieurs*, I
shape: in (great) shape *en (pleine) forme*, II, 1; to keep in shape *garder la forme*, I; to be in good shape *être en forme*, II, 3
she *elle*, I
Shhh! *Chut!* II, 10
shirt: man's shirt *une chemise*, I; woman's tailored shirt *un chemisier*, I; turtleneck shirt *un col roulé*, I
shoe *une chaussure*, I; running shoes *des joggers* (m.), I
shop *une boutique*, I; (class) *la technologie*, I
shopping *les courses* (f.), II, 5; to go shopping *faire des achats*, II, 2; to do one's grocery shopping *faire son marché*, II, 11
shopping center *un centre commercial*, I
short *court, -e*, I; short of *à court de*, II, 6
shorts *un short*, I
should *devrais*, II, 7
shoulder *l' épaule* (f.), II, 2
shout *un cri*, II, 3
to shout *crier*, II, 6
to show *montrer*, I
show *un spectacle*, II, 2; *une manifestation*, II, 10; *une exposition*, II, 9; (television) *une émission*, I
shy, timid *timide*, II, 5
sick *malade*, II, 1
sign *une enseigne*, I
similar *pareil, pareille*, II, 1
since *depuis*, II, 7; *depuis que*, II, 9
to sing *chanter*, I
sister *une sœur*, I
site *un site*, I
situated *situé, -e*, I

size *la taille*, I; (shoes) *la pointure*, I
skating rink *une patinoire*, I
skeleton *un squelette*, II, 3
skiing *le ski*, I
skis *des skis*, I; ski boots *les chaussures de ski*, I; ski poles *des bâtons* (m.), I
skirt *une jupe*, I
sky *le ciel*, I
to sleep *dormir*, I; to sleep late *faire la grasse matinée*, II, 7
slice *une tranche*, I; slice of bread and butter *une tartine*, II, 7
slide *une diapo(sitive)*, II, 10
slowly *lentement*, II, 3
Smile! *Souriez!* II, 10
to smoke *fumer*, II, 5
snack: afternoon snack *le goûter*, I
sneakers (high) *des baskets* (f.), I; (low) *des tennis* (m.), I
to snow *neiger*, I; It's snowing. *Il neige.* I
snow-covered *enneigé, -e*, II, 3
snowman *un bonhomme (de neige)*, II, 3
so *alors*, I; *si*, II, 11
soaked *trempé, -e*, II, 9
soap opera *un feuilleton*, II, 9
soccer *le foot(ball)*, I
sock *une chaussette*, I
solution *une solution*, I
to solve *résoudre*, II, 11
solvent *un solvant*, II, 10
some *quelques*, II, 9
some, any *des, du, de la, de l'*, I
sometimes *quelquefois*, I; *parfois*, II, 10
somewhere *quelque part*, II, 1
so much *tellement*, II, 3
son *un fils*, I
song *une chanson*, II, 2; *un chant*, II, 3
soon *bientôt*, II, 11; as soon as *dès que*, II, 6
sorry *désolé, -e*, I; to be sorry *regretter*, I
south *le sud*, I
space *l' espace* (m.), II, 11
Spanish (language) *l' espagnol* (m.), I
to speak *parler*, I
special *spécial, -e* (m. pl. *-aux*), II, 3
to spend *dépenser*, II, 6
spendthrift *dépensier, -ière*, II, 6
spin *un tour*, II, 3
splendid *splendide*, II, 1
sport *un sport*, I; sports *le sport*, I; the sporty style/look *la mode sport*, I
spring *le printemps*, I; in the spring *au printemps*, I
square *une place*, I
stadium *un stade*, I
stairs *un escalier*, I
stamp *un timbre*, I; stamp collecting *la philatélie*, II, 2

to start *commencer*, I; (a car) *démarrer*, II, 11; to get started *marcher*, II, 2; to start again *recommencer, reprendre*, II, 1
stationery store *une papeterie*, I
to stay *rester*, I
stay *un séjour*, II, 1; stay to learn a language *un séjour linguistique*, II, 1
stereo *une chaîne stéréo*, I
stillness *le calme*, II, 11
stock: to play the stock market *jouer à la Bourse*, II, 11
stomach ache, nausea *mal au cœur*, II, 3
stone *une pierre*, I; made of stone *en pierre*, I
to stop *(s') arrêter*, II, 3
stop, stopover *un arrêt*, II, 10
store *un magasin*, I; department store *un grand magasin*, I
storeroom *le débarras*, I
story *une histoire*, I; love story *une histoire d'amour*, I
straight *droit*, II, 2; straight ahead *tout droit*, I
street *une rue*, I
strict *sévère*, II, 1; *strict, -e*, II, 5
strike *une grève*, II, 9; public transportation strike *une grève des transports en commun*, II, 9
strong *fort, -e*, II, 3
strong point *un fort*, II, 1
student *un(e) étudiant(e)*, I
studies *les études* (f.), II, 2
to study *étudier*, II, 2
stupid *idiot, -e*, I; *bête*, II, 10; to act stupid *faire l'idiot*, I
style *un style, la mode*, I; stylish *à la mode*, I; the latest style *la mode branchée*, I; the style of the Fifties *la mode rétro*, I; the sporty style/look *la mode sport*, I; out of style *démodé, -e*, II, 6
subject (school) *une matière*, II, 1
subway *le métro*, I; by subway *en métro*, I
to succeed *réussir*, II, 1
such *pareil, pareille*, II, 10
to suggest *proposer*, II, 6
suitcase *une valise*, I
summer *l' été* (m.), I; in the summer *en été*, I
sun *le soleil*, I; It's sunny. *Il y a du soleil.* I
sunburn *un coup de soleil*, II, 1
to sunburn *attraper un coup de soleil*, II, 1
Sunday *dimanche* (m.), I; on Sunday(s) *le dimanche*, I
super *super*, I
superb *superbe*, I
supper *le dîner*, I
surely *bien sûr*, I
surfing *le surf*, I
surprise *une surprise*, I; That would surprise me! *Ça m'étonnerait!* II, 11

to **swim** *nager,* **I**
swimming *la natation,* **I; swimming pool** *une piscine,* **I**
to **swing: It's going to swing!** *Ça va swinguer!* **I**

T

table *une table,* **I; to set the table** *mettre la table,* **I; night stand** *une table de nuit,* **I**
tablecloth *une nappe,* **II, 10**
to **take** *prendre,* **I; to take (a course)** *suivre,* **II, 7; to take (a test)** *passer,* **II, 2; to take (someone somewhere)** *emmener,* **II, 3; to take charge of** *s'occuper de,* **II, 7; to take out** *sortir,* **II, 5; to take part in** *pratiquer,* **II, 2; participer,* **II, 5; faire de,* **I; to take pictures** *faire de la photo,* **I; to take up** *monter,* **I; to take (food or drink)** *prendre,* **I**
to **talk** *discuter, parler,* **I**
tan: to get a tan *bronzer,* **II, 1**
tanned *bronzé, -e,* **II, 1**
task *la tâche* **II, 5**
taste *le goût,* **I**
taxi *un taxi,* **I; taxi stand** *les taxis,* **I**
tea *le thé,* **I**
teacher *un prof(esseur),* **I**
technologies *les technologies* (f.), **II, 11**
telephone *un téléphone,* **I**
television, TV *la télé(vision),* **I; television program** *une émission,* **I; What's on TV?** *Qu'est-ce qu'il y a la télé?* **I**
to **tell** *raconter,* **II, 1**
temperature *la température,* **I; What's the temperature?** *Il fait quelle température?* **I**
tennis *le tennis,* **I**
terrace *la terrasse,* **I**
terrific *extra(ordinaire),* **I**
to **thank** *remercier,* **I; thank you, thanks** *merci,* **I; thank-you note** *un mot de remerciements,* **I; thanks to** *grâce à,* **II, 11**
that *ce, cet, cette,* **I; ça,* **I; that's** *c'est,* **I; that one** *celui(-là), celle(-là),* **I; That's all right.** *Ça ne fait rien.* **I**
the *le, la, les,* **I**
theater: to take part in a theater group *faire du théâtre,* **II, 2**
their *leur, leurs,* **I**
them *eux, elles,* **I; les,* **II, 5; (to or for) them** *leur,* **I**
then *alors, puis, ensuite,* **I**
there *là, y,* **I; over there** *là-bas,* **I; right there** *juste là,* **I; there is/are** *voilà,* **I; il y a,* **I; there it is** *le/la voilà,* **I; there you are** *voilà,* **I**
therefore *donc,* **II, 6**
thermos *une thermos,* **II, 10**
these *ces,* **I; ceux(-là), celles(-là),* **I;**

these are *c'est,* **I**
they *ils, elles, on,* **I**
thick *gros, grosse,* **I**
thing *une chose,* **I; something** *quelque chose,* **I; the simplest thing** *le plus simple,* **I**
to **think** *penser,* **I; songer,* **II, 10; What do you think of that?** *Qu'est-ce que tu en penses?* **I; Do you think so?** *Tu crois?, Tu trouves?* **I**
third *troisième,* **I; on the third floor** *au deuxième étage,* **I**
thirsty: to be thirsty *avoir soif,* **I**
this *ce, cet, cette,* **I; this is** *c'est,* **I; this one, the one** *celui(-là), celle(-là)*
thrifty *économe,* **II, 6**
thunderstorm *un orage,* **I**
Thursday *jeudi* (m.), **I; on Thursday(s)** *le jeudi,* **I**
ticket *un billet,* **I**
to **tidy up** *ranger,* **I**
time *le temps,* **I; a long time** *longtemps,* **II, 2; all the time** *tout le temps,* **II, 1; at the time of** *au temps de,* **II, 10; Did you have a good time?** *Tu t'es amusé(e)?* **II, 1; dinnertime** *l'heure du dîner,* **I; free time** *les loisirs* (m.), **II, 11; from time to time** *de temps en temps,* **II, 5; I had a good time.** *Je me suis amusé(e).,* **II, 1; It's been a long time since I've seen you.** *Ça fait longtemps que je ne t'ai pas vu!* **II, 9; It's been such a long time!** *Il y a si longtemps!* **II, 9; one time** *une fois,* **I; on time** *à l'heure,* **II, 10; what time** *à quelle heure,* **I; What time is it?** *Quelle heure est-il?* **I**
timetable *un horaire,* **I**
tired *fatigué, -e,* **I**
tiring *fatigant, -e,* **II, 9**
to **à, en,* **I**
today *aujourd'hui,* **I**
together *ensemble,* **I**
toilet *les toilettes* (f.), **I**
tomato *une tomate,* **II, 7**
tomorrow *demain,* **I**
too *aussi, trop,* **I; too much, too many** *trop (de),* **I**
tooth *une dent,* **II, 7**
top: at the top of *en haut de,* **I**
totally *tout à fait,* **I**
touching *émouvant, -e,* **I**
tour *un tour,* **II, 3**
tourist *un(e) touriste,* **II, 3**
tourist office *l' Office de tourisme* (m.), **I**
tournament *un tournoi,* **II, 3**
toward *vers,* **II, 3**
tower *une tour,* **I**
town hall *la mairie,* **I**
trace *un vestige,* **II, 10**
track and field *l' athlétisme* (m.), **I**
trade *un métier,* **II, 6**
train *un train,* **I**
to **train** *s'entraîner,* **II, 7**
training course *un stage,* **II, 6**

trash: It's trash! *C'est bidon!* **I**
tree (family) *un arbre généalogique,* **I**
trendy *dans le vent,* **I**
trip *un voyage,* **II, 10; Have a good trip! (by plane, ship)** *Bon voyage!* **I**
trombone *le trombone,* **II, 2**
true *vrai, -e,* **I**
trumpet *la trompette,* **II, 2**
to **try** *essayer (de),* **II, 2**
T-shirt *un tee-shirt,* **I**
Tuesday *mardi* (m.), **I; on Tuesday(s)** *le mardi,* **I**
turn *le tour,* **II, 7**
to **turn** *tourner,* **I**
twelfth *douzième,* **I**
twenty: about twenty *une vingtaine,* **II, 9**
to **type** *taper à la machine,* **II, 6**

U

umbrella *un parapluie,* **I**
uncle *un oncle,* **I**
to **understand** *comprendre,* **II, 1**
undoubtedly *certainement,* **II, 7**
unemployment *le chômage,* **II, 11**
unfair, unjust *injuste,* **II, 5**
unfortunately *malheureusement,* **II, 3**
United States: the United States *les États-Unis* (m.), **I**
unknown *l' inconnu(e),* **II, 11**
unmarried *célibataire,* **II, 11**
until *jusqu'à,* **II, 1**
uprooted *dépaysé, -e,* **II, 9**
to **upset** *énerver,* **II, 6**
up there *là-haut,* **II, 9**
used: to get used to *s' adapter,* **II, 9**
used to, accustomed *habitué, -e,* **II, 7**
useful: to make oneself useful *se rendre utile,* **II, 11**
useless *inutile,* **II, 1**
usually *d'habitude,* **I**

V

vacation *les vacances* (f.), **I; Have a nice vacation!** *Bonnes vacances!* **I**
to **vacuum** *passer l'aspirateur,* **I**
vacuum cleaner *l' aspirateur* (m.), **I**
varied *varié, -e,* **I**
variety show *les variétés* (f.), **I**
vegetable *un légume,* **I**
vegetarian *végétarien, -ienne,* **II, 7**
vertigo, fear of heights *le vertige,* **II, 3**
very *très,* **I**
viaduct *un viaduc,* **I**
videocassette *un film video,* **I**
videocassette recorder, VCR *un magnétoscope,* **I**
view *une vue,* **I**
village *un village,* **I**
violent *violent, -e,* **I**

visit   *une visite,* I
to visit   *visiter,* I
vitamin   *une vitamine,* II, 7
voice   *la voix,* II, 11
volleyball   *le volley(-ball),* I

W

to wait (for)   *attendre,* I
waiter, waitress   *un(e) serveur, -euse,* II, 6
to walk   *marcher,* I; *se promener,* II, 7; to walk (an animal)   *promener,* II, 6
walk, stroll   *une balade,* I
walking   *la marche,* II, 9
wallet   *un portefeuille,* I
walls: city walls   *les remparts* (m.), I
to want   *vouloir,* I; If you want to.   *Si tu veux.* I; Do you want to ...?   *Ça te dit de...?* II, 2; If you want.   *Comme tu veux.* II, 9
war   *la guerre,* II, 11
wardrobe   *une armoire,* I
warm   *chaud, -e,* I; It's warm.   *Il fait chaud.* I
was   *était,* II, 1
to wash   *laver,* II, 5
watch   *une montre,* I
to water   *arroser,* II, 5
water   *l' eau* (f.), I; mineral water   *l' eau minérale,* I
way   *le chemin,* II, 7; *une façon,* II, 6; in the way of   *comme,* II, 2
we   *nous, on,* I
weak   *faible,* II, 7
to wear   *porter, mettre,* I
weather   *le temps,* I; What's the weather like?   *Il fait quel temps?* I; It's nice weather.   *Il fait bon.* I
wedding anniversary   *l'anniversaire* (m.) *de mariage,* I

Wednesday   *mercredi* (m.), I; on Wednesday(s)   *le mercredi,* I
week   *une semaine,* I; once a week   *une fois par semaine,* I
weekend   *un week-end,* I
to weigh   *peser,* II, 7
Welcome!   *Bienvenue!* I; Welcome!   *Soyez le/la bienvenu(e)!* I
well   *alors, bien, eh bien,* I; *enfin,* II, 3; Well done!   *Bravo!* II, 6; Get well soon!   *Bonne santé!* I
Western   *un western,* I
what   *quoi,* I; *ce que,* II, 5; *qu'est-ce que,* I; What is it/that?   *Qu'est-ce que c'est?* I; *qu'est-ce qui,* II, 10; *que,* I; It's so (+ adj.)!   *Qu'il/elle est* (+ adj.)! I; What a...!   *Quel (Quelle)...!* I; What a question/life!   *Quelle question/vie!* I
when   *quand,* I
where   *où,* I
which   *quel(s), quelle(s),* I
white   *le blanc,* I; *blanc, blanche,* I
who   *qui,* I; *qui est-ce qui,* II, 10
whom   *qui,* I; *qui est-ce que,* II, 10
why   *pourquoi,* I
wide   *large,* I
wife   *une femme,* I
to win   *gagner,* II, 1
wind   *le vent,* I; It's windy.   *Il y a du vent.* I
window   *une fenêtre,* I
to window-shop   *faire du lèche-vitrines,* I
windsurfing   *la planche à voile,* I
winter   *l' hiver* (m.), I; in the winter   *en hiver,* I
wish   *un souhait,* II, 11
wish   *un vœu* (pl. -x), I; Best wishes!   *Meilleurs vœux!* I; *Meilleurs souhaits!* I
with   *avec,* I
without   *sans,* II, 11

woman   *une femme,* I
wood   *le bois,* I; wooden   *en bois,* I
word   *la parole,* II, 11
to work   *travailler,* I; *fonctionner,* II, 3; *marcher,* II, 2; to work as a mother's helper   *travailler au pair,* II, 6
work   *le travail,* I; Down to work!   *Au travail!* I
worker: factory worker, blue-collar worker   *un(e) ouvrier, -ière,* I
world   *le monde,* II, 11
worried   *inquiet, -ète,* II, 6
to worry   *s'inquiéter,* II, 7; Don't worry!   *(Ne) t'en fais pas!* II, 9; *Ne t'inquiète pas.* II, 1
wrong: to be wrong   *avoir tort,* II, 1; What's wrong with you?   *Qu'est-ce qui t'arrive?* II, 7; *Qu'est-ce que tu as?* II, 7
wrote: she wrote   *elle a écrit,* II, 6

Y

yacht   *un yacht,* II, 11
year   *un an,* I; every year   *tous les ans,* I; Happy New Year!   *Bonne année!* I
yellow   *le jaune,* I; *jaune,* I
yes   *oui, si,* I
yesterday   *hier,* I
yet: not yet   *pas encore,* I
yogurt   *le yaourt,* II, 7
you   *on, tu, toi, vous,* I
young   *jeune,* I; young people, the youth   *les jeunes* (m.), I
your   *ton, ta, tes, votre, vos,* I

Z

zero   *un zéro,* I; It's zero (degrees).   *Il fait zéro.* I; It's ten below (zero).   *Il fait moins dix.* I

GRAMMAR INDEX

Here is an alphabetical list of grammatical structures. The roman numeral **I** tells you that the structures were introduced in **Nouveaux copains.** Roman numeral **II** lets you know that the structures are in **Nous, les jeunes.** Following the roman numerals, you'll see *either* the number of the unit *or* the number of the unit and the letter of the section where you learned the structure.

à: before names of cities and countries, I 5; contractions with **le, les,** I 5

acheter: present, I 11. *See Verb Index, 449.*

adjectives: demonstrative adjectives, I 1, I 2; possessive adjectives, I 6; agreement and position, I 7; **beau, nouveau, vieux,** I 7; interrogative adjectives, I 11; used as nouns, I 11; review, II 3 (A7); ending in **-al** and **-if,** II 3 (A8); comparative forms, II 9 (C5); superlative forms, II 10 (B6)

adverbs: between auxiliary and past participle, I 10, II 3 (B13); formation and position, II 3 (B13); comparative forms, II 9 (C5), II 10 (B5); superlative forms, II 10 (B6)

agreement: of possessive adjectives, I 6; of adjective with noun or pronoun, I 7; of past participle with subject, II 1 (B7); of past participle with direct-object pronouns, II 5 (C17); of past participle with reflexive pronouns, II 7 (A7); of past participle with relative pronouns, II 11 (C14); of subject and verb in relative clauses, II 11 (C14)

aimer, verbs like: present, I 3; **aimer mieux,** I 3. *See Grammar Summary, 444.*

aller: present, I 5; **aller** + infinitive to express future time, I 5; review, II 1 (C10); subjunctive, II 7 (C13); future II 11 (B14). *See Verb Index, 449.*

s'appeler: I 1. *See Verb Index, 449.*

apprendre: present, II 2 (B9); past participle, II 2 (B9); subjunctive, II 5 (A11). *See Verb Index, 449.*

après: in past infinitive, II 10 (C10)

articles: gender markers, I 1; **ce, cet, cette,** I 1; **ces,** I 2; **le, la, l',** I 1; **les,** I 2; **un, une,** I 1; **des,** I 2

à quelle heure: I 5

attendre, verbs like: present, I 5. *See Grammar Summary, 444.*

avoir: present, I 2; requests or commands, I 6; in **passé composé,** I 10, II 1 (A14); past participle, I 10, II 1 (A14); subjunctive, II 7 (C13); future, II 11 (A8). *See Verb Index, 449.*

beau: I 7

boire: present, II 7 (B5); past participle, II 7 (B5); subjunctive, II 7 (B5). *See Verb Index, 449.*

ce, cet, cette, ces: *see* articles.

celui, celle, ceux, celles: I 11

choisir, verbs like: present, I 9. *See Grammar Summary, 444.*

combien: I 2, I 3, I 5, I 11

commands or requests: I 6; suggestions, I 7; with indirect-object pronouns, I 11, II 6 (A8); with **en,** II 2 (C15); with direct-object pronouns, II 5 (B10), II 6 (A8); with reflexive pronouns, II 7 (A7)

comment: I 3, I 5

comparisons: with nouns, II 9 (A9); with adjectives and adverbs, II 9 (C5); review, II 10 (B5); superlatives of adjectives and adverbs, II 10 (B6)

comprendre: present, II 2 (B9); past participle, II 2 (B9); subjunctive, II 5 (A11). *See Verb Index, 449.*

connaître: present, I 7; vs. **savoir,** I 10; past participle, II 1 (A14). *See Verb Index, 449.*

contractions: with **à,** I 5; with **de,** I 5

croire: like **voir,** II 5 (C5). *See Verb Index, 449.*

de: before names of cities and countries, I 5; contractions with **le, les,** I 5; in negative constructions instead of **du, de la, de l', des** or **un, une,** I 6

demonstrative pronouns: **celui, celle, ceux, celles,** I 11

devoir: present, II 2 (C4); past participle, II 2 (C4); future, II 11 (B14). *See Verb Index, 449.*

direct-object pronouns: **le, la, les,** II 5 (B10); position, II 5 (B10), II 6 (A8); in commands, II 5 (B10), II 6 (A8); review, II 5 (C16), II 6 (A7); in **passé composé,** II 5 (C17), II 6 (C10), II 6 (C11); past participle agreement, II 5 (C17); **me, te, nous, vous,** II 6 (A8)

dormir: like **sortir,** I 9. *See Verb Index, 449.*

élision: with articles, I 1; explained, I 1, I 2; with subject pronouns, I 2, I 3; with **ne,** I 3; with **qu'est-ce que,** I 6; with **de,** I 6; in questions, II 3 (C8); with direct-object pronouns, II 5 (B10), II 5 (C17), II 6 (A8); with indirect-object pronouns, II 5 (C17), II 6 (A8); with reflexive pronouns, II 7 (A7)